PAULA JĒGER - FREIMANE

MAINĪGĀ
MĀNĪGĀ
DZĪVE

DZĪVES ROMĀNA

TREŠAIS POSMS

1973

GRĀMATU DRAUGS

1

Solīto pēclaulību atvaļinājumu Ints Zelmenis nedabūja. Frontes stāvoklis bija kļuvis tik nedrošs, ka ļaudis sāka pastiprināti atprasīt bankām savus ietaupījumus, un tās nevarēja pieciest nevienu darba roku. Jau svētdienas vakarā Intam bija jābrauc no Līgatnes atpakaļ uz Rīgu. Viņš gan atbrauca katrā nedēļas nogalē, bet grūti bija aizmirst nemieru un draudus, kas jo dienas jo vairāk satraucoši pietuvojās Rīgai. Un Ints ar Īridu apspriedās, vai viņiem tomēr nenoīrēt pagaidu dzīvokli iekšpilsētā, lai visļaunākajā varbūtībā nepaliktu Torņakalnā ienaidnieka pusē, ja Daugavai būtu jākļūst par frontes beidzamo aizsargrobežu. Tā viņi arī izdarīja, un pēc tam Īrida atkal atgriezās Līgatnē.

Bet lielā bēgļu sakustēšanās Kurzemē kā neapturams vilnis vēlās pāri Daugavai, un Rīgā sākās pānika. Evakuējās ne tikai valdības iestādes, to darīja arī privāti uzņēmumi. Inta Zelmeņa darba vietu nomināli nolēma pārcelt uz Petrogrādu; aktīva darbība jau tur nekāda nebija paredzama.

Kad bija pret pašu gribu jāsāk domāt par varbūtēju Rīgas atstāšanu, Īrida bija sazinājusies ar brālēnu Kārli Rasu, kas jau pirms dažiem gadiem bija pārcēlies uz Petrogradu, meklēdamies pēc labākām darba un dzīves iespējām. Viņš bija apprecējies, tam bija savs dzīvoklis, un nu tas laipni piedāvāja Zelmeņiem pirmo apmešanos pie sevis, ieteikdams tiem braukt uz Petrogrādu. Viņi izšķīrās to darīt, un tā gandrīz automatiski iznāca, ka bankas valde pilnvaroja Intu Zelmeni vajadzības gadījumos pārstāvēt evakuēto iestādi, izmaksājot tam dažu mēnešu algu uz priekšu.

Ints steidzināja Īridu atpakaļ uz Rīgu. Neizdzīvotā vasara bija jāatstāj Līgatnes upītes krastos. Bija jānolikvidē Rīgas dzīve. Jānovieto abējie vecāki iespējamā drošībā. Pie rūpnieka Mārtiņa Miljona īpašuma, Nikolaja ielā[1]), piederēja daži nelieli namiņi pagalma pusē. Tur atradās piemērots dzīvoklītis Īridas tēvam un Inta mātei. Kad viņi beidzot bija sakārtojušies aizbraukšanai, pānika Rīgā bija sakāpinājusies līdz histērijai. Vilcieni bija bēgļu baru apsēsti. Ierodoties stacijā ar nepieciešamo līdzi ņemamo mantību saiņiem, Zelmeņus sagrāba izmisīgs bezcerīgums. Stacijas perons bija tā pārblīvēts cilvēkiem un saiņiem, ka neredzēja vietas, kur vēl varētu kāds iesprausties. Un tomēr bija jāvar. Pārgurušie vilciena gaidītāji bija sametušies uz mantu nastām kur kurais. Neviens nezināja, kad vilciens pienāks: kārtīgas satiksmes pēc saraksta sen vairs nebija.

Un nu tas beidzot nāca. Kā pātagas cirsts ļaužu ņudzeklis drāzās tam pretim. Pa durvīm, pa logiem iekšā, saiņus vilkdami un mezdami kā trāpās. Arī Ints bija piekļuvis pie kādām durvīm un meta pa tām iekšā viņu mantu kaudzīti, pēc tam iesteigdamies vagonā vietu aizņemt. Bet kad viņš to bija ar saiņiem kaut cik nodrošinājis, — ne viņš vairs varēja izlauzties no vagona ārā pēc Īridas, nedz tā ielauzties iekšā pie viņa. Šausmas! Vilciens aizies ar Intu un viņa paliks atpakaļ! Šausmās viņu sāka kratīt konvulsīvas raudas. Bet tad — viņa ne atmanīt nepaguva: kādas rokas bija to satvērušas un kā bumbu iemeta pa logu vagonā! Ak Dievs! Kas tur bija par klājienu! Bet iekšā bija tikuši visi, un tas bija pats galvenais. Gan jau ilgajā braucienā mantas atlasīsies un katrs tiks pie savējām.

Šī bija divdesmit trešā jūlija diena. Atkal divdesmit trešā! Kas tas bija par burvju skaitli viņu dzīvē! Priekš pieciem gadiem divdesmit trešais maijs viņus bija iemetis Neibādes vasaras burvībā, un šopavasar tikai pēc laulībām viņi atģidās, ka tās bija notikušas tai pašā datumā, taisni pēc pieciem gadiem. Dzelzceļa katastrofa ar Intu arī notika 1913. gada divdesmit trešā jūnijā, un šodien — divdesmit trešā jūlijā — viņiem bija jāpamet mājas! Visus izšķirīgos pagriezienus viņu kopējā dzīvē iezīmējis šis skaitlis. Kas gan viņus gaida šai pēdējā pagriezienā?

O

Brālēns Kārlis bija atbraucis stacijā pretim. Bija vakars. Ormanim pa spoži apgaismoto Ņevas prospektu braucot, zirgu pakavi nevis klaudzēja, bet neparasti mīksti dunēja. Un Kārlis skaidroja: Ņevas prospekts nav vis akmeņiem kalts, bet ar ozola dēlīšiem noklāts kā parkets. Skaists brauciens. Lielpilsēta. Tālu no kara posta. Ne zīmes no satraukuma. Miers un labklājība.

Kārlis dzīvoja tai pilsētas rajonā, ko sauc par Petrogrādas pusi. Dzīvoklis bija neliels, un Zelmeņi negribēja ilgam laikam Rasas apgrūtināt. Meklēdamies viņi atrada istabu dzīvoklī, ko bija noīrējušas divas māsas latvietes, arī bēgles no Rīgas, jau agrāk te iebraukušas. Uzņēmīgas un praktiskas būdamas, tās bija dzīvokli apmēbelējušas un ar istabu izīrēšanu nodrošinājušas eksistenci, pašas apmierinādamās ar kalpones istabu. Arī īrnieki visi bija bēgļi: kāds latviešu skolotājs ar kundzi un meitiņu vienā pusē Zelmeņu istabai un divi igauņu puiši otrā pusē.

Šī dzīves vieta bija citā, jaunākā pilsētas daļā — Vasiļa ielā. To raksturoja taisnas, platas ielas un jaunceltnes. Dzīvokļi jaunceltnēs bija plaši, ar centrālo apkuri un vannas istabām. Tādā nu bija sava istaba arī Zelmeņiem.

Pirmo reiz nu Īridai un Intam nebija nekāďu pienākumu. Viņi dzīvoja bez darba. Pagaidām bezrūpīgi. Vēl bija jauks vasaras laiks. Ik dienas viņi gāja kājām pāri tiltam uz Petrogrādas pusi, kādā no neskaitāmiem Fiļipova restorāniņiem pusdienot. Tie bija slaveni ar saviem Fiļipova pīrādziņiem, un tur varēja ne visai dārgi labi paēst. Kārlis viņus jau otrā dienā bija aizvedis uz populāro Tautas namu, kur vienmēr par nedaudz kapeikām varēja dabūt īpatnējus krievu ēdienus — boršču vai soļanku. Šai pašā Tautas namā notika koncerti, arī ar pirmās slavenības dziedoņiem, un arī par tautai pieejamu maksu. Te viņiem reiz izdevās dzirdēt lielisko tenoru Sobinovu, tā gatavības un slavas augstumos. Jauki bija aizbraukt un paklejot pa skaisto Vasaras dārzu. Kādu svētdienu viņi uzņēmās izbraukumu uz cara vasaras rezidenci Pēterhofu, kur notika vasaras simfoniskie koncerti. Ne tikai koncerta dēļ vien, bet arī lai redzētu strūklaku brīnumu pils priekšā, kas esot iekārtotas pēc Francijas Versaļas pils parauga. Koncertā Īridu saviļņoja Skrjābina Ekstatiskā poēma, ko viņa dzirdēja pirmo reiz. To viņa pārdzīvoja tik pat dziļi un aizrautīgi kā Debisī Katedrāli Hellerauas svētku spēlēs. Uz vasaras beigām sāka darboties teātri, vērās vaļā gleznu galerijas. Pa Ermitāžu varēja staigāt ne stundām, bet dienām. Ķeizariskajā Aleksandras teātrī notika drāmas izrādes, Marijas teātrī — operas un baleta. Drāmas teātrī varēja reizēm ieejas kartes dabūt, un Īridai ar Intu izdevās noskatīties pa kādai krievu klasiķu lugai un izlīksmoties par veco, slaveno krievu aktieŗu līdz pilnībai izveidoto reāla stila spēli. Marijas teātrī, turpretim, nebija ko domāt ietikt, tas arvienu bija izpirkts. Tomēr viņiem laimējās arī tur vienu izrādi redzēt. To izgādāja Inta brālis Indriķis, gados jaunākais tūliņ pēc Inta. Viņš bija kaŗa skolu beidzis krievu armijas virsnieks, un izgadījās tā, ka tas uz īsu laiku bija Petrogradā. Kā virsniekam viņam bija tiesības iegūt ieejas kartes teātŗos ārpus rindas. Viņš nopirka visu ložu, ko nu laimīgi piepildīja Zelmeņi un Rasas ar vēl dažiem paziņām. Tā bija baleta izrāde, un Īrida nu redzēja pirmo reiz īstu, pie tam pasaules slavu ieguvušo krievu baletu. Viņa to izjuta kā cilvēka uzvaru pār zemes smagumu. Atraušanās no zemes, lidojums, sasniegts ar absolūtu formas pilnību, — tā viņai šķita baleta mākslas būtība.

Kāds jaunāks mākslas pasākums Petrogradā bija Mūzikālā drāma. Tā pasvītroja drāmatisko tēlošanu operas izrādē. Tur Īridai ar Intu izdevās noskatīties Jevgeņija Oņegina izrādi ar — Amandu Rebani Olgas lomā. Tas bija tik jaunas latviešu tautības dziedones liels sasniegums.

Arī latviešu bēgļu mākslinieki bija aktīvi. Laba daļa Jaunā Rīgas teātŗa aktieŗu nogrupējās ap Petrogrādas latviešu palīdzības biedrību un nosaucās par Jauno Pēterpils latviešu teātri. Citi darbojās šeit jau esošajā Pēterpils latviešu teātrī. Tā kā repertuārs un aktieŗi bija jau Rīgā redzēti, Zelmeņus šie teātŗi daudz neinteresēja. Tikai reiz latviešu pašu māksla deva aizrautīgu pārdzīvojumu: kad Adolfs Kaktiņš ar Paulu Saksu dziedāja kopējā koncertā. Tie bija gara svētki, kā bēglim, tā nebēglim, kas bija saplūduši cilvēks pie cilvēka plašajā, skaistajā kon-

8

certzālē. Varēja iedomāties, kādu gara stiprinājumu abi dziedoņi pēc tam izdāvāja pa visu Krieviju izklīdinātajiem latviešu bēgļiem savā koncertturnejā.

Kādu dienu Zelmeņus pārsteidza negaidīts viesis, Inta radinieks, rūpnieks Mārtiņš Miljons, kas abi ar kundzi arī bija ieradušies Petrogrādā. Viņš ielūdza Zelmeņus uz vakariņām restorānā, it kā uz mazliet novēlotu viņu kāzu mielastu.

Viņi vakariņoja vienā no lepnajiem restorāniem Ņevas prospektā, un tā Ints ar Īridu uz īsu brīdi dabūja ieskatīties arī tai Krievijas galvaspilsētas dzīves daļā, kas citādi būtu palikusi neredzēta. Bija jau lasīts krievu klasiskajos romānos par gaisotni šādās bagātnieku izpriecu vietās, — čigānu orķestriem, koriem un dejotājām. Nu viņi paši izjuta šo sakarsēto gaisotni, klausījās smeldzīgajās čigānu vijolēs, skatījās kairajās čigānu dejotājās. Cik tālu bija kaŗa un bēgulības posts no šīs izsmalcinātās gardēdības dzīves !

O

Un tomēr tā nebija, ka galvaspilsēta nemaz nejustu kaŗa. Vispārējās mobilizācijas dēļ bija radies darba roku pietrūkums. Kas vien varēja, tie iesaistījās kaŗam nepieciešamos aizmugures darbos, tā izvairīdamies no tiešajiem pienākumiem frontē. Arī brālēnam Kārlim izdevās iekļūt tādā attiecīgā darbā. Bet arī tā sauktajos baltroču darbos kaŗā iesaukto vietā bija vajadzīgi aizstājēji. Tāpēc Ints Zelmenis arī sāka interesēties par sev piemērotu darbu kādā no Petrogrādas bankām. To viņš drīz vien dabūja, un tā, pēc dažu mēnešu dīkdienības, atsāka pierasto ikdienas darbu.

Darbs atradās arī Īridai. No Rīgas uz Petrogrādu evakuētā Pēteŗa Dzeņa privātā ģimnazija ar Tatjānas komitejas atbalstu uzsāka, kaut novēlotu, mācības gadu un ar sludinājumu laikrakstā meklēja skolotājus. Īrida pieteicās un kļuva par latviešu valodas un literātūras pasniedzēju ģimnazijas vecākajās klasēs. Nebija viegli braukāt pārpildītajos tramvajos no Vasiļa salas uz darba vietām krietni attālajos citos pilsētas rajonos.

Ziemai iestājoties, sākās grūtības arī mājā. Viņi dzīvoja jaunā mūŗa namā, kas vēl nebija īsti izžuvis un tāpēc

9

būtu bijis pastiprināti apkurināms. Bet centrālā apkure darbojās visai trūcīgi, — vai nu aiz saimnieka pārliekas taupības vien, vai arī aiz kurināmā trūkuma, ko Petrogrāda sāka pakāpeniski izjust. Temperatūra Zelmeņu istabā nereti nebija augstāka par astoņiem gradiem. Īrida, kas vispār grūti panesa aukstumu, nežēlīgi sala.

Kādu svētdienas vakaru, drīz pēc Ziemassvētkiem, viņi aizbrauca uz Mazo teātri, Fontankā, kur mēdza izrādīt modernās lugas. Īrida bija ietērpusies vieglā, vēl Rīgā šūdinātā zīda kleitiņā, plānos apavos, kā jau teātrī pienākas. Bet teātra telpas izrādījās galīgi neapkurinātas, un Īrida visu vakaru sala tā, kā vēl nekad savā mūžā nebija salusi. Nākamā dienā skolā viņu pēkšņi sagrāba neciešamas sāpes krustos. Braucot mājup tramvajā, sāpes viņu rāva čokurā. Vēl tai pašā vakarā Ints pa tālruni izsauca ārstu, latvieti Dr. Voitu, kam bija laba slava Petrogrādas latviešos. Ārsts konstatēja nieru bļodiņu iekaisumu, kā saaukstēšanās sekas. Slimības ārstēšanai bija nepieciešamas karstas sēdvannas vai vismaz karsti apliekamie, bet tas šai dzīvoklī nebija iespējams: vannas krāsns netika regulāri kurināta un aukstajā istabā nebija iedomājama karsto apliekamo procedūra. Ārsts ieteica slimnīcu. Tepat Vasiļa salā esot laba, tā sauktā Frančusu slimnīca. Otrā rītā Ints aizveda slimnieci turp.

Vispārējā veselības pārbaudē konstatēja vēl citu iekšējo orgānu saslimumu, un kad Īrida beidzot tika uz kājām, bija jau pietuvojies pavasaris. Darbu skolā viņa gan atsāka, lai nobeigtu gada programmu, jo tās vieta bija atstāta cita skolotāja neaizņemta, bet spirgtuma viņa nejuta. Tāpēc viņiem abiem ar Intu likās visai pieņemams brālēna Kārļa sievas Emmas priekšlikums — īrēt kopīgi vasaras dzīves vietu kādā no vasarnīcu rajoniem Pēterpils-Vīborgas dzelzceļa līnijas virzienā. Parocīgā satiksme atļautu Kārlim ar Intu ik dienas braucienus uz darbu un atpakaļ, kamēr Īrida ar Emmu vadītu dienas netraucētā atpūtā. Īridu gan biedēja mājsaimniecības aprūpe, kam viņa nejutās stipra diezgan, bet Emma, kā apstākļu pazinēja, apgalvoja, ka tur būs iespējams dabūt apteksni mājas darbiem.

Viņi izbrauca uz vasarnīcu vietu Dibunī, kas bija beidzamā stacija šaipus Somijas robežai, un noīrēja nelielas vasarnīcas apakšējo stāvu (augšā dzīvoja tās īpašnieki) ar mazu dārziņu vienā mājas galā. Īrida tūliņ pierunāja

Emmu aizbraukt pie dārznieka pēc puķu dēstiem, un viņas apdēstīja četrstūrainā dārziņa visas trīs malas ar krešu stādiem, kas, visu vasaru ziedēdamas, apjoza to kā ar zeltītu jostu.

Tomēr ikdienas dzīve šai vasarā Īridai bija grūta. Iecerētā apteksne nebija dabūjama, nebija arī kaut cik pieņemama vieta, kur varētu ieturēt maltītes. Tā Īridai bija jāuzņemas tiklab ēdienu gatavošana mājā, kā telpu tīrīšana, un šie nepierastie darbi kavēja atspirgšanu. Arī Intam nebija viegli katru dienu braukāt pārpildītā vilcienā karstas vasaras svelmē. Vakaros abu piekusums bija tik liels, ka nepietika vairs spēka pašu kopīgai dzīvei. Īrida par to naktīs raudāja un dienās staigāja gurda un neapmierināta. Bet jaukās, saulainās svētdienās viņi divi vien mēdza aiziet uz netālo upīti, apmesties tās krastos un atdoties vasarai. Kā lietderīgu laika kavēkli viņi te atsāka franču valodas zināšanu papildināšanu ar vieglu lektīru. Pagājušā ziemā, kad Īridai bija brīvi vakari, viņa pasāka apmeklēt Berlica metodes valodu kursus ar nolūku pilnīgi apgūt angļu un franču valodu, kas no ģimnazijas laiku nepilnīgās mācīšanās bija vairs tikai vājā atmiņā. Bet smagā slimošana bija šo nodarbību pārtraukusi. Nu viņi kopīgi vingrinājās franču valodā, ko arī Ints bija mācījies reālskolā.

Šai visumā vienmuļajā vasarā viņi sev tomēr atļāvās kādu izcilu svētku brīdi. Tā kā Somija bija tik tuvu, viņi nolēma aizbraukt uz izslavēto Imatras ūdens kritumu, pa jokam dēvēdami šo braucienu par savu kāzu ceļojumu, pēc gada nokavējuma. Bija zināms, ka pie ūdens krituma uzcelta jauna moderna viesnīca tūristu ērtībām un ka tā uztur regulāru auto satiksmi starp viesnīcu un Saimas kanāla tvaikoņa piestātni. Viņi izlēma šīs ērtības izmantot un nospēlēt kungus vienas nedēļas nogalē, — tik daudz viņu rocība pieļāva. Inta rīcībā jau arī bija vienīgi šī nodomātā sestdiena un svētdiena; par atvaļinājumu darba daudzuma dēļ bankā nebija ko domāt.

Laimīgi izgadījās, ka šais dienās bija jauks, saulains laiks. Brauciens pa slūžaino Saimas kanālu, cauri Somijas ar ezeriem un bērzu birzīm rotātai lauku ainavai bija taisni burvīgs. Un tāpat tālāk, zemes iekšienē auto brauciens, — pa meža ceļu līdz lepnajai viesnīcai pašā Imatras krastā, krituma augšgalā. Bija jau pievakare, kad viņi tur notika. Novietojušies un pavakariņojuši viņi gāja

11

uz kritumu. Pāri tam veda tilts. Uz tiltā stāvot, balts ūdens mutulis krāca un šņāca zem tā un vēlās lejup lēkādams un sprauslodams pār akmeņu akmeņiem. Varenība. Viņi nosēdās straumei blakus krastmalā. Satumsa. Uzlēca mēness. Ūdens vizuļoja. Burvība. — Viņi apgūlās dabas varenības un burvības apskurbuši.

Svētdienas rītā viesnīca izkārtoja viņiem braucienu uz Mazo Imatru, verstes piecas lejup gar upi. Skaisti bija, ka uz turieni viņus veda nevis vairs auto, bet divzirgu pajūgs: tā bija dažādība un jo pilnīga dabas izbaudīšana. Mazā Imatra ir plašs krāčains posms upes plūdumā, līdzīgi kā Latvijā Ķeguma krāces. Tikai ainava ir paivsam citāda: upe te plaši plūst lēzenos krastos un ir tik sekla, ka vietvietām no tās dibena izceļas miniatūras, ar sīkiem krūmiņiem apaugušas saliņas. Te nav tās varenības, kas pie lielā krituma, bet ir brīnišķīga dabas poēzija. Īridu tās maigums apbūra vēl vairāk nekā Lielās Imatras spēks.

Pievakarē viņi devās atpakaļceļā, šoreiz uz Vīborgu, kur gribēja pārnakšņot. Pirmdienas rītā Ints atgriezt os uz Petrogrādu darbā, bet Īrida paliktu vēl Vīborgā, lai dienā iepirktos un brauktu mājā ar vakara vilcienu. Petrogrādā bija jau sākušas celties cenas un trūkt dažas preces. Bija dzirdēts, ka Vīborgā esot sevišķi izdevīgi iegādāties apavus. Īrida tad nu gribēja izmantot braucienu arī drusku praktiskākam mērķim un nopirkt sev skaistus somu zābaciņus.

Iebraukuši Vīborgā, viņi paņēma ormani un lika tam braukt uz kādu labu viesnīcu. Pirmais pārsteigums bija tas, ka ar ormani nevarēja sarunāties. Bija jau Petrogrādā dzirdēts, ka somi, nīzdami krievus, krieviski nerunājot. Viesnīcā viņi bija runājuši vāciski. Bet ormanis, kā vispār vienkāršā tauta Somijā, citu valodu, kā somu, nemaz neprata. To viņš gan arī bez valodas saprata, ka svešie kungi jāved uz viesnīcu. Otrs pārsteigums nu bija tas, ka visā Vīborgā nevarēja atrast viesnīcas, kur būtu kāda brīva istaba. Izbraukājies veltīgi pa pilsētas centru, ormanis sāka tos vest ārā no tā. Brauca pa nomaļām vietām, priekšpilsētām, un aizveda uz galīgu nomali pie kāda pilsētas vaļņa. Bija mazliet baigi, bet paļāvās uz izdaudzināto somu godīgumu. Beidzot ormanis apstājās pie kāda namiņa un vedināja braucējus iekšā. Izrādījās, ka te ir kaut kas līdzīgs pansijai, kur uzņem iebraucējus.

Tā nu beidzot viņi bija pie vietas. Kaut kā ar zīmēm sazinājušies, viņi dabūja istabiņu pārgulēšanai.

Otrā rītā stacijā pabrokastojuši, viņi izšķīrās. Ints aizbrauca uz darbu, un Īrida uzsāka paklaiņot pa pilsētu. No kaŗa te nekā nemanīja, bet izdaudzinātās labu preču dažādības gan arī nebija. Tā viņa nekā vairāk sev nenopirka, kā nepieciešamos zābaciņus — melnas ziemišķa ādas ar sevišķi augstiem papēžiem, — zemāku nebija. Un lai arī Intam tiktu kāda zīme no viņu „kāzu ceļojuma", iegādājās tam izskatīgu kaklasaiti.

O

Rudenī viņi atgriezās savā Vasiļa salas istabā. Īridai bija jāietur ārsta noteikta stingra nieru slimnieku diēta, un nu bija labi saņemt to gatavu mājā. Vecākā no māsām — dzīvokļa saimniecēm bija mācīta mājturībniece, un tā labprāt uzņēmās gatavot Zelmeņiem speciālas pusdienas. Tas bija izdevīgi arī tādēļ vēl, ka nu jau Petrogrādā sāka manīt pārtikas trūkumu. Sameklēt vajadzīgos produktus nebija vairs tik viegli, un to izdarīja jaunākā māsa. Jo dziļāk laiks ievilkās rudenī, jo ļaunāk kļuva, un beidzot sāka jau rindoties ārpus veikaliem maizes gaidītāji.

No Latvijas, turpretim, nāca labas ziņas. Vācu fronte kopš pagājušās vasaras bija iestigusi pie Olaines, un rīdzinieku prāti bija jau tiktāl nomierinājušies, ka par Rīgas krišanu daudz vairs neraizējās. Kaut ierobežotos apmēros, atsākās it kā normāla dzīve. Latviešu izglītības biedrībai bija izdevies dabūt koncesiju meiteņu ģimnazijas un zēnu reālskolas dibināšanai, un arī Īrida bija saņēmusi Arveda Berga rakstītu vēstuli ar aicinājumu atgriezties un strādāt šais skolās. To viņa toreiz nevarēja darīt, jo Intam Rīgā darba iespēju nebija. Bet nu, kad izdzīvošana Petrogrādā kļuva grūtāka un drošības izjūta Rīgā stiprāka, arī Latviešu savstarpīgās kredītbiedrības valdes vīri sāka cilāt domu par bankas atpakaļ evakuēšanu un darbu atsākšanu Rīgā. Kad tas tika galīgi izlemts, Mārtiņš Miljons skubināja Intu atgriezties. Zelmeņi nu bija dilemmas priekšā: viņi varēja turpināt palikt Petrogrādā, jo Intam bija pietiekami atmaksāts un paliekams darbs šepat, pie tam — šeit nedraudēja frontes tuvums. Bet Mārtiņš Miljons domāja citādi, — viņi taču nepalikšot šeit badu mirt. Apsvēruši par un pret, viņi izšķīrās par atgriešanos.

Viņi iebrauca Rīgā 1916. gada vēlā rudenī, novembra pirmajās dienās. Liepās bulvārī vēl turējās retas nodzeltējušas lapas. Bija tik savādi izjust Rīgu mazu pēc Petrogrādas plašumiem. Nu bija te jāuzsāk pašu paliekamā dzīve. Tas nebija tik viegli. Dzīvokli gan viņiem jau bija piedāvājis bankas valdes loceklis Jānis Muške vienā no saviem Tērbatas ielas namiem. Iela nebija pievilcīga, bet dzīvoklis pats nebija smādējams, un viņi to pagaidām pieņēma, no vairākiem neapdzīvotiem izraudzīdamies vienu pašā augšējā — piektā stāvā. Īridai vienmēr bija paticis pilsētā dzīvot augstos stāvos, ar plašu izredzi. Šoreiz tas bija vēl sevišķi vajadzīgs, ja negribēja ar skatu atdurties zemajos nameļos un iebraucamās sētās pretējā ielas pusē.

Bet dzīvokli vajadzēja arī iekārtot un uzsākt mājās saimniekošanu. Nekādu lielāku uzkrājumu viņiem nebija, un šis arī nebija laiks, kad Rīgā būtu varēts daudz ko izmeklēties. Tāpēc bija jāsamierinās ar visnepieciešamāko un visvienkāršāko. Par mazu komēdiju izvērtās kalpones izraudzīšanas procedūra. Tā kā liela daļa pārticīgo ģimeņu Rīgu bija atstājušas, tad pilsētā bija mājkalpotāju pārprodukcija. Pēc sludinājuma laikrakstā nama kāpnēs saradās rinda darba gribētāju. Īrida meklēja tādu, kas spētu pilnīgi patstāvīgi saimniekot, jo pati viņa ne prata, ne fiziski spēja, ne gribēja savu laiku un spēkus atdot mājsaimniecības darbiem. Intervija ar daudzajām atnācējām krietni ieilga un izvērtās Īridai par uzjautrinošu spēli, pirmo reiz tēlojot prasīgas mājas kundzes lomu. Viena no kalponēm gan neticīgi iejautājās — vai jūs pati esat tā kundze? un, Īridai to apstiprinot, izsaucās — tik jauna! (Īridai bija tuvu trīsdesmit gadiem!).

Skolas gados māte nebija spiedusi Īridu saimniekot, kad tā pastāvīgi „gulēja grāmatās". Vēlāk arī tās dzīvi bija pārpilnam pildījušas gara intereses. Nekad viņai nebija bijis ne laika, ne patikas apgūt zināšanas miesas labklājības uzturēšanai. Vasarā Dibunos viņa bija gatavojusi ar radinieces Emmas gudrību. Bet nu tā nedrīkstēja zaudēt prestižu mājkalpotājas acīs, ļaujot tai nojaust, kas par neprašu viņa īstenībā ir. Tāpēc tā iegādājās

14

lielu, pamatīgu pavāra grāmatu, kuŗas autorei bija poētiskais Minjonas vārds. (Vēlāk viņu pārsteidza atklājums,
ka šī gardēdības viszine bija filozofijas profesora Pēteŗa
Zālītes kundze). Tad nu viņa izraudzītā ēdiena recepti
mēdza iepriekš rūpīgi izlasīt un kā īsta lietpratēja izstāstīt saimniecei, kas un kā gatavojams. Nevainīgā mānīšanās veicās itin labi, — Līna savu darbu prata.

O

Ints nu strādāja vecajā vietā, bet Īridai darba nebija.
Skolās mācību gada vidū visas vietas bija aizpildītas.
Tomēr drīz viņa uzzināja, ka nupat kā atgriezusies privātā
Ļišinas krievu ģimnazija un meklē skolotājas darba uzsākšanai. Viņa pieteicās un dabūja aritmētikas skolotājas
vietu. Starp skolotājiem bija vēl otra latviete, studēta,
augstākai matēmatikai un fizikai, kas te bija strādājusi
jau pirms kaŗa. Arī skolnieču vidū bija dažas latvietes.
Bet skola pati bija īsta krievu gara citadele, un Īridai
sāpēja sirds par latviešu meitenēm — luterānēm, kad
tās aktīvi un ar bērnišķīgu patiku piedalījās pareizticīgā
rituāla rīta lūgšanās. Viņai arī sāpēja, ka ģimnazija, kur
mācīja visas jaunās svešvalodas, nebija paredzējusi iekārtot latvietēm latviešu valodas mācīšanu. Kad Īrida
ģimnazijas direktorei ieminējās par tādu vajadzību, tā
atteica, ka nevarot taču atalgot tik daudz svešvalodu. Ja
Īrida gribot to uzņemties bez atlīdzības no ģimnazijas,
vienojoties ar skolniecēm pašām, viņai pret tādām privātstundām neesot iebildumu. Īrida aprunājās ar latviešu
meitenēm un uzsāka ar tām latviešu valodas stundas.
Visvairāk Īridu izbrīnināja tas, ka šīs krievu ģimnazijas
skolnieču starpā bija arī divas inženiera Bružes meitas.
Tāpēc, ka inženieris Bruže bija aktīvs darbinieks Latviešu
izglītības biedrībā, speciāli bija interesējies par biedrības
skolām un pat tās revidējis, ierazdamies skolotāju stundās. Arī Īrida reiz bija tādu revīziju piedzīvojusi savā
darbā proģimnazijā. Un nu atklājās, ka šis prasīgais latviešu „sabiedriskais darbinieks" savas paša meitas sūtīja izteikti krieviskā skolā! Pie tam, jaunākā no tām
vienpadsmit gadu vecumā vēl neprata latviski lasīt! Kad
Īrida reiz pajautāja vecākajai — gadu piecpadsmit-sešpadsmit — kādēļ tā neiet latviešu skolā, tā atteica, ka
latviešu skolās nekā nemācot. — Kā tad viņa to zinot, —

latviešu skolā negājusi? — Tēvs tā teicis. — Tais divās stundās nedēļā, kas Iridai bija atļautas, viņa centās cik spēdama latviešu meitenēs atmodināt kādu dzirkstīti piederības apziņas latvietībai. To redzēja un saprata skolas vadītāja, un viņai tas nepatika. Iridai darbu skolā uzsākot, direktore bija par viņu jūsmojusi, — kā to viņai atstāstīja otra latviete skolotāja. Mācību gadam uz priekšu ejot, Irida nemaldīgi izjuta, ka antagonisms viņas — latviešu nacionālistes un direktores — krievu šovinistes starpā augtin pieaug un ka viņai nākamo gadu te vairs darba nebūs. Viņa jau arī šo vietu bija pieņēmusi tikai pagaidu darbam, līdz radīsies atkal iespēja strādāt latviešu skolā. Mācību gada beigās tāda izkārtojās Izglītības biedrības vidusskolās.

O

Bet šai īsajā laikā kopš Zelmeņu atgriešanās bija norisinājušies lieli izšķirīgi notikumi kā Latvijas, tā visas plašās Krievijas apjomā. Latviešu strēlnieki izcīnīja varonīgās Ziemassvētku un janvāra kaujas, samaksādami tās ar smagiem asins upuriem un iegūdami par to tikai vilšanos cerībās padzīt ienaidnieku no savas zemes. Kaŗa nesekmība Krievijā izraisīja tā saukto marta revolūciju, ar cara Nikolaja 2. atteikšanos no troņa. Visa Krievija un arī Latvija uzgavilēja. Kas nebija iegūts 1905. gadā, šķita piepildāmies tagad. Cilvēki apkampās un skūpstījās ar prieka asarām acīs. Bet prieks drīz satumsa. Neiedomājamas lietas sāka notikt. Aizmugurē un frontē uzradās ļaudis, kas aģitēja par kaŗa tūlītēju izbeigšanu, brāļojoties ar ienaidnieku. Frontē radās samulsums un ļaudīs neziņas un nedrošības sajūta.

Tāda pienāca 1917. gada vasara. Nekādu vasaras dzīvi kā parasts nebija iespējams izkārtot, jo Rīga bija tikpat kā ienaidnieka ielenkta un kārtējas vilcienu satiksmes nebija. Bet Iridas tēvs bija sazinājies ar radinieka Upmaņa dēlu Zolitūdē, un tas kādu dienu atbrauca savā pajūgā un aizveda Zelmeņus apskatīt jauno namiņu viņa ābeļu dārzā.

Irida nebija bijusi Zolitūdē kopš savas agrās bērnības gadiem. Upmaņos vairs nevaldīja skopais vecais saimnieks, bet vidējais no trīs dēliem — Jēkabs. Viņa celtais, dzelteni krāsotais namiņš virs pagraba gaiši mirgoja veco ābeļu lapotnē. Bija jau tikai viena paplaša istaba ar pavardiņu iekšā, bet viss bija jauns un tīrs un Zelmeņiem patika. Likās, ka šo verstu desmit attālumu Ints varēs ik dienas izbraukāt ar divriteni. Fronte bija aiz Lielupes, tātad tiešas briesmas te nedraudēja. Kalponei Līnai sarunāja piemešanos klētiņā, un tā pieticīga vasaras dzīve tomēr nokārtojās.

Te bija miers, un lauku dzīve ritēja normālā kārtībā. Bet Rīgā vairs kārtības nebija, tur jo dienas jo vairāk valdīja patvaļa. To sāpīgi piedzīvoja arī Zelmeņi.

Īridai radās kas kārtojams pilsētā, un kādā pirmdienas rītā brālēns Jēkabs aizveda viņus abus uz Rīgu. Ints gāja tieši uz darbu un Īrida uz dzīvokli. Atslēgusi parādes durvis, tā nobrīnījās ieraugot baltu galdautu priekštelpā uz grīdas, — vai tad tik liels vējš būtu pūtis pa logu, ka atpūtis to pa vaļējām durvīm no ēdamistabas galda? — Pavērusi durvis uz dzīvojamo istabu, viņa sastinga: rakstāmgalda atvilknes bija izrautas ārā, to saturs izvandīts un izmētāts visapkārt! Iesteidzās blakus guļamistabā: abu skapju durvis bija vaļā, un tie bija tukši! Apzagti! Iegāja tēva istabā, — tur nekas nebija aizkarts, — acīmredzot zagļiem bijusi steiga. Un lielākais brīnums: abu, arī virtuves durvju atslēgas bija kārtībā. Kā tie tikuši iekšā? Ar pakaļdarinātām atslēgām? Un kā tie zināja īsto laiku, kad Īridas tēvs rīta cēlienos mēdza pastrādāt ģimenes dārziņā un dzīvoklī uz dažām stundām neviena nebija? Arī tagad tēvs vēl nebija pārnācis, un Īrida, uztraukumā un bailēs drebēdama, atgriezās guļamistabā. Kāda laime, ka viņi pavasarī ziemas mēteļus un citas labākās, no kodēm sargājamās drānas bija nodevuši uzglabāšanā! Citādi viņi ziemai nākot būtu kaili! Sāpīgākais zaudējums šķita Inta brāļa Indriķa pie viņiem atstātās vērtīgās virsnieka ziemas drēbes. Indriķim pēc izārstēta ievainojuma bija piešķirta atpūta kādā Krimas sanatorijā. No turienes viņš atbrauca uz Rīgu un kādas nedēļas atlikušā veselības atvaļinājuma padzīvoja pie Zelmeņiem. Dāvanai viņš atveda krietnu groziņu brīnišķīgu Krimas augļu un Īridai īstu, kaukāziešu darinātu dekoratīvi puķotu lakatu. Indriķis bija vienīgais no visiem brāļiem, ar kuru Intam bija garīga kopība, un arī Īridai viņš patika. Kaut gan revolūcija bija jau paspējusi pairdināt fronti, noliktā laikā Indriķis devās atpakaļ uz savu pulku. Vasarai nevajadzīgās siltās drēbes viņš gribēja atstāt uzglabāšanā pie Zelmeņiem. Laiki bija jau nedroši, un Īridai ienāca prātā teikt — bet ja nu mēs šīs lietas nevaram nosargāt? Indriķis atmeta ar roku: dieninieks tik pat tās pa fronti izvazātu un pazaudētu. Un nu tās bija nozagtas. (Piezīme: Indriķim tās arī vairs nebija vajadzīgas. Pēc tam, kad disciplīnas galīgā sabrukumā kareivji rāva nost virsnieku uzplečus, arī viņš bija kļuvis viens no bada mocītajiem civīlistiem, kas ar maišeļiem devās ārā no pilsētām, lai pie lauciniekiem sameklētu vēl ko ēdamu. No viena šāda brauciena dziļi Krievijā viņš vairs nebija atgriezies un visa taujāšana palika nesekmīga. Ints ar Īridu ilgi sāpīgi pieminēja neziņā aizgājušo brāli).

Īrida steidzās uz banku pateikt Intam, kas noticis, apspriesties, ko darīt. Ko gan varēja darīt? Ziņot policijai? To viņi darīja, tikai iegūt nekā no tā neieguva un nekā no nozagtā neatguva. — Gluži tāpat, kā toreiz bērnībā, — Īrida nodomāja. — Viņa sajutās briesmīgi. Viņai šķita, ka nespēs vairs šai dzīvoklī dzīvot, ka tas ir ļaunu domu sagānīts. Ka te ir staigājuši ļaundarīgi cilvēki, un viņu fluīds ir palicis telpās kā indīgs smacenis. Tomēr pašreizējos juku apstākļos nebija ko domāt dzīvi citādi pārkārtot.

O

Skolu vasaras brīvlaiks tuvojās beigām, un kādu dienu Jēkabs veda Īridu atpakaļ uz pilsētu. Dienas bija sarukušas jau īsākas, un Ints ik dienas braucienus uz Zolitūdi bija izbeidzis. Tā tālie nomaļnieki nemaz vēl nezināja, ka beidzamās dienās bija atsācies spēcīgs vācu uzbrukums Rīgai. Taisni todien bija sākusies pilsētas bombardēšana, un Īrida ar Jēkabu iebrauca jau bumbu apmētātā pilsētas centrā. Pa apdraudētām ielām novedis Īridu mājā, vedējs steigšus devās atpakaļ.

Nu tikai Īrida ar Intu aptvēra, cik neprātīgi bijis kaŗa laikā izraudzīt dzīvokli nama beidzamā stāvā. Naktī guļot, katru bumbas sprādzienu Īrida sajuta it kā sev uz pakauša atsitamies. No rīta viņi pārnesa gultu matračus uz tukšu dzīvokli otrā stāvā un nākamā naktī novietojās tur uz grīdas. Nakts vidū pie durvīm zvanīja. Atvēra, — un visa kāpņu telpa bija pilna ar vācu kareivjiem! Rīga bija kritusi!

Kareivji meklēja novietošanās iespējas. Pārmeklējot namus, tie ieņēma tukšos dzīvokļus. Pārbiedētie Zelmeņi palika savā istabā, pārējās sagūlās piekusušie uzvarētāji. Kāda ironija! Pirms divi gadiem viņi kā trenkti bija bēguši no vācu apdraudētās Rīgas, un nu, kad vācieši patiesi bija Rīgā, viņi gulēja ar tiem blakus istabās!

Irida bija bailēs vai pamirusi. Bija taču tik daudz lasīts par vācu kareivju briesmu darbiem Kurzemē. Par sieviešu zvērisku izvarošanu. Kas notiks ar viņu?!

Nenotika nekas. Rīgas ieņēmēji bija bavārieši, — piekļājīgi, godprātīgi cilvēki. Nākamā rīta sarunā viņi teica — pateicieties Dievam, ka Rīgā pirmie neienāca prūši... Un Zelmeņi varēja ņemt savas guļu vietas un kāpt atkal augšā, — bumbas vairs nekrita.

Bet Rīga bija kā bēru nams. Latviešiem. Kas liels un dārgs bija nomiris. Irida gāja uz skolu — Ķeniņu namā. Visas ietves bija pilnas stiklu drumslu. Visur rēgojās izlaupītu veikalu izdauzītie tukšie logi. Tā bija izrīkojies bēgot „varonīgais" krievu karaspēks. Latviešu strēlnieki bija nodoti. Rīga apieta.

Kā pazuduši lasījās kopā skolotāji. Mēmi. Cits raudāja, cits klusi novērsās. Būtu jāatsāk darbs. Ar ko atsāksi? Skolnieku tikpat kā nav. Arī skolotāju visu nav. No attālākām vietām pilsētā jau nav iespējams šurpu atkļūt. Dzīves ritums ir apstājies.

O

Tomēr dzīvei un darbam atkal bija jāatsākas. Vācu okupācijas vara nekādus nepārvaramus šķēršļus skolu darbam ceļā nelika. Mācību programmās tikai bija ievērojami jāpastiprina vācu valodas mācīšana. Bet latviešu sabiedriskā dzīvē parādījās jaunas sejas — atgriezās daži 1905. gada emigranti. No Beļģijas bija ieradies Traubergu laulātais pāris un sāka strādāt Izglītības biedrības ģimnazijā un reālskolā. No Šveices un Francijas atbrauca Dr. Miķelis Valters, augsti kultūrāla personība. Viņš uzsāka lekciju ciklu par Vakareiropas mākslas dzīvi, un Ķeniņu nama aula bija stāvgrūdām pilna garīgi izsalkušu klausītāju. Jau kopš vairāk gadiem no Amerikas bija pārradies agronoms Kārlis Ulmanis, populārs darbinieks latviešu lauksaimnieku aprindās. Bet nu arī Rīga iepazinās ar šo vīru, kad tas sāka parādīties visur roku rokā ar Miķeli Valteru. Kādu dienu tie abi ieradās arī Izglītības biedrības skolās, Ķeniņu namā. Visā klusībā tika sarīkota sanāksme — vecāko klašu skolniekiem un skolotājiem, un, piesardzīgos vārdos teikts, atklājās liels, uz ārieni rūpīgi nomaskots noslēpums — neatkarīgas Latvijas valsts dibināšanas iecere. Plašāk to sākumā uzticēja tikai uzmanīgi izraudzītai publikai, piesūtot uzaicinājumus ierasties tur un tur, tad un tad lauksaimniecības lekcijās, kur lektors Kārlis Ulmanis iepazīstinās ar Amerikas sasniegumiem šai nozarē. Tā Anna Brigadere reiz pastāstīja Īridai, ka viņa ar lielu izbrīnu saņēmusi tādu aicinājumu, — jo kas gan viņai esot kopīgs ar piensaimniecību vai cūkkopību, ko lekcija solījusi. Bet kāds viņai esot ieteicis tomēr aiziet. Un tad izbrīna bijusi vēl lielāka, kad lekcijas saturā nebijis ne vārda no solītā, bet tā bijusi dedzīgs izklāstījums par darāmo Latvijas valsts idejas popularizēšanai un tās īstenošanai. Anna Brigadere bija sajūsmā par šo pārdrošo vīru, kas riskēja ar visu latvietībai naidīgās okupācijas varas apstākļos.

Kaut kā tomēr bija papaudies abu politisko draugu apciemojums skolā, un direktors ar direktori tika izsaukti uz izskaidrošanos un aizturēti arestam līdzīgos apstākļos ilgas stundas. Skolā par to bija liels satraukums, un visi atelpoja, kad beidzot skolu vadītāji atgriezās. Tiem bija izdevies pārliecināt okupantus par attiecīgā apciemojuma tīri kultūrālo raksturu — to lielā mērā atvieglo Dr. Miķeļa Valtera kultūrzinātnieka reputācija — un tie bija atlaisti ar brīdinājumu turpmāk skolās nekādas sanāksmes neatļaut.

O

Pa tam Krievijā bija jau notikusi otra, oktobŗa revolūcija, kas tur nodibināja lieliniecisko Padomju varu. Latvija bija pārgriezta vidū pušu. Dienvidu daļa bija paklauta vācu okupācijai, ziemeļu daļa — lieliniecismam. Bet lieliniecisms bija pratis atvilkt Latvijai tās dabiskos aizsargātājus — latviešu strēlniekus, un pret pavasari, arī krievu frontes sabrukuma dēļ, visa Latvija jau bija vācu varā. Daļa latviešu kultūras darbinieku no ziemeļu pilsētām atgriezās Rīgā. Ar jauno mācības gadu Izglītības biedrības zēnu reālskolai tā tika vērtīgs ieguvums:

20

direktora Jāņa Zariņa vietā, kam bija radušies asi konflikti ar dažiem brīvdomīgākiem skolotājiem, atnāca Tērbatas universitātes docents, teologs Kārlis Kundziņš. Meiteņu ģimnazijas vadītāja bija agrākā Torņakalna proģimnazijas priekšniece Elma Pilsētniece. Darbs skolās ritēja saskanīgs un patriotisma apgarots. Tikai dzīve Rīgā kļuva ik dienas grūtāka. Vācu karaspēka izpostītā Kurzeme un krievu dezorganizēto kareivju izlaupītā Vidzeme nespēja vairs apgādāt Rīgas iedzīvotājus ar pārtiku. Draudēja bads. Vācu kara pārvalde gan iekārtoja ļaužu ēdināšanas punktus, kur reizi dienā izsniedza ūdeņainu viru, bet paēst no tās nevarēja. Dzirdēja, ka ļaudis, kam nebija citu iespēju, sāka uztūkt no bada un mira. Ka tās nebija tikai baumas, Īridai to apliecināja konkrēts fakts. Kāda viņas bijušā skolniece proģimnazijā reiz atnākusi pastāstīja, ka taisni tā viņas tēvs nomiris.

Zelmeņus no tāda posta pa daļai paglāba tas pats brālēns Jēkabs. Kaut gan lauku ceļi tika apsargāti un iebraucēju vezumi nereti pārmeklēti, viņam laimējās tiem rudenī ievest labu daudzumu pašu barokļu krietni nožāvēta speķa. Īridas tēvs savukārt bija novācis ģimeņu dārziņā bagātu sakņu ražu. Taupīgi iedaloties, tā viņiem bija nodrošināts ik dienas vismaz viens spēcīgs ēdiens — laba sakņu vira ar mazu gaļas gabaliņu katram. Un kad Jēkabs reiz atveda mātes ceptas, ar ķimenēm gardinātas rupjas maizes klaipus, viņiem likās, ar to nevar sacensties nekāds pasaules gardums. Bez tam vēl laiku pa laikam Īridas tēvs uzņēmās tālo gājienu kājām uz Zolitūdi pēc svaiga piena. Tas bija jānes slepus, lai ceļā vācieši neatņemtu. Tēvs tad ierīkoja mētelī plašas iekškabatas, kur varēja noslēpt dažas piena pudeles.

Direktors Kundziņš dzīvoja tuvu Zelmeņu dzīves vietai. Īrida zināja, ka viņam ir nepieauguši bērni un tāpēc iedrošinājās reiz piedāvāt dalīties tēva atnestajā pienā. Kundziņu kalpone nu mēdza atnākt pienam pakaļ pie Zelmeņiem. Tie, paredzēdami pārtikas grūtības, kalponi bija atlaiduši. Tās vietā Ints bija atvedis savu māti, kas nu vadīja viņu mazo saimniecību. Reiz Kundziņu kalpone bija atnākusi brīdī, kad māte mizoja kartupeļus pusdienai. Izbrīnēta tā bija iesaukusies — vai tad jūs vēl kartupeļus mizojat? Mēs jau sen to vairs nedarām. — Tik liels pārtikas trūkums spiedās virsū arī latviešu gara darbiniekiem.

Starp „Ieviņa meitenēm" bija viena, kas gan tā īsti nepiederēja pulciņam, kas, arī uz ģimnaziju aizgājušas, vēl turpināja ciešus sakarus ar savu „veco skolotāju". Tās visas bija vienā kopējā klasē, šī viena — Samtiņu Olga — bija iekļuvusi tikai klasi zemāk. Tā bija dīvaina meitene: reizē it kā neapdāvināta — kārtējās mācībās, un arī apdāvināta — domās un rakstos. Arī izskatā tā bija neparasta: reizē it kā skaista un tomēr arī ar redzamiem skaistuma defektiem. Viņas klasē latviešu valodu mācīja rakstnieka Viktora Eglīša kundze. Tā šo meiteni atzina, uzņēma viesos, un Viktors Eglītis ar saviem parastajiem lielu dimenziju vērtējumu mērogiem nezināja vien kā viņu cildināt un ieteikt saviem draugiem — dzejniekiem. Viņam izdevās to satuvināt ar otru dīvainuli — rakstnieku Pēteri Liepiņu. Tas ir garš un drāmatisks stāsts, kā tas notika, bet šobrīd Irida šo faktu piemin tikai sakarā ar aprādītajām pārtikas grūtībām Rīgā. Jo Pēteris Liepiņš savai iecerētajai nopirka Pūņu pusmuižu, Talsu apriņķī, kur abi uzsāka vētrainu laulības dzīvi, ko pārtrauca karš, Liepiņu aizsaucot frontē. Irida bija tur jau dažas dienas ciemojusies 1914. gada Ziemsvētku brīvlaikā. Tagad nu bijušā Samtiņu Olga aicināja viņu uz turieni papildus pārtikas iegādei, kas tuvākajā apkārtnē esot vēl it bagātīgi dabūjama. Tā dēvētajā „kartupeļu nedēļas" brīvlaikā Irida uzņēmās riskanto braucienu, jo ceļā vācieši varēja visu nopirkto atņemt.

Bija pelēks, rudeņains laiks. Stendes stacijā bija jāpārvietojas šaursliežu dzelzceļa „mazajā bānītī", kas brauca līdz Talsiem. To ļaudis bija iesaukuši par „tējmašīnu", jo tas vilkās vēža gaitā uz priekšu pukšķēdams un tvaikodams. Uz pieprasījumu tas pieturēja Pūņu pusmuižas lauka malā. Nākamā dienā Olga izvadāja Iridu sīrojumā pa savu paziņu saimniecībām. Nebija jau nekas liels dabūjams. Dažas mārciņas sviesta bija tas vērtīgākais. Bet jāiet bija pa purvainām vietām, kas rudens lietavās bija piemirkušas ūdens pilnas, un tā ledainajā aukstumā Irida sabrida cauri slapjas kājas. No savas pusmuižas dūmeņa Olga izņēma dažas nožāvētas pīles un cietas kā akmens sažāvētas plekstes. Tie bija īpatnēji, Iridai nepazīti gardumi, ko vēl iebāza viņas ceļa somā. Drošības dēļ rentniekam lika vest viņu tieši uz diezgan patālo Stendes staciju. Braucamais ceļš gāja līdztekus mazā bānīša sliedēm. Vēl krietni šaipus Stendes braucējiem pretim nāca „tējmašīna", sprauslodama un spalgi pūzdama. Rentnieka zirdziņš laikam ar to sastapās pirmo reiz. Izbailēs tas krākdams metās stāvus, un, saslējis vezumu gaisā, rāvās pats sāņus. Ilksis nobrīkšķēja un lūza. Bānītis aizpukšķējā garām savu ceļu, bet Īrida palika, tikko noturējusies, vezumā ar salauztām ilksīm. Ko nu? Kā tikt uz vienīgo vēl šī vakara vilcienu? Tā bez padoma neziņā sēžot, dzird aiz muguras kādu braucam. Tas redz nelaimi, un, lai gan negribīgi, jo pašam cits ceļš, pret krietnu samaksu uzņemas vēl laikā aizvest Īridu uz staciju.

Viņa sēž vilcienā un jūt, ka to krata drudzis. Vakardien sabristās kājas un nule pārdzīvotās briesmas, kas varēja arī citādi beigties, sāk lauzīt locekļus. Pievienojas vēl bailes par slēpjamo vedamo, ka to neierauga un neiekāro nevēlamas acis. Gluži nomocījusies viņa pārvelkas mājā. Ēdamais nu ir, bet viena ēdēja mute mazāk, jo Īrida ieguļ ar smagu saaukstēšanos.

Augstā temperatūra drīz atlaidās, tomēr turpināja turēties nedaudz virs normālas. Negribēdama skolas darbu ilgt kavēt, Īrida atsāka to ar visu vieglo drudzi, kas, diendienā atkārtodamies, gurdināja un neļāva galīgi atspirgt. Vēlāk rudenī Rīgā sāka plosīties Āzijas gripas epidēmija un turējās visu ziemu, ar augstu mirstības procentu. Novembrī ar to saslima Ints, ļoti smagā veidā. To ārstēja Zelmeņu personiskā paziņa, Dr. Anastasija Čikste. Tā atzina stāvokli par tik kritisku, ka vēlējās pieaicināt konsultantu. Viņa ļoti respektēja Dr. Kārli Kasparsonu. Kaut gan tas ārsta praksi bija izbeidzis, aicināts pie radinieka Inta, viņš to bez ierunām apmeklēja, un abu ārstu pūles Inta dzīvību izglāba.

Abiem slimojot, Īridai ar Intu gandrīz garām bija pagājusi lielā gatavošanās Latvijas valsts proklamēšanai. Ziņa par to tika izplatīta starp latviešiem no mutes uz muti. Dienu pirms tās atnāca Elma Pilsētniece ar pažiņojumu un aicinājumu uz rītdien nolemto svinīgo proklamēšanas aktu Pilsētas krievu teātrī[2]. Pastāstīja arī par baumām, kas biedēja neiet uz aktu, jo Latvijas valsts pretinieki gatavojoties teātŗa ēku akta laikā uzspert gaisā. Neesot skaidri zināms, vai spērēji būtu vācieši vai lielinieki.

Zelmeņi pateicās par svarīgo ziņu un aicinājumu. Bet viņi bija tā noslimojušies, ka neiedrošinājās, īpaši Inta pēcslimības vārgumā, piedalīties tik satraucējā notikšanā. Tā viņi palika 1918. gada 18. novembŗa brīvās Latvijas dzimšanas stundu personiski līdzi nepārdzīvojuši.

O

Kaut gan Padomju Krievija līgumos ar monarchistisko Vācijas valsti bija no Baltijas telpas atteikusies, pēc revolūcijas Vācijā tās nodomos bija atgūt to atpakaļ. Jaunās neatkarīgās Latvijas valsts aizsardzības spēki bija vēl tik niecīgi, ka valdībai bija jāatstāj Rīga, patveŗoties Liepājā, un Rīgā janvāŗa pirmajās dienās ienāca sarkanā vara. Tā steidzīgi ķērās pie Rīgas sejas radikālas pārgrozīšanas. Turīgos iedzīvotājus izlika no dzīvokļiem labajos rajonos un pārvietoja uz pilsētas nomalēm vai — uz Daugavas Zaķu salu. Luksa dzīvokļus ar visu tur atstāto mantību ieņēma sarkanais proletariāts, un bulvāŗu apstādījumos varēja sastapt „dāmas" dārgos kažokos ar nošķiebtām, nonēsātām kurpēm kājās. Pilsētas aptīrīšanas darbi ja jāveic „buržuju" darba komandām, un rītos uz skolu ejot, Īridai reizēm bija jānovēršas, pamanot tajās viena vai otra pazīstama cienījama vecāka pilsoņa seju. Obligāti jāstrādā bija visiem „pilsoņiem." Darba vietās bija jāizņem darba apliecības un jānēsā tās klāt, jo ejot pa ielu ik brīdi varēja uzdurties uz kādu sarkano kontrolieri, kas pieprasīja uzrādīt apliecību. Kam tādas nebija, tos apcietināja un iedalīja darba komandās.

Kādu rītu ejot pa kanāla apstādījumiem uz skolu, arī Īridu apturēja tāds varenais, bet pēc apliecības uzrādīšanas bija vien jāļauj tai ceļu turpināt. Kad viņa skolotāju istabā par to pastāstīja kollēgām, direktors Kundziņš ar viņam raksturīgo lēnīgo humoru noteica — Nujā, jums jau ir tāds skaists kažociņš un balta cepure.

Kā visur tika noārdīts viss bijušais, tā tas notika arī skolu iekārtā. Izglītības biedrības skolas bija jau pārcēlušās no Ķeniņu nama uz vienu no bijušām pilsētas

24

vācu skolām un pārvērtās no privātas, biedrības uzturētas mācību iestādes par 2. Rīgas pilsētas vidusskolu. Skola bija izvērtusies plaša, ar vairākiem speciāliem nozarojumiem, ar daudzām paralelklasēm. Lielinieku skolu politika noārdīja klašu sistēmu un to vietā lika dibināt atsevišķu priekšmetu mācību grupas. Tajās skolnieki varēja iesaistīties pēc pašu izvēles, nākt un iet, kad patīk. Tā iznāca, ka daža skolotāja grupa palika gandrīz vai bez skolniekiem, daža cita, turpretim, piedzīvoja lielu brīvprātīgu pieplūdumu. Direktorus skolām atstāja, bet skolu padomēs bija jāuzņem skolnieku pārstāvji, kas piedalījās arī skolotāju konferencēs kā līdztiesīgi „biedri." Tie parasti bija nedaudzie kreisi noskaņotie, un cienījamam direktoram Kundziņa kungam bija jāļaujas no kāda netaktiska puikas nosaukties par „biedru Kundziņu" un jāuzklausa tā pārgudrie reformātoriskie ieteikumi.

O

Pienāca pavasaris. Pārtikas trūkums bija kļuvis neciešams. Skolotāju kolektīvs pieprasīja un tam piešķīra nopostītā Interimteātra gružu laukumu, Pilsētas krievu teātra aizmugurē, ģimeņu dārziņu iekopšanai. Darbs bija smags, novācot akmeņus un visādu citādu lūžņu, kamēr tika līdz zemes kārtai. Strādāja visi, un visu starpā īpaši izdalījās direktora Kundziņa garais, kalsnais stāvs. Zem mēslaines dīkā nostāvējusies zeme izrādījās necerēti auglīga. Dēsti auga griezdamies un solīja bagātu ražu.

No Kurzemes atšķirtie Rīgas iedzīvotāji nekā noteikta nezināja par to, kas tur visu laiku gatavojās un kas tur notika. Ziņas pienāca skopi, — par intriģējošo vāciešu sazvērestību pret Ulmaņa valdību un tās glābšanos uz kuģa Saratova, antantes aizsardzībā; par Niedras valdības nodibināšanos un it kā kopēju vācu un latviešu fronti pret lieliniekiem. Gaidīja un cerēja uz Rīgas atbrīvošanu.

Bet pa tam sparīgi pa Rīgu rīkojās lielinieki. Pienāca pirmais maijs. Esplenāde tika apjozta augstiem sarkankarogotiem, ar sauķļiem aplīmētiem stabiem, — par godu revolūcionārajiem svētkiem. Tādi tie tur stāvēja nenovākti līdz pat divdesmit otrajam maijam, kas atnesa Rīgai ilgoto pārmaiņu. Tā bija vētraina diena. Pēkšņi sa cēlies vējš putināja Esplenādes smiltis, plosīja un rāva nost plakātus un aizpūta tos pa gaisu kā nederīgas skrandas.

Darbs skolā šai dienā nebija pārtraukts. Irida ar savu skaitliski lielo literāro grupu bija novietojusies skolas nama plašajā puspagarba telpā. Ne viņa, ne skolnieces aizrautīgā darbā nebija pamanījušas, kas notiek ārā. Tikai tad, kad visi skolnieki jau bija atlaisti mājā, skolas inspektors, telpas apstaigādams, tīri pārbijies atrada šo nomaļo grupu vēl mierīgi strādājam. Ko nu iesākt? Sarkanie jau esot atsisti šaipus Daugavai. Uz Pārdaugavu vairs nevarot tikt; ja kādas skolnieces būtu no turienes, tām jāpaliek skolā un jānogaida cīņas beigas. Uz pilsētas augšgalu varbūt vēl pagūšot tikt, ja tūliņ steidzoties.

Irida izsteidzās uz ielas. Tā bija ļaužu tukša. Ielu stūros gulēja sarkanarmieši — pa vienam, pa pāriem — ar izstieptām, pret Daugavas līniju vērstām šautenēm rokās, tā segdami sarkanarmijas atkāpšanos. Irida skrēja. Posteņi to neaizturēja. Pret Tērbatas ielas sākumu viņa ieraudzīja Intu sev pretim skrejam. No bankas iekšpilsētā atnācis mājā un neatradis tur Iridu, viņš nu steidzās tai pakaļ. Ieblakus Esplenādē puteņoja smiltis un pa gaisu skrēja plakāti. Likās, ka pati daba steidzināja Rīgas attīrīšanu no sarkanās sērgas.

O

Bet kad tas bija noticis, Rīgā ienāca melnais mēris. Rīgu bija „atbrīvojuši" vācieši. Un latviešu iedzīvotājiem par to bija jāsamaksā ar neskaitāmām dzīvībām! Bez tiesas un bez taisnības!

Iridas tēvam bija jau gadiem iekopts ģimenes dārziņš, laukumā šaipus hipodroma. Kad viņa ar tēvu nākamā dienā gāja uz to, nomaļo ielu grāvmalās nepievākti gulēja nošauti cilvēki. Dārziņiem cauri veda plats ceļš. Aiznākamā dienā dārziņā darbojoties, viņi redz: pa ceļu garām brauc „raspuska" — divzirgu vilkts vaļējs aizjūgs, pilns piekrauts ar beigtiem cilvēkiem, — kā dažkārt redzētu kautu lopu vezums.

Latvieši nesaprata, — kur tad palicis viņu — Latvijas nacionālais karaspēks? Viņi nezināja, ka valstsvācu un baltvācu intrigu spēlē tas bija atbīdīts malā, ļaujot tam tikai sekot „uzvarētāju" pēdās. Latvieši atkal jutās vācu okupēti, kā pirms divi gadiem. Tiem atkal bija kas dārgs nomiris: cerība uz netraucētu patstāvīgas valsts dzīvi. Latviešu Rīga bija kā bēru nams; dzīroja vāciešu Rīga. Kā no aizmūžiem iznākuši rēgi — vecmodīgos zīdos ietērpušās drebulīgas vācu dāmas un stīvi senlaicīgi kungi pastaigājās un sasmaidījās Rīgas ielās. Nu bija pienākusi viņu kārta — triumfēt par atdabūto vācu Rīgu.

Bet interešu spēlei rietumos bija plašāki apmēri, un to apjomā latvieši sagaidīja s a v u dienu: septītā jūlijā Daugavas krastā izkāpa Ulmaņa valdība. Arī Īrida ar Intu bija nepārredzamajā sagaidītāju pulkā, kad atbraucēju kuģis piestāja iepretim pilij Daugavmalā. Kas tā bija par līksmību! Likās, ka nu beidzot varēs sākties īstā dzīve latvju tautai.

Tomēr tā nebija: interešu spēlei bija v ē l plašāki apmēri, un Latvijas valstij bija vēl sūri jācīnās par savu atzīšanu un pastāvēšanu, — līdz beidzamajam izšķīrējam būt vai nebūt momentam — Bermonta dēkai oktobra-novembra dienās.

O

Tai tumšajā jaunās Latvijas valsts vēstures posmā, kad tās teritorija bija pakļauta austrumu un rietumu okupantu varmācībām un valdības galva un tās locekļi dažādās ārvalstīs meklēja tai atzīšanu un palīdzību, — viens no viņu vidus pārdzīvoja personīgu traģēdiju, kas plašākai atklātībai palika noslēpts. Izglītības ministrs Dr. Kārlis Kasparsons 1918./19. gadmijā atradās nevis Rīgā, bet kaut kur valsts ziemeļos, atceļā no komandējuma Tallinā. Valdībai Rīgu 2. janvārī atstājot, viņš nebija vēl atgriezies, un sarkanarmijai Rīgā ienākot, palika tās aizmugurē. Lielinieki viņu arestēja un ielika cietumā. Bija skaidrs, kas to sagaida. Bet viņš aizsteidzās tam priekšā, pārgriezdams roku asnisvadus. To atklāja, iekams viņš vēl nebija galīgi noasiņojis. Kaut kā notikušo bija uzzinājusi arī Dr. Anastasija Čikste, kas to pateica Zelmeņiem. Viņai no studiju gadiem Šveicē bija laba pazīšanās ar dažām svarīgām personām sarkanajā valdībā.

27

Tika darīts viss iespējamais, lai glābtu Dr. Kasparsona dzīvību un panāktu tā izlaišanu no cietuma. Tas izdevās. Jo studiju laikā Tērbatā arī Kārlis Kasparsons bija toreizējo jaunstrāvnieku ideju piekritējs un tuvs daža pašreizējā sarkanā varas vīra biedrs. Atbrīvots, drošs viņš tomēr nejutās un savā dzīvoklī naktīs negulēja, bet pārlaida tās ik reiz kādā citā slēptuvē. Viņam izdevās noslapstīties un sagaidīt valdību atgriežamies, lai uzņemtos atkal izglītības ministra pienākumus.

Tie bija lieli un svarīgi. Bija nevien jāatjauno sagrautā skolu sistēma, bet jāuzsāk arī teorētiski jau pieņemtās Latvijas augstskolas nodibināšana un izveidošana īstenībā. Tāpat izglītības ministrijas pārziņā bija jāņem jaunais Nacionālais teātris, kas stājās līdzšinējā Latviešu biedrības uzturētā teātra vietā. Irida zināja, ka mākslu pasaule zinātniekam Dr. Kasparsonam nebija tuva. Tās organizēšanā viņam bija jāpaļaujas uz padomniekiem Mākslas departamentā. Pats viņš bija tīrs kabineta cilvēks, — teorētiķis, ar diezgan ierobežotu saskarsmi ar pašu dzīvo dzīvi.

Lielisku pacildinājumu plašākā inteliģencē izraisīja izredze uz pašiem savu augstskolu. Daudz bija latviešu inteliģentā darba strādnieku vidū tādu, kam apstākļi nebija ļāvuši doties uz Krievijas vai citu zemju augstākajām mācību iestādēm. Nu varēja cerēt iegūt augstāko izglītību, nepārtraucot nepieciešamo maizes darbu, un Latvijas augstskolā saplūda nevien jaunekļi no skolas soliem nākdami, bet cilvēki pat pusmūža gados. It īpaši daudz tādu bija no skolotāju vidus, kas degtin dega papildināt savas speciālās un vispārējās zināšanas.

Arī Irida ar Intu abi pieteicās augstskolā, katrs sava ilggadējā darba specialitātē: Irida baltu filoloģijā, Ints — tautsaimniecībā. Un tā iznāca, ka Irida nu dažkārt draudzīgi sēdēja vienā solā ar studentēm, kas tikko bija bijušas viņas skolnieces.

Latviešu Rīga kūsāja aizrautīgā jauncelsmes darbā. Bet Kurzemē vēl arvienu uz to glūnēja ienaidīgas varas, perinādamas intrigu pēc intrigas tās iekaŗošanai, līdz no tām iznira avantūrists Bermonts, 8. oktobrī uzsākdams uzbrukumu Rīgai un nonākot līdz Torņakalnam. Tik tiešs drauds jaunās valsts galvaspilsētai un līdzi tai visai iecerētajai pašu veidojamai tautas nākotnei izraisīja Rīgas latviešos vēl nepieredzētu patriotisma uzplūdu. Visi kā viens, kā katrs varēdams — ar dzīvību vai ar darbu — iesaistījās Rīgas aizsardzībā. Kārtējais darbs skolā pārtrūka. Vecākie skolnieki devās uz fronti, Daugavmalas ierakumos, meitenes ar skolotājām, pulciņos sadalījušās, šuva veļu karavīru lazaretēm. Irida sēdēja to vidū un lasīja priekšā Raiņa Daugavu. Iridas tēvs šais vēlajās rudens dienās bija beidzis novākt savu dobju ārkārtīgi bagātīgo ražu skolotāju kopējā ģimeņu dārzā. No tās viņš piekrāva pilnus rokas ratiņus un veda nodot kareivju ēdināšanas punktam. Bet ceļā to aizturēja sargposteņi, jo civīlistiem bija aizliegts ieiet piefrontes joslā. Tēvs tomēr nebija atlaidies, un kad pateicis, kam savu vezumu ved, kareivji paši tam laipni parādījuši ceļu tālāk, — un vecais vienkāršais vīrs bija laimīgs, ka arī viņš varējis ko darīt cīnītāju labā.

Visas tautas apņēmība, sākot ar vislielākajiem un beidzot ar vismazākajiem, kā likās, pārliecināja beidzot arī antantes valstis dot tai palīdzību. Kad izplatījās ziņa par igauņu bruņotā vilciena ierašanos un atskanēja pirmie šāvieni no antantes kara kuģiem, balstīdami latviešu pretuzbrukumu bermontiešiem, rīdzinieku prieks nebija aprakstāms. Cerēdami un baiļodamies tie tvēra ziņas par frontes kustībām, un kad vienpadsmitā novembra rītā visu Rīgas dievnamu zvani vēstīja galīgo uzvaru, — atlaidās pārcilvēciskais saspīlējums, kā žņaugā Rīga bija dzīvojusi diendienā vairāk nekā mēnesi. Vēl jau visa zeme no visiem ienaidniekiem nebija iztīrīta, bet tās dzīvības centrā nu varēja atsākties pārtrauktais uzbūves darbs netraucēts. Par to bija samaksāts ar dārgām dzīvībām, un arī vienu mazu nevainīgu dzīvībiņu ziedam paņēma šī kara neprāts. Pa vaļēju logu dzīvoklī ielidojusi bermontiešu bumbas šķemba nogalināja Trešās Rīgas pilsētas vidusskolas direktores Trauberga kundzes mazo, gadu triju-četru veco meitiņu Veltiņu.

2

Visu šo laiku, kopš atgriešanās no Petrogrādas, Īridas ikdienu piepildīja skolotājas darbs. 1917./18. mācību gadā viņa strādāja nevien Izglītības biedrības skolās, bet, Viļa Olava atraitnes aicināta, uzņēmās latviešu literātūras mācīšanu arī Olava komercskolas vecākajās klasēs. Valodu pašu mācīja godājamais patriarchs, Apsīšu Jēkabs. No skatuves atteikusies, viņa savas speciālās zināšanas un spējas iesaistīja skolas darbā. Ar izteiksmīgu literātūras interpretāciju viņa izraisīja audzēkņos jo dzīvu interesi par mācāmo priekšmetu. Pat svešas klases, izņēmuma gadījumos, viņa pakļāva savai ietekmei. Skolu praksē ir parasts saslimušus skolotājus attiecīgās stundās aizstāt ar brīviem kollēgām. Tā reiz Īrida uzņēmās nodarbināt zēnu reālskolas vecāko klasi, kam viņa bija pilnīgi sveša persona. Kārtējo stundu viņa nevarēja dot, jo tā bija kāds zinātnisks priekšmets. Viņa gribēja laiku aizpildīt ar kādas noveles priekšā lasīšanu. Pieaugušajiem zēniem, protams, nebija nekāds respekts pret tādu klasē ienākušu svešu, mazu sievišķīti un tie sataisījās nodarboties katrs pats ar savām interesēm. Īrida tos netraucēja un mierīgi sāka lasīt, — viņa labi zināja, kāds būs iznākums. Jā, — pacēlās viena galva — otra, apstājās darboties kāda roka, iedzirkstījās kāds skats, — un kad zvans vēstīja stundas beigas, bet lasāmajam vēl nebija beigas, — visa uzmanībā sastingušā klase vienbalsīgi lūdza palikt vēl starpbrīdī un nobeigt lasījumu. Laikam taisni šī klase būs bijusi īpaši grūti savaldzināma, jo kollēga Marta Bērziņa pēc tam noteica, ka Īrida no tās iznākusi kā Daniels no lauvu bedres.

Daudz nopietnāks stāvoklis bija Olava skolā. Tur vecākajā klasē sēdēja ne vairs zēni, bet gandrīz jau nobrieduši vīri — jaunekļi, kuŗu normālās skolas gaitas

bija pārtraucis karš, kas bija atgriezušies vai no bēgulības
Krievijā, vai pat no strēlnieku rindām. Sasēdušies pēdējos
solos, tie nemaz nedomāja interesēties par to, kas notiks
stundā. Brīdi šos „pašdarbiniekus" pavērojusi, Īrida ie-
teica arī tiem pamēģināt paklausīties klases dialogā, —
varbūt ka tas tomēr varētu arī viņus ieinteresēt; ja ne —
tad jau tie varēšot atkal atgriezties pie pašu lektīras. Jau-
nekļi sakaunējās, un raugi — klases vienība un disci-
plīna bija nodibināta. Ar to Īrida kļuva gandrīz leģen-
dāra, un dažas jaunākas skolotājas lūdza atļauju nākt
klausīties un mācīties viņas stundās. Teica, ka bez Īridas
vienīgi vēl jaunais elegantais žurnālists Edmunds Frei-
valds spējot uzturēt disciplīnu klasēs. Lai gan darbs sek-
mējās un Olava kundze sirsnīgi vēlējās Īridu paturēt,
viņa tomēr uz jaunu mācības gadu vairs nepalika: steig-
šanās uz stundām no skolas uz skolu un atpakaļ bija
par grūtu.

○

Mācīdama literātūru, Īrida gribēja nevien dot zinā-
šanas audzēkņiem, bet arī palīdzēt attīstīt labu priekš-
nesumu. Tāpēc viņa ierosināja mācības spēku konferencē
ar nākamo gadu līdzšinējās trīs latviešu valodas nedēļas
stundas beidzamās klasēs papildināt ar ceturto — daiļ-
lasīšanai. To akceptēja pagaidām kā neobligātu priekš-
metu. Īridas metode bija vispirms noklausīties katra au-
dzēkņa brīvi izraudzīta un patstāvīgi sagatavota dzejoļa
teikšanu, lai iepazītu tā dabiskos dotumus un apdāvinā-
tību. Kad zēnu klasē Morics Blumbergs nobeidza skandēt
Skalbes dzejoli Rīts, viņa teica — Jums ir metals balsī,
Jums vajadzētu dziedāt. — Kādreiz vēlāk Mariss Vētra
viņai sacīja, ka šis spriedums esot devis tam pirmo im-
pulsu kļūt dziedonim, līdz tam viņš neesot par to domājis.
(Piezīme: D a u d z vēlāk, kad Mariss Vētra rakstīja sa-
vas dziedoņa gaitu atmiņas, Īrida gan kādā no viņa grā-
matām lasīja ko citu: ka viņš jau bēgļu gados Tērbatā
dziedājis, un tas bija pirms iestāšanās Izglītības biedrības
reālskolā. Kas nu zina, kuŗš no šiem liecinājumiem ir
bijis tuvāks īstenībai). Gada kursā viņa konspektīvi ie-
pazīstināja ar deklamācijas teorijas pamatiem un tad
jau lika uz tiem balstīt apzinīgu priekšnesuma gata-
vošanu.

○

Vasarā pēc Rīgas galīgās atbrīvošanas Otrās Rīgas pilsētas vidusskolas aktu zālē notika Latvijas skolotāju konference ar projektiem, referātiem un debatēm. Uz pagājušā mācību gada pieredzes pamata Īrida sagatavoja referātu — Daiļlasīšana skolā. Viņas atzinums un prasība bija — uzņemt programmā ceturto latviešu valodas nedēļas stundu — skolnieku priekšnesuma un stājas izkopšanai. Konferencē bija ieradušies arī daži no tiem profesoriem, kas bija atstājuši savas vietas Krievijā, lai nu strādātu pašu dibinātā Latvijas augstskolā. Īrida ievēroja, ka pirmā rindā sēž profesors J. Endzelīns un uzmanīgi klausās viņas priekšnesumā.

Īridai bija izdevies ierosināt un pārliecināt skolu vadošos darbiniekus par viņas ieteikto papildinājumu derīgumu. Vēl tai pašā rudenī viņu aicināja noturēt īsu daiļlasīšanas kursu Skolotāju sagatavošanas kursos, kādus bija pasākusi Izglītības ministrijas skolu nodaļa skolotāju zināšanu līmeņa pacelšanai, saskaņā ar jaunās patstāvīgās valsts vajadzībām. Šādi kursi arī turpmāk laiku pa laikam notika, un katrreiz Īridu tajos pieaicināja šai specialitātē. Nākošā gada vasarā paidagoģijas docents Al. Dauge bija izplānojis Īridai ceļojošu daiļlasīšanas kursu pa visu Latviju. Šis piedāvājums ļoti vilināja, un tomēr viņa no tā atteicās: viņai bija nepieciešams šo vasaru sagatavot latīņu valodas iestāju kursu augstskolā. Krievu skolu sistēmas sieviešu ģimnaziju nolūkos nebija gatavot jaunavas augstskolu studijām, un latīņu valodu tajās nemācīja. Bet iestājai filoloģijas fakultātē tās elementārais kurss bija nepieciešams. Latvijas augstskolas vadība bija pretimnācīga, un fakultāte uzņēma agrāko ģimnaziju absolventes, noliekot tām attiecīgo pārbaudījumu pēc gada. Tā kā strādājot skolā un klausoties lekcijas augstskolā Īridai tikpat kā nebija atlicis laiks ciešāk pastrādāt gar latīņu valodu, viņa to bija atbīdījusi uz vasaru. Iecerētajai daiļlasīšanas turnejai tad Al. Dauge sarunāja no Krievijas atbraukušo Annu Lāci, kas it kā esot bijusi sakaros ar teātra mākslu Maskavā. Kā viņai veicās ar specifisko skolotāju instruēšanu, to Īrida nezina.

Pati viņa joprojām centās literātūras vēstures stundās iesaistīt deklamācijas un pat skatuviskus elementus. Lai ierosinātu skolniekos lielāku interesi arī par latviešu literātūras pirmsākumiem un tās vecāko posmu, viņa mēdza no klasē obligāti piesavinātās vielas likt skolniekiem izveidot saistītu skatuvisku ainavu, ko tad izrādīja skolas sarīkojumos. Prieks bija redzēt, kā skolnieki improvizēja senlatvisko sadzīvi no veco rakstnieku darbu fragmentiem. Dzīvo vidū no viņiem bija tikai vēl Apsīšu Jēkabs, un Īrida ieteica reiz skolniekiem ieaicināt viņu šādā izrādē. Cienījamais literātūras patriarchs arī ieradās, un viņa klātiene iedvesmoja skolniekus jo dzīvai spēlei. Īpaši izcēlās Pauls Rozenbergs ar spontāniem teksta iestarpinājumiem. Apsīšu Jēkabs bija aizkustināts un teica Īridai — tas jau ir tikai jūsu nopelns, ka esmu ticis še aicināts.

Autora iestarpinājums

Brāļi — Pauls un Bertrāms Rozenbergi bija lielinieku nogalinātā mācītāja Rozenberga dēli. Abi vienā klasē, bet pavisam nevienādi augumos un arī raksturos. Bertrāms bija garš sangviniķis, Pauls — mazs un vairāk atturīgs novērotājs. Īridai viņi patika abi, un laikam arī Īrida viņiem. Bertrāms tai uzticēja savu pirmo mīlestību — pret kādu skolnieci citā klasē, un gribēja zināt viņas spriedumu par šo meiteni. Kā parasti agrā zēnībā, šī „mīlestība" izziedēja vēja ziedos, un daudz, daudz gadus vēlāk, trimdā, Īrida sastapās ar Bertrāma kundzi un meitām, kad viņš pats bija pazudis Otrā pasaules kaŗa notikumu sarežģījumos.

Trīsdesmitos gados Latvijā, kādu dienu pie Īridas ieradās garš jauns cilvēks. Vai tas varēja būt „mazais" Pauls Rozenbergs, pasteidzies pakaļ brālim augumā? — Tas viņš tiešām bija, un bija nācis pie Īridas lūgt viņu ierasties Koknesē ģimenes dienā ar referātu. Kā tas aizkustināja! Nekad pēc skolas darba pārtraukšanas viņa nebija jauko zēnu sastapusi. Nu viņš bija jau mācītājs Kokneses draudzē, un arī sabiedriska darba darītājs. Viņš piedāvāja Īridai pēc referāta pārnakšņošanu mācītājmuižā. Un šis vakars un nakts un nākošais rīts, ko viņa pavadīja vienkāršajā, gandrīz tukšajā mājā kopā ar Paulu un viņa māti, ir dziļi iespiedies tās sirdī. Īpaši Paula mātes tēls. Tā bija sevī lepna, atturīga dāma,

33

*bez liekas laipnības vai sentimenta. Un taisni tāpēc,
kad viņa atvadoties noskūpstīja Īridu un teica —
paldies Jums par visu to labu, ko jūs esat devusi
maniem dēliem, — tas bija Īridai neaizmirstams
apbalvojums. — Atkal pēc tam viņa Paulu nekad
nav redzējusi, bet gan ar sāpēm sirdī dzirdējusi par
viņa izsūtīšanu vergu nometnē un par traģisko nāvi
tur beidzamā brīdī, kad bijis jau atbrīvots un gatavs
atceļam uz Latviju. — Mīļais, skaidrais zēns, —
Īrida domā, — kāpēc tev nebija ļauts dzīvot un
darīt labu, kā tu to biji darījis līdz savas vīra gadu
dzīves beidzamajam brīdim?!*

1921. gada vasarā par izglītības ministru nāca Aleksandrs Dauge. Pats bijis paidagogs, viņš dzīvi interesējās par mācību pasniegšanu vidusskolās, apmeklēdams stundas, it īpaši humanitāro zinātņu un latviešu valodas. Īridas klasē viņam gadījās ierasties poētikas mācības stundā. Iepazīstinot skolnieces ar dzejotās valodas ritmikas likumību, viņa mēdza dažkārt prasīt, lai tās pašas sacer dzejas paraugus attiecīgo teorētiski piesavināto zināšanu īstai iedzīvināšanai un nostiprināšanai. Protams, to nespēja katra skolniece, bet arvienu atradās dažas meitenes klasē, kas to veica it sekmīgi. Tās tad lasīja savus „dzejoļus" priekšā, un klase tos formāli iztirzāja. Tāds bija arī tās stundas saturs, kuru noklausījās ministrs Dauge. Stunda ritēja raiti un pacilāti, ministra paša draudzīgās, neoficiālās personības iedvesmota. Vēlāk līdz Īridai atnāca Dauges spriedums, ka vislabākie latviešu valodas skolotāji esot Īrida Zelmene un Kārlis Kārkliņš, kas mācīja 3. Rīgas pilsētas vidusskolā.

O

1920. gada pavasarī Rīgu bija saviļņojusi vēsts, ka nu beidzot dzimtenē atgriezīsies arī abi lielie 1905. gada trimdinieki — Rainis un Aspazija. Rainis savās no Kastaņolas uz Latviju sūtītajās drāmās sen jau bija pārsniedzis vienas partijas ideoloģijas robežas un kļuvis par visas tautas „sāpju un cerību" tulku. Tāpēc arī uz dzejnieku pāra sagaidīšanu sajūsmīgi gatavojās visa Rīga. Iepriekš izziņotais pārbraucēju maršruts no dzelzceļa pie-

34

stātnes, cauri pilsētai uz viņiem sagatavoto mitekli, rādīja, ka tas vedīs gaŗām arī 2. Rīgas pilsētas vidusskolai. Tai dienā visi — skolotāju personāls un skolnieki satraukti gaidīja lielo brīdi, kad skatīs vaigu vaigā iemīļotos dzejniekus. Un tad lēnā gaitā tuvojās vaļējs auto, ļaužu pulka pavadīts. Tur viņi bija: Rainis — kalsns sirmgalvis, Aspazija — miesās kupla tumšmate, un aiz viņiem sēdeklī ieritinājusies Raiņa draudzene, mazā Biruta Skujeniece. Ovāciju sagaidīti un pavadīti, aizkustinājumā smaidoši, dzejnieki aizslīdēja gaŗām savā triumfa braucienā.

Laiks ritēja uz priekšu, un sabiedriskie godinājumi dzejnieku pārim nemitējās. Arī Īridas skolas audzēkņi gribēja tiem pievienot savu daļu — iestudēt viņas vadībā kaut ko no abu dzejnieku darbiem un ielūgt viņus to izrādē. Gribētāji to darīt bija ne tikai Īridas tiešie skolnieki vien, bet arī no citām klasēm, kur viņa nemācīja. Kopīgi apspriedās, ko izraudzīt iestudējumam. Apsverot iespējas, Īrida ieteica no Aspazijas Sidraba šķidrauta ņemt pirmo cēlienu un otru cēlienu no Raiņa Zelta zirga. Ļoti aktīvs dalībnieks pārrunās bija arī skolnieks Merksons, tas pats, kas lielinieku varas laikā nebija kautrējies direktoru Kundziņu pagodināt par ,,biedru". Tas vēlējās iestudējam Raiņa viencēlienu Ģirts Vilks. Īrida atteicās to darīt. Viņai neesot pieņemama Raiņa rigorozā konsekvence — sodīt b ē r n u ar nāvi, lai cik lielu noziegumu, pieaugušā cilvēka vērtējumā, tas būtu izdarījis. Bez tam, šis viencēliens, prozas valodā rakstīts, neapliecinot Raiņa dzejas spēku un neesot viņam raksturīgs. Ja skolnieki gribot to izrādīt, lai tad viņi paraugotiesies pēc cita iestudētāja. To viņi negribēja, un ,,biedrs" Merksons palika spīdošā izolācijā.

Jau Izglītības biedrības vidusskolās Īrida bija iestudējusi Raiņa Pūt, vējiņi! otru cēlienu. Tur viņai bija bijusi ļoti jauka Baibiņa, ģimnazijas beidzamās klases skolniece Hermīne Kope, kas vēlāk kļuva Dailes teātŗa aktiere un Kārļa Veica dzīves biedre. Tagad, Sidraba šķidrauta pirmajā cēlienā bija jāveido arī ļaužu skats — un tajā jāuzņem un jāstrādā arī ar svešiem skolniekiem, no klasēm, kas nebija pieraduši pie Īridas darba metodēm. To vidū bija arī Jānis Kalniņš, komponista Alfreda Kalniņa dēls, kas tik sirsnīgi bija lūdzies piedalīties izrādē. Individuāla loma viņam neiznāca, bet viņš bija priecīgs arī statistos, un no visiem ļaudīm, kas ceļos nometušies lūdzas Gunas palīdzības, Īridai acīs palicis viņa ekspresīvais lūdzēja tēls ar izteiksmīgi paceltām rokām. Viņā bija skatuves dzirksts, un tā viņu noveda taisnā ceļā vispirms uz Nacionālo teātri, tad uz Operu un baletu, kur visur viņa dzirkstīgais gars ir izskanējis skatuves mūzikā.

Normunda lomai Īrida ieguva stalto, iznesīgo Vili Olavu, sava bijušā, dziļi cienītā skolotāja, sabiedriskā darbinieka Viļa Olava vecāko dēlu.

Skolas aktu zālei nebija īstas skatuves, tikai tās vienā galā kādu pēdu augsts pacēlums. Kā īstenot skatuves ainavu? Abu lugu cēlieni norisinās mežā. Nolēma dekorācijas vietā radīt īstu dzīvu mežu. Bija pavasaris — otrs pēc lielo trimdinieku atgriešanās. Izrādes dienā lielākie skolnieki aizbrauca uz kaut kurieni Rīgas apkārtnē un pārveda vezumu jaunplaukušu bērzu un mazu eglīšu un priedīšu. Lielos bērzus nostiprināja aizmugurē, priekšā izveidoja skuju kociņu jaunaudzīti. Sidraba šķidrauta spēlei izmantoja visu „mežu", Zelta zirga darbību norobežoja priekšplānā, jo tā notiek ziemā. Šāds atrisinājums bija naīvs, bet skatu priecināja dzīvais, smaržīgais zaļums.

Pienāca vakars, ieradās augstie viesi, spēle noritēja labi, un visi bija apmierināti. — Visi? Īrida ne. Viņai bija skumji un sāpīgi. Kādēļ? Viņa taču arī mīlēja abus dzejniekus, un viņas nopelns tas bija, ka tie priecīgi un smaidīgi pateicās skolas vadībai par šo vakaru. Jā, skolas vadībai, kas tos pēc izrādes ieaicināja skolotāju istabā, kur tie vēl labu brīdi pakavējās laipnās sarunās. Bet Īrida tur negāja līdz, viņa ļāva, lai pateicību saņem tie, kas nebija ne pirksta pakustinājuši pie šī vakara notikšanas. Viņa bija atkal konfliktā ar savu dabu. Viņa bija gan nodevusies šī vakara gatavošanai ar visu sirdsdedzi, lai tas dotu dzejniekiem prieku, bet viņa atrāvās no personiskas tuvošanās tiem. Jo viņa jutās dzejniekos vīlusies. Viņa bija domājusi, ka tie pārnāks kā patiesi visas tautas dzejnieki. Ka tie arī dzīvē būs pārkāpuši to slieksni, ko tie bija pārkāpuši savā mākslā. Ka viņi atsauksies visai tautai, kā visa tauta bija atsaukusies viņiem, tos gaidīdama. Bija taču Rainis dzejojis: „Mums visiem vienas sāpes Un vienas cerības." Bet viņš nebija

Latvijā ar visiem. Viņš palika savējais tikai vienā daļā no visiem. Tā viņš kļuva divkosīgs, un Aspazija viņam līdz. Īrida šādu divkosību izjuta kā neīstumu un īsti liela cilvēka necienīgu. Un taisni tāpēc, ka Rainis mākslā bija liels, viņa gribēja palikt tuvībā tikai ar viņa mākslu, netiecoties pāri robežai, kas mākslinieku šķir no cilvēka, ja tāda ir. Līdzīgās situācijās viņa vienmēr jutās neērti un cik spēdama no tādām izvairījās. Tā arī šovakar viņa pēc izrādes pakavējās vēl kopā tikai ar savu „ansambli" un noliedza pati sev pagodinājumu būt lielo dzejnieku sabiedrībā, kas būtu varējis kļūt sākums personiskām attieksmēm.

Bez šī atsevišķā bija arī vēl cits, vispārējs iemesls Īridas izrīcībai. Viņa nekad pati necentās pēc tuvākas pazīšanās ar ievērojamiem cilvēkiem. Ja viņai tādas bija radušās, tām ierosme vienmēr bija nākusi no pretējās puses. Un tikai tad viņa atzina tās par vērtīgām un paturamām, kad pārliecinājās, ka arī viņas pašas vienreizējā personība ir ieskatīta. Viņa nevēlējās piederēt baram, kas anonīmi apļo ap „slavenību" saulēm. Bet kas cits viņa — nepazīta skolotājiņa — varēja būt abiem dzejniekiem, kas bija „dievinātāju" bara aplenkti. Ar savu darbu viņa cieņu dzejniekiem bija apliecinājusi, un ar to lai pietiek.

O

Skolas vadībā pa tam bija notikusi maiņa. Visu cienītais direktors K. Kundziņš bija atstājis skolu, jo viņu aizsauca neatlaidīgs darbs Latvijas augstskolas dibināšanā un veidošanā. Viņa vietā stājās vēsturnieks Fridis Zālītis, lēnas, saticīgas dabas cilvēks. Bet nu jau arī visas nemiera vētras bija pārskrējušas, un skolas darbs atkal iegriezies normālā gaitā.

Īrida juta, ka ilgi viņa nespēs divus tik intensīvus darbus — skolu un augstskolu — pienācīgi veikt. Viņa izšķīrās par studiju turpināšanu un 1921./22. gadu maiņā izbeidza piecpadsmit ar pusi gadu ilgo skolotājas darbu.

Autora iestarpinājums

Augstskolā, studijās Īridai tiešas saskares ar profesoru K. Kundziņu nebija. Pēc tam, kad viņa augst-

37

skolu bija atstājusi, iznāca reizēm sastapties Vara-
vīksnes sanāksmēs kā šis studenšu korporācijas
goda filistriem. Pēc dažiem gadiem bija noticis tā, ka
Īrida sagaidīja dēlu un Kundziņa kundze jaunāko
meitu apmēram vienā laikā. Tad, saredzoties, pro-
fesors smaidīgs teica Īridai — abas mātes esot par
jaunu uzziedējušas bērnu laimē. — — Pēc ilgiem,
ilgiem mainīgas un mānīgas dzīves gadiem, sve-
šumā, tāluma šķirta Īridai atkal atskanēja profesora
Dr. K. Kundziņa laipnā balss:

1953. g. aprīlī.

„Jūsu darba atceres diena sakrita ar mana mūža
70 gadu dienu, kas lika atcerēties nostaigātās gaitas.
Mūsu pazīšanās sākās 1918. gadā kopējā darbā
Izglītības biedrības vidusskolās. Satiekoties ar bi-
jušiem audzēkņiem, blakus citiem dārgiem vārdiem
aizvien ar cieņu un mīlestību tiek pieminēts arī
Jūsējais. Mana sieva un es aizvienu ar interesi la-
sām Jūsu rakstus Laikā.

Saņemiet līdz ar sirsnīgu paldies, ka mani esat
atcerējusies manā dzimumdienā, miļus sveicienus
un Dieva svētības novēlējumus Jums, Jūsu laulātam
draugam un dēlam."

Jūsu K. Kundziņš

„Vēl mirdzums dievišķais nav zvaigznēs dzēsts!"

Un atkal pēc garas gadu virknes: 15 .dec. 66.
„Atceroties ar Jums Latviešu izglītības biedrībā
un pēc tam 2. pilsētas ģimnazijā pavadītos gadus,
sirsnīgi sveicinu Jūsu atceres dienā.

Gaisma, kas apstarojusi Jūsu mūža darbu, lai
svētī arī atlikušās dienas!"

Jūsu K. Kundziņš

Nu laipnā balss ir apklususi... No tās paaudzes
dzīvības koka atrīst lapa pēc lapas. Cik ilgi vēl —
un tas stāvēs gluži kails...

O

— „Ar cieņu un mīlestību tiek pieminēts arī Jū-
sējais..." Jā, arī tieši līdz Īridai pašai pa šiem sve-
šuma gadiem ir nākuši cieņas un mīlestības aplieci-

nājumi par toreiz darīto darbu, par darba sekmēm un par viņas personības dalību tajās. Kādā vēstījumā bijušā skolniece raksta no Kanadas: „Priekšmets, ko viņa mācīja, bija latviešu valoda. Tas veids, kā viņa to mācīja, lika mums mūsu pašu valodu mīlēt. Viņa mums daudz lasīja priekšā, un mēs klausījāmies, jo viņa prata skaisti lasīt." — Cita šeit svešumā sastapta skolniece vēstī: „Ar cieņu un mīlestību mēs viņu sagaidījām, ar cieņu un bijību pret savu darbu skolotāja vadīja stundu. Godā turēt darbu un darba darītāju mēs mācījāmies no savas skolotājas. Pašām nemanot mēs bijām „Nāves ēnā" jūrā uz drūpoša ledus gabala, sapratām Ansi Vairogu — pērļu meklētāju, līdz ar Antiņu kāpām stikla kalnā... Tā bija skolotājas neatņemamā māksla ar savu priekšnesumu, ar visu savu būtību darīt dzīvu autora ideju. Ar šo savu apbrīnojamo valodas mākslu, valdzinošo balsi skolotāja radīja nesaraujamas saites starp sevi un klasi." — Šo atzinumu kāpina vēstule no Anglijas: „Man atmiņā neizgaist Jūsu literātūrvēstures stundas, kuŗās reizi nedēļā pasniedzāt daiļlasīšanu un, starp citu, lasījāt priekšā Mērnieku laikus. Jūs to izdarījāt tik brīnišķīgi, ka klasē nebija gala jūsmošanai. Mūsu fantazijā un Jūsu neaizmirstamā attēlojumā Mērnieku laiki pārvērtās mums par vienu lielu mākslas baudījumu. Vēlākā dzīvē, skatot šo lugu teātrī, atradu, mūsu „Mērnieku laiki" Jūsu priekšlasījumā bija daudzreiz jaukāki." — Architekte no šīs zemes vidienes vēstī: „Man viņa visu mūžu ir bijusi cilvēks, ko klusībā no tālienes esmu vienmēr apbrīnojusi. Arī es esmu viņas skolniece, un man liekas, ka klasē nebija meitenes, kas neizjustu viņas personības ietekmi. Toreiz mums visām tas varbūt bija tā neapzināti. Bet viņas garīgā bagātība un ārēji viņas stāja un izturēšanās, viņas vienkāršība un reizē elegance laikam bija tas, kas nemanot mūs apbūra un saistīja." — To papildina vēl cits vēstījums: „Viņa mums bija mīļa, jo viņa vienmēr bija mierīga, nosvērta un pieejama. Varbūt taisni viņas miers mūs iespaidoja tā, ka mēs patiesi viņu sajutām kā savu audzinātāju un aizstāvi." — Sabiedriska darbiniece no Vašingtonas raksta: „Personīgi uzskatu to par lielu godu apsveikt Jūs Jūsu lielā dienā, kā Jūsu kādreizējai skolniecei no Latviešu Izglītības biedrības skolas laikiem, kur Jūs kā gaiša personība neatlaidīgi un pašaizliedzīgi mums mācījāt — vienmēr un vienmēr censties kļūt par krietnām latviešu sievietēm." — Un beidzot — kāda balss no Latvijas, sākot jau tad, kad sarakstīšanās ar dzimteni tika uzskatīta par noziegumu, neatlaidīgi visus šos gadus atkal un atkal apliecina Īridai nebeidzamu mīlestību un pateicību par saņemto kā skolas, tā vēlākos dzīves gados.

Turpinot pārlapot atbalsis no tālā pagātnē izbeigta darba, Īridas acis un domas apstājas pie vārdiem: „Dzidrām, smaidošām acīm, vieglu gaitu viņa ienāca klasē." — Ak, mīļās meitenes, — viņa nopūšas — ko jūs zinājāt par manām acīm! Jūs tās redzējāt dzidras un smaidošas, bet nekad jūs neredzējāt tās asarās aiztūkušas pēc izraudātām naktīm. Tad Īrida Zelmene negāja pie jums. Tad viņa aizsūtīja uz skolu ziņu, ka ir slima un nevar stundās ierasties. —

Un viņa arī b i j a tad slima. Viņa sirga ar gara pārpalikumu. Ne skola, ne universitāte, ne tuvība ar izraudzīto draugu neiztukšoja viņu. Atlikums sastrēdza un rūga, un lielākos intervālos izlauzās izmisīgās eksplozijās. Tās neredzēja un no tām necieta neviens cits, kā tikai viņas uzticamais draugs.

3

Kad Īrida ar Intu vienojās par kopīgu mūžu, tad bija miera laiks. Tad nekas neliedza iecerēt nākotni pēc pašu prāta. Iecerējuma kodolā bija ģimenes dzīve — savu potenču īstenošana bērnos. Bet nu bija jau gadi gājuši, un viņi arvienu vēl bija divi vien. Pirmajā laikā to izjuta kā likteņa labvēlību: ko gan viņi būtu iesākuši Petrogrādas mēbelētā istabā vai pēc tam Rīgas badā, ja tie nebūtu bijuši divi vien. Kad pēc saaukstēšanās izbraucienā uz Kurzemi pārtiku meklēt Īridas vieglais drudzis arvienu vēl nemitējās un ārsti nevarēja atrast tam cēloni, Dr. Voits, kas arī tagad praktizēja ne vairs Petrogrādā, bet Rīgā, ieteica viņai konsultēt ginekologu. Pēc izmeklēšanas Dr. Nolle jautāja — Vai jūs vēlaties bērnus? — Jā. — Bērni jums nevar būt. — Īridai samulsa prāti. — Esot kādi saaugumi, acīmredzot, kādas senākas slimošanas sekas. — Petrogrāda! Īridai izskrēja cauur smadzenēm. — Ja darbotos Ķemeri, — tos varētu ar dūņu vannām dziedināt. — Bet Ķemeri kara jukās nedarbojās. — Pa ilgāku laiku, pēc gadiem desmit, tie varot arī paši likvidēties. — Pēc desmit gadiem! Tad jau es būšu veca! — Nē, viņa prakse rādot, ka pirmās dzemdības varot normāli notikt pat vēl četrdesmitos gados. — Diagnozes beigu secinājums tomēr bija, ka konstatētie saaugumi nevarot būt cēlonis pastāvīgi paaugstinātai temperatūrai. Tas palika neuziets.

Satumsusi Īrida pārnāca mājā. Pateica Intam bezcerīgo vēsti. — Bezcerīgo? Vai tiešām viņiem bija jāpaļaujas šī viena ārsta profesionāli vienaldzīgajam konstatējumam? Vēl taču viņi bija jauni. Viņi mīlēja viens otru. Vai tad viņi nevarēja cerēt? — Desmit gadi! Kāpēc desmit? Kāpēc ne viens — divi — vai trīs. Viņi konsultēs vēl citus speciālistus. Vai tad nebija pieredzēts, ka ārstu domas dažkārt šķīrās slimību cēloņu un seku novērtējumos. Nebija iemesla izsamist, — Ints mierināja. Un Īrida atkal pacēla galvu un gāja ikdienas darbā „vieglu gaitu un dzidrām, smaidošām acīm."

O

Skolas darbs bija Īridas ikdiena, bet bez tā viņai bija arī sava „svētdiena." Nebija gluži pārtrūkuši sakari ar radītāju darbu skatuvē. Gan ne vairs drāmā, tikai dzejā. Drāmas skatuvē viņas beidzamais devums bija palicis Zaudēto tiesību cildinātā izrāde Vecpiebalgā. Bet dzejas teikšana, tāpat kā skolas darbs, atsākās tūliņ pēc atgriešanās no Petrogrādas. Tā kaut mazu daļu klusināja radīšanas dziņas nemieru un iesaistīja viņas dzīvē pazīšanos ar dažām izcilām mākslinieku personībām. Kā lielu pagodinājumu Īrida izjuta ģeniālās aktrises Daces Akmentiņas simpatijas pret sevi. Viņas bija iepazinušās jau pirms kaŗa, šad tad satiekoties sarīkojumos, vienai vai otrai dzeju teicot. Kad pēc Īridas atgriešanās Rīgā reizēm gadījās nejauši sastapties uz ielas, lielā māksliniece nekad nepagāja garām ar sveicienu vien; viņa apstājās parunāties. Ieminējās arī par apciemojumu vienai pie otras. Īrida tomēr šos mazos uzmanības parādījumus bija vērtējusi tikai kā laipnus pieklājības žestus, ne vairāk.

Bija smagā vācu okupācijas pirmā ziema. Kāda svētdiena — Īridas vārda diena. Viņi to piemin divi vien ar Intu, jo Rīgā ir trūkums — nav cienasta iespēju viesiem. Pēcpusdienā atskan durvju zvans. Īrida atveŗ — aiz durvīm stāv Dace Akmentiņa ar augošu sārtu hiacintes ziedu rokā! Kāds neiedomājams pārsteigums! Kāds gods un prieks! Lielā māksliniece ir ievērojusi viņas vārda dienu un nākusi to apsveikt! Viņu, kas nav nekas slavenās māksliniece priekšā! Tas vairs nebija tikai pieklājības žests. Tas bija patiess simpatijas apliecinājums un patiesa vēlēšanās — uzsākt draudzīgas attieksmes. Šī diena nodibināja viņu starpā tradiciju — ik gadus apciemot vienai otru katras vārda dienā.

Šai laikā Dace Akmentiņa bija jau savas aktīvās teātŗa gaitas izbeigusi. Pēc divdesmit astoņiem nepārtrauktas

42

darbošanās gadiem Rīgas latviešu biedrības uzturētajā teātrī, 1914. gada pavasarī viņa vairs līgumu jaunai sezonai neparakstīja. Kad viņa pirmo soli spēra uz skatuves — 1886. gada pavasarī, Gļinkas operā Dzīvību par caru, z ē n a Vaņas lomā — viņai bija jau turpat divdesmit astoņi gadi. Un kad viņa 1912. gada pavasarī triumfāli iedzīvināja skatuvē m e i t e n ī t i Sniedzi — Annas Brigaderes drāmā Princese Gundega un karalis Brusubārda — viņa bija pietuvojusies jau piecdesmit četriem gadiem. Starplaikā viņa bija izdzīvojusi skatuvē neskaitāmus atšķirīgus sieviešu likteņus un dzirdējusi neskaitāmus apliecinājumus par savu „mūžīgo jaunību" lomās. Un tomēr Sniedze bija tāds pārsteigums, kādu ne visdzīvākā iztēle nebija varējusi iepriekš paredzēt. Gadi bija pazuduši. Gars uzvarējis kuslo miesu. Radīšanas brīnums bija noticis.

Kad Īridai ģimnazistes gados radās pirmā izdevība iepazīties ar latviešu teātri, Dacei Akmentiņai bija aiz muguras jau piecpadsmit slavas apzīmogoti skatuves darba gadi. Pirmo gadu visumā mākslinieciski mazvērtīgajā repertuārā paretam sāka ieviesties arī lugas no pasaules literatūras. Jau otrā sezonā Dace Akmentiņa uzsāka Šekspīra sieviešu tēlu skatuvisko iedzīvināšanu, nelielajā Nerisas lomā Venēcijas tirgonī. Pēc dažiem gadiem tai sekoja Hermija — fantastiskajā komēdijā Sapnis vasaras naktī, Bianka — drastiskajās Spītnieces precībās, Viola — komēdijā Juku jukām, Kalpurnija — traģēdijā Jūlijs Cēzars un Anna — Ričardā III. Kaut tā laika kritikai bija atzinīgi vārdi vien visu šo samērā nelielo lomu atveidiem, tomēr īsti, ar visu savu radītājas spēku māksliniece bija piepildījusi trīs maigos traģiskos attēlus: Kordēliju — Karalī Līrā, Ofeliju — Hamletā un Desdemonu — traģēdijā Otello.

No šiem tēliem Īrida bija redzējusi vienīgi Desdemonu. Traģēdijas pirmizrāde bija notikusi jau 1894./95. gada sezonā, kad Īrida vēl ne pirmskolas gaitas nebija uzsākusi. Par to Dienas Lapas recenzents M. N. rakstīja: „Akmentiņas jaunkundze tikpat tēlojumā kā izskatā bija cauri un cauri Desdemona. Aizgrābjošs bija pēdējais skats, kur sēras viņu nomāc, it kā tā savu galu paredzētu." Pēc piecpadsmit gadiem Arturs Bērziņš raksta Latvijā:

„No tēlotājiem savu uzdevumu dziļi bija izpratusi īpaši Dace Akmentiņa Desdemonas lomā. Ar maigām krāsām un graciozām dvēseles kustībām viņa radīja skaistuma tēlu, kas dziļi iespiežas atmiņā." Un vēl 1911. gadā Luize Skujeniece Dzimtenes Vēstnesī raksta: „Dace Akmentiņa tēloja Desdemonu tā, ka mēs it neko nevarējām citādi vēlēties. Sirsnība, maigums, grācija, sapratība darīja viņas tēlojumu ļoti pievilcīgu."

Šo beidzamo izrādi redzēja Īrida. Kad skatuvē ienāca Dace Akmentiņa, tā pielija ar zeltainu gaismu. Kā glāstošs saules stars viņa slīdēja pār skatuvi, izstarodama savas personības mirdzumu. Viss cits — spēles detaļas ar Otello — it kā iegrima zeltainā vizmojumā, un to Īridas acīs nebija izdzēsis gadu gājums.

Šekspīrs nebija vienīgais pasaules literātūras klasiķis, kuŗa tēlos auga un nobrieda Daces Akmentiņas māksla. Arī Šillera patētiskās lugas jau it agri iemīļoja latviešu teātris. Starp tām izcilākās lomas māksliniecei bijušas Luīze Millere, Marija Stjuarte un karaliene Elīzabete drāmā Don-Karloss. Īrida pati nevienu no šiem kritikas cildinātājiem tēliem nebija redzējusi, bet viņa bija lasījusi ģeniālā dzejnieka Poruka (Parsifala) atzinumu Mājas Viesī, ka „Ļoti ievērojams talants ir Dacei Akmentiņai. Viņas Luīze bija lieliska. Akmentiņas jaunkundzei ir ģenijs, tāpēc viņa ir ī s t a māksliniece." Šī nebija vairs kāda gadījuma rakstītāja — žurnāliste atsauksme. Te ģenijs bija izjutis ģeniju, augsti kultūrāls pasaules mākslas pazinējs apliecināja latviešu skatuves mākslinieci par lielisku un īstu. — Par Mariju Stjuarti kāds nezināms recenzents bija rakstījis, ka tā bijusi „ķēniškīgs, godības pilns tēls." — Un vēl 1910. gadā Arturs Bērziņš, rakstīdams par karalieni Elīzabeti, izsaucās: „Daces Akmentiņas talants ir apbrīnojams. Mēs varam būt lepni, ka viņā vēl ir tik daudz svaiguma un jaunības."

Gadu gājumā Rīgas latviešu teātŗa repertuārs bija sakuplojis īsti košs. Līdzās latviešu oriģināldrāmai tajā ietilpa Vakareiropas ievērojamākie drāmatiķi — G. Hauptmans, H. Ibsens, Goete un vēl citi, bet arī krievu drāma, sākot ar Maksimu Gorkiju, ieguva tajā savu vietu.

Un visā šai daudzveidībā Daces Akmentiņas radītie at- tēli bija tikuši kritikas izcelti pāri citiem un nemitīgi ap- jūsmoti. Visaugstākā atzinība piešķirta Grietiņas atvei- dam Goetes Faustā. Ar to māksliniece otrreiz izpelnīju- sies ģenialitātes apzīmējumu savai mākslai. To viņai pie- šķiris izcilais drāmatiķis Rūdolfs Blaumanis, rakstīdams vācu laikrakstā Rigasche Rundschau: „Akmentiņas jaun- kundze deva tēlojumu, kas iesniedzās ģeniālā sfairā. Ar apbrīnojamu mākslu viņa prata pilnīgi ietērpties cēlas jaunavības burvībā un iemiesoja lomas dvēseliskās kustī- bas, sākot ar mostošos pieķeršanos līdz vissatricinošākai ārprāta izteiksmei, ar tādiem līdzekļiem, kādi tikai ie- vērojamai tēlotājai ir pieejami. Beidzot vajag reiz atklāti izteikt, ka latviešu teātrim Akmentiņas jaunkundzes per- sonā ir tāda aktrise, kas citos, ne mūsu klusajos latviešu apstākļos, būtu slavena māksliniece." — Un Luīze Sku- jeniece pēc pieciem gadiem Baltijas Vēstnesī raksta: „Akmentiņas jaunkundzes Grietiņa gan reiz tiks ar zelta burtiem atzīmēta viņas bagātajā mākslinieces vēsturē. Tā kā viņa mums Grietiņu tēlo, mēs nevienu skatu ne- vēlamies citādi. Tā ir gatava, noskaidrojusies māksla, ko mums sniedz Akmentiņas jaunkundze." Un vēl 1910. gadā Pauls Ašmanis raksta Dzimtenes Vēstnesī: „Ar- vienu vēl jāapbrīno Akmentiņas jaunkundzes skaistais izteiksmes veids: viņas valoda tik bagāta balss nokrā- sām, ka katram vārdam, katram jēdzienam cienījamā māksliniece prot atrast vispiemērotāko izteiksmes veidu. Kad mēs piedzīvosim tādu Grietiņu no kādas citas lat- viešu aktrises?"

Bija pagājuši desmit gadi kopš Grietiņas pirmrādītā tēla 1897. gada pavasarī, kad Dacei Akmentiņai bija jārada divi, no Grietiņas absolūti atšķirīgi raksturi — pirmatnīgu instinktu un mežonīgas kaisles sievietes — Makša Dreiera lugā Septiņpadsmitgadīgie — Ērika un Gerharda Hauptmaņa Elgā — Elga. Par Ēriku Duburs rakstīja Balsī: „Ērikas erotiski glūnošā zvēra rakstu- rojums jaunās meičas personā Dacei Akmentiņai dod pa- teicīgu vielu atkal parādīt savu bagāto talantu. Zvēriski kaislā tiekšanās pēc Vernera mīlestības mākslinieces smalki nosvērtā attēlojumā skatītājiem parādījās visā šausmīgumā un tomēr palika ārēji vienmēr daiļa. Lomas kairinošais elements — kā galvenais — spīd visur cauri. Tēlojuma kopiespaids raksturīgs un interesants." Turpretim par Elgas izveidojumu Duburam ir dalītas domas. Viņš gan atzīst, ka „kā raksturstudija mākslinieces Elga ir smalks filigrandarbs," tomēr ieskata, ka „Elgas raksturs prasa vēl vairāk: pirmatnēja varones spēka un heroiska diženuma." Arī Zeltmatis, rakstīdams Latvijā, domā, ka galīgi Elgas tipu māksliniecei nav izdevies izcelt. Bet Tautmīlis-Bērziņš, žurnālā Skatuve, sevišķi atzīmē un cildina Daces Akmentiņas p a t s t ā v ī g o Elgas uztvērumu, kaut gan tai acu priekšā bijis tāds kārdinošs paraugs kā šejienes Vācu teātra Elga — Iza Monāra (Monard).

Iza Monāra bija Vācu teātra izcilā varoņlomu tēlotāja, tais gados Īridas īpaši iemīļota aktrise. Īrida bija redzējusi abas Elgas — Monāras un Daces Akmentiņas; un viņas sajūsma par pirmo pārspēja otru. Iza Monāra bija liela, slaida, spēcīga un lokana auguma, un jau tādēļ vien Īridai šķita nobriedušās, valdonīgās tīģerienes Elgas īstā interprēte. Mākslinieces skaistā un bagātā vācu valodas izrunā arī šķita pilnīgāk izskanam vācu rakstnieka radītā oriģināltēla dziļākā būtība. Varbūt, ka Īrida toreiz vēl neprata īsti vērtēt? Var arī būt, ka toreizējais vispārējais Rīgas vācu teātra augstākais mākslas līmenis bija viņā izraisījis aizspriedumu pret latviešu teātri? Tā tomēr bija, ka arī no Dreiera Ērikas tēla atveida viņa ieguva vairāk vācu nekā latviešu teātrī. Ērikas lomā tur viesojās slavena valsts vācu aktiere Ida Wuest, kas ar lugas vārdiem pati sevi noraksturoja par Raubtier mit Raubtierinstinkten tik mežonīgi, ka tie iecirtās Īridā kā plēsīgi meža kaķes nagi neaizmirstami uz visu mūžu.

Tomēr arī plašākas publikas atsauksmēs par Daces Akmentiņas Elgu bija dzirdami dalīti spriedumi. Bet māksliniece pati, jādomā, par sevi šai lomā nešaubījās, jo izraudzīja to savai 25 gadu skatuves darbības jubilejai 1911. gada martā. Kad viņa it drīz pēc šiem spožajiem svētkiem tēloja atkal reiz Blaumaņa Kristīni — Ugunī, lomu, ko laiku laikos kā kritika, tā skatītāji bija atzinuši par vienu no māksliniecies vislabākajām, Arturs Bērziņš Latvijā rakstīja: „Žēl, ka māksliniece Kristīni netēloja savā 25 gadu skatuves darbības jubilejā. Man personīgi jāsaka, ka Kristīnes loma ir vislabākā loma viņas repertuārā." Šim vērtējumam pievienojās arī Luize Skujeniece Dzimtenes Vēstnesī: „Kristīne ir viena no Daces Akmentiņas labākām lomām, varētu pat apgalvot, ka vislabākā." Bet māksliniece pati, vēlākā sarunā ar Īridu, šīm domām nepievienojās. Viņa Kristīnes lomu gan ļoti labprāt tēlojusi, tomēr esot bijušas lomas, kas tai vēl mīļākas šķitušas. — Varbūt, ka tāda mākslīniecei bija šķitusi arī Elgas loma.

Tad, kad māksliniece Īridai to teica, viņa vairs netēloja nevienu lomu. Bet pirms apklušanas liktenis viņai bija piešķīris lomu, kuŗā tās ģenijs varēja uzmirdzēt apžilbinošā spožumā. Un pēc tam, kad Īrida bija pieredzējusi Daces Akmentiņas Sniedzi, viņa zemojās šīs Dieva izredzētās mākslinieces priekšā uz laiku laikiem.

O

Un tomēr — tikai divi gadi pagāja, un Dace Akmentiņa labprātīgi atstāja savu neaizstājamo vietu teātrī tukšu. Kādēļ? Atbildes varētu būt vairākas: gadi, slimība, pašlepnums? Toreiz, kad tas notika, Īridai, tāpat kā nevienam citam ārpus teātra dzīves apstākļiem, drošas atbildes uz to nebija. Tā izraisījās tikai pa gadiem pamazām satuvinoties ar mākslinieci dzīvē.

Kaŗa laika sarežģījumos un okupāciju maiņās arī Dace Akmentiņa, līdzīgi daudziem, pazaudēja savu ārpus skatuves darba apstākļiem nodrošināto materiālo neatkarību. Spieda vajadzība un spieda lielinieku drauds ar „sabiedriskiem" spaidu darbiem katrai pilsoniskai sievietei, kas nevarēja uzrādīt apliecību par algota darba vietu, un — Dace Akmentiņa, kaut nomināli, saistījās okupantu nodibinātā Tautas teātrī. Pēc lielinieku atkāpšanās kapteinim Dambekalnam bija uzdots rūpēties par sarīkojumu noorganizēšanu kareivjiem. Viņa kundze, Biruta Skujeniece, šai sakarībā nodibināja teātra trupu un deva savā režijā gatavotas izrādes rekvizētajā operas namā. Plašajā ansamblī bija arī Dace Akmentiņa. Kad 1919. gada vasarā gatavoja Meterlinka lugas Māsa Beatrīse izrādi, režisore titullomu piešķīra Dacei Akmentiņai.

Meterlinka luga ir mistērija, kuŗas darbība notiek četrpadsmitajā gadsimtā kādā klosterī Luvenas tuvumā. Šai klosterī atrodas brīnumdarītājas Svētās Jaunavas statuja, un tās kopēja un apsargātāja ir jaunā un skaistā māsa Beatrīse, kam izskatā ir līdzība ar Svēto Jaunavu. Pēc skaistās māsas tīko princis Belindors. Pie statujas kājām Beatrīse lūgšanās cīnās pret savu zemes mīlestību, ko nespēj nomākt, un princis viņu aizved no klosteŗa. Pie statujas nomests paliek mūķenes mētelis un plīvurs. — Otrā cēlienā sākas mistērija: Svētās Jaunavas statuja atdzīvojas, nokāpj no pjedestāla, savām mirdzošajām drānām pārvelk pāri Beatrīses atstātās un uzņemas viņas gaitas. Kad notikušo redz klosteŗa priekšniece un mūķenes, tās pārbīstas, noturēdamas Svēto Jaunavu par māsu Beatrīsi un domādamas, ka tā nav nosargājusi Svēto un ir to aplaupījusi. Bet kad Beatrīsi grib sodīt, notiek brīnums: viss ap viņu pārvēršas ziedos un staros, un klosteris pasludina viņu par svēto. Un par Beatrīsi noturētā Svētā Jaunava atsāk aizvestās mūķenes pienākumus. — To viņa ir darījusi divdesmit piecus gadus. Trešā cēlienā, kādā ziemas dienas rītā Svētās Jaunavas statuja ir atkal savā vietā. Iepriekšējā vakarā viņa teikusi: ,,Es gaidu manas Svētās atgriešanos." Šai rītā klosterī atgriežas māsa Beatrīse — nepazīstama: sirma, skrandās, nomocīta līdz nāvei. Viņa nometas ceļos pie statujas un lūgdamās sūdzas: ,,Skaties, kur mani ir novedusi mīlestība un grēks un viss, ko cilvēki par laimi sauc. — Un ja Dievs grib, lai cilvēki nebūtu laimīgi, viņš arī man to nav vēlējis, jo es neesmu bijusi laimīga. — Es nāku mirt te šai svētajā namā." — Viņa atrod mēteli un plīvuru, kur bija pametusi, uzģērbj tos un krīt nesamaņā. Nāk mūķenes un notur Beatrīsi par mirušu. Kad viņa atmostas, notiek liela abpusēja nesaprašanās: klosteŗa iemītnieces joprojām uzskata Beatrīsi par svēto, kas divdesmit piecus gadus nepārtraukti kalpojusi savā vietā, un nekādas Beatrīses pašapsūdzības par dzīvi grēkā nespēj deldēt viņu ticību. Un Beatrīse mirst ar vārdiem: ,,Es esmu dzīvojusi tai pasaulē, kuŗā ļaunumam un ienaidam nav mēra, un es mirstu kādā citā pasaulē, kur es nezinu mēra labam un mīlestībai."

Piešķirdama Dacei Akmentiņai māsas Beatrīses lomu, režisore no tās atdalīja Svēto Jaunavu, ko tēloja pati. Dacei Akmentiņai bija jāiemieso māsa Beatrīse ziedošā pirmās jaunības nevainībā un skaistumā un — dzīves pieviltā, noziegumos grimušā grēciniece vecumā.

Gaidāmā izrāde modināja lielu interesi mākslinieces

cienītājos un it sevišķi jaunatnē — tai kara gadu jaunatnē, kas pati Daci Ākmentiņu nebija vairs uz skatuves redzējusi, bet totiesu jo daudz dzirdējusi par viņas leģendāro slavu. Ja šī izrāde būtu notikusi dažus gadus agrāk, tad nešaubīgi mākslinieces ģenijs māsas Beatrīses lomā būtu brīnumus darījis. Bet šais dažos pēdējos gados viņas slimība — nervu un reimatiskas sāpes kājās — bija tā progresējusi, ka apgrūtināja kustības un gaitu, un māksliniece savā fiziskā nevarībā nespēja vairs pirmajā cēlienā pārliecināt par māsu Beatrīsi jaunības plaukumā. Reiz sarunā par šo izrādi māksliniece pati Īridai teica, cik grūti viņai bijis sāpošām kājām mesties ceļos un sevišķi celties augšā. Īrisai tādēļ bija pamats domāt, ka Birutas Skujenieces lēmums — likt fiziski iedragātajai māksliniecei iemiesot arī j a u n o Beatrīsi — ir jāatzīst par režisora misekli un pāri darījumu māksliniecei. Šī iemesla dēļ tie, kas apmeklēja izrādi, lai kaut reiz dabūtu redzēt izdaudzināto Daci Ākmentiņu, neieguva vairs no māksliniece attēla to īsto viena lējuma iespaidu, ar kādu viņa bija fascinējusi skatītājus savas nepārtrauktās darbības laikā. Nu viņa spēja vairs radīt tikai dziļi traģisku beidzamā cēliena dzīves satriekto Beatrīsi.

Arī jaundibinātā Nacionālā teātra pirmajā sezonā Daci Ākmentiņu iesaistīja ansamblī, un te viņai izgadījās loma, kur pēdējo reiz vēl visā pilnībā izpaudās viņas mākslas īpataiss daiļums. Tā bija marķize de Sarklē, Heinricha Manna lugā Legro kundze, viesojoties Vācijā slavu ieguvušai latviešu aktrisei Marijai Leiko tituļlomā.

Marķīzi de Sarklē iedzīvināt mākslinieci netraucēja viņas sāpošās kājas: šo sirmo aristokrāti ieved pilsdārzā stumjamos ratiņos, un šai statiskā stāvoklī Dacē Ākmentiņā kā dzīvā gleznā varēja sakoncentrēties visa viņas personības gaisma. Kāda bauda bija skatīt viņas skaisto sirmo galvu, klausīties viņas skaidro cildeno valodu, vērot viņas smalko aristokrātisko roku mierīgās kustības! Viņa bija harmonisks pretstats un līdzsvarojums satrauktajai, eksaltētajai Legro kundzei. Viņu nevarēja aizmirst.

Ar šo lomu tomēr bija jāizbeidzas Daces Ākmentiņas oficiālai saistībai ar teātri; uz to piespieda pieaugošā kāju nevarība. Tikai vēl pēc divi gadiem, kad Aktieru arodbiedrība deva māksliniece atbalstam izrādi — ar J. Akurātera lugu Lāča bērni, viņu vēl aicināja piedalīties

49

tajā divi pēdējos cēlienos. Lugas četros cēlienos autors skicē kalpu dzīves norisi no jaunības spēka gadiem līdz sirmgalvju nevarībai. Ar lielām cerībām mīlestības jūsmā sāktā Andreja un Maijas kopīgā dzīve izbeidzas nabadzības postā un atstātībā. Iegūts ir tikai vecuma nespēks sāpošos locekļos.

Maijas lomu režija bija sadalījusi divām aktierēm; Dace Akmentiņa tēloja vairs tikai Maiju pusmūžā un vecumā. Un mākslinieces pašas darba dzīves traģiskā izskaņa, simboliski saplūzdama ar Maijas tādu pašu traģismu lugā, izrādē aizkustināja līdz asarām. Beidzamo reiz vēl viņas gara spēks strāvoja uz publiku un piespieda visu kritiku vienbalsīgi atzīt tās māksliniec* iskās personības neatvairāmo valdzinātāju varu. Tas notika 1922. gada 24. aprīlī.

Autora iestarpinājums

Bet arī pēc tam nemitējās Daces Akmentiņas saistība ar teātra pasauli. Kamēr vien māksliniece spēja, kaut ar grūtībām iet, viņa bija redzama katrā pirmizrādē abos teātros, arī operā. Pirmizrāžu vakaros viņa paņēma savu spieķīti un nedrošiem solīšiem tipinādama jau laikus ieradās teātros. Bet pienāca laiks, kad spieķīša atbalsta vairs nepietika, un māksliniece tikai tad vairs iedrošinājās iziet no mājas, kad kāds no tuviniekiem viņu vadīja. Teātris un jaunības dienu draugu Brigaderu nams vien vēl ietilpa mākslinieces ārpasaulē. Īridu apciemot tās piektā stāva dzīvoklī viņa vairs nespēja, un Īrida tikai no savas puses varēja turpināt vārda dienas apmeklējuma tradīciju.

Kad viņa to darīja 1927. gada 6. februārī — Daces dienā — viņa atrada mākslinieci gultā. Pēdējā laikā reizēm jau viņas vārgās kājas ejot bija it nemanot izslīdējušas, un taisni šai dienā viņa bija tik nelaimīgi pakritusi, ka nespējusi vairs saviem spēkiem piecelties. Un no šīs dienas māksliniece nevien galīgi pazaudēja spēju bez citu palīdzības paiet, bet pat katra izkustēšanās viņai sagādāja grūtas mokas.

Līdz tam māksliniece vēl kaut kā bija iztikusi, viena pati dzīvodama. Nu tas vairs nebija iespē-

jams, un tuvinieki sarūpēja viņai uzņemšanu Sar-
kanā Krusta sanatorijā, Rīgas jūrmalas Asaros, kur
viņa nodzīvoja ilgāk par gadu, līdz 1928. gada
maijam. Šis bija mākslinieces mūža jubilejas gads,
augustā apritot septiņdesmit gadiem no viņas dzim-
šanas, un viņas tuvākie cienītāji iecerēja to atzīmēt
ar sarīkojumu Nacionālajā teātrī, reizē mākslinieci
godinot un sagādājot ārstēšanās līdzekļus. Bez sa-
rīkojuma rīcības komitejā vēl bija radusies doma
sarakstīt un izdot uz jubilejas svētkiem monogrāfiju,
kas apcerētu mākslinieces dzīvi un darbu. Īrida ak-
tīvi rīcības komitejā nepiedalījās un par šādu no-
domu uzzināja tikai tad, kad pie tās ieradās kāda ko-
mitejas locekle ar lūgumu uzņemties šo darbu, jo
izdevējs A. Gulbis esot noraidījis sākotnēji iecerētā
autora Pētera Birkerta grāmatas izdošanu un teicies
gatavs monogrāfiju apgādāt vienīgi tad, ja to rak-
stūtu Īrida Rasa-Zelmene.

Īridu pārsteidza šāds izdevēja Gulbja lēmums,
jo viņa ar šo cienījamo grāmatnieku ne personiski
pazinās, nedz tai bija bijusi kāda saskare ar viņu
rakstos. Likās, ka viņš bija sekojis tās sacerējumiem
periodikā un tos atzinīgi novērtējis.

Doma rakstīt kādreiz par Daci Ākmentiņu viņai
pašai nebija sveša. Viņa to bija lolojusi jau dažu
gadu un reiz pat ieminējusies par to māksliniecei.
Aizkustināta māksliniece tad bija aizklājusi seju
rokām un klusi noteikusi: „Kādēļ to vairs augšā
celt, kas jau sen aprakts!" Tomēr tā nebija iekusti-
nātās domas galīga noraidīšana. Tikai citu aktuālu
darbu un pienākumu dēļ Īrida bija tās īstenošanu
joprojām atbīdījusi uz tālāku laiku. Nu, kad nebija
vairs citas alternatīvas, viņa izšķīrās šo pienākumu
pret mākslinieci uzņemties.

O

Īrida apzinājās, ka darbs būs liels un atbildīgs
un nebūs paveicams pāris mēnešos no maija līdz
mākslinieces dzimumdienai 3. augustā. To viņa zi-
ņoja komitejai, un tā izlēma jubilejas sarīkojuma
laiku pieskaņot grāmatas iznākšanai, ko Īrida pa-
redzēja pēc apmēram pusgada.

51

Jāsāk bija ar materiāla savākšanu: rakstītās liecības kritikās un apcerējumos, personiskās liecības tuvinieku un laika biedru intervijās un — mākslinieces pašas liecības par sevi un savu darbu„ — visu savākto pēc tam izsijājot un izvērtējot ar pašas pieredzi un spriedumu.

Īrida sāka ar mākslinieces apciemojumu Sarkanā Krusta sanatorijā. Ar to bija jāpasteidzas, jo mākslinieces tuvinieki bija nolēmuši pa vasaru aizvest viņu uz laukiem brāļa dēla saimniecībā, kur māksliniece jau dažas iepriekšējās vasaras bija labprāt pavadījusi. Uzturēšanās sanatorijā nebija māksl000niecei darījusi nekā laba. Taisni pretēji: izolēta no tās pasaules, kam bija piederējusi visa viņas dzīve, viņa līdz mielēm šai laikā bija izjutusi garīgo atstātību. Tas asi bija iezīmējies viņas sejā. Sāpīgi bija redzēt citkārt spožo acu mirdzumu nodzisušu un lasīt dziļus ciešanu rakstus vaibstos. Kad Īrida pateica, ka nu, sakarā ar mākslinieces dzimumdienas atzīmēšanu, ir uzņēmusies rakstīt par viņu un jautāja, vai viņai nav kādi materiāli uzglabājušies, ko tai uzticēt, māksliniece vāji atrunājās: „Vai tad es esmu tik daudz vērta, lai par mani ko rakstītu? — Es jau nekā neglabāju. — Vai es varēju iedomāties, ka man par to, ko daru, būs kādreiz jādod atbildība!" — Tomēr vēlāk, mākslinieces mājā Īrida atrada diezgan daudz ilustratīva materiāla par Daces Akmentiņas mākslinieces mūžu.

Lielākā darba slodze bija jāpaveic bibliotēkās, sameklējot un izsekojot kritikām par izrādēm trīsdesmit sešu gadu laikā. Tas nozīmēja, ka bija jāizšķirsta lapu pa lapai vispirms visu latviešu periodisko izdevumu lielos smagos vākos iesietie gada gājumi un jāizdara attiecīgie izraksti. No Rīgas jūrmalas Dzintariem, kur Īrida ar ģimeni vasarās dzīvoja, viņa nu ik dienas brauca uz Misiņa bibliotēku un ierakās tur darbā uz ilgām stundām. Un tas savukārt nozīmēja„ ka mazais trīsgadīgais dēls nu bija augām dienām jāatstāj vienīgi kalpotājas ziņā. Uz rudens pusi viņa pārcēlās uz Pilsētas bibliotēku, lai arī vācu laikrakstos Zeitung fuer Stadt und Land (1886.—1894.) un Rigasche Rundschau (1894.—1914.) izsekotu attiecīgajiem rakstiem. Mēnešiem tā rak-

damās pa pagājušu laiku liecībām, Īrida pārsteigta atklāja sevī ko jaunu: ka viņā mostas pētnieces prieks uz z i n ā t n i s k u darbu. Līdz tam viņa bija apzinājusies sevī tikai mākslinieciskas potences. Nu viņa redzēja, ka tā tik pat labi būtu varējusi kļūt zinātniece, ja dzīve tā būtu ievirzījusies. Zināms gan, izejas punkts jau arī šai darbā, ko viņa nupat veica, bija māksla, tikai nu viņa nebija mākslas radītāja, bet objektīva tās fainomenu pētītāja c i t a s mākslinieces visu dzīvi aptveŗošā apjomā. Tas, ko viņa jau agrāk bija rakstījusi par skatuves māksliniekiem, bija tikai sīkas atsevišķu norišu impresijas. Nu viņai bija pētījama un vērtējama jau citu vērtētāju par ģeniālu atzīta personība mākslā. V i ņ a s darbam bija nu šī liecība jāapstiprina vai jānoraida. Milzīga atbildība! Un viņu gandarīja izjūta, ka dara to pacilātā prātā un neatslābstošā zināt kārē.

O

Uzsākot intervijas, Īrida centās iespiesties cik vien iespējams agros Daces Akmentiņas māksliniecisko iedīgļu izpaudumos. Atklājās, ka d z i e s m a s spēks ir neatlaidīgi virzījis pilsoniskās jaunavas Dorotejas Šteinbergas dzīves ceļu tā, ka tai bija jāpadodas neapzinātam un pat negribētam likteņa lēmumam un jākļūst par skatuves māksliniecei Daci Akmentiņu. Dziedāt bija sākusi jau mazā Doriņa skolnieku korī dievkalpojumos, un pieaugusi turpināja to gan baznīcu, gan biedrību koŗos, iegūdama izcilas altistes slavu. Kad pie Rīgas latviešu biedrības koŗa nodibinājās jaukts kvartets, tajā soprānu dziedāja Anna Veinberga — vēlāk aktiere Brigaderu Maija, altu Doroteja Šteinberga, tenoru pats koŗa diriģents Ārgals un basu Jānis Brigaders. Intervijā Ārgals liecināja, ka dalībnieku balsis ārkārtīgi labi saskanējušas. Šteinberga jaunkundze tad bijusi jau gatava dziedātāja, ar labu dzirdi un skaistu, dziļu alta balsi, un drīz kļuvusi arī soliste koŗu koncertos. Sevišķi labā balsu saskaņa arī bijusi par iemeslu ciešākas draudzības nodibināšanai abu dāmu starpā uz visu mūžu.

Un tikai draudzīgo Brigaderu neatlaidīgā pierunāšana panāca to, ka ieslavētā altiste uzņēmās zēna Vaņas lomu dziesmu lugā Dzīvību par caru, jo teātŗa ansamblī nebija neviena, kas būtu bijis spējīgs to dziedāt.

53

Jā, to jau Irida zināja, ka Dace Akmentiņa bija tik pat kā Brigaderu ģimenes loceklis. Brigaderu namā pie pusdienu galda viņa taču bija tikusi iepazīstināta ar mākslinieci jau toreiz, kad pati bija vēl skolniecīte un reizē arī mājskolotāja Brigaderu radu meitenei, un daudz gadu vēlāk viņai bija teikts, ka līdz pat pēdējam laikam māksliniece esot ik svētdienu viesis pusdienās pie Brigaderiem. Arī gadskārtējās Daces dienās mākslinieces viešņu vidū palaikam sastapa arī Brigadera kundzi. Gadiem ejot, viņa pati bija satuvinājusies ar Annu Brigaderi un, apciemojot rakstnieci, kas dzīvoja kopā ar brāli un svainieni, automātiski bija kļuvusi arī par Brigaderu viešņu. Nu viņa priecājās, ka Brigaderus — Daces Akmentiņas tuvākos draugus iztaujājot, viņa varēs iegūt it īpaši dziļu ieskatu mākslAiniecē.

Brigadera kundzi Irida jau no savām meitenes dienām pazina kā laipnu, šķietami ļoti sirsnīgu dāmu, kas labprāt mēdza atcerēties un stāstīt par senajiem laikiem teātra pasaulē. Tāpēc viņu tagad gluži apstulbināja kundzes cietais noraidījums — man nav nekā ko stāstīt — kad viņa bija pateikusi savu vajadzību. Tā bija pavisam cita seja, ko nu Irida redzēja. Cieši saskniebtās lūpas noslēdza kundzes muti, un auksta nelaipnība bija iesalusi tās acīs. Nekā nesaprazdama Irida aizgāja.

Saprašana sāka ataust pēc sarunas ar teātra direkcijas locekli Jāni Brigaderu, ko viņa apmeklēja tā darba laikā teātrī. Viņš stāstīja labprāt. Arī par Daces Akmentiņas sievietības lielo pievilcību. Kad viņa uzmetusi savu kvēlo skatienu vīrietim, tam karsts pārskrējis no galvas līdz kājām. Arī viņš pats esot sākumā savu ievērību pievērsis Šteinbergas jaunkundzei. Bet kad uzzinājis, ka tā jau saderinājusies, tad atkāpies un apprecējis tās draudzeni Veinbergas jaunkundzi. Vēlāk teātrī bieži bijis Daces Akmentiņas partneris. Kopspēlēs viņas dziļais pārdzīvojums arī pretspēlētāju aizrāvis līdz pilnīgā sevis aizmiršanā, tā ka viņa sieviņa izrādes skatoties dažkārt kļuvusi tīri greizsirdīga.

Dzirdētais nu lika Iridai jo asāk apzināties to, kas viņā jau bija formulējies lasot avīžu slejās atzinumus par abām māksliniecēm. Brigaderu Maija bija īpaši iemīļota aktiere jau tad, kad Dace Akmentiņa parādījās tai līdzās. Turpmāk abas mākslinieces bieži bija partneres izrādēs. Brigaderu Maija — slaikā, draiskā, sidrabskanīga sopraniste sākumā dalījās sajūsmīgās uzslavās ar mazo, daiļo altisti Daci Akmentiņu. Bet pamazām pirmās slava kļuva klusāka. Daces Akmentiņas d a u d z p u s ī b a nomāca Brigaderu Maijas viengabalaināka talanta spilgtumu, un tā kā pēdējā jau 1899. gadā atstāja skatuvi, tad uzvarētāja teātra vēstures atzinumā palika Dace Akmentiņa.

Īridai bija arī zināms, ka Brigaderu Maija bija aizgājusi no teātra sarūgtinājumā, kad viņas žanrus — subretes un raksturlomas sāka pārņemt citas, vēlāk teātrī piesaistītas aktieres. To viņa izjutusi ne katrreiz savienojamu ar savu vietu un stāvokli teātrī. Un kaut gan pēc tam, kā Jāņa Brigadera kundze un Annas Brigaderes svaine, viņa dzīvoja šķietami pilnvērtīgu, mākslas interešu piesātinātu dzīvi, tomēr zem piespiedu pasivitātes, kā Īrida tagad saprata, bija gruzdējusi neizmantotu radošo spēku neapmierinātība un — varbūt pat — greizsirdība. Divkārša greizsirdība: pret jaunības draudzeni, kam pirmajai bija piederējušas viņas vīra simpatijas, un pret mākslinieci, kuras nemitīgi triumfālie skatuves panākumi varēja būt jo sāpīgs pastāvīgs atgādinājums par pašas zaudēto teātra karjēru. Draudzība lidz mūža galam tātad bija bijusi vairāk sabiedriskas laipnības maska, zem kuras nu atklājās nenovīdība. Ka tāda patiesi bija, par to Īridu pārliecināja otrreizēja saruna ar Jāni Brigaderu, kad tas mēģināja pierunāt viņu ietekmēt rīcības komiteju iecerētās jubilejas svinības nerīkot: tik daudz gadu pagājis, tik slims cilvēks, publikas aizmirsts, tur taču nekas nevarot iznākt. Īrida nu saprata, kas pirmējās sarunas sajūsmīgo Daces Akmentiņas atzinēju bija ietekmējis raudzīt novērst sagaidāmo beidzamo triumfālo slimās mākslinieces saskaršanos ar publiku. Nu viņa arī atcerējās, ka šad tad agrāk sarunās bija dzirdējusi mazcienīgu toni par Daci Akmentiņu gan sakarā ar viņas slimības izpaudumiem, gan par viņas rakstura dažām īpašībām. Un pat Anna Brigadere, kas ar visdziļāko sajūsmu atsaucās par mākslinieces radītajiem tēliem, atļāvās tad pret viņu tādu kā mazu vīpsnu.

Kā tas viss sāpēja! Sāpēja pašas vilšanās, bet jo vairāk sāpēja mākslinieces pieviltā bezaizdomu uzticēšanās saviem jaunības draugiem. Jo nekad Īrida nebija dzirdējusi mākslinieci tos pieminam citādi kā vien īstā, siltā draudzībā.

O

Arī turpmākās intervijas mācīja Īridu iepazīt un vērtēt cilvēkus. Tās viņai bija laba dzīves skola. Pretstatīgās un pretrunīgās liecības par Daci Akmentiņu nostiprināja viņā jau agrāk pašas dzīvē iegūto atziņu, ka jo bagātīgāka kāda personība, jo dažādāki ir cilvēku spriedumi par to, atšķirdamies dažkārt līdz galējībai. Par Daci Akmentiņu jūsmoja, bet bija arī, kas viņu noniecināja. Jo lielā interesē Īrida apciemoja bijušo ilggadīgo Rīgas latviešu teātra direktoru Pēteri Ozoliņu. Kā divdesmitvienu gadu vecs jauneklis viņš bija 1885. gadā iesācis šaī teātrī aktiera gaitas. 1889. gadā viņš aizbrauca uz Vāciju, lai speciāli izglītotos Drēzdenes konservatorijas teātra mākslas nodaļā. Teātra pasaulē nebija noslēpums, ka jauneklis bija mīlējis Daci Akmentiņu bez pretmīlestības. Kādā sarunā Jānis Grīns pastāstīja Īridai, ka reiz, vaļsirdības brīdī pie kopīgas glāzes, Pēteris Ozoliņš viņam uzticējis, ka īstais iemesls braucienam uz Vāciju bijis — bēgšana no Daces Akmentiņas, lai atbrīvotos no viņas varas pār sevi. Gadu gaitā tas viņam bija izdevies: viņš apprecēja vienu no teātra baleta dejotājām. Šos apstākļus zinot, Īridu jo sevišķi interesēja cienījamā kunga atsauksme par mākslinieci kā cilvēku un sievieti. Izsargādamās modināt jebkādas aizdomas par savu zināšanu, viņa uzklausīja tā atzinumus par Daces Akmentiņas mākslinieces spējām, kas bija augstākās uzslavas pilni. Tad viņa ieminējās, ka kollēgas tomēr dažkārt par viņu izsakoties negatīvi un neesot to mīlējušas, gan lomu sacensību dēļ, gan arī viņas sievietīgās pievilcības dēļ; daža aktiere nodēvējot viņu pat par koķeti. Pēteris Ozoliņš to kategoriski noraidīja, — pietiekot jau tikai paskatīties, kā viņa ģērbusies, lai redzētu, cik tāds apgalvojums aplams. — Patiešām, dekoltēta Dace Akmentiņa fotogrāfijās ir redzama tikai lomās, ja attiecīgais raksturs to prasīja. Privātos uzņēmumos viņas apkaklītes sniedzas līdz pat zodam. — Bijušais režisors un direktors atzina, ka sacensība tiklab ar laika biedrēm, kā jaunatnācējām bijusi asa, it īpaši, ja tās arī bijušas ievērojami talanti. Par lomu piešķiršanu dažkārt varējušas domas dalīties. Spilgtākais gadījums tāds bijis ar Elgas lomu, uz ko pamatoti varējusi reflektēt varoņlomu tēlotāja Jūlija Skaidrīte. Viņš tomēr lomu piešķīris Dacei Akmentiņai, jo Akmentiņa esot „dzimusi Elga". — Ko viņš ar šo apzīmējumu domāja? Vai tas bija norādījums uz mākslinieces lielo sievietes varu, uz viņas cieto nepieejamību, uz paša pārciesto? Īrida kautrējās paskaidrojumu prasīt. Jo vairāk tādēļ, ka viss, ko Pēteris Ozoliņš teica par Daci Akmentiņu, bija dziļas cieņas un goddevības apliecinājums sievietei, kuru viņš reiz bija mīlējis. No šīs intervijas Īrida aizgāja pacilāta: viņa bija pieredzējusi īstu gara noblesi, kas spēja pacelties pāri aizvainotam patmīlīgam sarūgtinājumam.

Pēteris Ozoliņš bija mīlējis Daci Akmentiņu, būdams par viņu sešus gadus jaunāks. Komponists, diriģents un mūzikas paidagogs Vīgneru Ernests — būdams astoņus gadus vecāks. Kad Īrida, to zinādama, apciemoja sirmo kungu un jautāja, vai viņš atceras vēl, kāds iespaids sabiedrībā savā laikā bija Daces Akmentiņas personībai, viņš teica: Kā tad ne! Visi jau bija viņā iemīlējušies. Viņa jau bija tāda skaista meitene. Visi viņu pielūdza un dievināja. Pie tam viņas izturēšanās bija nevainojama; nekas viņu nevarēja pavedināt. Bija nepieejama, atturīga; neviens tai netika klāt. Viņa savienoja sevī jautrību ar vajadzīgo nopietnību." Un šo liecību vēl pastiprināja sieviete. „Viņa bija pats tikumības paraugs." — teica intervijā Daces Akmentiņas lielā laika biedre Berta Rūmniece.

Vēl Īridu īpaši interesēja dzirdēt Aspazijas domas par Daci Akmentiņu, kas pirmā bija iedzīvinājusi skatuvē jaunās dzejnieces tik pretstatīgos drāmatiskos tēlus — Mirdzu drāmā Vaidelote un Liesmu drāmā Ragana. Jau 1911. gadā, Daces Akmentiņas 25 gadu jubilejā, sveicinot jubilāri, Aspazija rakstīja: „Nepārspējamā pilnībā esmu redzējusi Jūsu tēlotus savus gara bērnus — balti starojošo Mirdzu un sarkankvēlošo Liesmu. — Pie Jūsu šūpuļa ir sēdējušas reizē maigās grācijas un drūmā traģiskā mūza. Tās audzēja Jūsu ģeniju, ka tas spēj aptvert visas jūtu pakāpes, no visvieglākā ieviļņojuma līdz visaugstākam traģisma satricinājumam." Arī tagad, intervijā dzejniece apliecināja to pašu. Abu šo lomu interpretāciju salīdzinādama, viņa Liesmas atveidojumu novērtēja vēl augstāk nekā Mirdzas: māksliniece tajā esot starojusi visās krāsās. Šī saruna ar Aspaziju un Raini par Daci Akmentiņu tomēr liecināja, ka attieksmes abu dzejnieku un mākslinieces starpā ir palikušas tīri mākslinieciskā interešu ielogā, bez intīmākas personiskas saskares.

Vēl daudz un dažādas liecības ieguva Īrida, gan personiskās sarunās, gan rakstveidā; gan no vecās, jaunās un visjaunākās paaudzes; gan no māksliniekiem, gan mākslas cienītājiem; gan sabiedrības augstākos slāņos, gan vienkāršu strādnieku aprindās, — un tām arvienu sekoja secinājums — jā, tā, kā spēlēja Dace Akmentiņa, tagad neviens vairs nespēlē. — Un visu šo liecību kvintesence izskanēja vecā kollēgas Alekša Mierlauka izsaucienā: ,,Tāda aktrise nāk pa divsimts — trīssimts gadiem reiz!"

O

Kā tad īsti spēlēja šī pa gadu simtiem vienreizējā aktere? — Visas liecības sakopojusi un izvērtējusi, Īrida apstājās pie mākslinieces pašas viņai teiktām liecībām. Par pirmo debiju Vaņas lomā, ar ko tā ieguva vispārēju nedalītu atzinību, viņa saka — tikko uzgājusi uz skatuves, — sevi pilnīgi aizmirsusi, zinājusi un jutusi tikai, ka viņai jāglābj cars. Pieminot pirmo desmit gadu jubilejas izrādi, par kuru kritika rakstīja — Jā: uz mūsu skatuves jau svinētas jubilejas, bet tāda kā vakar vēl nebija piedzīvota — māksliniece saka — viņa nemaz tā īsti neesot apzinājusies, ka tas, ko viņa darot, būtu kas tik sevišķs. Tikai kad gājusi uz skatuvi, izrādē kļuvusi un reiz pavisam cits cilvēks, sevi pašu pilnīgi aizmirsusi. — Un pēc ilgu gadu darba, kad bija iegūta precīza skatuves technika, māksliniece tomēr saka, ka tā nav devusi galīgo rezultātu. Tas nācis tikai uz skatuves, izrādē pašā. Tad viņa uzreiz jutusies pavisam cits cilvēks, kam nav bijis nekā līdzīga ar viņu pašu dzīvē, k ļ u v u s i p a r to, k o l o m a p r a s ī j u s i. Kad kādā sarunā Īrida izteica izbrīnu, kā gan māksliniece varējusi tik dziļi patiesi attēlot sievietes jūtu dzīvi visās tās fazēs, pati cilvēciski

58

tās neizdzīvojusi, (saderināšanos agrā jaunībā viņa atsauca un mūžu nodzīvoja neskartā jaunavībā) viņa vienkārši pateica: „Es taču viņas izjutu." Vai šis vienkāršais konstatējums nebija tas pats lielā Goetes teiktais atzinums par aktieŗa mākslas būtību: „Wenn Ihr es nich fuehlt, so werdet Ihr nie begreifen"?

Īrida gan zināja, ka mākslas radīšanas ceļi ir dažādi, arī aktieŗa mākslas. Ne katrs aktieris rada no tiešās izjūtas. Ir citi, konstruktīvi, intelektuāli ierosinātāji. Bet Dace Akmentiņa — varbūt mazāk apzinīgi, tomēr tik pat patiesi — aizmirsa sevi lomā, kā to darīja viņas lielā laika biedre ar pasaules slavu — Eleonora Dūze, kas noteikti bija atzinusi: „Il faut s'aublier... s'aublier... c'est le seul moyen." Lai jo skaidrāk spētu saskatīt mūsu Daces Akmentiņas mākslinieciskās sejas īpatību, Īrida tika lasījusi citu tautu lielāko skatuves mākslinieču monografijas, izvērtēdama to līdzības un atšķirības. Un tad viņai bija jāsecina, ka mūsu — latviešu Dūze, kā kritika to vairākkārt bija nodēvējusi, patiesi savā mākslinieciskajā būtībā vistuvāka bija šai īpatajai itaļiešu aktierei.

O

Bija jau vēls rudens, kad Īrida sāka visu savākto un izvērtēto uzrakstīt un nobeidza to jaunā — 1929. gada 9. janvārī[3]. Grāmata iznāca īsi pirms Daces Akmentiņas 70 gadu jubilejas svinībām, kas notika 4. februārī. Tā ietvēra sevī visu māksliniecies dzīvi un darbu — no agrās bērnības līdz šim svinīgajam notikumam, izsekojot gadu pa gadam ikkatrai lomai, atsevišķi aplūkojot viņas devumu tā laika lielo latviešu drāmatiķu — Rūdolfa Blaumaņa, Aspazijas un Annas Brigaderes tēlos, noskaidrojot māksliniecies radīšanas procesu un radošās personības īpatību, kā arī cilvēcisko raksturu, salīdzinājumā ar lielākajām Eiropas aktierēm un beigās uzņemot arī tiešos sajūsmīgos gan rakstos, gan vārdos izteiktos liecinājumus par Daces Akmentiņas iedvesmētājas lomu jaunatnē. Izdevējs A. Gulbis grāmatu bez Īridas ziņas bija iesniedzis Krišjāņa Barona godalgošanas komisijai, kas prēmiju tai piešķīra. Īrida pati uzskatīja šo savu darbu par pirmo mēģinājumu arī latviešu skatuves māksliniekiem celt literāru pieminekli.

Viņa to paveica īpatā kārtā, rakstīdama vienīgi naktīs. Diena piederēja mazajam dēlam. Kad vakaros nokopts un noguldīts tas aizmiga, Īrida pati atgūlās uz dažām īsām stundām, lai ap pusnakti celtos darbam, blakus istabā. Ik rītu ap pulksten sešiem dēls modās un ietecēja pie viņas un, apķerdamies tai ap kaklu, izbeidza nakts darbu. Sākās jauna diena, un to dēls pieprasīja sev. Ne prasītājs, vienīgi atbalsta devējs visā šai intensīva darba laikā bija viņas draugs, visādi cenzdamies vieglot tās pienākumus ikdienā. Viņa apzinājās, ka tikai Inta pašaizliedzīgās labestības dēļ viņa bija spējusi atbildīgo uzdevumu tik īsā laikā veikt. Viņš respektēja tās darbu un pacietīgi gaidīja savu laiku. — Viņa jutās dziļi pateicīga tam.

O

Svinību programmā bija paredzēts Īridas Rasas-Zelmenes referāts par jubilāri. To viņa sagatavoja kā konspektīvu izvilkumu no grāmatas. Bet kad tuvojās svētku diena, Īrida saslima. Temperatūra bija tik augsta, ka likās nebūs iespējams viņai pašai referātu nolasīt. Kādu nakti karstumu slāpēs viņa pussēdus sniedzās pēc ūdens glāzes uz nakts galdiņa un — atmodās pārsalusi uz grīdas aukstā ūdenī. Viņa bija zaudējusi samaņu un izkritusi no gultas. Cik ilgi tā nesamaņā bija gulējusi, viņa nezināja. Slimība pēc tam vēl saasinājās, bet Īrida ar gribas spēku cīnījās tai pretim. Vai lai viņai nebūtu dalības svinību norisē, kuras labad tā bija tik aizrautīgi strādājusi! Viņa nepadevās, un ar visu drudzi brauca uz sarīkojumu Nacionālajā teātrī. Nams bija ticis jau sen iepriekš izpirkts, un rīcības komiteja žēlojās, ka nebija riskējusi rīkot šo vakaru Operas namā. Nevarēja jau tiešām zināt, cik dzīva vēl būs teātra publikas atmiņā tās kādreizējā lutekle. Pierādījās, ka vēl arvienu tās vārdam bija maģiska vara, kaut arī šoreiz māksliniece pati bija nevarīga un pasīva vakara dalībniece. Šai vakarā nāca klajā Īridas pirmā grāmata, jo izdevējs A. Gulbis bija izkārtojis tās pārdošanu svētku apmeklētājiem pie galvenajām ieejām parketā.

Nākamā dienā Īrida saņēma aicinājumu ierasties pie mākslinieces, kur notikšot jubilāres filmēšana kopā ar aicinātiem viesiem. Par to viņai nebija ko domāt! Iepriekšējais vakars atriebās ar ilgu slimošanu. Tā viņa pat neuzzināja, kas un ko filmējis un kur filma palikusi, ja tāda vispār bijusi.

Pēc atveseļošanās, Īridai reiz satiekoties ar sabiedrisko darbinieci Bertu Pīpiņu, tā teica, ka esot domāts dibināt pastāvīgu komiteju, kas uzņemtos rūpes par slimās mākslinieces labklājību. Sarīkojums devis labu atlikumu, un kopā ar valsts pensiju nu būtu līdzekļu diezgan pastāvīgas labas kopējas algošanai. Tomēr tāda komiteja nenodibinājās, un visu mākslinieces dzīvi pēc jubilejas pārzināja vienīgi viņas tuvinieki — brālis, brāļa dēls un tā kundze. Monogrāfijas gatavošanas laikā Īridai ar tiem bija nodibinājies cieš kontakts un viņai bija licies, ka tie patiesi dara visu slimnieces stāvokļa atvieglošanai. Bet nu viņai par to bija jāšaubās, redzot, cik primitīvos apstākļos slimniecei bija jāvada dienas, jo mācītas kopējas vietā bija pieņemta pavisam vienkārša neizdarīga kalpone. Kad Īrida reiz Šteinbergas kundzei ieminējās, ka māksliniecei labsajūtai tačū būtu nepieciešama piemērotāka palīdze, ar ko tai varētu būt arī kaut cik garīga kontakta, radiniece atteica, ka tādai jau pašai vajadzētu kalpotāju klāt, un kas to varētu smaksāt. Uz Īridas biklo iebildumu, ka pa uzturēšanās laiku Sarkanā Krusta sanatorijā, kas nekā nemaksāja, valsts pensija tačū laikam uzkrājās, — atbilde bija, ka nauda tāpat izgājusi. Un viss palika kā bijis.

O

Septiņdesmito dzimumdienu tās īstajā datumā, iepriekšējās vasaras 3. augustā, māksliniece piedzīvoja Šteinbergu lauku mājās. Tur viņa saņēma gan personiskus, gan rakstveida cildinošus apsveikumus. Lielā atzinība bija izkliedējusi rūgto sanatorijas gada nomāktību, un māksliniece rudenī atgriezās savā dzīvoklī gaišāka un cerīgāka. Īrida tad viņu bieži apmeklēja rakstāmās grāmatas dēļ, un māksliniece atvērās viņai sirsnīgās sarunās. Bet pēc jubilejas sarīkojuma viņa strauji kļuva vārgāka — miesīgi un garīgi, arvien dziļāk grimdama apatijā. Sanatorijas sarunā viņa bija stāstījusi Īridai par savu māti, kas arī tāpat slimojusi un piedzīvojusi astoņdesmit piecu gadu vecumu. — „Vai arī man būtu vēl jādzīvo piecpadsmit gadi?" viņa šausmās izsaucās. — Nē, viņai atpestīšanas brīdis pienāca pēc septiņiem gadiem.

Kādā marta vakarā, 1936. gadā, pie Īridas atnāca Daces Akmentiņas brāļa dēls ar ziņu, ka izgādāta slimnieces uzņemšana Sarkanā Krusta slimnīcā, uz kurieni to rītu pārvedīšot, — vai Zelmenes kundze nevēlētos viņu vēl redzēt pirms aizvešanas? — Īrida nebija kādu laiku slimnieci apciemojusi, un sabrukums, kas pa šo atstarpi bija to pārmācis, taisni satrieca. Gultā gulēja mazs maziņš sarucis cilvēka ķermenītis, bez sevis un savas apkārtnes apjaušanas un apzināšanas. Drausmīgā iznīcības aina, nežēlīga savā pretrunā ar to pārvarīgi lielo un daiļo, ko liktenis bija piešķiris apjūsmotajai, dievinātajai māksliniecei. Šī spožā mākslas mūža cilvēciskā izskaņa bija pārmērīgi traģiska.

Pēc dažām stundām Īrida aizbrauca uz slimnīcu. Tur viņu ielaida gaišā istabā, kur gultā gulēja tīri nokopts, viscauri baltā ietērpts augumiņš, un no baltā galvas apsēja raudzījās maza mierīga sejiņa. Īrida pieliecās un jautāja — vai Jūs pazīstat mani? — Viņai atbildēja skaidrs skatiens un tikko pamanāms galvas pamājiens.

Tās pašas dienas, 16. marta pievakarē dzīvības vārgā liesmiņa bija izdzisusi.

Tikai septiņi gadi bija pagājuši no tā vakara, kad simti un simti bija lauzušies ietikt Daces Akmentiņas jubilejas svinībās. Kur tie bija tai vakarā, kad niecīgs pulciņš izvadītāju ceļā no Sarkanā Krusta kapličas, garām latviešu biedrības namam, garām Nacionālajam teātrim, pa tukšām ielām aizvadīja lielo mākslinieci atdusai uz šauru Šteinbergu ģimenes kapu nodalījumu! Šai gājienā nebija nekā no tā pompozā lieliskuma, ar kādu latvieši mēdza izvadīt savus lielos garus. Vai „tauta" bija jau paguvusi aizmirst savu elku?!

Īridai bija jādomā par to vakaru, kad māksliniecei pirmo reiz bija jāsaņem vārda dienas viešņas slimības gultā. Pēc citu dāmu aiziešanas viņa viena pati vēl pasēdēja pie slimnieces. Viņa bija paņēmusi līdz sava mazā dēla ģīmetni. Māksliniece noraudzījās tajā un teica: „Jā, jums ir mīļš draugs un dēls; kas man ir no manas dzīves?" — Uz to Īrida iebilda, ka viņas dzīves ieguvums taču ir ļoti liels: liela slava un visu mīlestība. — „Visu mīlestība..." māksliniece rūgti un rezignēti noteica.

„Visu mīlestība"... rūgti un rezignēti nu atbalsojās Īridas sirdī.

4

Bija vācu okupācijas otrs, 1918. gads. Latvieši Rīgā dzīvoja gan zem okupantu politiskā spaida, tomēr neatlaidīgi kopa savu nacionālo gara dzīvi. Lielākais notikums bija Latviešu operas nodibināšana, dziedoņiem sarodoties atpakaļ no Krievijas. Citu, jau senāk labi pazīstamu latviešu pašmāju mākslinieku vidū bija arī kāda dziedone, kas, izglītojusies Vācijā, Latvijā ieradās ar jau tur iegūtu atzītas māksliniekes vārdu. Tā bija Ada Bēnefelde. Ar savu lirisko soprāna skaisti tembrēto balsi, ar tēlojuma patieso pārdzīvojumu un simpatisko personību, gatavas technikas atbalstā, viņa silti iedziedājās operas cienītāju sirdīs. Latviešu operai darbība bija jāuzsāk Krievu — vēlākajā Nacionālajā teātrī, un tikai pēc atbrīvošanas cīņu izbeigšanas tā ieguva par mājvietu bijušo Vācu teātri, pārdēvējoties par Latvijas Nacionālo operu. Ada Bēnefelde tad bija šīs operas dvēselīgākā dziedone: Violeta Traviatā, Mimi Bohēmā, Grietiņa Faustā, Džilda Rigoleto, Laimdota Ugunī un naktī uc. un par visu vairāk — Tatjāna Puškina Jevgeņijā Oņeginā. Īridai šķita — viņa nekad nespēs aizmirst brīnišķo maigumu un plaukstošas mīlestības kautrīgumu, kas apdvēseļoja vēstules rakstīšanas scēnu. Tas notika vēlāk, bet Īrida bija iemīlējusi šo mākslinieci jau pašā sākumā un jutās aplaimota tai vakarā, kad viņai bija piešķirts gods reizē ar Adu Bēnefeldi piedalīties kādā sarīkojumā, Ķeniņu nama zālē, 1918. gada ziemā. Toreiz Rīga bija badā. Pēc programmas rīkotāji aicināja uz glāzi tējas, turpat uz skatuves aiz nolaista priekškara. Galdā bija speķa rausiši — ilgi neredzēts gardums. Tos sajūsmīgi iebaudot, valodas novirzījās uz ēšanu vispār, kas bija kļuvis svarīgākais temats bada laikā. Kad tā kādu brīdi bija visādas iespējas un neiespējas pārcilātas, Ada Bēnefelde it kā apķerdamās teica — jākaunoties gan esot, cik zemu bads nospiežot cilvēku, ka satiekoties sabiedrībā neesot vairs citas runāšanas kā tikai par ēšanu. Pasmējušās pašas par sevi, tās uzsāka „citas runāšanas." Māckslinieces personībā Irida nejuta ne ēnas no prīmadonnas pretenzijām. Viņa bija vienkārša, laipna, kā līdzīga ar līdzīgu.

Pēc Rīgas krišanas vācu rokās bija jāpacieš arī citādas dzīves neērtības: nebija brīvas izvēles vasaras dzīvei ārpus pilsētas. Vienīgā regulārā dzelzceļa satiksme notika ar Rīgas jūrmalu un tā pati ar sarežģījumiem. Tilts pār Lielupi bija saspridzināts. Vilcieni gāja līdz Priedainei, tad kājām bija jāpāriet līdz ūdens līmenim sagrautais tilts un otrā pusē Buļļos⁴) gaidīja vilciens tālākam braucienam. Tā tas turpinājās vēl dažu gadu, arī Latvijas valstī, un Ints Zelmenis katru vasaru ik dienas braukāja vai nu uz vienu vai otru no jūrmalas vietām. 1921. gada vasarā Zelmeņi bija noīrējuši nelielu vasarnīcu pašā upes krastā, pa labi mežā no Lielupes stacijas. Mājiņas stiklotais lievenis, uz pāļiem atbalstīts, izsniedzās jau uz upes ūdens. Viss Lielupes plašums gulēja priekšā, gan saulē ņirbēdams, gan mēnesnīcā vizuļodams. Aiz viņu mājiņas sekoja tikai pavisam nedaudz citas, un tad sākās vientuļīgs mežs. Ceļš pa to veda līdztekus upei, nobeigdamies kāpās pie Lielupes ietekas jūrā. Tas bija krietns ceļagabals ko iet, un reiz kādā svētdienā to nostaigājuši, Ints un Irida jutās it piekusuši. Atceļā pirmā vasarnīca upes krastā bija neparasti liela divstāvu ēka, gluži viena pati aizlaistā dārzā, un likās neapdzīvota. Piekusušie staigātāji iezinkārojās to tuvāk apskatīt, iegāja dārzā, kas nolaideni piesniedzās upei, un atlaidās atpūsties. Irida jau jūsmoja — kas te būtu par skaistu dzīvošanu, tik absolūtā vientulībā. Bet viņi bija maldījušies: kāds no mājas nāca. Nāca kāda dāma, un tā bija — Ada Bēnefelde.

Abpusējs pārsteigums. Mākslauniece bija vieglā, vienkāršā vasaras tērpā, basās kājas ieautas mājas kurpītēs. Viņa te dzīvoja, šai tālajā, vientuļajā mājā. Atkal Iridu savaldzināja mākslinieces patiesā cilvēciskā laipnība. Tā tik pilnīgi saderējās ar viņas radīto skatuves tēlu patiesīgumu. Dzīve un māksla te bija apvienojušās nedalītā, saskanīgā personībā.

Bija pagājuši vēl kādi gadi. Latvijas valsti nekas vairs neapdraudēja. Nodibinātās kultūras un mākslas iestādes darbojās netraucētas. 1924. gada pavasarī, profesora V. Maldoņa ierosmē, Latvijas universitātes teoloģijas fakultāte rīkoja Lielās Ģildes zālē dzejnieka J. Poruka piemiņas vakaru. Programmā bija V. Maldoņa runa, Adas Bēnefeldes un Paula Saksa dziesmas un Īridas Rasas-Zelmenes teikta dzeja. Vakara goda viešņa bija Poruka kundze. Tas bija liela stila svinīgs sarīkojums. Īrida to dziļi pārdzīvoja. Viņa atkal sastapās uz skatuves ar dziedoni Paulu Saksu, savas vispirmās atklātās uzstāšanās partneru viņas ģimnazistes gados. Viņa atkal bija kopā ar cildeno mākslinieci Adu Bēnefeldi, un viņām abām programmā bija daļa kopīgu dzejoļu, — ko Īrida teica daiļrunā, to Ada Bēnefelde pēc tam dziedāja dziesmā. Vakara gaisotni piesātināja ģeniālā Poruka dzejas smeldze, kāpināta Emīla Dārziņa, J. Vītola un citu dziesmās. Īridai šis vakars kļuva vēl citādi nozīmīgs: vairāku iemeslu dēļ viņas pašas atzinumā, tas palika viņas beidzamais pilnvērtīgais mākslinieciskais devums atklātībā.

Autora iestarpinājums

Tā palika arī viņas beidzamā personiskā saskaršanās ar Adu Bēnefeldi. Kad viņa pēc dažiem gadiem rakstīja Daces Akmentiņas monogrāfiju, tai bija jāiedomā Ada Bēnefelde. Jo viņai šķita, ka abu mākslinieču radīšanas procesā bija kas radniecisks — sevis patiesa atdošana lomai. Par Adas Bēnefeldes dzīvi, turpretim, Īrida neko nezināja. Vienīgi to, ka mākslniecei bija paticis tai vasarā dzīvot tukšā, vientuļā meža mājā. Bet kad māksliniece, tāpat kā Īrida, bija jau pietuvojusies sava dzīves ceļa galam, tad sāpīgi bija dzirdēt par viņas piespiedu vientulību un atstātību trūkumā, svešā vācu zemnieka sētā. Ne viens vien Latvijas mākslnieks svešumā bija saņēmis draugu sarūpētas „tautas balvas." Adai Bēnefeldei, redzams, tādu draugu nebija. Aizmirsta tā apgūlās svešā zemē, 1967. gada *vasarā. Skumja mākslas dzīves izskaņa. Ne tik traģiska kā Daces Akmentiņas, jo kontrasti nebija tik spilgti. Tomēr traģiska diezgan to izjūtā, ko kādreiz bija aplaimojusi Adas Bēnefeldes maigā, dvēselīgā māksla.*

O

Ar Paulu Saksu, turpretim, Īridai bija lemta vēl kopīga sadarbošanās nekad neiedomātos apstākļos — Ņujorkā, 1953. gada sākumā. Kādā svētdienas rītā, Humanitāro zinātņu sanāksmē redaktors Kārlis Rabācs viņu pārsteidza ar ziņu, ka nododams tai Paula Saksa septiņdesmit piecu gadu jubilejas komitejas lūgums — referēt par dziedoni tā godināšanas sarīkojumā. Īrida nesaprata: viņa taču nav mūziķe, — kā gan tā varētu vērtēt dziedoni! Bet redaktors paskaidroja, ka rīkotāji vēlas no viņas slavenā dziedoņa darbības laika kultūrālās gaisotnes patēlošanu un viņa vietu tajā, nevis kādu sīku speciālista kritiku. Īrida kļuva domīga: atausa atmiņā visa bagātā agrās jaunības pieredze topošajā latviešu gara dzīvē gadsimta sākumā. Vai šī personīgā pieredze attaisnotu pārdrošību — viņai, nespeciālistei, uzņemties runāt par godājamo jubilāru tā lielajā svētku dienā? Viņa to varētu, varbūt, darīt tikai tad, ja zinātu, ka tā ir nevien rīcības komitejas, bet arī dziedoņa paša vēlēšanās. Kad redaktors Rabācs to apstiprināja, viņa beidzot pieļāvās un — laimīgi saredzējās atkal ar Paulu Saksu pēc ilgiem, gariem mainīgas un mānīgas dzīves gadiem. Jubilejas sveicienam viņa tam pasniedza vijolīšu pušķīti, ko dziedonis iesprauda svārka krūšu kabatā.

Īridai šķita, ka tai jubilāram un svētku viesiem ir jānoskaidro sava nostāja pret šī vakara uzdevumu un viņa, apceri sākdama, teica: „Ja man ir piešķirts izcilais gods runāt šovakar, tad atļaujiet man vispirms apliecināt, ka es pilnam apzinos šī pagodinājuma necienīga. Es neesmu mūzikas speciāliste, nedz godājamā profesora personisks draugs. Tāpēc manā rīcībā nebija ne mūzikas mākslas zināšanu, ne dzīves datu, no kā izstrādāt lietpratīgu jubilāra darba vērtējumu. Esmu tikai bijusi dziedoņa Paula

Saksa dāvātā dziesmu prieka pateicīga saņēmēja kopš tiem tālajiem laikiem, kad mēs bijām jauni latviešu jaunajā, plaukstošajā mākslas un kultūras dzīvē. Atmiņas par to skaisto laiku ir vienīgais, uz kā iedrošinos atsaukties, uzņemoties man uzticēto uzdevumu, un tādēļ lūdzu manu runu uzskatīt vienīgi kā mazu atmiņu vīziju par dziedoņa Paula Saksa maigo lirisko tēlu latviešu mākslas dzīves ietvarā. Atmiņu tilti mūs — sidrabotos — ceļ pāri gadu dzelmei, un mēs esam atkal jauni. Tur, viņā krastā es redzu Paulu Saksu — jaunības starojumā, jaunu acu apjūsmotu, jaunu dzejnieku un jaunu skaņražu tulku, un klau— dziesma skan:

Un it kā uz viļņiem šūpojoties,
No laimes un prieka līgojoties,
Tur vainagiem galvā jaunība iet,
Plūc puķes, skūpstās un dziesmas dzied.

Skan Paula Saksa liriskais tenors, viņa māģiskā balss — viena no visskaistāk tembrētām balsīm pasaulē."

Paula Saksa skaistā kundze raudāja, klausoties Īridas Rasas-Zelmenes atmiņu vīzijā. Pateikdamās, viņa to izlūdzās norakstam. Īrida to atstāja kundzes īpašumā.

Pēc mēnešiem diviem bija iecerēta Īridas Rasas-Zelmenes darba atcere. Atzinības ierosināta, Īrida iedrošinājās lūgt Paulu Saksu dziedāt viņas darba svētkos. Viņš sen jau vairs atklātībā nedziedāja. Bet Īridai gribējās noslēgt loku: ar Paula Saksa dziesmu bija saistījusies viņas pirmā biklā meitenīgā parādīšanās atklātībā, ar Paula Saksa dziesmu viņa nu vēlējās saistīt sava darba, kā viņa domāja, beidzamo novērtējumu. Un Pauls Sakss dziedāja. Dziesmas, kuras viņa bija lūgusi dziedāt. Tas nebija vairs viņa balss spožums jaunībā, ko Īrida klausījās. Viņa klausījās tālās aizgājušās jaunības pašas balsi. Tā bija dārga dāvana, ko viņai pasniedza sidrabotais dziedonis, — varbūt pati dārgākā no visām šai vasarā.

Nāca vēl citas atceres dienas — Paulam Saksam un arī Īridai. Bet viņi tajās vairs nesatikās. Ar sveicieniem viņi tās atcerējās, savstarpēji apliecinādami dziļu cieņu viens otra darbam. Gan ar vieglu smaidu Īrida reiz lasīja tādas rindas: „Novēlam Jums labu veselību un vislabākās sekmes Jūsu turpmākā darbā — būt par mākslas sargeņģeli un virspriesterieni.“

Pauls Sakss bija aktīvs Ņujorkas latviešu mūzikas pasaulē, līdz aizgāja no tās, kad bija jāaiziet no dzīves pašas, draugu un mākslas cienītāju mīlēts un godināts. Bagāts un skaists mūžs noslēdzās saskanīgi.

5

Drīz pēc dzejnieka Poruka piemiņas vakara notika kāda pirmizrāde Nacionālajā teātrī. Ieņemot savu vietu, Īrida redzēja profesoru J. Endzelīnu sēžam rindā aiz viņas. Starpbrīdī profesors pienāca pie tās un teica: „Šovakar es nācu uz izrādi, lai satiktu jūs." Un viņš pastāstīja, ka no Berlīnes esot iebraucis Fonogrāfijas institūta direktors, lai skaņu aparātā uzņemtu latviešu valodas paraugus — tās rakstu valodu un izloksnes. Viņam, profesoram, nu esot jāizraugoties piemērotās personas šim nolūkam un viņš vēloties, lai Zelmenes kundze ierunājot aparātā savu skaidro Zemgales lejas gala rakstu valodu. Ierunāšana notikšot universitātē jau rītu no rīta, un tā viņam nav bijis vairs citas iespējas viņai to paziņot. — Pārsteigtā Īrida nezināja, ko lai viņa tā bez iepriekšējas sagatavošanās runā. Minstinoties viņai ienāca prātā, ka Poruka vakarā tā cita starpā bija teikusi garo dzejoli Nakts. — Vai varētu dzejoli teikt? — viņa jautāja. — Jā, kāpēc gan ne. Direktors vēloties arī katra ierunātāja ģīmetni iegūt. — Nu atkal bija posts! Īrida nemēdza bez nepieciešamības fotografēties. Pēdējais uzņēmums bija izdarīts preses izstādei tās 100 gadu jubilejas gadījumā. Bet tajā viņa bija vakara tērpā, „liela dāma," — vai tas būs piemērots, — viņa šaubījās.

Otrā rītā nozīmētā auditorijā uz Īridu jau gaidīja profesors Endzelīns kopā ar reprezentāblu kungu no Berlīnes. Pēc ierunāšanas šis kungs teica: „Ich habe nie eine so schoen in sich gefasste Stimme gehoert." Ko šāds kvalificējums īsti nozīmēja, to Īrida nezināja, bet prasīt paskaidrojumu viņa kautrējās. Bikli viņa pasniedza fotogrāfiju, aizbildinādamās, ka citas neesot. Abi kungi to labpatikā apskatīja, bet Īrida jutās neērti, jo starpība starp viņas izskatu šai rītā — vienkāršā ikdienas kleitiņā — un skaistajā uzņēmumā bija liela.

Kādas lekcijas laikā profesors Endzelīns demonstrēja ierunātos tekstus studentiem un arī no ārienes pieaicinātajiem runātājiem. To starpā bija arī rūpīgi izraudzīti aktieri ar labu dikciju un pareizu rakstu valodas izrunu. Atskaņojumā Īridai īpaši patika Mirdzas Šmitchenes skaidrā, skanīgā balss. Pašas balss viņai izklausījās sveša. Jādomā, ka skaņas rezonanci pašai runājot auss uztver citādi, nekā klausoties to no attāluma ārpus sevis.

O

Baltu filoloģiju studējot, varēja specializēties vai nu lingvistikā vai literātūrā. Lingvistiku fakultātē pārstāvēja profesora Endzelīna neapstrīdamā autoritāte. Īridas speciālās intereses bija literātūra, tomēr arī tad vajadzēja klausīties dažus tīri lingvistiskus priekšmetus, un viņai no sākta gala bija nodibinājies respektējams kontakts ar profesoru Endzelīnu. Likās, ka profesors bija viņu ievērojis un atzinis skolotāju konferencē lasītā referāta dēļ. Un Īrida savukārt izjuta dziļu godbijību pret šo savrūpo stingro vīru. Viņa labi atcerējās to dienu, kad pirmo reiz bija redzējusi ievērojamo valodnieku, ciemodamās vasaras brīvlaikā pie skolas biedrenēm Grīnmaņu lauku mājās. Viņš bija iegriezies tur valodnieciskās interesēs, vākdams materiālus par latviešu valodas dialektiem. Toreiz viņai nevarēja būt un nebija nekāda vērtējuma par šī valodas zinātnieka darbu. Un tagad tai bija sevī jāpasmaida iedomājot, ka profesoram nebija ne jausmas par šo seno „pazīšanos," jo viņš, protams, sen jau būs aizmirsis paciemošanos pie skolotāja Grīnmaņa un kopīgo pusdienošanu ar draiskajām ģimnazistēm, ko viņš veltīgi mēģināja iesaistīt valodnieciskajās pārrunās.

Lai arī tovakar profesors teica, ka šai izrādē ieradies Īridas dēļ, tās nemaz nebija retas reizes, kad viņu redzēja kā teātru pirmizrādēs, tā ievērojamos koncertos. Viņš nepiederēja tā tipa zinātniekiem, kas ieslēdzas savā šaurā speciālitātē. Ar askētiski stingro zinātnieku viņā labi sadzīvoja cilvēks, kas pazina un vērtēja mākslu. Par

71

to Īrida varēja pārliecināties sarunās ar profesoru vai nu izrāžu starpbrīžos, vai arī, ja sagadījās, kopā pa ceļam mājup ejot.

○

Reiz kādas lekcijas beigās profesors Endzelīns palūdza Īridu panākt līdz tā kabinetā. Tur viņu pārsteidza profesora jautājums, kādās domās tā esot par rakstnieka Viktora Egļīša literātūras lekcijām universitātē — vai studentiem tās esot ieteicamas, vai ne. — Viktors Egļītis vienmēr ir bijis kontroversāla personība, arī attieksmē pret sevi pašu. Viņš krasi ir mainījis vienu kādu savu literāru pārliecību pret citu un to atkal pret citu. Pie tam katras tādas pārliecības posmā fanātiski populārizēdams un aizstāvēdams to kā vienīgo īsto. Ar to viņš bija interesanta un vienreizīga parādība latviešu literātūrā, citiem pieņemama, citiem noraidāma. Viņa auditorijas piepildīja it īpaši gados jaunie studenti. Bet izrādījās, ka bija arī tādi, kas viņa lekcijas neatzina un savu neapmierinātību bija izteikuši fakultātes dekānam, profesoram Endzelīnam. Īrida zināja vienu tādu; tas bija Jānis Arnolds Jansons, pats arī skolotājs, ar diezgan vienpusīgiem un šaursirdīgiem ieskatiem. Redzams, profesors Endzelīns nepaļāvās uz viņa spriedumu, un nu viņš gribēja dzirdēt Īridas domas. Viņa tās vaļsirdīgi pateica. Viņa domājot, ka garīgi nobriedušam cilvēkam, kam ir jau paša spriedums par lietām un parādībām, saskarsme ar tādu dinamisku personību kā Viktoru Egļīti vienmēr varot būt interesanta un pat apauglot, jo viņa paša kritērijs atsvaros rakstnieka mainīgos hiperboliskos literāro faktu slavinājumus vai nopēlumus. Citādi tomēr viņai tas liekoties ar ļoti jauniem cilvēkiem, kas savā vairākumā mēdzot nekritiski pieņemt suģestīvi izteiktu kādas autoritātes domu. Tiem, viņasprāt, vajadzētu vispirms dot kādu stabīlu pamatu patstāvīgu personisko uzskatu tālāk veidošanai, un tad varot arī baidīties, vai Viktora Egļīša lekcijas to dodot. — Kad nākamā mācību gadā Viktora Egļīša vārda lektoru sarakstā vairs nebija, Īrida samulsa par toreizējās sarunas sekām.

○

1923. gada 22. februārī universitāte svinīgi atzīmēja profesora Endzelīna 50 dzīves gadu jubileju. Arī baltu filoloģijas studenti vēlējās īpaši apliecināt profesoram savu cieņu un mīlestību. Jā, par spīti profesora Endzelīna raksturīgajai striktajai stingrībai un strupajam lakonismam saskarsmē ar studentiem (un ar cilvēkiem vispār), studentu dziļi izjustā bijība pret viņu zināmā mērā robežojās pat ar mīlestību. Apspriedās, kā to izdarīt profesoram pieņemamā veidā. Izlēma: agrā rītā divu personu delegācija apsveiks profesoru mājā, pasniedzot ziedus; vakarā, jubilejas mielastā, kur jubilāru godinās universitāte visā apjomā, jābūt pārstāvētiem arī baltu filoloģijas studentiem, un tie vēlējās, lai tur apsveicēja būtu Īrida Zelmene. Īrida pretojās: viņa tur jutīsies kā pazudusi — viena pati augsto, svešo kungu vidū; arī fakultātes vienīgā dāma lektore, lingviste Anna Ābele viņai ir sveša. Pierunātājiem pievienojās literātūras lektors, profesors Ludis Bērziņš, drošinādams Īridu, ka vakara svinībās būšot arī citas dāmas — jubilāra kundze, profesora Šmita kundze un, jādomā, vēl kādas. Īridai bija jāpiekāpjas.

Tomēr iznāca tā, ka godinātāju vidū viņa un Anna Ābele palika vienīgās dāmas. Īridu savā aizgādībā ņēma tās kollēga vidusskolās, profesors E. Blese. Zinātnieki nāca straumēm, katrs personiski sasveicinādamies ar jubilāru. Pēkšņi iestājās liels samulsums: profesors Endzelīns bija liedzies saņemt kāda apsveicēja roku. Īrida stāvēja netālu no abiem kungiem, redzēja notiekošo, dzirdēja sasarkušo jubilāru satraukti kaut ko sakām apmulsušajam apsveicējam, bet teikto nevarēja sadzirdēt. Noraidītais steidzīgi atkāpās un atstāja svētku telpu. Mielastam sākoties, starpgadījuma radītā neveiklība norimās.

Profesors Blese uzņēmās būt Īridas galda biedrs. Viņš tad arī paskaidroja tai incidenta iemeslu. Ar noraidīto apsveicēju profesoram Endzelīnam esot pastāvējis kāds ieildzis naids, kāds apvainojums no tā puses. Abi gadiem neesot sasveicinājušies. Acīmredzot, pretējā puse būšot gribējusi jubilejas gadījumu izmantot izlīgšanai, neparedzot, ka šādos apstākļos jubilārs varētu pasniegto roku noraidīt. Tas nu tomēr bija noticis, visus pārsteidzot. Pierādījās, ka profesors Endzelīns n e k ā d o s apstākļos neatzina kompromisa. Vai tā bija pareizi? Profesors Blese domāja, ka jubilāram nebūtu vajadzējis ar pārmērīgu nepiekāpību ieviest disonanci svētku noskaņā. Tā — varēja just — domāja arī daļa citu viesu. Tomēr tie, kas pazina profesoru Endzelīnu tuvāk, varēja šādu iznākumu paredzēt. Viņš neliekuļoja sirsnību, kur tās nebija. Palika īsts, sev uzticīgs. Īridā tāda nelokamība modināja apbrīnu.

O

Mielasta gaitā tika turētas runas. Daudz runu. Cik Īrida līdz tam bija pieredzējusi jubileju svinības, arvienu bija bijis tā, ka jubilārs atbildes runu teic tad, kad visu apsveicēju virkne izbeigusies. Tāpēc, kad profesors Endzelīns piecēlās runāt, viņa satrūkās: viņa taču vēl nebija izpildījusi tai uzlikto pienākumu. Ko nu darīt? Nav citas izejas, kā sadrosmināties un runāt vēl pēc jubilāra, lai cik neveikli tas iznāktu. Un viņa dara tā. Viņa atvainojas jubilāram, sacīdama, ka nevar palikt neizteikusi to, kā dēļ baltu filoloģijas studenti viņu sūtījuši šais lielajos svētkos. Viņai uzdots apliecināt jubilāram to cieņu, goddevību un mīlestību, ko baltu filoloģijas studentos izraisījusi jubilāra izcilā personība. Ar savu priekšzīmi viņš māca tiem darba disciplīnu, rosina atbildības apziņu un liek atzīt rakstura stingrības nozīmi mērķtiecīga darba sekmīgumam. Par to visu audzēkņi lūdz izteikt godājamam jubilāram dziļi izjustu pateicību.

Un raugi: jubilārs pagodināja Īridu ar tūlītēju atbildi. Neredzēti aizkustināts, viņš teica, ka visvērtīgākais atalgojums audzinātājam esot, ja viņam izdodoties iegūt audzēkņu mīlestību. Stingrā asketiskā atturība šai brīdī bija nokritusi kā maska no profesora sejas, un Īrida redzēja un izjuta cilvēciskas tuvības aplaimotu cilvēku.

Kad Īrida piecēlās runāt, viņa dzirdēja visapkārt pret savu galda biedru, profesoru Blesi raidītus čukstus — kas tā tāda ir? — Jā, šeit, šai plašajā akadēmiskajā sabiedrībā viņa bija sveša. Viņu pazina skolu, teātra un literātu aprindās; arī savā fakultātē viņai bija nodibinājies labs vārds. Ārpus tās viņa akadēmiskajai saimei bija svešiniece, un citādi tas arī nevarēja būt. Bet tas nebija svarīgi. Svarīgi bija, ka tai bija izdevies cilvēciski satuvināt savrupo zinātnieku ar savas auditorijas audzēkņiem.

Pēc tam runas vēl ilgi turpinājās. Bet Īrida, kā savas fakultātes studentu pārstāve, varēja justies lepna, ka ar a t s e v i š ķ u atbildi pagodināta palika tikai viņas runa vien.

Autora iestarpinājums

Bija pagājuši daži gadi. Īrida Zelmene vairs ne- studēja; viņu audzināja dēlu. Viens otrs par to brī- nījās: ka viņa bērna dēļ atsakās no drošas zināt- nieces karjeras. Baltu filoloģijas fakultātē bija gan vispusīgi pārstāvēta lingvistika, bet abu cienījamā vecuma profesoru — Lautenbacha Jūsmiņa un Luža Bērziņa — speciālās literātūrvēsturiskās intereses neiesniedzās vairs jauno laiku rakstniecībā, un šai katedrai fakultāte gaidīja izaugam zinātniekus no pašas audzēkņiem. Pagaidām studentu patstāvīgos semināra darbus jaunlaiku literātūrā pārzināja pro- fesors Ludis Bērziņš. Jautāts, viņš tad bija teicis (kā Jānis Grīns to Īridai atstāstīja), ka literātūras ka- tedrai paredzēta Īrida Zelmene, tā autentiski ap- stiprinādams šad tad jau dzirdētas līdzīgas valodas.

Pēc kādas teātŗa izrādes, ģērbtuvē saredzējušies, Īrida un profesors Endzelīns gāja kopīgu ceļu uz māju. Šī bija pirmā reize Īridai satiekot profesoru pēc studiju pārtraukšanas, un viņai likās, ka tai būtu viņam dziļāk jāmotivē sava aiziešana no uni- versitātes: ka, ja viņai esot piešķirta laime būt mā- tei, tad tas esot viņas p i r m a i s pienākums. Viņa gan cerējusi to apvienot ar studijām, lai tās nobeigtu, bet tam viņai nepieticis fiziska spēka. „Tas jums nav arī vajadzīgs," profesors atteica. „Jūs esat apguvusi sava darba metodi; diploms jums nekā vairāk ne- var dot."

O

Vēl pēc pāris gadiem kādu vakaru Īridu apcie- moja tās bijušā skolniece 2. Rīgas pilsētas vidus- skolā Marta Grimma. Tagad viņa bija profesora En- dzelīna kundze un arī jau jauna māte. Profesora pirmā laulība bija izirusi ne viņas dēļ, tāpēc šī ātri noslēgtā otra varēja pārsteigt un izbrīnināt. Vidus-

skolā Marta Grimma bija bijusi viena no spējīgākajām Īridas skolniecēm, rakstījusi labus domrakstus; nu tā dzejoja. Viņas pieķeršanās bijušajai skolotājai bija turpinājusies arī studiju gados, kad abas sēdēja kopējā solā baltu filoloģijas lekcijās. Nu jaunā māte, kam meitiņa gulēja vēl autiņos, bija atnākusi it kā padomos pie mazliet vairāk piedzīvojušas mātes. Viņa arī lūdza to atnākt meitiņu apraudzīt. Īrida apsolījās un aizgāja. Profesora nebija mājā. Viņš ieradās, kad Īrida jau ardievojās no jaunās mājas mātes. Viņa apsveica profesoru, teikdama, ka meitiņa izskatoties īsta tēva meita. Profesors paskatījās cieši Īridā un nekā neatbildēja. — Savādi — viņa nodomāja — nekad profesors Endzelīns nav pret mani tik noraidīgi izturējies.

It drīz jaunā kundze atkal apciemoja Īridu. Viņa bija vaļsirdīga, sarunā atklādama intīmo attieksmju pirmdīgļu romantiku un arī neslēpdama dažas kopdzīves disonances. Beigās viņa pārsteidza Īridu ar lūgumu turpmāk apciemot to tais dienas stundās, kad profesors parasti nav mājā. Kādēļ? — Īrida sevi nobrīnījās — līdz šim viņas attieksmes ar profesoru Endzelīnu nekad nav bijušas tādas, ka viņam varētu izteikti nepatikt to savā mājā redzēt. Ja tagad tās,, viņai nezināmu iemeslu dēļ, būtu grozījušās, — protams, ka tad viņa nevis slepus ies tur, bet neies nemaz.

Bija pienākusi atkal kāda jubilejas diena profesoram Endzelīnam. Īrida juta vēlēšanos apsveikt viņu personiski. Viņa aizgāja uz tā dzīvokli priekšpusdienas stundā. Sagadījās, ka citu apsveicēju tai brīdī nebija. Profesors laipni aicināja viņu uz glāzi vīna. Viņš bija viens. Pie viņa nebija vairs ne kundze, ne meitiņa. Jaunās laulības posms bija bijis visai īss. Un tad viņš Īridai pateica ko pavisam dīvainu. Viņš atgādināja tās toreizējo apmeklējumu. Pēc tā viņš brīdinājis „šo nekrietno personu,” — ja tā gribēšot arī viņu—Zelmenes kundzi ieraut savā intrigā, *tad viņš neklusēšot. Nu Īrida saprata kundzes toreizējo viņas eventuālo apciemojumu izkārtojumu: tā bija baidījusies profesora piedraudējuma. Teiktais izskaidroja arī profesora nereaģēšanu uz Īridas apsveikumu. Šādas neiedomājamas profesora vaļsirdības pārsteigta, Īrida jutās neērti, kā vienmēr, kad viņa sadūrās ar ko negatīvu cienījamu cilvēku dzīvē. Viņa nekā nejautāja, un saruna aizvirzījās uz citiem tematiem.*

O

Tai pašā ziemā kādu dienu pie Zelmeņiem bija atnākusi Kasparsona kundze ar negaidītu priekšlikumu: īrēt kopīgi kādu labu ziemas māju Meža parkā. Zelmeņi tur varētu dzīvot visu gadu, viņa ar vīru — vasaras mēnešos; gada īres naudā dalītos uz pusēm. — Kasparsona kundze jau kopš ilgiem gadiem bija ērtas vasarnīcas īpašniece Rīgas jūrmalas Majoros, kur ģimene parasti vasarās dzīvoja. Bet nu, kopš dēls bija precējies un divu mazu bērnu tēvs un kopš Dr. Kasparsons bija pārcietis smagu trombozi kājā, dzīve vasarnīcā esot par nemierīgu doktora atspirgšanai un labsajūtai, — tā kundze teica. Tāpēc viņa nodomājusi sev un vīram izkārtot pastāvīgu vasaras dzīvi Meža parkā. Lai nebūtu ik pavasari par jaunu jāmeklējas un jāiekārtojas, viņa izdomājusi šo kombināciju ar Zelmeņiem, kas ziemas mēnešos ērti varētu lietot visu māju. Viņa esot jau arī kādu vietu noskatījusi un apjautājusies par īres noteikumiem. Ja Zelmeņiem liktos pieņemams viņas priekšlikums, tad kopā aizbrauktu dzīves vietu apskatīt un eventuāli noīrēt.

Kaut Zelmeņi vēl arvienu dzīvoja Tērbatas ielā, viņi jau bija prātojuši par dzīvokļa maiņu: šīs ielas iebrauktuvju agrie rīta trokšņi vairs bija grūti paciešami. It īpaši Īridai, kas naktīs parasti strādāja un kam rīta stundu atpūta bija nepieciešama. Tāpēc Kasparsona kundzes izplānojums viņus gan pārsteidza, bet nelikās noraidāms: ja māja būtu pietiekami plaša un nodalāma ik ģimenes netraucētai dzīvošanai, — kāpēc gan ne! Un viņi norunāja dienu izraudzītā objekta apskatei.

Māja atradās paaugstā kalnā, plašā īpašuma vidū, kuŗu kā konusā nolaideni ieslēdza Ezermalas un Hamburgas iela, ar tiešu izskatu un tuvu pieeju uz Ķīšezeru. Tā bija kādreiz celta kundziskai dzīvošanai, divos stāvos. Tās priekšpusē bija nu vairs nekopts dārzs, aizmugurē dabisks mežs. Tas bija no apkārtējām mājām aristokratiski distancēts nams, celts kā viens no vispirmajiem šai vācu patriciešu nodibinātajā vasarnīcu rajonā, pats beidzamais Ezermalas ielā, ar pakalnainu mežu ielas pretējā pusē.

Tagad nams bija neapdzīvots. Mantošanas ceļā iegūts, tā pašreizējiem īpašniekiem tas iznācis par dārgu dzīvošanai. Aiz tā paša iemesla arī izīrēt to nebija viegli, tāpēc īres maksu tie neprasīja visai augstu.

Zelmeņiem iepatikās šī nama atšķirtības miers. Telpas varēja labi sadalīt. Zelmeņiem viss augšstāvs un apakšā kabinets ar savu ieeju; Kasparsoniem pārējās istabas apakšstāvā ar lielu slēgtu lieveni un ar savu izeju uz dārza ceļu. Tomēr galvenais izšķīrējs apstāklis Zelmeņiem bija — ideāli ērtā satiksme ar pilsētu: pie šīs mājas bija ielu dzelzceļa gala pietura. Tā šīs dzīves vietas tālums nešķēršļos Īridas darbu: pēc pirmizrādēm teātŗos viņa ērti varēs pārbraukt gandrīz līdz pašiem mājas vārtiem. Jau agrā pavasarī Zelmeņi pārcēlās uz Meža parku.

O

Kādā zeltainā vēlas vasaras dienā Īrida posās izcila viesa uzņemšanai: profesors Endzelīns bija pieteicies viņu apciemot jaunajā dzīves vietā. Kafijas galdu viņa klāja plašajā augšstāva kāpņu telpā, kur tā bija iekārtojusi sev darba vietu. Viņa greznoja to ar agrā rudens kodināto lapu krāsainību un galdu apvija ar tumši piesārtušajām vīnstīgām. Lejā, pie dārza ieejas bija kādreiz sendienās iekārtots neliels, krūmāju iežogots apaļš laukumiņš ar soliem un puķu dobi vidū. Tā ēnainībā Īridai patika uzturēties; tur viņa sagaidīja profesoru, apciemojuma pagodinājuma satraukta un iepriecināta.

Darba attieksmēs stingrais, it kā nepieejamais

profesors bija laipns un atklāts personiskā satiksmē. Sarunu gaitā viņš ieteicās, ka bijis pārsteigts, neatradis viņam veltītā jubilejas rakstu krājumā Zelmenes kundzes rakstu. Tas nu savukārt pārsteidza Īridu: laikrakstā ievietotajā ziņojumā par tāda krājuma izdošanu ar rakstiem tikuši aicināti piedalīties fakultāti beigušie baltu filologi; tā kā viņa neesot studijas pabeigusi, tad aicinājumu uz sevi neattiecinājusi. Bez tam, viņa arī domājusi, ka krājumā — Filoloģiski materiāli — paredzēti tikai strikti valodas zinātnes raksti, ne literāras apceres, kādas viņa rakstot. Uz to profesors atteica, ka viņu būtu iepriecinājis ikkatrs viņas raksts.

Pēc kafijas Īrida profesoru izvadāja pa plašo āru. Viņa bija pateikusi, ka šeit dzīvo arī Dr. K. Kasparsons un jautājusi, vai profesors vēlētos viņu satikt, jo zināja, ka abi zinātnieki cienīja viens otru. Dr. Kasparsons, veseļodamies, šo vasaru vadīja absolūtā nošķirtībā no ārpasaules. Pieklājības dēļ Īrida bija aicinājusi arī viņu uz kafiju, labi zinādama, ka tas no šāda apgrūtinājuma — uzkāpt otrā stāvā — atteiksies. Bet viņš labprāt vēlējās uz kādu brīdi redzēt profesoru pie sevis. Nu viņa veda savu viesi pa dārza ceļu augšup uz mājas lieveni, kur durvīs jau stāvēja doktors, kā parasti tērpies rīta svārkā ar apaļu micīti uz galvvidus. Abi kungi draudzīgi sarokojās un apmetās turpat lievenī, kur doktors mēdza pastāvīgi uzturēties, atpūtas krēslā gulēdams un iegremdējies savā grāmatu pasaulē.

Aizvadījusi viesi līdz ielu dzelzceļa pieturai, Īrida kāpa savā kalna mājā domu pilna. Kāds ērkšķis bija iekēries viņas sirdī un dūra ar sāpīgu jautājumu: ko profesoram bija nodarījusi viņa nesenā jaunā sieva, ja viņš, sarunā to pieminēdams, bija teicis „tā zagle"? Jau otru reiz viņš it kā bija grasījies pavērt Īridas acīm kādu noslēptu ļaunumu, bet viņa atkal bija vairījusies tajā ieskatīties, un arī šoreiz sarunas ievirziens notrūka. Tagad, viena palikusi, viņa domāja: kāpēc šim neparastajam cilvēkam gāja secen parasto cilvēku laime? Kur bija vaina? — Vai viņa neparastībā?

O

Meža parks savā laikā bija Rīgas vācu turīgās šķiras dibināta, izveidota un apdzīvota vieta. Latvieši lielākā skaitā tajā sāka iepirkties, celt mājokļus vai īrēt dzīvokļus tikai pēc Latvijas valsts nostiprināšanās. Tad ši smalkā ārpilsētas rajona solīdajā vāciskajā sejā iezīmējās gaišāki, vieglāki latviski vaibsti. Kad Zelmeņi pārcēlās tur uz dzīvi, tad vāciskā rajona rietumpusē bija jau izveidojusies latviešu kolonija, kur dzīvoja valsts un sabiedriskie darbinieki, mākslinieki, rakstnieki. Dažu ģimeņu starpā nodibinājās draudzīgas attieksmes, kas veicināja privātu saviesīgu dzīvi. Kad Zelmeņi bija jau vairākās tādās mājas viesībās izciemojušies, viņi domāja, ka nu būtu pienākusi arī viņu kārta attiecīgās personas pie sevis uzņemt. Īsti siltu tuvību viņi juta pret apgarotā filozofa Paula Dāles ģimeni. Vērienīgu viesmīlību varēja izbaudīt inženiera Aleksandra Bulles mājā. Bulles kundze Velta bija Paula Dāles un dzejnieces Austras Dāles māsīca, arī pati ar izteiktām literārām interesēm un izkoptu gaumi. Tāpat kopīgas mākslas intereses še atjaunoja attieksmes ar dziedones Edītes Martinsones-Efertes ģimeni. Tie nu bija katrā ziņā aicināmi viesi. Bet tiem bija jāpievieno arī Nacionālā teātra direktors Arturs Bērziņš ar kundzi Martu, kas bija kādreizēja Īridas kollēga 2. Pilsētas vidusskolā. Parasti Zelmeņi ar Bērziņiem privāti nemēdza satikties, bet Īrida nesen bija tikusi ielūgta lielā pieņemšanā direktora jaunceltajā reprezentablajā namā, un tas uzlika revanša pienākumu. Šim viesu sarakstam Īrida tomēr vēlējās izņēmuma kārtā, savam priekam, pievienot vēl vienu personu — profesoru Endzelīnu. Viņa aizgāja to personiski ielūgt. Tam bija savs dibināts iemesls. Pēc incidenta profesora jubilejas svinībās tā zināja, ka profesors nesēdēs pie viena galda ar kādu sev nepieņemamu personu. Tāpēc ielūdzot viņa gribēja nosaukt profesoram citus paredzētos viesus un jautāt, vai viņam patiktu kopā ar tiem paciemoties pie viņas.

To noklausījies, profesors atteica — tie visi esot patīkami cilvēki un viņam ne pret vienu neesot ie-

80

bildumu, bet — viņš domājot **vairāk** iegūt no Zelmenes kundzes sabiedrības vienatā, ne kopā ar citiem. Ja viņa atļautu, viņš aizietu nākošā dienā pēc viesībām.

Tā bija ziemas diena. Visa māja bija Zelmeņu rīcībā. Irida pieņēma profesoru apakšstāvā viesistabā. Pa brīžam viņiem piebiedrojās Zelmeņu deviņgadīgais dēlēns Danis, turpat blakus istabā darbodamies. Profesors ieinteresējās par zēnu, un Irida šo to raksturīgāku pastāstīja tā attīstības gaitā: ka tas agri sācis runāt un ka tam vispār laba valodas izjūta, ko tas, laikam, būšot mantojis no viņas. „Un acis," profesors piebilda. Arī atmiņa puisēnam esot neparasti laba. „Ka tikai skolas nesamaitā," brīdināja profesors. Mierīgās sarunās gan par universitāti, gan par Iridas darbošanos rakstos bija aiztecējušas dažas stundas, kad profesors atvadījās.

O

Nevien Meža parka pastāvīgajiem iedzīvotājiem te bija miers un atpūta pēc dienas darbiem pilsētā. Tas bija kļuvis par ērti sasniedzamu un iemīļotu atpūtas vietu arī svētdienu izbraucējiem. Bez tam seviška atrakcija vēl bija zooloģiskais dārzs tā ziemeļrietumu nostūrī, labi patālāk no ielu dzelzceļa pieturām. Svētdienu kustībai jo dzīvi attīstoties, to sāka izjust kā neērtību, tāpēc tramvaja līniju pa Siguldas un Meža prospektu pagarināja tieši līdz dārzam, atmetot Ezermalas ielas nozarojumu. Iridai tas radīja nepatīkamu sarežģījumu viņas biežajos vēlas nakts braucienos uz māju: visa garā iela bija jānoiet kājām. Neomulīga sajūta: vācu patriciešu mājas šai ielā atradās tikai tās kreisajā pusē, visas aiz cieši noslēgtiem vārtiem; labajai pusei piegūla vientuļīgs, pakalnains mežs. Ja kas ļauns gadītos, nebūtu iespējama nekāda palīdzība. Visādi jauno situāciju pārsprieduši, Zelmeņi izšķīrās pārcelties atpakaļ uz pilsētu. Varbūt šo lēmumu veicināja arī tas, ka bija iespējams dabūt dzīvokli ļoti pieņemamā rajonā, krietni ārpus trokšņainā pilsētas centra. Ilggadīgā Vāgnera dārzniecības firma daļēji likvidēja savu plašo īpašumu Valdemāra ielas galā, sadalīdama to pārdodamos apbūves gabalos. Tur cēlās it kā jauna pilsētas daļa ar ērtām modernām dzīvokļu mājām. Vienā no tām, jaunizvilktajā Vāgnera ielā, Zelmeņi noīrēja dzīvokli beidzamajā stāvā un pārcēlās uz to 1935. gada rudenī. Gaisa un saules bija daudz, ar plašu, neaizsegtu apvārsni rietumpusē.

O

Gadi bija skrietin skrējuši, un Īrida nu pietuvojās savam piecdesmitajam mūža gadam. Kā nemanot, bez noteikta iepriekšēja nodoma viņa bija iestigusi rakstu pasaulē. Bez dienas notikumu fiksēšanas skatuves mākslā bija uzkrājušies arī plašāku apceru raksti par teātra, literātūras un sabiedriskās dzīves parādībām. Vai tiem nederētu piešķirt paliekamāku mūžu, nekā tas bija iespējams dienas laikrakstos vai citos periodiskos izdevumos? Viņa izvētīja rakstus un izlēma painteresēties par to izdošanas iespējām grāmatā. Ja izdevējs rastos, viņa vēlētos grāmatu iznākam uz savu piecdesmito dzimumdienu, par robežzīmi noietajam mūža posmam.

A. Gulbja izdotā Daces Akmentiņas monogrāfija vēl nebija izpirkta, tāpēc viņa nevēlējās šo apgādu apgrūtināt ar jaunu savu grāmatu. Jo vairāk vēl tāpēc, ka viņas rakstu cienītājs, izdevējs A. Gulbis pa tam bija miris, apgādu atstādams mantojumā savam māsas dēlam A. Mālītim. Jaunais īpašnieks gan arī nebija Īridai gluži svešs: viņš bija bijis Īridas skolnieks Izglītības biedrības reālskolas beidzamajā klasē. Tomēr viņa nolēma apjautāties citur. Kopš pagājušā, 1935. gada pavasara viņa rakstīja Brīvajā Zemē teātra izrāžu apceres un bija labā kontaktā ar atbildīgo redaktoru Jūliju Druvu. Brīvās Zemes paspārnē darbojās arī grāmatu apgāds — Zemnieka Domas. Viņa iepazīstināja redaktoru ar savu literāro nodomu, jautādama, vai viņš atbalstītu to, ieteikdams viņai personīgi svešajam apgāda redaktoram grāmatu izdot? To viņš darīja, un grāmata būtu te pieņemta, ja Īridai nebūtu bijusi neizdevīga apgāda honorāru izmaksas kārtība. Honorārs tika aplēsts rentēs no katras pārdodamās grāmatas cenas un tātad saņemams tā sakot pa pilienam ilgākā laika tecējumā. Bet Īridai bija sevišķs nodoms ar šīs grāmatas honorāru: viņa gribēja to izlietot teātra studiju braucienam uz Franciju.

Tātad bija vajadzīgs saņemt kompaktu lielāku summu uzreiz. Izdevējs A. Gulbis parasti maksāja pusi nolīgtā honorāra manuskriptu saņemot, otru pusi — ne vēlāk kā sešos mēnešos. Un tā kā Īridas pirmo grāmatu izdevējs bija notaksējis pēc Rakstnieku arodbiedrības likmēm augstākajā kategorijā, tad cerams — tāpat novērtēts it prāvās nule izdodamās grāmatas honorārs atļautu braucienu reālizēt bez rūpēm. Tomēr viņa vēl aprunājār ar izdevēju J. Rapu. Tas arī bija pretimnācīgs, bet nevarēja solīt drošu grāmatas iznākšanu uz Ziemassvētkiem, tas ir, pirms Īridas dzimumdienas: rudens bija jau ievilcies diezgan tālu, un liels iepriekš apsolīto svētku grāmatu skaits bija priekšā. Vilcinādamās Īrida beidzot sadrosmīnājās un piezvanīja izdevējam Mālītim, īsi pateikdama savu vajadzību. Tikpat īsi un lietišķi, lielā laipnībā jaunais izdevējs pieņēma Īridas piedāvājumu un lūdza tikai bez kavēšanās sūtīt manuskriptu, lai grāmata laikā tiktu gatava. Mazliet pārsteigta par tādu zibenīgu beziebildumu nokārtojumu, Īrida nodomāja — varbūt pie tā sava loma ir apstāklim, ka esmu kādreiz bijusi šī enerģiskā jaunā cilvēka skolotāja, kaut arī tikai neobligātajā daiļlasīšanas kursā.

O

Informējot redaktoru Jūliju Druvu, Īrida bija arī pateikusi, kādēļ vēlas grāmatu iznākam decembrī. Jādomā, redaktors to nebija paturējis noslēpumā, jo drīz redakcijas darbiniece Ausma Roga apjautājās, vai viņa vēlētos, ka šo gadījumu atzīmētu ar jubilejas svinībām. Viņa to nevēlējās. Jo viņai neesot nekāda nopelna pie tā, ka reiz laista pasaulē un nodzīvojusi tajā piecdesmit gadu. Par atzīmējamu personisku nopelnu varot kļūt tikai tas, ar ko cilvēks, darbodamies, savas dzīves gadus piepildījis. Ja nu viņas šais gados padarītais būtu atcerēšanās vērts, tad lai darot to aiznākmajā gadā, jo to varēšot uzskatīt par viņas divdesmit piecu gadu paliekošas literāras darbošanās robežžīmi.

Tomēr pirms zināmās dienas Brīvajā Zemē bija ievietots Ausmas Rogas sirsnīgā atzinībā rakstīts apcerējums par Īridu Rasu-Zelmeni. Un šī raksta sekās notika, ka jau deviņos no rīta šai dienā Īrida kā pirmo saņēma ziedu sveicienu „savai kritiķei" no aktiera Jāņa Oša, — un tā tas turpinājās visu augu dienu, līdz viņas viesistaba bija pārvērsta vienā vienīgā ziedu klāstā. Ziedu dāvanas bija tās, kas Īridu vienmēr bija priecinājušas visvairāk. Todien, staigājot pa savu puķu dārzu, viņas acis jo īpaši kavējās pie krāšņā baltziedu ceriņkoka, ko bija sūtījis redaktors Jūlijs Druva, bet visdziļāko prieku un gandarījumu viņa izjuta par to, ka arī profesors Endzelīns bija pagodinājis viņu ar apsveikumu un ziediem. Pateicībā viņa nosūtīja profesoram tikko iznākušo grāmatu — rakstu krājumu Atziņu ceļi.

O

Tā nu tas notika: 1938. gada maijā Preses biedrība izrīkoja Īridas Rasas-Zelmenes 25 gadu literārās darbības atceri. Maijā, ne martā, kad būtu bijis īstais laiks. Kavēja Īridas smagā slimošana kopš iepriekšējā gada pavasara. Šai atceres dienā viņai piezvanīja profesors J. Endzelīns. Apsveikdams viņš atvainojās, ka svinībās nevarot ierasties. Pēc Latvja nožņaugšanas viņam neesot ar Preses biedrību pa ceļam. — Latvis bija labā spārna nacionālistu politisks dienas laikraksts. Pēc 15. maija apvērsuma, politisku iemeslu dēļ, rudenī valdība izbeidza šī laikraksta iznākšanu. Tā kā Preses biedrības priekšnieks Jūlijs Druva bija viens no vistuvākajiem valdības galvas K. Ulmaņa domu biedriem, tad, acīm redzot, profesors Endzelīns ieskatīja viņu, respektīvi Preses biedrību par līdzvainīgu profesoram simpatiskā laikraksta nolikvidēšanā.

Īrida labi saprata profesoru: viņa taču bija pieredzējusi tā kategorisko sev nevēlamas personas noraidījumu viņa paša jubilejas svinībās. Īridas oficiālā godināšanā viņš nevarēja piedalīties tāpēc, ka to rīkoja Preses biedrība, kuras vadība viņa acīs bija noziegusies pret taisnību. Kompromisa nevarēja būt. Īrida jutās pārpārim pagodināta ar to vien, ka profesors Endzelīns bija viņu atzinīgi apsveicis par viņas darbu.

O

Pienāca 1941. gada rudens. Latvijā vairs nebija neatkarīga valsts. Krievu komūnistu varmācīgo Latvijas brīvības nokaušanu, pagaidām viltīgi klusēdams, akceptēja vācu hitlerisms. Tomēr komūnistu valdīšanas gadā nomirdinātā nacionālā kultūrālā dzīve nu paklusām sāka celties augšā. Postījumi, ko šis gads un tā kulminācija 13./14. jūnija naktī tai bija nodarījuši, gan bija drausmīgi. Arī Annas Brigaderes komitejā no tās trīs locekļiem vairs bija palikusi vienīgi tās sekretāre Īrida Rasa-Zelmene. Komitejas kasieris, rakstnieces radinieks un draugs' grāmatrūpnieks Jānis Rapa neizturēja. Kad komūnisti, nacionalizēdami viņa vadīto firmu, izpostīja tā mūža darbu, viņš pats aizgāja no dzīves. Komitejas priekšsēdi, rakstnieku Līgotņu Jēkabu aizrāva projām liktenīgā jūnija nakts. Īridai nu bija jārūpējas par komūnistu pārtrauktās komitejas darbības atjaunošanu saskaņā ar rakstnieces testamenta noteikumiem. Sazinoties ar komitejas juriskonsultu Jāni Grīnu, viņa uzaicināja bibliotēkāru Kārli Egli un rakstnieces radinieci Maiju Jansoni iztrūkstošo locekļu vietā. Darbību atsākot, Īridai bija jāuzņemas komitejas priekšsēdes pienākumi.

Tuvojās 1. oktobris, Annas Brigaderes dzimumdiena. Ik gadu komiteja bija atzīmējusi šo dienu oficiāli ar vainaga vai ziedu nolikšanu dzejnieces atdusas vietā Meža kapos. Tikai pagājušā gadā tas bija jādara klusi, kā zagšus, jo komiteja atklāti nedrīkstēja ne sanākt, ne darboties. Vai to atļaus vācu pārvalde, to vēl nevarēja zināt. Nolēma riskēt, jo šī bija rakstnieces astoņdesmitā dzimumdiena, — kā to lai atstāj tautā nepieminētu. Uzaicināja Annas Brigaderes rakstu pētnieku, teoloģijas profesoru A. Freiju teikt svētrunu kapsētā un ievietoja vienīgajā dienas laikrakstā Tēvija mazu aizrādījumu par iecerēto piemiņas brīdi.

Tautas atsaucība pārspēja visu iepriekš paredzamo: bija gandrīz tāpat, kā rakstnieci izvadot tai vasarā pirms astoņiem gadiem. Profesors Freijs runāja ar bezbailīgu patriotisku degsmi, uzviļņodams ļaudīs okupāciju apmākto nacionālo lepnumu. Šī piemiņas stunda pie Annas Brigaderes kapa izvērtās par pirmo atklāto demonstrāciju par latviskā gara prioritāti visos apstākļos. Nākamā dienā par notikušo bija maza atzīme laikrakstā.

Komūnistiem iebrūkot Latvijā, Īrida zināja, ka tās darbs nebūs viņiem ne vajadzīgs, ne pieņemams. No viņu pirmās īsās valdīšanas 1919. gadā viņa arī zināja, ka nu sāksies trūkums visās lietās. Tāpēc viņa tūliņ steidzās atlaist kalponi un uzņēmās pati mājsaimniecības darbus. Kad viņa dienu pēc svētbrīža kapsētā gatavoja virtuvē pusdienas, atskanēja durvju zvans. Viņa dzirdēja dēlēnu Dani durvis atveram un tad nākam uz virtuvi. Profesors Endzelīns esot atnācis un vēlētos satikt Zelmenes kundzi. Īrida satraucās: viņa nebija viesu saņemšanai piemērotā paskatā. Tā lika dēlam lūgt profesoru viesistabā un pakavēties tur ar viesi, kamēr tā kaut cik sakopsies. Apciemojums viņu pārsteidza, un tai bija jāatvainojas profesoram, ka likusi uz sevi gaidīt.

Profesors paskaidroja, kādēļ nācis: šodien laikrakstā izlasījis atzīmi par vakarējo notikumu kapsētā un kad redzējis Zelmenes kundzes vārdu tur minētu, tad uzzinājis, ka viņa nav aizvesta un joprojām darbojoties sveika un vesela. Ar to viņš gribējis, atnākdams, viņu apsveikt. Īridu dziļi saviļņoja tāda cienījamā profesora uzmanība. Profesors kā jokodamies teica, ka viņam jau vienmēr esot bijis stīvs mugurkauls; nu tas kļuvis vēl stīvāks, un varas vīri neesot zinājuši neko pret to iesākt. Īrida domāja, ka tā ir lielā cieņa, ko profesora darbs ir ieguvis starptautiskā valodu zinātnē, kas ir pievaldījusi komūnistus ķerties viņam klāt. Minēja vārdā un kopīgi nožēloja daudzos aizvestos universitātes mācību spēkus. Darbs jau gan nu esot atsācies un ievirzījies atkal normālā gultnē. Tā brīvi par dažādām augstākās izglītības problēmām sarunājoties, profesors pēkšņi teica: ,,Žēl gan ir, ka studenti universitātē nedabū dzirdēt jūsu skaisto latviešu valodu." Īrida samulsa par tādu uzslavu. Kādreiz agrāk profesors tai bija teicis, ka viņas pašas darba sekmīgumam tai nav vairs nekāda vajadzība iegūt diplomu. Nule teiktais norādīja, ka u n i v e r s i t ā t e s interesēs būtu bijis, ja viņa to būtu ieguvusi un palikusi pie universitātes darbā. — Ko lai viņa uz to sacītu? Savu dzīvi tā bija ievadījusi citā virzienā. Viņa varēja tikai pateikties profesoram par iepriecinājumu, ko tai deva šī pārsteidzīgā uzslava.

O

Pēc divi gadiem Īrida vēl beidzamo reiz bija klāt profesora Endzelīna jubilejas aktā, kas atzīmēja viņa septiņdesmito dzīves gadu. Tas notika universitātes aulā, un šoreiz jubilejai bija citāds, ļoti oficiāls raksturs. To tai piešķīra augstie vācu viesi, kas bija nākuši godināt taisni vācu valodnieku aprindās jo populāro latviešu zinātnieku. Īrida bija aizsūtījusi profesoram mājā dažus ziedus; tie nebija ne viegli, nedz izvēlīgi iegūstami šai okupācijas tukšības laikā. Aulā pēc akta ap jubilāru drūzmējās apsveicēji. Arī viņai izdevās oficiāli paspiest profesora roku.

Šis palika beidzamais rokas spiediens un beidzamā Īridas saredzēšanās ar profesoru Endzelīnu, viņai ar ģimeni izšķiŗoties par trimdu, profesoram paliekot Latvijā. Traģiskais pagrieziens latviešu tautas liktenī izbeidza Īridas distancēti delikāto personisko attieksmi ar profesoru. Tā bija ļāvusi viņai iepazīt šī šķietami bargā vīra laipno cilvēciskumu. Mūža pieminai no sava profesora atveida Īridai ir palicis acīs kāds īss, raksturīgs brīdis: Nacionālā teātŗa pastaigu gaitenī plūst ļaužu straume, turp un atpakaļ. Profesors Endzelīns stāv atspiedies pret ģērbtuves barjēru. Viens. Liels un viens. Ar pāri drūzmai tālumos vērstām ilgainām romantiķa acīm.

6

Darbs skolā un studijas universitātē neatsvešināja Īridu no teātra. Skatuves māksla kā bijusi, tā joprojām palika viņas interešu centrā. Nebija izrādes, ko viņa nebūtu redzējusi. Nodibinoties Latvijas Nacionālajam teātrim, laba daļa viņas drāmatisko kursu kollēgu iesaistījās plašajā ansamblī, un izrādēs dažkārt bija jūtams vairāk jaunības svaiguma nekā agrāk. Arī repertuārs visumā bija vērtīgs. Jo dzīvu interesi teātra cienītājos izraisīja Annas Brigaderes jaunā luga Ilga. Tā bija: neparasta savā uzbūvē — trīs cēlieni, katrs kā patstāvīgs viencēliens; problemātiska savā idejā — sievietes mīlestības psīcholoģijas risinājums konfliktā ar trīs vīriešiem, un — tās galveno lomu tēloja jauna aktiere, drāmatisko kursu absolvente Ludmila Špīlberga.

Spriedumi par lugu bija dažādi. Personiskā sarunā Kārlis Krūza, Īridas kollēga skolā, smādēja to no formālā viedokļa, par tās atsevišķo cēlienu vaļīgumu. Jānis Grīns, Latvī rakstīdams, domāja, ka lugā neesot idejiskas skaidrības, — ko tad īsti Ilga gribot? Īrida pēc izrādes, lugu vēl nelasījusi, juta sevī kādu urdītāju nemieru, kā cēloni dienu steiga tai kavēja izdibināt. Drīz īslaicīga slimība piespieda viņu palikt kādas dienas gultā. Kaut cik atlabusi, viņa lasīja Ilgu. Iegremdējusies lugā, viņa atskārta, ka tās nemiers ir bijis vēl spriedumā neizkristalizējusies neapmierinātība ar to, ko teātra kritika rakstīja pēc izrādes. Viņa juta, ka tai, tāpat kā par Reinholda Veica tēloto Edgaru Uguni rakstot, ir jāpasaka tas, kas palicis citu nepateikts. Šoreiz tas ir — būtiskais, esenciālais Ilgas sievietīgais pārdzīvojums, ko, pēc vīriešu rakstītajām kritikām spriežot, tikai sieviete var pateikt. Un vēl slimodama, Īrida uzrakstīja apceri — J a u - n ā s   s i e v i e t e s   p r o b l ē m a,   s a k a r ā   a r   A nnas Brigaderes drāmu Ilga. Rakstu iespieda Izglītības Ministrijas Mēnešrakstā, 1921. gada sākumā. Šī periodiskā izdevuma redaktors bija Teodors Zeiferts, kas savā laikā, būdams mēnešraksta Druva redaktors, bija lūdzis iespiešanai Īridas referātu kursos Viena vasara Helerauā. Viņš vēlējās arī iesaistīt Īridu šī izdevuma pastāvīgos līdzstrādniekos, bet viņa tolaik nebija ieinteresēta literārā darbā. Vēlāk, pēc atteikšanās no skatuves, tā pamazām bija sākusi nesaistīgi publicēties ar sīkākiem rakstiem dienas presē. Bet Ilgas problēmas tirzājums viņai šķita vairāk piemērots žurnālam nekā dienas laikrakstam. Tīra mākslas žurnāla jaunajā Latvijā vēl nebija, tāpēc viņa rakstu aiznesa Teodoram Zeifertam, gan drusku šaubīdamās, vai viņa rediģētajā paidagoģiski literārajā ministrijas izdevumā tam būs īstā vieta. Ja redaktors izšķirtos šo apceri pieņemt, tad — viņa lūdza — pieņemt to pilnīgi negrozītā veidā; pretējā gadījumā tā vēlas rakstu atpakaļ. Pēc noteiktā laika apjautājoties, viņa uzzināja, ka raksts ir jau spiestuvē. Īrida jutās gandarīta: viņas personiskais, no citiem apspriedējiem atšķirīgais skatījums sasniegs lasītājus un dos problēmas atrisinājumu[5]).

O

Arī šoreiz Teodors Zeiferts aicināja Īridu Zelmeni rakstīt pastāvīgi viņa rediģētajā žurnālā. Un nu viņa aicinājumu pieņēma. Pēc dažiem sīkākiem gadījuma rakstiem tā beidzot uzņēmās kārtējas līdzstrādnieces darbu, regulāri rakstot par teātra izrādēm un pēc brīvas izvēles recenzējot grāmatas.

Īsti cieša sastrādāšanās sākās, Īridai izbeidzot darbu skolā. Nu viņai atlika vairāk laika pievērsties plašākiem literāriem tematiem. Arī studijas universitātē rezultējās ar dažiem jo pamatīgiem pētījumiem. Un kaut arī viņa laiku pa laikam publicējās arī citur, visvairāk tās rakstu vēl joprojām parādījās Izglītības Ministrijas Mēnešrakstā.

Redaktoram Zeifertam bija savs darba kabinets ministrijas telpās. Tur viņam pienesa manuskriptus, tur saņēma atbildes, tur risinājās rakstītāju sarunas un pārspriedumi ar šefu. Zeiferts bija dedzīgs un aizrautīgs runātājs. Bija gandrīz jābrīnās par šī sīka auguma, fiziski diezgan nevarīgā vīra spilgti temperamentīgo personību. Viņš slimoja ar kaulu tuberkulozi kājā, kliboja, un lāgiem tam bija dienas jāpavada gultā. Parasti viņš gulēja uz dīvāna savā vienkāršajā darba istabā, silti sasedzies, ar manuskriptu kaudzi blakām uz galda. Reiz sagadījās, ka Īridai ienākot, redaktors patlaban lasīja kādu viņas rakstu. To pateicis, viņš piebilda, cik patīkami esot paņemt rokā tādu rakstu: tad varot mierīgi nolikt sarkano zīmuli malā un ar baudu atdoties lasīšanai. — Tā laikam bija, jo nekad viņa neatrada iespiestajos rakstos ne mazākā redakcijas grozījuma, — tik pilnīga bija redaktora tolerance pret viņas darbu.

O

Īridai arvienu bija paticis vērot un sevī apcerēt cilvēkus. Un dzīve nebija arī skopojusies viņai šādas iespējas piegādāt. Nu biežie gājieni uz ministriju ar rakstiem iepazīstināja viņu tuvāk ar populāro literātūras vēsturnieku un redaktoru Teodoru Zeifertu kā ar ļoti sabiedriskas dabas cilvēku. Sarunas ar redaktoru nepalika šaurās profesionālās robežās vien. Viņam patika tērzēt, un reizēm, kad viens pēc otra salasījās vairāki apmeklētāji, mazā telpa skanēja vien no dzīvām valodām. Un citām balsīm pāri pacēlās mājastēva paša temperamentīgais falsets, it īpaši dzirkstīgs kļūdams dāmu klātienē.

Par to bija mazliet jāpabrīnās, redzot redaktora gadus un ārēji ne visai spilgti izteikto vīrišķīgumu. Bet dienu tecējumā redaktors pats ar kādu atklājumu Īridu pavisam izbrīnināja. Kā tas bija sācies, kā ne, bet viņš atvēra tai pilnīgu ieskatu kādā savas dzīves gluži nesenā romantiskā epizodē. Partnere bijusi kāda skolniece Cēsu ģimnazijā, kad viņš tur strādājis bēgļu laikā. Redaktoram, liekas, šķita jo svarīgi pārliecināt Īridu taisni par jaunavas pašas neatlaidīgo piekeršanos viņam, jo tas deva Īridai lasīt divas biezas šīs meičas rakstītas dienasgrāmatas, kuras tā viņam savā laikā bija piesūtījusi. Tās tiešām apliecināja gandrīz nepaticamu jaunās sievietes jūsmu. Redaktors nodeva Īridai arī jaunavas fotografiju: no tās raudzījās piemīlīga paskumja seja.

Kādēļ viņš tik neatlaidīgi klāsta visu to man? — Īrida jautāja sev. Jo tālāk, jo skaidrāk viņai raisījās atbilde uz šo jautājumu: redaktors bija iecerējis viņu par savu biografu. Vēl vairāk: viņš deva tai bagātīgu materiālu biogrāfiska romāna rakstīšanai. Bet Īridu šī perspektīve nemaz neintriģēja. Ja jau es gribētu romānus rakstīt, viņa teica sev, tad man gan pietiktu vielas diezgan no manas pašas dzīves. Ar cik cilvēkiem un likteņiem gan viņa nebija saskārusies! Cik sižetu un cik problēmu viņa nevarētu no tā visa izvērpt un izrisināt! Bet viņa to negribēja darīt. Tas neietilpa viņas interešu lokā. Un viņai nebija nekādas vēlēšanās šo loku lauzt Teodora Zeiferta dēļ, kas kā personība viņu dziļāk nesaistīja.

Nopratusi redaktora vēlmju virzienu, Īrida varēja attaisnot arī citus viņa atklājumus — ģimenes attieksmēs. Viņam bija svarīgi pateikt, ka tādās dzīves sānus epizodēs viņš ir bijis brīvs un palicis godīgs. Jo kopš ilgiem gadiem jau tā noteikums laulības dzīves formālai nešķiršanai bijis — viņa neierobežotas personiskas brīvības atzīšana. Tā viņam dota, un nekas vairāk kā ikdienas dzīves vajadzības viņu ar sievu nesaistot.

Kā tā tas laikam ir, to Īrida pati jau bija sākusi novērot, kad tā, aicināta, piebiedrojās redaktora tradicionālajiem ik gada vārda dienas viesiem. Teodoros redaktora mājā saradās jo raiba literātu sabiedrība: gan viņa laika biedri, gan gados un darbos jaunie. Bija mājas mātes klāts vakariņu galds, palīdzēs tai viesu apkalpošanā redaktora meita — arī kliba, tāpat kā tēvs, un bez jaunības svaiguma un glītuma. Un viesu skaļajās čalās kluss pie galda sēdēja kautrs jauneklis — redaktora dēls. Kad viesi, pavakariņojuši, pārgāja uz viesistabu, redaktora ģimenes locekļi tiem nepievienojās; tie palika ēdamistabā, paši savā pulciņā. Likās, ka to loma šai vakarā ir izbeigusies, ka neviens jautrajā sabiedrībā to iztrūkuma nejūt. Vismazāk gaviļnieks pats, kas dzirkstīt dzirkstīja pacilātajā viesību gaisotnē.

O

1924. gada rudenī, atsākoties teātra sezonai, Īridai bija jāiet pie redaktora ar intīmu vēstījumu: ja viss noritēšot labi, tad janvārī viņa kļūšot māte. Un tā kā ārsts viņu brīdināja būt sevišķi uzmanīgai un izsargāties no visa, kas varētu uz to fiziski vai psīchiski ļauni iedar boties un laimīgo izredzi iznīcināt, tad viņa izlēmusi no izrāžu recenzēšanas šai sezonā atteikties. Vēl jau viņa kādu laiku to varētu darīt, bet tā baidoties no tuvās Gētes Fausta izrādes Nacionālajā teātrī: jo viešņa Annija Simsone, kā paredzams, pārdzīvoti tēlotu Grietiņas ārprāta skatu beidzamajā cēlienā, — vai Īridu, tās stāvoklī, Grietiņas traģēdija pārmērīgi dziļi nesatrauktu? Esot jau arī pierādījies, ka viņa nespējot vairs uz ilgāku laiku palikt izelpotā gaisā. Redaktors gluži aizkustināts uzklausīja Īridu un bez ierunām deva tai nepieciešamo sezonas atvaļinājumu.

Bija jau dziļa ziema. Kādu dienu Īrida saņēma vēstuli ar redaktora apciemojuma pieteikumu nākamā svētdienā. Viņa pabrīnījās, bet abi ar Intu laipni sagaidīja un uzņēma viesi ar pēcpusdienas kafiju. Tā trijatā tērzējot, viesis pēkšņi pagriezās tieši pret Īridu un teica: „Es nācu pie j u m s ciemā." Tas bija mājiens, bet viņa nelikās to saprotam. Smiekļīgi! Vai gan redaktors iedomājas, ka arī viņai savā mājas dzīvē jānovelk robeža, aiz kuras jāpaliek tās vīram, kad tā satiekas ar darba kollēgām vai citiem gara tuviniekiem? O, nē: ja arī darba apstākļos, sabiedrībā viņai bieži bija jāiet vienai, bez Inta pavadonības, mājā — kas nāca kā viesis pie viņas, tas nāca arī pie viņas mūža drauga, jo abi dzīvoja kopīgu dzīvi. Naīvi izlikdamies viesa netaktību gar ausīm palaiduši, Zelmeņi tik pat viesmīlīgi turpināja uzturēt vakara omulīgo un gaišo noskaņojumu, un mazais mākonītis izklīdinājās kā nebijis.

Kad viesis aizgāja, Ints teica: „Tu šovakar biji gudri skaista. Nav brīnums, ka vecajam kungam mazliet apskurba galva."

Autora iestarpinājums

Nu jau kopš pāris gadiem Zelmeņi vasarās dzīvoja Rīgas jūrmalas Dzintaros, īrēdami ik gadu to pašu vasarnīcu. Bija kāda pirmdiena. Dienu iepriekš bija svinēta dēla vārda diena — sanākot un sabraucot tādiem pašiem divu līdz triju gadu veciem draugiem un draudzenēm. Mazās vasarnīcas telpas vēl greznoja izšķērdīgs vēlās vasaras ziedu krāšņums,, kad agrā priekšpusdienā pie Īridas ieradās pieteicies viesis — redaktors Teodors Zeiferts. Un kad pabrokastīs viņa lika galdā ne visai ikdienišķus bijušo viesību gardumus, — viesis nenocietās neizteicis izbrīnu par tādu neparastu, svētkiem līdzīgu uzņemšanu. Smiedamās Īrida pastāstīja, kam viņam par to jāpateicas.

Piemīlīgi siltais, saulainais laiks vedināt vedināja iet uz jūŗu. Samērā agrajā darba dienas stundā plūdmale bija patīkami ļaužu patukša. Viņi apmetās kāpās, priežu paēnā. Ācu priekšā vizuļoja ūdeņu klāsts, baltas liedaga lentas iejozts. Ainava iedvesa svētdienīgu pacilātību, atraisīšanos no dienu sīkajām rūpēm. Īrida skaidri juta apkārtnes labdarīgo ietekmi uz viņas viesi. Viņš redzami atspringa, atslābinājās; sejā iegula neredzēts lēnīgums; balss ieguva klusinātu toni. Nekad vēl viņai nebija atklājusies sava sabiedriski ievirzītā redaktora cilvēciskā būtība tik simpatiska. Bija tā, it kā no viņa būtu nokritusi darba dienas skaudrā maska un te nu sēdētu un runātos gara tuvībā atmaidzis cilvēks. Tāds viņš patika Īridai. Nekas netraucēja saskaņu viņu starpā. Un kad tā, izvadījusi viesi uz piestātni, pa meža taku soļoja uz māju, viņai bija jādomā: ikkatrs laikam ir sašķelts darbdienas un svētdienas cilvēkā. Šodien viņai bija laimējies atklāt vienu svētdienas cilvēku.

O

Kā jau dažkārt, Īrida bija aiznesusi redaktoram manuskriptu uz māju. Pēc īsas parunāšanās viņa taisījās iet. Redaktors piecēlās no sava dīvāna viņu izvadīt. Ejot uz durvīm, viņa juta to pietuvojamies sev cieši blakus un — pēkšņś skūpsts iesūcās tai vaigā. Saudzīgi atbīdījusi redaktoru nost, viņa ieraudzīja kaislē nobālušu,, izšķobītu seju. Ne vārda nebildusi, tā gāja.

Ik dienas Īrida veda savu mazo dēlu staigāt. Reizēm viņa šais gājienos pa ceļam nokārtoja arī *kādu sīkāku darījumu. Nebija retums, ka tā ar dēlēnu iegriezās ministrijā pie žurnāla sekretāra pēc korrektūrām. Tāpat, pastaigādamies, viņi abi nu aiznesa redaktoram nākamo manuskriptu uz māju. Nepieceldamies no dīvāna, ar ļaunuma pieskaņu balsī redaktors teica: „Nu jūs esat pieņēmusi sev sargu līdz." Protams, ka tā nebija. Viņai nekāda sarga ārpus sevis pašas nevajadzēja. Un apdraudējums jau nebija tai bīstams... Viņa nelikās piezīmi dzirdam. Un arī turpmāk nelikās zinām, ka šāds mazs starpgadījums vispār būtu noticis.*

○

Tomēr kādu ēnu juta pārklājušos pār viņu attieksmi. Tā savilkās tumšāka, kad Īrida, profesora Aleksandra Dauges aicināta, sāka rakstīt par teātra izrādēm arī dienas laikrakstā Latvis. Jau Latvim nodibinoties 1921. gadā, laikraksta literārās daļas vadītājs rakstnieks Jānis Grīns bija vēlējies, lai viņa rakstītu teātra recenzijas. Toreiz tā atteicās: viņa vēl strādāja skolā un neredzēja iespēju rakstīt vēlā naktī pēc izrādes, kā to darīja citi recenzenti, ja rītā agri svaigai un spirgtai jāiet klasē. Bez tam, viņa arī nedomāja, ka tādam pavirši sasteigtam rakstījumam būtu kāda nozīmīgāka vērtība skatītāju vai teātra mākslinieku pašu labā. Izrāžu recenziju vietā viņa pa reizei uzrakstīja kādu atsauksmi par jaunām grāmatām un darīja to joprojām, kad Jānis Grīns redakcijas posteni sen jau bija atstājis.

1929. gadā Latvja atbildīgajā redakcijā notika daži svarīgi pārkārtojumi. Ideālistiskais Aleksandrs Dauge iecerēja un uzņēmās izveidot laikrakstā plašu kultūras lietu daļu. Šai sakarā viņš tad aicināja Īridu Rasu-Zelmeni par teātra recenzenti. Pēc principiālas sarunas, nodrošinājusi sev nepieciešamos darba noteikumus,[7] viņa izšķīrās piedāvājumu pieņemt. Tā darot, viņa nedomāja no Izglītības Ministrijas Mēnešraksta aiziet. Tā augsti vērtēja redaktora Teodora Zeiferta atzinību tās literāram darvam no pat sākuma un viņa neierobežoto toleranci pret viņas patstāvīgu domu pat tad, ja kādreiz tā ne gluži saskanēja ar viņa paša ieskatu. Par visu to Īrida jutās redaktoram dziļi pateicīga. Īstenībā viņa taču bija šai brīvības paspārnē izaugusi pa šiem gadiem. Ne tikai teātra un literātūras recenzijas vien viņa bija devusi Mēnešrakstam, arī citi — lielāki darbi te bija iespiesti. Teodora Zeiferta paša galvenā interešu lokā ietilpa literātūra, ne teātra māksla. Viņu vairāk interesēja rakstītā drāma, ne izrādītā. Tāpēc arī viņš vēlējās Īridas rakstos pamatīgu lugas pašas analizi, izrādes apcerei dodot mazāk vietas. Šis nu arī bija galvenais iemesls, kāpēc viņa uzņēmās rakstīt arī Latvī: tur viņa varēs apmierināt s a v u galveno interesi, rakstot par lugu pirmā kārtā no izrādes viedokļa. Tā, viņai šķita, tās darbošanās Latvī nebūs par šķērsli pienākumiem pret Mēnešrakstu.

Un tomēr Teodoram Zeifertam tas nepatika. Viņš gan neizteica to vārdos, bet Īrida nemaldīgi izjuta viņa zināmu rūgtumu pret sevi par to. Likās, ka viņš greizsirdīgi nevēlējās dalīties tās tuvā līdzstrādniecībā ar kādu citu izdevumu. Vēl skaidrāk tas kļuva redzams, kad viņa beidzot paklausīja arī docenta Longīna Ausēja neatlaidīgam lūgumam dot izrāžu mēneša pārskatus viņa rediģētajam žurnālam Burtnieks. Šis mēnešraksts bija tuvā ideoloģiskā, likās, arī financiālā sakarā ar Latvi. Tad Zeiferts atļāvās pat kādu paironisku piezīmi tai par viņas universālismu. Patiesībā viņai arī pašai nelikās vairs normāla tāda sadališanās un viņa to darīja visai nelabprāt. Bet tā nu bija noticis, ka tās darbu speciālajā teātra mākslas nozarē sāka tik nesamērīgi pieprasīt. Longīns Ausējs pat teica, ka, lasot viņas apceri, tas redzot izrādi pilnīgāk, nekā ja būtu skatījis to paša acīm, un uz teātri neesot vairs jāiet. Tas jau nu bija gluži absurds atzinums, ar ačgārnu pieeju. Apcere par kaut ko jau nav pašmērķis: tā vai nu pārvērtē jau zināmo, vai arī rosina interesi par vēl nepazīto. Un Īrida jutās it atvieglota, kad 1930. gadā Burtnieka eksistence izbeidzās.

Bet Teodors Zeiferts tad jau bija aizsaulē. Tradicionālajā vārda dienā, 1929. gada novembrī viņš bija stipri saguris. Paskarbs un it kā iekšēji neapmierināts. Īrida juta mazo disonancj viņu starpā, un tas atturēja apmeklēt redaktoru viņa vārguma beidzamajā laikā. Kādā decembra dienā dedzīgā darba vīra sirds bija norimusi.

7

Kā jau teikts, baltu filoloģijas studijas sazarojās lingvistikā un literātūrā. Arī jaunākās latviešu literātūras kursu bija uzņēmies vadīt profesors Ludis Bērziņš. To viņš darīja tikai tādēļ, ka cita pasniedzēja ar nepieciešamo zinātnisko gradu nebija. Ludis Bērziņš bija autoritāte folkloras pētījumos, kā arī speciālists latviešu literātūras pirmsākumu — garīgo rakstu jautājumos. Jaunākā literātūra viņam bija tālāka, un darbu ar studentiem viņš varēja noorganizēt tikai semināra veidā. No katrā mācību gadā paredzētajiem autoriem un šais robežās iespējamiem tematiem studenti varēja brīvi izraudzīties, ko katrs vēlējās. Profesors nekādas sagatavotājas lekcijas nelasīja; studentiem vajadzēja patstāvīgi sameklēt materiālus, pilnīgi patstāvīgi tos izstrādāt referātos, ko tad lasīja auditorijai priekšā un pēc tam izdebatēja. Arī tad profesora līdzdalība aprobežojās gandrīz vienīgi ar referāta novērtējumu, kas bieži vien bija tikai uzslava.

Īrida Zelmene pirmajam semināra darbam izraudzījās Jāņa Poruka stāstu Pērļu zvejnieks, ko autors pats ir nodēvējis par fantaziju, un uzrakstīja par to plašu studiju vairākās nodaļās: 1) Pērļu zvejnieka rašanās vēsture sakarā ar biografiskiem datiem. 2) Idejiskā satura analize, sakarā ar Anša Vairoga raksturojumu. 3) Vai Pērļu zvejniekā izteiktie uzskati saskan ar Poruka paša uzskatiem, un vai Ansis ir identisks Porukam? 4) Kā izskaidrojama literārā parādība Pērļu zvejnieks 90-os gados? 5) Pērļu zvejnieka stils un valoda un mākslinieciskā vērtība. 6) 90-to gadu kritikas un lasītāju attiecības pret Pērļu zvejnieku. Secinājumā, pievienodamās mākslas teorētiķa profesora Lēmaņa definīcijai, ka mākslas darba objektīvo vērtību var mērīt ar jēdzienu „pasaules literātūra," viņa atzina, ka Poruka Pērļu zvejnieks kā idejā un formā apvienots garīgs organisms, l a b i pārtulkots kultūras tautu valodās, spētu dzīvot paliekamu dzīvi literātūras pasaulē, vērtībā pielīdzinams Gētes darbam — Jaunā Vertera ciešanas.

Šo rakstu iespieda Izglītības Ministrijas Mēnešraksta 1922. gada 5. un 6. nummurā[7]). Tas it īpaši apliecināja Teodora Zeiferta r e d a k t o r a toleranci. Jo nodaļā — 90-to gadu kritikas un lasītāju attiecības pret Pērļu zvejnieku — Īrida bija citējusi izrakstus no tā laika kritiķu atsauksmēm par Pērļu zvejnieku. Cik to bija, tās bija rakstītas ar reālā un natūrālā virziena skatījumu un nevis ar objektīvu zinātniski aistētisku kritēriju. Protams, ka tāds skatījums nespēja saredzēt un atzīt Pērļu zvejnieka mākslniecisko būtību. Arī kritiķis Teodors ne; to pierādīja citāti. Tomēr viņš, ne vārda neiebildis, uzņēma rakstu, kāds tas bija. Īridai šķita, ka tāda pacelšanās pāri zināmam personiskam aizskārumam ir rakstura cildenuma iezīme, un par to viņa redaktoru cienīja jo vairāk.

Profesors Ludis Bērziņš, šo semināra darbu novērtēdams, atzina, ka tā apmērs un kvalitāte ir pietiekama, lai to iesniegtu obligātajā rakstveida pārbaudījumā gala eksāmenā, neprasot no Īridas vēl cita speciāla raksta tam nolūkam.

Nākamā gada semināram Īrida izraudzījās tematu — Jāņa Poruka mīlestības dzeja. No visas Poruka lirikas viņa izdalīja ārā septiņdesmit mīlestības dzejoļu. Izvērtējusi tos, viņa atzina, ka apmēram divdesmit no Poruka mazajām mīlestības dziesmām ir atzīstamas par klasiskām, lietojot šo apzīmējumu paliekamas vērtības nozīmē. Jo tajās ir apvienojusies ģeniālas personības dziļā izjūta ar nemeklēti virtuozu izteiksmes formu un šī apvienība atstāj uz lasītāju neatvairāmu iespaidu, paceldama dzejnieka subjektīvo pārdzīvojumu mirkļus vispārcilvēciskas objektivitātes augstumos. Šos izlases dzejoļus pilnīgi izbaudīt netraucē arī Poruka parastais valodas trūkums — vācu valodas ietekme. Tajos skan daiļa un arī latviska valoda. Un Īrida nobeidza savu studiju ar sekojošu atzinumu: „Ja literātūras vēsturnieki Gētes liriskās dzejas ģenialitāti redz triju elementu — ritma, uzskatāmības un izjūtas (Rhythmus, Anschauung und Empfindung) — laimīgā apvienojumā, tad nebūs pārdroši teikt, ka Poruka mīlestības lirikas izlase, konģeniālā tulkojumā, varētu pacelt smeldzīgi smalkjūtīgo mīlētāju Poruku pasaules literātūras ģeniālo mīlestības dzejnieku rindās."

Lasot priekšā šo rakstu auditorijā, Īrida visus savus atzinumus motivēja ar attiecīgo dzejoļu interpretāciju. Tas cēla raksta un priekšnesuma vērtību. Par to izpaudās valodas ārpus auditorijas, un Īrida saņēma vairākus uzaicinājumus lasīt šo studiju plašākai publikai, arī ārpus universitātes. Rakstu iespieda jaunajā mākslas žurnālā Ritums 1923. gada 9. nummurā[8]).

Autora iestarpinājums

Jādomā, ka vismaz daļēji šie divi speciālie pētījumi ierosināja profesoru Maldoni aicināt Īridu Zelmeni par dzejas teicēju jau minētajā Poruka piemiņas vakarā, 1924. gada aprīlī. Šai vakarā viņa personiski iepazina Poruka kundzi.

„Un to es zinu, ka, ja man Tevis būtu jāzaudē, es kļūšu ārprātīgs vai arī miršu," rakstīja Poruks vēstulē līgavai. Tik galīgu un nemaldīgu dzejnieks izjuta vajadzību saistīt savu dzīvi ar iemīlēto sievieti. Viņš to bija izredzējis. Viņam tā bija nepieciešama dzīvošanai. Cik netaisni tāpēc Īridai bija šķituši pret Poruka kundzi vērstie pārmetumi pēc dzejnieka nāves par viņa nesaprašanu un par kādu vainīgumu viņa dzīves traģiskajā izskaņā. Ja „vaina" bija, tad tā bija dzejnieka paša vaina — likteņīgi iemīlot turīgu pilsonisku aprindu jaunavu. Bet šo jaunavu — tā Īridai šķita — varēja tikai apbrīnot, ka tā, pret savējo liegšanu, atsacījās no nodrošinātas pilsoniskas dzīves, uzņemdamās kopīgu likteni ar pārsmalcināti jūtīgu, ikdienas dzīvei maz derīgu trūcīgu dzejnieku.

○

Gadi bija pagājuši, kad Īrida atkal satikās ar Poruka kundzi. Šoreiz viņa pati to uzmeklēja. Viņa ar ģimeni 1932. gada vasaras beigu daļā dzīvoja Siguldas pils dārznieka mājā, un Poruka kundze vadīja savu privātu pansiju iepretī pilij. Pieteikdamās apciemojumā, Īrida atsaucās uz toreizējo iepazīšanos

Poruka vakarā, un tā sarunas it dabiski ievirzījās un centrējās ap dzejnieka personu un dzīvi. Irida neslēpa, ka viņu kā literātūras pētnieci interesē kundzes pašas domas kontroversālajos spriedumos par dzejnieku ģimenes dzīvē. Un kundze sirsnīgā vaļsirdībā stāstīja, cik grūti viņai bijis apmierināt dzejnieka līdz pedantismam augstās aistētiskās prasības materiāli trūcīgajos apstākļos. Piemēra dēļ: viņš necietis ne niecīgākā traipiņa uz baltā galdauta pusdienojot, un viņai ik dienas tas bijis jāklāj par jaunu spoži tīrs. Bet vienai, bez palīdzes, kopjot māju un mazo Karmenīti, nav bijis viegli tik nevainojamu spodrību uzturēt. Karmenīti Poruks ļoti mīlējis un gribējis daudz ar to būt kopā. Bet viņa slimībai progresējot, kundze baiļojusies, vai tas bērnu nevarētu ietekmēt negatīvi, un viņa visādi nopūlējusies, lai bez aizdomām to no lielākas tuvības atturētu. Dzirdētiem pārmetumiem par it kā diezgan nerūpēšanos par dzejnieku viņa gara tumsības gados, par neievietošanu labā sanatorijā neesot pamata, jo tam nav bijuši līdzekļi. Nestabilie ienākumi no nevienmērīgās rakstīšanas nevien nav atļāvuši nekādus ietaupījumus, bet to vienmēr pietrūcis pat pieticīgām ikdienas vajadzībām.

Irida klausījās un domāja: ir divas dažādas lietas — saskarties ar ģeniālu rakstnieku tikai viņa darbos un apjūsmot viņu par tiem, un — dzīvot un pieņemt viņā cilvēciskas vājības, kā katrā cilvēkā, un panest un palikt pie tā līdz galam...

Nu grūtie gadi bija pāri, kundze stāstīja. Karmenīte bija izaudzināta, izskolota un nesen kļuvusi māte dēlam Jānītim, laulībā ar grieķu tautības vīru. Viņa, vecmāmiņa, nu pošoties uz dzīvi pie meitas un mazā Jānīša.

○

Visus garos gadus pēc tam atklātībā nekas nebija dzirdēts par rakstnieka un dzejnieka Jāņa Poruka meitas un viņa mazdēla dzīvi. Un nu pēkšņi — nāk ziņas par to no divi vietām. Žurnāla Ceļa zīmes 48. nummurā no zinātnieka un mūzikas mākslinieka Leonīda Slaucītāja īsa raksta — Mana un manu tuvinieku saskare ar Jāni Poruku un viņa ģimeni —

uzzinām, ka mazdēls Jānis Valavanidiss, agrā bērnībā daudz vasaru pavadīdams pie vecmāmiņas Siguldā, ieguvis mīlestību uz savas mātes zemi un valodu, runā un raksta latviski un kopj dzejnieka piemiņu. Dzejnieka meita un kundze mirušas. —

No Rīgas radio ziņām — Laika 1972. gada 6. nummurā — savukārt uzzinām, ka Jānis Balabanidice(?) ar dzīves biedri viesojušies Latvijā aizvadītā gada pēdējās dienās un ka „korespondence ar dzimteni un Jāņa Poruka darbu tulkošana(?) grūtības nerada." Vai no tā būtu jāsecina, ka mazdēls tulko Poruka darbus grieķu valodā? — Varbūt laiks vēl turpinās atklāt — vai latviešu ģēnija asiņu piejaukums grieķu zemes dēlam būs devis kādu potenciālu pienesumu latvietībai.

8

Ar Aleksandru Daugi Īridas pirmā iepazīšanās bija notikusi klasē, kad viņa mācīja latviešu literātūru Rīgas pilsētas 2. vidusskolā un viņš bija izglītības ministrs. Vēlāk viņi satikās universitātē, kad viņa, skolu atstājusi, turpināja studēt un viņš lasīja lekciju ciklus par rakstniekiem ar pasaules slavu. Jaunībā, studiju gados Tērbatā, Aleksandrs Dauge bija bijis kreiso ideju piekritējs jaunstrāvnieks; tagad viņš bija aizrautīgs ideālistiskā pasaules uzskata paudējs. Jauneklīgi slaids augumā, ar kuplu, iesirmu matu vainagotu galvu, kustīgs, dzīvs, sajūsmīgs — viņš pulcināja savā auditorijā nepieredzētu studentu pieplūdumu. Tie blīvējās solos, sēdēja uz katedras podesta, stāvēja gaitenī pie atvērtām klausītavas durvīm, cik tālu vien varēja sadzirdēt lektora balsi.

Arī Īrida bija nodomājusi klausīties šīs lekcijas. Tomēr drīz viņa tās pameta. Lektors izplūda pārmērīgā jūsmā, kas gan lieliski ietekmēja nenobriedušus jauniešus, bet viņas introvertajai, pamatos jau nodibinātai personībai maz ko varēja dot. Vispār, gadiem ejot, viņa jo mazāk izjuta kopību ar studentu masu, kas ar katra rudens jaunpienācējiem ieguva arvien jauneklīgāku seju.

Tais gados kāda saujiņa jaunāko studentu bija sadomājuši dibināt pie universitātes drāmatisko studiju. Ministrijas atļauja bija, vajadzēja studijas vadītāja. Jaunieši bija minējuši tolaik populāro aktieri un daiļrunātāju Kristapu Lindi. Izglītības ministrs Aleksandrs Dauge izaicināja pie sevis Īridu Rasu-Zelmeni, iepazīstināja viņu ar šo lietu un piedāvāja tai vadīt studiju. Tas nu bija kas pavisam nedzirdēts: ka studente varētu būt tai pašā laikā universitātes mācību spēks! Bet Aleksandrs Dauge izrādījās tik liberāls, ka tāds Īridas iebildums viņam nelikās nekāds šķērslis. „Es taču nevaru tik neinteliģentu personu kā Kristapu Lindi aicināt uz universitāti," viņš teica. Tomēr iznāca tā, kā Īrida bija domājusi: fakultātes apspriedē Aleksandrs Dauge ar savu pārliberālo priekšlikumu bija palicis viens. Studenti pa tam bija sarunājuši bijušo operas režisoru D. Arbeņinu, un tā vadībā studija kādus gadus darbojās. Kad Dailes teātris vēlāk nodibināja savu studiju, talantīgākie dalībnieki pārgāja uz to, un universitātes studija iznīka.

Autora iestarpinājums

Bez darba universitātē profesors Aleksandrs Dauge ar ik gadu jo plašāk iesaistījās jaunās Latvijas kultūras dzīvē. Līdztekus redaktora pienākumiem Latvī viņš uzņēmās vadīt ar debatēm saistītus priekšlasījumu ciklus Latviešu biedrībā. Arī šai sakarā viņš atkal uzmeklēja Īridu Rasu-Zelmeni, kaut tā jau kopš vairāk gadiem universitāti bija atstājusi. Profesors vēlējās no tās noteikta temata priekšlasījumu — par sievietes vietu valsts dzīvē, it īpaši latviešu sievietes, pašu valstī. Viņa atrunājās: viņa nav politiķe, un šis ir temats, kas skar valsts politiku. Profesors neatlaidās: viņš nevēloties politiku, bet viņas — domātājas sievietes personisko attieksmi pret jautājumu — vai un kādās dzīves jomās iederētos sievietes īpatais devums valstij. Tad Īrida pielaidās un uzrakstīja apceri—S i e v i e t e s l o m a v a l s t s d z ī v ē, ko pēc tam iespieda Burtnieka 4. nummurā 1930. gadā.

O

Tā paša gada vēlā vasarā profesors Aleksandrs Dauge bija iegriezies Inta Zelmeņa darba vietā, palūdzis viņa vasaras dzīves adresi un pieteicies apciemot kundzi, — atkal literārā vajadzībā. Īrida pieņēma viesi tai pašā mazajā vasarnīcā, kur pirms nedaudz gadiem bija ciemojies redaktors Zeiferts. Bet šis bija citāds viesis: gaišs, ekstroverts, plašu žestu. Viņš tūliņ uzņēma draudzīgu kontaktu ar Zelmeņa mazo dēlu kā ar pilntiesīgu sarunu biedru. Kad viesis aizdedza papirosu un lūkojās apkārt pēc pelnu trauka, puisēns piesteidzās piedāvāt tam savējo — tukšu piena pudeli. Viņš, proti, vienīgais

„smēķēja" Zelmeņu ģimenē. Tas bija sācies tā: reiz pastaigā pa Vērmanes dārzu zēns pēkšņi apstājās kāda sola priekšā kā zemē iemiets. Īrida nesaprata, kas par lietu, līdz ieskatījās, ka solā sēdētājs vīrietis smēķēja. Nu bija skaidrs: zēns nekad vēl nebija redzējis cilvēku ar dūmojošu puļķi mutē, un tas viņu fascinēja tā, ka nebija no vietas izkustināms. Vēl tuvāk un pamatīgāk viņš šo lietu appētīja, kad redzēja vēlāk savu ciemā atbraukušo krusttēvu smēķējam. Pēc tam viņš pagatavoja pats sev „papirosu": satina papīrīti rullītī, pusi tā, tabakas daļu, ar zīmuli sašvīkādams tumšāku, otru pusi — iemuti — atstādams baltu. Te, vasarnīcā, viņš bija atradis gatavu vēl smalkāku smēķi — skaistu posmainu salmu un, kļuvis īsts „pīpmanis," izlīdzējās pats ar savu „pelnu trauku," jo tāda daikta vasarnīcas iedzīvē nebija. — Pateikdamies par pakalpību, profesors uzaicināja mazo draugu sapīpot, un zēns ar savu salmiņu sirsnīgi turēja lielajam draugam līdz.

Profesors bija braucis, lai aicinātu Īridu ar priekšlasījumu uz Jelgavu. Sarīkojums notikšot Jelgavas klasiskajā ģimnazijā; arī viņš pats tajā piedalīšoties. Jelgavā varēšot pārnakšņot un otrā dienā atkal kopīgi braukt mājā. — Viss jau būtu labi, ja tikai sarīkojuma diena nebūtu sakritusi taisni ar mazā dēla vārda dienu vai ja nebūtu jau izziņota un vairs nepārmaināma. Bet šī diena ik gadu piederēja gaviļniekam, — kā lai nu to tam atrauj! Nē, — viņa nevar braukt! Ja nu vēl būtu tā, ka tai pašā vakarā laikus varētu pārbraukt, — tad varbūt... Viņa visu iepriekš nokārtotu, mazie viesi varētu dzīvoties tēva un kalpotājas uzraudzībā, līdz viņa atgriežas? — Jā, profesors apsolīja izkārtot priekšlasījumu sākumu agrākā pievakares stundā, un ja viņa pēc savējā tūliņ steigtos uz vilcienu, tad varētu pārrasties mājā pirms vēl viesi būtu izklīduši.

Būdams ļoti apmierināts ar Īridas priekšlasījumu ziemā, profesors arī tagad vēlējās kādas līdzīgas specifiskas problēmas apceri, un viņa uzrakstīja — *Dažas pārdomas par topošo sievieti,* ko iespieda Burtnieka 10. nummurā. Šie divi profesora Aleksandra Dauges ierosinātie raksti idejiski tuvu pieslējās pirms desmit gadiem pašas ierosmē rakstītajai apcerei par Annas Brigaderes Ilgu, konkrēti aprādīdami jauno laiku sievietes ejamos ceļus, paliekot d z ī v ē, ne ejot nāvē, kā Ilgai tas jādara[9]).

Gāja gadi. Tie drīz aizveda profesoru mūžības ceļā. Bet Īridas atmiņu acis vēl arvienu redz to atraisītā jauneklīgā solī nākam gar apstādījumiem atceļā no universitātes, augsti paceltu kailu galvu, iesirmajiem matiem vējā plīvojot, ar laipnu labvēlības smaidu sejā ikkatram pretimnācējam, — ar skatu, kas zemes lietas nebeidz redzēt ideālisma pacildinājumā...

9

Studiju gadi vairāk satuvināja Īridu intelektuāli arī ar Dr. Kārli Kasparsonu. Tradicionālajās gadskārtējās ģimenes viesībās Kasparsona kundzes namā doktora attieksme pret jauno attālo radinieci bija mainījusies. Obligātās, bet distancētās laipnības vietā, ko labs sabiedrisks tonis prasa parādīt dāmai, doktors sāka pievērst uzmanību Īridai kā intelektuālai personai, ar ko var arī diskutēt kā ar līdzvērtīgu sarunu biedru. Varbūt, ka sava daļa nopelnu pie tā bija arī valodniekam un paidagogam profesoram Jānim Kauliņam, pastāvīgajam viesim šais ģimenes godos, kas, domājams, varēja būt pastāstījis par Īridas labajām sekmēm studijās. Jānis Kauliņš bija bijis Dr. Kasparsona studiju biedrs Tērbatā. Viņš bija neprecējies un tagad, strādādams universitātē, dzīvoja Dr. Kasparsona māsas Trumpmaņa kundzes pilnīgā aprūpē. Trumpmaņa kundze pārvaldīja Kasparsona kundzes jauno, lielo īres namu Tērbatas un Elīzabetes ielas stūrī. Viņas dzīvoklī un pilnā uzturā Jānis Kauliņš bija tik pat kā piederīgs abās ģimenēs. Viesībās, pēc vakariņām, abi zinātnieki mēdza novietoties savrup, visu laiku paklusās sarunās diskutēdami galvenokārt valodnieciskus jautājumus. Un raugi, šais sarunās tie sāka pieaicināt arī Īridu, kam, protams, tās bija daudz interesantākas nekā nenozīmīgā patērzēšana ar pilsoniskajām dāmām. Kopīgas gara intereses izraisīja savstarpēju cieņu, un kad Zelmeņiem 1925. gada pavasarī vajadzēja izraudzīties savam dēlam krusttēvus, par vienu no tiem viņi lūdza Dr. K. Kasparsonu. Un aiz pateicības pienākuma pret savu „audžu māti," par krustmāti Ints izraudzīja Kasparsona kundzi.

O

Ints bija sameklējis un noīrējis nelielu vasarnīcu Rīgas jūrmalas Dzintaros. Tur viņi nolēma sarīkot kristības. Tās viņi vēlējās notiekam savu laulību dienu datumā, nu, pēc jaunā stila 5. jūnijā. Bet tas iekrita svētdienā, kad mācītājs bija nevaļīgs, un tā viņi apmierinājās ar dienu iepriekš. Kā toreiz laulības, tā tagad kristības viņi vēlējās klusi intīmas, bez liekiem cilvēkiem. Bija tikai abi krusttēvi — Inta vecākais brālis Jānis un Dr. Kasparsons — ar kundzēm un Kasparsona kundzes dēls Kārlis Ezītis. Kristīja Sv. Jāņa baznīcas mācītājs Ģīmis. Vecais mācītājs Bernevics, kas Zelmeņus laulāja, bija miris. Jaukā agrās vasaras pievakarē mazās svinības noritēja gaišā noskaņā.

Kasparsona kundze bija ļoti uzmanīga krustmāte. Nekad viņa neaizmirsa atcerēties mazā krustdēla dzimum- vai vārda dienas ar bagātīgām dāvanām. Tā viņa aizpildīja arī krusttēva vietu, kuŗa zinātnieka un valsts vīra dzīvē sīkiem pilsoniskiem paradumiem bija maza vērtība.

O

Jaunās Latvijas valsts vajadzības iesaistīja Dr. Kasparsonu intensīvā politiskā darbā. Pēc studiju gadiem Tērbatā viņa politiskā pārliecība bija veidojusies un virzījusies no kreisā spārna arvienu tuvāk labajam. Un kaut viņš bija izraudzīts pirmajam izglītības ministra postenim Ulmaņa pirmajā valdībā, to atstājis, viņš pievienojās 1921. gadā Ārveda Berga nodibinātajam Bezpartejiskajam nacionālajam centram un bija viens no tā deputātiem 1. Saeimā. Tajā viņam ne reizi vien bija jādeklarē un jāaizstāv ieskati, kas ne katrreiz saskanēja ar spēkā esošās valdības paredzētajiem projektiem.

Dr. Kasparsona aktivitāte valsts politikā tomēr pamazām atslāba, un viņš atkal vairāk pievērsās — kā Īridai likās — savai iedabai un varbūt arī speciālajai izglītībai tuvākiem uzdevumiem: piedalījās Latvijas Sarkanā krusta dibināšanā un arī tā vadīšanā, darbojās Terminoloģijas komisijā, rakstīja Filologu biedrības rakstu krājumos, — kur visur lieti noderēja viņa vai gluži enciklopēdiskās, vairāku fakultāšu studijās iegūtās zināšanas. Tais gados iznāca arī viņa divas nelielas populārzinātniskas grāmatas: Starp zvaigznēm un zemes gaisā un Kaiju valstībā. Abas, ar autora ierakstiem, tika pasniegtas arī Zelmeņiem. Tās bija jo interesanti lasīt taisni no valodas viedokļa, jo tajās dokumentējās gluži īpats vienreizīgs kasparsonisks stils, — kāds neparasts poētiskas izteiksmes un zinātnīguma apvienojums, — tīrā, izmeklēti latviskā valodā.

Autora iestarpinājums

Trīsdesmito gadu sākumā Dr. Kasparsonu piemeklēja slimība — tromboze kājā, kas viņu piesaistīja mājai, tā ierobežojot tā aktivitāti uz āru. Tās sekās, kā jau minēts, Zelmeņi pārcēlās uz Meža parku un trīs vasaras nodzīvoja tur kopā ar Kasparsoniem. Dr. Kasparsons tās pavadīja gandrīz absolūtā vienpatībā. Viņa vienīgā izklaide bija īsas pastaigas pa viņu puses dārza ceļiem. Citādi viņš nemitīgi uzturējās plašajā lievenī, kur guļkrēslā ērtībā nodevās savu speciālo interešu studijām.

Kasparsona kundze bieži braukāja uz pilsētu visādās saimnieciskās saistībās. Katru reizi Dr. Kasparsons kā uzmanīgs kavalieris pavadīja viņu līdz dārza vārtiem un, džentelmeniski noskūpstījis tai roku, sīkiem solīšiem tipināja atpakaļ uz savu „celli," kuras nošķirtībā neviens viņu netraucēja.

O

Pēc piecpadsmitā maija valsts apvērsuma un it īpaši pēc Bezpartejiskā nacionālā centra likvidēšanas rudenī, Dr. Kasparsons atradās ja ne aktīvā, tad iekšējā pasīvā opozicijā pret jaunajām tendencēm valsts vadībā. Gadu tecējumā viņa sarūgtinājums kulminējās pat līdz naidīgumam, kā Īridai to kāds gadījums parādīja.

Bija krievu 1940./41. gada okupācija. Kā visiem pārticīgajiem pilsoņiem, arī Kasparsoniem no tā bija materiāli smagi jācieš. Viņu ģimenes mājas dzīvokļa labākajās telpās ievietoja kādu komisāriņu ar sievu un mazu meiteni, pašus atstājot tikai divi mazās dibens istabiņās. Kad Īrida ar dēlēnu aizgāja, kā parasts, apsveikt kundzi tās dzimumdienā, martā, bija skumji redzēt šai trūcīgajā sa-

spiestībā abus vecos, nomāktos cilvēkus. Nepierastajā šaurībā abi bija kļuvuši nervozi, un sarunās ieskanējās pat tā kā mazliet netaisns tonis pret Zelmeņiem, jo šķita, ka tiem, kā darba cilvēkiem, nebija tik liela pārestība nodarīta. Pārcilājot aktualitātes, it dabiski bija jāpieskaras arī Latvijas valsts pēdējo gadu politikai un tās eventuālai atbildībai katastrofālo notikumu norisēs, — un tad Dr. Kasparsons pēkšņi izbruka naidīgā izsaucienā: — „Nujā, jūs jau esat ulmaniete!" Pārsteigtā Īrida mierīgi atbildēja: „Es neesmu ne ulmaniete, ne neulmaniete, jo nekad neesmu ar politiku nodarbojusies. Bet jūs gan esat bijis ministrs Ulmaņa kabinetā." — Šī bija un palika vienīgā reize, kad Īrida redzēja Dr. Kasparsonu zaudējam savu vienmērīgo, atturīgi laipno stāju. Pēc šīs vārdu izmaiņas doktors atkāpās savā telpā, un kundze ar vispārējām frazēm centās nolīdzināt mazās sadursmes asumu.

Krievu okupācijas gada un it īpaši necilvēcīgās 13./14. jūnija nakts un to seku izvārdzināti, latvieši saņēma vācu okupantus kā atpestītājus. Rūgtā vilšanās nāca vēlāk, cerībām uz tiesiskās Latvijas valsts atjaunošanu nepiepildoties. Dr. Kasparsons ar kundzi bija lolojuši vēl kādu savu privātu cerību: sava prominentā sabiedriskā stāvokļa un mantības atgūšanu. Īrida sīkāk nezināja, kādu īsti nopelnu dēļ Vācijas labā Dr. Kasparsons, būdams Latvijas Sarkanā krusta priekšnieks, bija saņēmis tās valdības pateicības rakstu resp. goda diplomu. Pēc Hitlera valdības augstāko pārstāvju ierašanās Rīgā Dr. Kasparsons ar kundzi pieteicās vizītē, ticēdami, ka šī dokumenta svars būs pietiekams doktora nopelnu apliecinātājs arī šai valdībai. Vilšanās bija smaga: tika saņemta tikai bezpersoniska kancelejas atbilde, ka Jaunajai Vācijai nav nekādu pienākumu pret pagātnes iestādījumiem un saistībām.

Noraidījuma sekas vissmagāk pārdzīvoja kundze. Mantiskie zaudējumi viņu nomāca.

O

Tuvojoties 1944. gada vasaras beigām, jaunā komūnistu apdraudējumā ikkatram latvietim bija jāizšķiras — palikt vai atstāt Latviju. Garā darbiniekus ne tik daudz biedējo sagaidāmais bads kā neizbēgamā garīgā verdzība. Tāpēc arī tie tik lielā skaitā devās trimdā, pārliecībā, ka tā būs īslaicīga. Aiz tā paša iemesla daudzi palika, tāpat cerēdami īso paverdzināšanas laiku kaut kā pārlaist.

Dr. Kasparsons ar kundzi nolēma palikt. Ļaunākajam gadījumam doktors bija apgādājies ar indi. Aizbrauca kundzes dēls un tā kundze ar divi bērniem.

Cik liels nu bija Zelmeņu pārsteigums, kad tie Copotā, savā pagaidu apmešanās vietā Vācijā, nejauši satikuši tur Kārli Ezīti, uzzināja, ka doktors ar kundzi beidzamā brīdī savu lēmumu grozījuši un arī atrodas vienā no Copotas viesnīcām. Aizbraukšana gan notikusi ļoti drāmatiskos apstākļos. Sākoties krievu uzlidojumiem,Kasparsoni pārvietojušies nama pagrabā stāvā. Bet aukstums un mitrums liktenīgi ietekmējuši kundzes novājināto veselību: akūts locekļu reimatisms saliecis viņas ceļus, kājas pieraudams ķermenim, un tā kļuvusi uz rokām nēsājama.

Tik grūtā stāvoklī Zelmeņi atrada kundzi, kad tie Kasparsonus apciemoja viesnīcā. Doktors pats tomēr bija cerību pilns. Kaŗa sekās Vācijā bija ārstu trūkums civiliedzīvotājiem. Kaut septiņdesmit deviņu gadu vecs, viņš bija pieteicies un ticis pieņemts par ārstu kādā mazā pilsētiņā vai laukos Ziemeļvācijā. Patlaban viņi bija ceļa jūtīs, gatavi aizbraukšanai. Šī palika beidzamā reize Zelmeņiem personiski saredzoties ar Dr. Kasparsonu un Inta audžumāti.

O

Ilgi tomēr nevienam neiznāca palikt šai ziemeļaustrumu Vācijas nostūrī. Frontei brūkot, Zelmeņi pēdējā brīdī no Dancigas izkļuva uz Hamburgas apkārtni. Tikai pēc dažiem gadiem viņi uzzināja, ka Dr. Kasparsons ar kundzi evakuēti uz Dāniju un ka kundze tur drīz mirusi nedabiskā nāvē. Par to Intam vēlāk rakstīja Kasparsona kundzes dēls: „Mammiņu nonāvēja Hitlera kalps, pēc amata Oberstabsarzt. Un viņas kapa vietiņu un koka krustiņu, ko patēvs bija uzlicis, nolīdzināja uz Dānijas valdības iestāžu rīkojuma, lai izbeigtu atmiņas no vācu okupācijas — kopīgo kapu vietu resp. kapu rindiņu, kur apglabāti galvenā kārtā vācu tautības bēgļi, kas 1945. gada aprīlī no Dancigas, Gotenhafenas u. c. atvesti uz Dāniju un miruši tādā pašā kārtā kā mammiņa — lēni iedarbīgas nāves zāles iešļircinot, tā ka viņa vairs nevarēja runāt un nekādu ēdienu ēst. Kad viņi abi nonāca Dānijā, bija vēl cerība, ka mammiņa varēs dzīvot, kaut nevarēja stāvēt kājās, un abi cerēja, ka glābti vismaz kādam laikam. Bet tad sāka vecos (arī vāciešus!) pa vienam tādā pašā veidā nonāvēt. Patēvs vēlāk rakstīja par to zviedru avīzē — bija kritusi slepkavu rokās!"

Šo drūmo notikumu piemin arī doktors, rakstot Intam 31. 7. 48. datētu īsu vēstuli:

„Mīļo Int!

Danis man rakstīja un sīkāki pastāstīja, kā Jums klājies kopš Dancigas laika. Jūs esat dabūjuši zināt, kā hitlerieši noindēja mamsi (tā ģimenē mēdza saukt kundzi) Kopenhagenā...

Man kopš Lieldienām bija ilgi jāpaliek gultā, jo vēnu iekaisuma dēļ veco trombožu vietās kājās nedrīkstēju staigāt. Tagad ir labāki un varu jau vairāk kustēties.

Lai nu citādi būtu kā būdams, tik vien neviens bēglis te Dānijā nevar žēloties, ka būtu jābadinās, kā tas ir malu malās Vācijā. Kā Jums ir šai ziņā, par to Danis gan neieminas. Tāpēc jādomā, ka stāvoklis ir vismaz ciešams.

Novēlu visu labu.

Ar mīļiem sveicieniem Tev un kundzei

K. Kasparsons."

17. 2. 49. Danis saņem īsu vēstuli:

„Mīļais Dani!

Tavu 22./12. rakstīto vēstuli saņēmu. Pateicos par sveicieniem Ziemsvētkos un par novēlējumiem Jaunajā gadā. Tāpat novēlu visu labu Jaunajā gadā, cik vien tas sasniedzams trimdiniekam.

Man pēdējie 11 mēneši bija nepatīkami. Kopš Lieldienām gandrīz pastāvīgs gultas režīms veco trombožu dēļ kājās. Tagad iesākusies lēna labošanās. Pat iedrošinos cerēt, ka varbūt uz pavasaṛa pusi atkal varēšu iziet āra gaisā.

Ar mīļu sveicienu

K. Kasparsons."

Pa šiem gadiem bija iesākusies arī Inta sarakstīšanās ar bijušo ,,audžu brāli" Kārli Ezīti. 1954. gada 13. janvāra vēstulē viņš raksta: ,,Mans patēvs 3. 12. atrakstīja īsu vēstuli. Viņš dzīvo Dānijā veco ļaužu mītnē, kopā ar līdzīgiem veciem un slimiem cilvēkiem. Tā izbeidzas šīs pasaules godība. Bet viņš arī nemaz neraizējas par tādu savas darbības finālu. Varu viņu apskaust par tādu vienaldzību pret pasaules spožumu, ārējo kultūru un daudz ko, bez kā lielākā daļa cilvēku nemaz nevar dzīvot, dēļ kā cīnās, plēšas, karo utt."

1956. gada 7. aprīļa vēstulē īsi pieminēts: ,,Arī patēvs atrakstījis dažas rindiņas. Ar veselību ejot apmierinoši. Viņš par nožēlošanu ir ļoti īss savos rakstos, un mēs tā vēlētos, lai viņš ko vairāk rakstītu par sevi, savu dzīvi."

Pēc tam, kad Danis bija aizsūtījis krusttēvam savu pirmo grāmatu, viņš saņēma 9. sept. 58. rakstītu vēstuli:

,,Centīgo krustdēl!

Lai gan man no simts gadiem iztrūkst vairs tikai septiņi gadi, tomēr veicu kombinēt un vadīt spalvas kātu tāpat kā arvien agrāk. Nupat pabeidzu rakstīt divas esejas: par mūsu tautas pagātni tālā senatnē un par humānisma principiem. Redzu, ka tāpat cenšas arī mans krustdēls.

Novēlu joprojām censties tāpat kā līdz šim.

Mīļus sveicienus sūta krusttēvs

Dr. h. c. K. Kasparsons."

Šī ir palikusi beidzamā tiešā ziņa Zelmeņiem no doktora. Pēc divi gadiem viņa padēls raksta: ,,Manam patēvam 95. gads. Domājams, ka viņa veselība nav laba, viņš vairs neraksta un ja raksta, tad tikai dažas rindiņas." Un vēl pēc gada, īsi pirms doktora nāves: ,,Neredzu arī vairs labi, un mans patēvs gandrīz nemaz. Neredz un nevar rakstīt. Tādēļ arī vairs nevaram sarakstīties ar viņu." Un pēc Dr. K. Kasparsona nāves — 1962. gada 23. janvārī — beidzamais rūgtais rezimē: ,,Patēvs gan arī sasniedza zinātnē, sabiedriskā dzīvē un politikā daudz ko, — bet nomira bez kā — Dānijas valsts nabagu mājā."

10

Kad Dr. Nolle minēja Īridai dūņu vannas kā iedarbīgu dziedināšanas līdzekli, tad Ķemeŗu dziedniecības iestāde, kaŗa apstākļu sekās, nedarbojās. Tā atsāka vannu izsniegšanu 1921. gada vasarā, kad Zelmeņi dzīvoja mazajā vasarnīcā, Lielupē. Īrida pa šo starplaiku bija konsultējusi vairākus speciālistus, dzirdējusi diezgan pretrunīgas diagnozes, uzklausījusi dažādus ārstu ieteikumus, bet viņas stāvoklī nekas nebija grozījies. Nu bija iespējams izmēģināt ieteikto dūņu vannu iedarbību. Viņa sāka braukāt ik pārdienas no Lielupes uz Ķemeriem. Tas nebija viegli. Pēc izsautēšanās dūņās bija nepieciešama ilgāka atpūta un atvēsināšanās, kas bija jādara turpat iestādes ne visai ērtajās telpās. Pēc tam braucieni atpakaļ sakarsušos caurvējotos vagonos apdraudēja ar varbūtēju saaukstēšanos. Tāpēc nākamā vasarā tika izlemts vasarnīcu neīrēt, bet Īridai ārstēšanās laikā dzīvot Ķemeros iestādes pilnā aprūpē, Intam uz turieni izbraucot nedēļas nogalēs. Pa tam viņi uzzināja, ka arī Kandavā atsākusi darboties dūņu vannu iestāde, un nākamā vasarā viņi nolēma braukt abi uz turieni Inta atvaļinājuma laikā, tā Īridas ārstēšanos apvienojot ar vasaras izbaudīšanu skaistajā Abavas ielejā.

Vannu iestāde Kandavā bija ļoti primitīva — nelielā pelēkā nekrāsota koka ēciņā. No dūņām pacientus tur noskaloja, aplaistot ar ūdeni no koka ķipīšiem. Bet dūņu dziedniecisko spēku speciālisti bija atzinuši ne mazāk stipru kā Ķemeros. Un kur tad vēl dabas skaistums un veselīgais lauku gaiss piedevām!

Zelmeņi noīrēja mazu dzīvoklīti Jaunkandavā, pāri upei. Te dzīvei bija vairāk lauku nekā pilsētas raksturs.

Logi atvēra skatu pāri upes ielejai uz Kandavas mazpilsētniecisko siluetu. Tajā iezīmējās senās ordeņa pils tornis, kur Kurzemes hercogistes laikā hercogs Jēkabs bija iekārtojis šaujamā pulvera rūpnīcu. Taciņa līdztekus upei starp pļavām un druvām noveda uz pelēko namiņu, kas piegūla purvājam ar dziednieciskajiem ūdeņiem un dūņām.

Vasara ziedēja krāšņa. Varēja cēlieniem nozust pļavu ziedos, varēja iet pāri tiltam, otrā pusē, tālā pastaigā pa upes leju līdz slavenajiem Kandavas ozoliem, stāvajā Abavas kraujā.

O

Bet kādu dienu notika nelaime: bija izcēlies ugunsgrēks, un namiņš dega sprakšķēdams gaišās liesmās. Nekas nebija saglābjams, un Irida savu nolikto vannu skaitu nepaguva saņemt. Inta atvaļinājuma laiks vēl nebija beidzies, un viņi nolēma tā atlikumu izmantot tuvākos un tālākos sirojumos pa pilsētu un apkārtni.

Pilsētas centrā atradās grāmatu veikals. Tur tirgoja Juris Birznieks, dzejnieču Birznieku Sofijas un Latiņas jaunākais brālis. Saimniecību laikiem vadīja jaunākā no māsām — Sofija. Iridai bija gadījies lasīt tās vienīgo drāmu Dzīvība, un viņa to bija recenzējusi Izglītības Ministrijas Mēnešrakstā. Vēlēšanos rakstīt bija ierosinājusi drāmas dziļā ideoloģiskā pārliecība par dzīvības svētumu, noteiktā nostāja pret dzīvības iznīcināšanu tās iedīglī. Nu viņaj interesēja iepazīt autori pašu, un abi ar Intu viņi reiz iegriezās veikalā. No blakus telpas iznāca spēcīga drukna auguma sieviete pusmūžā, sākumā lepni atturīga. Iridai patika tāda dzejnieces pašciena. Likās, ka tā ir sasāpināts noraidījums par to, ka viņa nav plaši atzīta un slavināta dzejniece. Irida ierunājās par lugu, pateica, ka rakstījusi pozitīvu atzinumu par to. Dzejnieci tas pārsteidza, — protams, viņa nebija to lasījusi. Irida apsolīja tai attiecīgo Mēnešraksta nummuru atsūtīt. Ledus bija atkausēts. Lūgta, dzejniece nu labprāt lasīja savus dzejoļus. Tā bija spēcīgi izjusta dabas un domu lirika, un dzejniece lasīja to patētiskā pacēlumā. Varēja just radniecību Annas Brigaderes dzejai, tikai šī bija mazāk nostrādāta, mazāk izsmalcināta formā.

Pēc divpadsmit gadiem Zelmeņiem atkal iznāca dažas vasaras dienas uzturēties Kandavā, šoreiz — trijatā. Starplaikā sarakstē bija notikusi zināma satuvināšanās ar abām māsām dzejniecēm. Ar atzinību neizlutinātas, viņas juta siltu pateicību par Iridas Sofijas darbiem parādīto mazo uzmanību. Arī vecākā māsa Latiņa bija piesūtījusi Iridai dažus savus dzejoļus, bet tie bija mākslinieciski pavisam nevarīgi. Kad nu bija uzzināts, ka Zelmeņi nodomājuši šai vasarā mazu ceļojumu pa Zemgales lejas galu, tie saņēma sirsnīgu ielūgumu apciemot dzejnieces viņu lauku mājās Zemītes pagastā, ko tās apsaimniekoja kopā ar vecāko brāli Kārli[10]).

Norunātā svētdienas rītā no Zemītes atbrauca pajūgs un aizveda Zelmeņus pie Birzniekiem. Tur viņus sagaidīja nepieredzēta sirsnība šai ārkārtīgi neparastajā ģimenes apvienībā. Neviens no divi brāļiem un divi māsām nebija precējies. Viņus vienoja kopīgas rūpes un kopīgs darbs tēva mājās un — kopīgas garīgas intereses. Izrādījās, ka arī vecākais brālis ir nevien saimnieks, bet arī filozofiski ievirzīts pašmāju rakstnieks, un pārējie ģimenē viņu augsti cienīja, atzina un respektēja. Viņš bija rāms pusmūža vīrs, stingri sevī centrēts. Pretēji pacietajai, lepnajai Sofijai, Latiņa bija pati piemīlība un lēnība, un viņas mātišķajā sirdī tūliņ paliekamu mājvietu ieņēma Danis. Šī nebija pārticīga priekšzīmīgā lauksaimniecība. Kā sarunās noskaidrojās, te neienāca pietiekami naudas un, kā likās, arī saimniekotāju izteikti nemateriālistiskā garīgā ievirze to neveicināja. Dzīvojamā platība bija šaura, un, kaut sirsnīgi aicināti paciemoties ilgāk, Zelmeņi neredzēja tam nekādu iespēju, ja negribēja mājniekus pašus izstumt no vienīgās lielākās dzīvojamās istabas. Šādu laipnību varēja pieņemt uz vienu nakti, bet ne ilgāk. Un otrā rītā agri viņi posās uz autobusa pieturu, lai laikus nonāktu patālajā dzelzceļa piestātnē, atpakaļ ceļā uz Rīgu, jo Inta atvaļinājuma laiks bija tuvu beigām.

○

Ir cilvēki, kuŗi imponē ar saviem darbiem, un ir cilvēki, kuŗu vērtība ir viņi paši. Nevienam no tiem indivīdiem, ar ko Zelmeņi tuvāk saskārās šai īslaicīgajā vienas dienas ciemā, īpatā speciālā apdāvinātība nebija pietiekami liela, lai spētu radīt darbus ar paliekamu mākslas vērtību. Bet dzīvē pašā, neparasti ciešā asins un gara radniecībā saistīti, tie bija izveidojušies par apskaužami stipru dzīves pašvērtību. Šīs ciemošanās iespaidus Irida patēloja nelielā rakstā — *P i e B i r z n i e k u S o f i j a s u n L a t i ņ a s*, ko iespieda Akadēmiski izglītoto sieviešu apvienības izdotā žurnālā Latviete, 1935. gadā.

Zelmeņi arī turpmāk saņēma dzejnieču aicinājumus vasarās padzīvot viņu mājās; it īpaši Latiņa vēlējās Dani par vasaras viesi. Tomēr piesolītā viesmīlība Zelmeņiem nebija pieņemama: ar sirsnību vien nevarēja dzīvot; nepieciešamas bija arī kaut minimālās ikdienas dzīves ērtības. Un to dzejniecu lauku mājās nebija. Bez tam, nākamajās vasarās Zelmeņu pacelošanas nodomi vērsās atkal uz citām Latvijas malām.

Drīz nāca lielo notikumu gadi, un sazināšanās ar dzejniecēm pajuka. Irida nezina, kāds ir bijis šo māju liktenis baigo pārbaudījumu laikā.

O

Nu, kad katras dienas stundu ritējumā vairs neietelpa Iridas ārstēšanās prasījumi, Zelmeņi gribēja plašāk izbaudīt Ābavas senlejas skaistumu, kas īpaši bija izdaudzināts starp Kandavu un otru mazpilsētu tās ietvarā — Sabili. Viņi noīrēja Kandavā divjūgu, kas rāmā riksītī vizināja tos pa ļiču ļoču ceļu gar pašu augsto upes krauju. Stundām viņu acis nu varēja mieloties ar plašo panorāmu lejā. Mierīga, gleznaina Latvijas ainavas idille! Ar tās mieru pielijuši, Zelmeņi atgriezās mājā vēlā vakara stundā.

Tomēr Iridas izjūtās šāds miers bija vairs tikai īslaicīgs viegls pārsegs dziļi gruzdošam nemieram. Gaidīšana, cerēšana, vilšanās bija vārdzinājusi viņu nupat jau gadus piecus. Un arī šī vasara, likās, bija pagājusi tāpat

115

bez kādu seku. Viņai vairs nebija spēka joprojām vēl cerēt. Viņa samierinēsies. Viņa atteiksies no iecerētā augstākā kopdzīves mērķa. Viņa aizstās to ar citu dzīves jēgu. Ar intelektuālu darbu.

Tā pagāja ziema. Pienāca pavasaris. 1924. gada aprīlis. Tad no bezcerības nomāktības izšķīlās vairs negaidīta droša piepildījuma cerība. Viss pārvērtās. Sākās jauns dzīves posms.

O

Īridai bija rūpīgs ārsts, pie kura tā bija konsultējusies pēdējos gados. Pazīdams labi viņas ķermeņa vārīgumu, viņš ieteica tai uzmanīgāko piesardzību. Aplaimotais Ints nu gudroja, kur vislabāk Īridu vasaras dzīvei novietot. Jūrmala nederēja. Vajadzēja vairāk miera, maigāka lauku gaisa un tomēr piesniedzama tuvuma Rīgai, ja ievajadzētos ārsta palīdzības. Viņi bija dzirdējuši par Baldoni. Nolēma aizbraukt apskatīties. Pati Baldone — tās neskartie meži — iepatikās. Tikai satiksme bija pārlieku primitīva. Līdz Ikšķilei varēja aizbraukt ar kārtīgu vilcienu, bet no turienes uz Baldoni veda zirga vilkts „trulītis" pa šaurām kara laika atlieku sliedītēm. No stāvās Ikšķiles kraujas tas laidās lejā tīri vai ar dzīvības briesmām, un atpakaļ kalnā rāpjoties, braucējiem bija jāizkāpj: zirdziņš pilnu kravu nespēja uzvilkt. Šīs neērtības Intam nu būtu jāpaciеš ik nedēļas nogalē; Īridai jau, domājams, pietiktu atbraukt un pārbraukt. Staigājot un meklējoties pēc īrējamām telpām, viņi arvienu jo vairāk apradinājās ar domu, ka še būtu īstā vieta šai vasarai, un beidzot noīrēja istabu ar terasi otrā stāvā, kopā ar pakalpojumiem. Šai ielā mājas bija tikai vienā pusē, jo tā tieši pieslējās mežam, un šī māja bija pati beidzamā ielas galā. Aiz tās sākās tīrumi, un teciņa starp labības laukiem aizveda uz tuvo kūrmāju. Tā bija liela ērtība: tur varēs pusdienot un vannoties.

O

Nobeigusi mācību gadu universitātē, Īrida uzsāka šīs īpatās vasaras dzīvi Baldonē. Mācību programmā bija bijis grieķu literātūras seminārs profesora P. Ķiķaukas vadībā. Ar vārdnīcas palīdzību tika izlasītas oriģinālā divas Eiripīda traģēdijas. Izturams vēl bija grieķu lite-

116

rātūras vēstures pārbaudījums, un tam nu Īrida bija no-
domājusi sagatavoties šai vasarā. Viņa sarūpēja visu,
kas vien no grieķu literātūras bija samekļējams vācu
un krievu valodas tulkojumos. Savas dienas viņa nu va-
dīja meža pastaigās un grieķu autoru lektīrā. Baldones
meži bija brīnišķīgi. Ik dienas viņa atklāja kādu noslēptu
laukumiņu, kur apmesties mierīgai lasīšanai. Sākuma
laikā bija gan jāpārcieš parastās pirmo mēnešu grū-
tības. Bet jo dziļāk vasarā un jo tuvāk rudenim nekas
vairs neapēnoja viņas gara saulainību. Domās un izjūtās
viņa vēroja noslēpumaino jaunas dzīvības procesu sevī.
Sestdienās atbrauca Ints. Viņš bija iegādājies liela for-
māta litogrāfiju, kas rādīja skaistu neapoliešu zēnu, —
lai Īrida skatās tajā un dāvina viņam skaistu dēlu. Tāds
taču bija tautas ticējums, ka gaidību laikā uzņemtie ie-
spaidi var ietekmēt dīgli labā vai ļaunā nozīmē. Īrida
pati domāja, ka ja tā būtu, tad viņas bērna garīgajā
būtībā noteikti iezīmētos nosliece uz klasicismu, jo viņa
taču dzīvoja ar to kopā grieķu gara pasaulē.

Lasīšanu nomainīja ilgas pastaigas. Meži tika izieti
krustām šķērsām visos virzienos. Nereti kāds ceļš iz-
beidzās mežmalā, atklādams saulainu āri ar apkārtējām
zemnieku mājām. Tad viņa apsēdās uz kāda veca iz-
trupējuša celma un sildījās saulē. No celma līda laukā
mazas ķirzaciņas un skraidīja tai apkārt. Īrida nekustējās,
un ķirzaciņas nebaidījās, jo laikam nodomāja, ka tā
arī ir tas pats draudzīgais celms. Īrida smaidīja tālā at-
cerē par vasaru, kad viņu pašu Dr. Marcinovskis bija
saukājis par savu brūno ķirzaciņu. Priekš desmit gadiem...

O

Pret vasaras vidu Ints atbrauca ar ziņu: darba vietā
pie viņa ienācis grāmatnieks Jānis Rapa, lai Annas
Brigaderes uzdevumā ielūgtu Īridu viesos Sprīdišos An-
nas dienas svinībās. — Par to nu nebija ko domāt, ievē-
rojot ārsta brīdinājumus un arī Īridas pašas noskaņu.
Savrupīgais miers šeit bija tik labdarīgs. Viņa nepār-
trauks to, kaut citos apstākļos būtu ar prieku atkal reiz
padzīvojusi ar rakstnieci dažas dienas Sprīdišos.

11

Ar Annu Brigaderi ciešāka personiska atkaļpazīšanās bija atsākusies, kad jau laba virkne gadu bija aizritējuši kopš traģiskā notikuma ar Brigaderu radinieci, Mauriņu Alvīni. 1921. gada rudens pusē, kādas izrādes starpbrīdī, Nacionālā teātŗa pastaigu gaitenī rakstniece pienāca pie Īridas. Viņa atvainojās, ka tikai tagad pateicoties tai par drāmas Ilga apceri. Viņa Izglītības Ministrijas Mēnešrakstu pastāvīgi nelasot un tāpēc par rakstu uzzinājusi tikai tad, kad viņai uz to ticis norādīts. Īrida uzņēma pateicību kā sabiedriskas pieklājības žestu.

Vēlā rudenī presē sāka kustināt Annas Brigaderes 25 gadu literārās darbības jubilejas jautājumu. Nodibinājās jubilejas rīcības komisija. Īrida saņēma aicinājumu ierasties kādā komisijas sēdē. Tur viņu pārsteidza piedāvājums — referēt par jubilāri svinīgajā sarīkojumā, kas notiks 1922. gada 10. janvārī, Nacionālajā teātrī. Īrida nesaprata: viņa taču bija vēl jauna iesācēja rakstos; kā tad nu viņa varētu referēt par tik lielu rakstnieci, par kādu šais gados, kopš Īridas agrās jaunības, bija izaugusi jubilāre? Apmulsusi viņa teica, ka domājot — šai gadījumā komisijai jāuzklausot rakstniece pati — ko viņa vēlētos par savu darbu apcerētāju. Uz to komisijas loceklis Jānis Rapa atteica, ka tā jau taisni esot rakstnieces vēlēšanās: lai Īrida Rasa-Zelmene būtu referente.

Īrida apklusa. Vai viņa varētu pieņemt tik lielu pagodinājumu? Vai spētu attaisnot rakstnieces uzticēšanos viņas spriedumam? Viņa gan bija rakstījusi par Ilgu ar personiskas tuvības izjūtu. Bet vai ar to pietika? Rakstnieces darbība bija sazarojusies tik plaša: lugas, stāsti, dzeja. Vai viņa spēs īsajā laikā līdz jubilejas datumam visu vēl pārskatīt, visā iedziļināties un tad visu lielo vielas daudzumu ietilpināt īsā izsmēlīgā referātā? — Bet komisija prasīja atbildi. Spieda viņu uz pozitīvu atbildi. Un beidzot viņa to deva.

○

Tie bija silti, sirsnīgi darba svētki. Tā bija pirmā skaļākā atbalss tautā, ko Anna Brigadere saklausīja šai vakarā pārpildītajā Nacionālā teātra namā. Tā viņu izcēla un parādīja visiem tiem, kas paši viņu vēl nebija pratuši saskatīt viņas ārēji klusajā dzīvē un mierīgajā darbā. Gadi, kas sekoja šim vakaram, bija pārpilni atzinības un slavinājumu. Tie iecēla viņu latviešu rakstniecības pašās augstākajās virsotnēs.

○

Un arī Iridas Rasas-Zelmenes darba dzīvē šim vakaram miniatūrā bija līdzīga nozīme: lielais vairums šai vakarā redzēja un iepazina viņu kā rakstnieci pirmo reiz. Izglītības Ministrijas Mēnešraksts, kur viņa visvairāk bija publicējusies, nebija populārs žurnāls plašās aprindās un pat ne literātu vidū. Kā redaktors Teodors Zeiferts viņai vēlāk pastāstīja, to esot apstājis dažs rakstnieks jautādams — kas viņa ir? vai tu viņu pazīsti? — Un viņš ar lepnumu varējis atbildēt, ka nevien pazīst, bet ka tā ir viņa sena līdzstrādniece. Un cienījamās Frīdas Olava kundzes sirsnīgais apsveikums — ar p i r m ā raksta izciliem panākumiem — liekas, varēja izteikt lielas daļas šo svētku dalībnieku domas.

Referātu — A n n a B r i g a d e r e — iespieda Izglītības Ministrijas Mēnešrakstā 1922. gada 2. nummurā. Pēteris Ērmanis rakstā Atmiņas par Annu Brigaderi, grāmatā Sejas un sapņi, piemin, ka jaunā kritiķe nolasījusi īsu, kodolīgu referātu, par kuru viņš sajutis ,,skaudībiņu: lūk, tādu man vajadzēja rakstīt ievadu Paisumam!" (Ērmanis pats ar šo ievadu bija neapmierināts). Vēl tai pašā pavasarī pie Iridas ieradās redaktors Rūdolfs Egle, lai lūgtu rakstīt žurnālā Latvju grāmata atsauksmi par šo Annas Brigaderes jauno — otru dzejoļu krājumu. Iedziļināšanās šai apmēros lielajā un dzejas vērtībā izcilajā grāmatā deva viņai īstu mākslas prieku.

Jubilejas mielasta laikā ar Iridu vēlējās iepazīties Jelgavas teātra direktors Dr. A. Dargevics. Viņš lūdza Iridu braukt ar šo referātu uz Jelgavu, kur arī pēc dažām nedēļām notiks Annas Brigaderes jubilejas svinības. Šķiet, ka taisni šim braucienam bija izšķirīgas sekas Iridas turpmākajās attieksmēs ar rakstnieci.

O

Bija norunāts uz Jelgavu braukt abām reizē ar vilcienu. Jelgavā viņas novietojās viesnīcā kopējā istabā, gaidot uz sarīkojuma sākumu. Pēc svinībām viņas tāpat kopā pavadīja nakti un nākamā dienā kopā brauca atpakaļ. Šis vienā diennaktī cieši kopā pavadītais laiks satuvināja viņas uz visiem laikiem. Daudz kas tika pārrunāts, daudz kas atklāts. Atklājēja bija rakstniece. Irida bija atklājumu pateicīga saņēmēja un sevī apvērtētāja. Drīzā apciemojumā rakstniece atnesa Iridai savu liela formāta foto uzņēmumu ar veltījumu — „Ilgas pirmajai sapratējai."

Veltījums apliecināja, ka rakstniece akceptējusi problēmas nostādījumu un atrisinājumu Iridas apcerē par Ilgu. Tomēr Iridu rakstnieces neierobežotā atzinība nevien iepriecināja, bet lika arī pabrīnīties. Jo, gan pozitīvi analizējot Ilgas problēmu, apcerē bija arī iebildumi, it īpaši pret Ilgas un Granta attieksmju nostādījumu otrā cēlienā. Irida bija rakstījusi: „Kas ir Pēteris Grants? — Ģeniāls rakstnieks. Sevis paša un citu izlutināts. Kā viņš Ilgu uzņem? — Kā sievieti. Ne sievieti — ideālu, kā Zendborgs, bet... sievieti no ielas: vakar Villija, šodien Ilga, rītu nākošā u. t. t. Kāds kontrasts: Zendborgā — ideālizēta mīlestība ar neapzinīgu egoismu serdē; Grantā — kaila apzinīga seksuālitāte. Un Ilga to neredz. Vai tiešām Ilga savām mīlestības ciešanās skaidrotām acīm nevar to redzēt? Vai viņas asais intellekts to nebiedina? — Šai vietā jāapstājas un jāprotestē rakstniecei. Lai Ilgas gara smalkums viscaur pārliecinātu, ģeniālo rakstnieku vajadzēja zīmēt citiem vilcieniem. Kādēļ tāds šaržs — šis otrs cēliens? Kā var par tādu žargonu — „Rauj viņu kociņš! — Uzvācu augšā — Sieviete tik pabāž degunu — Ko velna tad jūs meklējat?" — likt Ilgai teikt: Patika klausīties šai asajā vārdu spēlē. Kā var likt viņai veselu cēlienu neredzēt to, kas redzams jau pēc pāris mirkļiem? Tas nav psīholoģiski pieņemams. Ilga nav naīva meitene. Tā ir

120

sieviete ar asu skatu un smalkiem jutekļiem (pēc pirmā cēliena spriežot). Un tāpēc viņai pretī vajadzēja nostādīt citādu Pēteri Grantu: smalku kultūras cilvēku, tiešām asprātīgu sarunā un ne tādu vien iekarotāju, kas jau pirmā mirklī liek roku ap vidu un sauc par „miļo mazo" un tā tūliņ kļūst caurredzams. Tad arī viņa ģenialitāte vairāk pārliecinātu, un duālisms viņā krasāk nozīmētos. Jo duālisms Grantā ir krass: vērtīgs raidītājs gars — bez dvēseles skaidrības un cēluma."

Īrida nezināja, vai rakstniece arī šo viņas iebildumu bija akceptējusi, jo konkrēti viņas abas nekad netika Īridas apceri pārrunājušas. Tāpat viņa nezināja, cik pieņemama rakstniecei bija Ilgas problēmas nostādīšana uz plašākas bazes, uzskatot to par visu garīgi izaugušo sieviešu problēmu. Īrida tādu garīgi izaugušu sievieti bija nosaukusi par j a u n o sievieti, kas attieksmēs ar vīrieti grib būt pilnvērtīga — c i l v ē k s, ne sieviete vien. Visu trīs individualizēto Ilgas partneru attieksme pret viņu ir tikai vīrieša attieksme pret sievieti. Nevienam no viņiem nevajag v i s u Ilgas būtību, kas ir v a i r ā k nekā sieviete vien. Kad trešā cēlienā, pēc gadiem Grants pats uzmeklē Ilgu, arī tad viņa piedāvātā mīlestība ir kaila kaislība vien. Un kad viņš pašlepni izsaucas: Te ir ekstaze, lūdzu! Vīrietis jūs paceļ līdz tam dievišķam stāvoklim. Bet arī iet līdz ekstazei jums nav drosmes, — tad Īrida iesaistījās ar viņu mazā dialogā, rakstīdama: „Nē, Pēteri Grant! Tā n a v ekstaze. Tas nav dievišķīgs, bet dzīvniecisks stāvoklis. Un nevis drosmes tam trūkst jaunajai sievietei, bet viņa to negrib. Apzinīgi un noteikti negrib. Ja vīrietis domā, ka viņš sievieti paceļ ar k a t r u savu iekāri, tad viņam jāzina, ka sievieti ceļ tikai apgarota kaislība, kas prasa un dod — visu būtību, kas nevis vispārina, bet individualizē." — Arī Ilga sašutumā saka Grantam: Sieviete, sieviete! Kādēļ šais vispārējos slēdzienos? Še e s stāvu. Ja runājat, tad runājat par mani. — Un kamēr vīrietis to tā nesajūt, jaunajai sievietei dziļi sāpinātai no viņa jānovēršas. Vai — varbūt ir vēl kāds cits ceļš? — iejautājās Īrida, apceri turpinādama: „Ja no Zendborga Ilga aiziet ar sāpēm sirdī par savas pirmās krāšņās mīlestības nepiepildīšanos, tomēr nelauzta, — tad no Granta viņa iet aizlauzta, jo ir pazemota. Netīrs tvaiks ir skāris viņas skaidro ticību. Tas viņu smagi liec, jo skaidrība ir viņas dzīves prasība.

Viņa nevar par pilnīgu atzīt garu, kas viņas skaidrībā mazgājas, kaut visas pekles izbridis. Jo pašai viņai ir gars u n skaidrība; tāpēc viņa meklē sev līdzvērtīgu. — Vai meklē? Liekas, aktīvi vairs ne (3. cēliens). Bet skaidrība pati ir viņu uzmeklējusi. Straujš, jauns, atklāts ir Ēvalds Krons, kas mācījis Ilgai pieiet cilvēkam tuvu, tik tuvu, redzēt cilvēka dvēseli tādu, kā to ir redzējis Dievs. — Tavu dvēseli, draugs! Tā vairāk nekā laime, tā atpestīšana. — Un tomēr arī šī drauga dvēsele nes Ilgai atkal vilšanos: skaidra, laba, sajūsmīga v ī r i e š a dvēsele: Mans darbs — tā esi tu. Tavā gaismā, tavā siltumā es esmu visas savas spējas kā kausā sasmēlis. Es esmu cīnījies. Sasniedzis. Mīli mani, mīli! Vairāk man nekā nevajag. — E s u n m a n u n m a n s. Nežēlīgais kā bērnā, neapzinīgais vīrieša egoisms! — Es neesmu vairs tik viengabalaina kā tu. Vai tu zini vai mana dvēsele jau nav dziļi ievainota? Es tev visu izteikšu. — Vēlāk kādreiz. Pavisam vēlāk. — Kā, tas tevi neinteresē? — Interesē. Ļoti. Bet kāpēc šai burvīgā stundā? u. t. t. — Nav atpestīšanas! Atkal nav. — Ko ieguvusi Ilga pēc triskārtējas meklēšanas un maldiem? Atziņu, ka viņā p a l i e k k a u t k a s — dziļi smeldzošs nemiers — kā neatraisīts mezgls, kā neatminama mīkla — šaubas, sāpes, vai — vientulība — t o n e v a j a g a n e v i e n a m. — Kas atņems tos? — Granta piedāvātais risks beigās? Nē, jo Ilga ir vidū šķelta starp abiem: Kronu un Grantu — skaidrību un garu. Viņa nevar sevi piepildīt ne ar vienu, ne ar otru: viņai vajag abu apvienojuma vienā būtībā. Ja nav sintezes — nav atpestīšanas; un Ilga aiziet no dzīves nepilnības nebūtībā."

O

Ilga ir Annas Brigaderes individuāli izciesta un no individuālām ciešanām radīta traģiska literāra personība. Bet Īrida domāja, ka katra inteliģenta jaunlaiku sieviete ir vairāk vai mazāk tāda Ilga. Tāpēc viņa rakstot vēl reiz apstājās pie jautājuma — vai nav vēl kāds cits ceļš meklējams, bez traģiskā nāves ceļa, kas atrisinātu Ilgas dilemmu?

Ilga aiziet nāves ceļu citādi nevarēdama, jo viņa ir vidū šķelta starp abiem. Ilga ir mazāk stipra nekā viņas radītāja Anna Brigadere, jo, mūzikas māksliniece būdama, nespēj no tā, kas viņā paliek un kā nevajaga nevienam, turpināt radīt mākslas darbus. Anna Brigadere to spēja. Bet ne katra „Ilga" ir ar kādu radītājas talantu apdāvināta. Un par tām Irida domāja savu domu tālāk: „Ja jaunā sieviete grib nākotni iegūt, ja viņa grib dzīvi līdzi veidot un pārveidot, tad viņai ir jāmeklē cits ceļš. — Daba sievietei ir uzlikusi smagu nastu, kas reizē arī ir liela vara viņas rokās: viņa ir māte. Viņa audzina. Arī vīrieti. Un vīrieti viņa var audzināt ne tikai kā māte, bet arī kā sieviete: līgava — sieva. Tai ir jāuzņemas cīņa ar mīlamo vīrieti par savas pilnvērtīgās cilvēcības atzīšanu. Šai cīņā sieviete ir audzinātāja. Kā senāk skolotais vīrietis audzināja sievieti, kuru viņš mīlēja, lai piemērotu to savām prasībām, tā tagad sievietei jāmāca vīrietis atzīt un piemēroties arī viņas prasībām. Audzināšanas un augšanas darbs ir abpusējs. Tik sievietes pusē pirmējais ir grūtāks, jo vīrietis nav radis, ka viņam mīlestībai būtu kas jāupurē. Vīrietis vēl arvienu domā, ka sievietes laimei ir vajadzīga tikai viņa mīlestība bez pretenzijām un nezina, ka garīgi izaugusi sieviete tik intensīvi izjūt savu garu, kas sauc pēc apvienības ar vīrieša garu, ka viņa var justies bezgala viena un atstāta viskarstākajā parastās mīlas stundā. No tādas nesaskaņas sievietes un vīrieša attiecību izjutumā rodas tas specifiskais traģisms garīgi attīstītā sievietē, ko Anna Brigadere mākslinieciskas radīšanas ceļā sakoncentrējusi savā Ilgā, dodama tajā ieskatu jaunas dzīves pārveidotā latviešu sievietē." Un Iridā šis atzinums bija atbalsojies tik dziļi, ka tas nu beidzot bija izraisījis viņā to personiskas garīgas tuvības izjūtu pret rakstnieci Annu Brigaderi, kuras līdz tam tai bija trūcis.

Bet ne tikai Iridu šī luga bija garīgi pietuvinājusi Annai Brigaderei. Tāpat juta daudzas citas, it īpaši akadēmisko aprindu jaunā laika sievietes. Ka arī Iridas apcerei pie tā bija savs starpniecības nopelns, to apliecināja atzinīgās atbalsis, kas viņai par to bija jādzird.

O

Tai laikā, kad Irida rakstīja šo apceri, viņa nekā nezināja par lugas personāžu prototipiem. Pirmo reiz uz tiem viņai norādīja Jānis Rapa intervijā pirms aprādītās jubilejas, minot Šveices vācieti Dr. Langmeseru, dzejnieku

Falliju un pakautrīgi liekot noprast savas personas sakaru ar jauno architektu Kronu.

No tiem vispilnīgākas, vistuvāk reālitātei ir bijušas rakstnieces attieksmes ar Dr. Langmeseru — profesoru Zendborgu lugā. Par tām rakstniece pati runāja ar Īridu jau tai naktī Jelgavā un it īpaši pirmajā vasarā Sprīdīšos, kad Īrida, aicināta, ciemojās tur kādu nedēļu.

Liktenīgā sastapšanās un garīgā satuvināšanās ar Dr. Langmeseru bija notikusi Šveicē, 1898./99. gadā, kad Anna Brigadere tur dzīvoja par biedreni Irmai Balodei, vēlākajai Arveda Berga kundzei, kas Davosā ārstējās. Tikai sešus mēnešus bija ilgusi viņu personiskā saskare. Pēc tam — sarakstīšanās, kas izbeigusies īsi pirms Pirmā pasaules kara. Kā profesoram Zendborgam Īlga bija bijusi tikai viņa dzīves īsa laika rotājums, ne tās paliekama būtiska nepieciešamība, — tāpat, domājams, tas būs bijis ar Dr. Langmeseru, arī precētu, pārtikušas sievas aizbildnībā izlutinātu vīru. Tomēr kāda stipra saite būs viņu turējusi gūstā, jo ilgo gadu sarakstē Anna Brigadere bija saglabājusi apmēram divi simti viņa rakstītu vēstuļu. Par pašas Dr. Langmeseram rakstītām vēstulēm viņa skuma, ka tās laikam ne ar kādām pūlēm nebūšot atgūstamas, jo tālais draugs kara laikā bija miris. Māksliniece pati domāja, ka šīs vēstules esot labākais no visa, ko viņa jebkad rakstījusi. Ja tā, nodomāja Īrida, tad šo vēstuļu neatgūšana ir liels literārs un katrā ziņā jau literārvēsturisks zaudējums.

Šveices laikā Anna Brigadere vēl bija tikai iesācēja rakstniece: viņa sāka publicēties 1896. gadā un bija sacerējusi tikai dažus stāstus un dzejoļus. Tātad kā rakstniece viņa Dr. Lagmeseram nevarēja vēl diezkā imponēt. Jādomā, ka abu draudzības pamatā būs bijusi cilvēka cieņa pret cilvēku. Cik stipri Dr. Langmesera pusē tā bijusi iekrāsota ar erotiku, nav zināms, jo vēstuļu saturu rakstniece turēja noslēpumā. Ka rakstniecei pašai šī draudzība ir bijusi dziļš sievišķības pārdzīvojums, kas izraisījis viņā paliekamas atziņas par sievietes mīlestības būtību, to pierāda jau 1900. gadā uzrakstītā pasaka Mare. To viņa rakstīja vācu valodā un nosūtīja Dr.Langmeseram. Pēc divdesmit gadiem viņa savā skatījumā atklāja šo pārdzīvojumu drāmā Īlga.

O

Granta prototipa, dzejnieka Fallija attieksmes ar rakstnieci dzīvē — ir visvairāk literārizētas lugā, vistālāk no īstenības. Lugā Granţam ir vislielākā, izšķīrēja loma Ilgas dzīvē, ne tāda tā bija 1906. gadā iepazītajam Fallijam rakstnieces dzīvē. Pati viņa to sarunās nepieminēja. Bet viņai ir gaŗāks liroepisks dzejolis — Bohemienne. Tas ir smeldzīgs stāstījums par līdzcensību mīlestības iegūšanā, kur zaudētāja paliek bohemienne, kam „viltus sieva" atviļ draugu. Īrida savā laikā bija šo dzejoli teikusi dzejas vakaros, un, pārzinot mākslinieku un sabiedrisko dzīvi gadsimta sākumā, nebija grūti atšifrēt attiecīgās personas dzejojumā. Pēc gadiem Īridai iznāca saruna ar „viltus sievu" par dzejolī notēlotajām triju personu attieksmēm, un tā liecināja, ka „drauga" pusē nav bijušas bohemiennes iedomātās jūtas. Šīm attieksmēm bija bijusi tikai epizodiska nozīme Annas Brigaderes dzīvē, bez tām ilgu gadu paliekošajām sekām, kādas izraisīja Davosas pārdzīvojums. Grants lugas norisē tātad ir gandrīz pilnīgi literāras izdomas tēls, kam dzīves īstenība ir devusi tikai pamatkrāsu.

O

Lugas beigu cēlienā īsi ieskicētais architekts Krons ir atslēga Ilgas traģismam. Jauns, sajūsmīgs, iemīlējies līdz dievināšanai, viņš nespēj uzņemt sevī daudz pārdzīvojušās Ilgas nobriedušo personību. Viņš īstenībā jūsmo par sevi pašu, par savu laimi — mīlestības un darba panākumā. Viņš nespēj atņemt Ilgai vienpatības nastu, kas kļuvusi tai par smagu. Nevien Grants, arī Krons nedod viņai galīgo tuvību ar c i l v ē k u. Cik tad nu Kronu varēja identificēt ar rakstnieces jauno radinieku Jāni Rapu? — tā Īrida jautāja sev. Viņai likās — ne daudz. Viņa bija iepazinusi Rapu 1908. gada vasarā, ciemodamās pie Mauriņu Alvīnes Kalnamuižas Liellapsiņās. Tad viņš bija jauns students, tā paša pagasta Ķipu māju saimniekdēls, kas kopš studiju sākuma Rīgā dzīvoja pie radiniekiem Brigaderiem. Gadi bija gājuši, nu viņš bija ievērojams grāmatnieks, tikpat kā Brigaderu ģimenes loceklis, rakstnieces draugs un padomdevējs. Padoma viņai vajadzēja daudz šai pirmajā vasarā Sprīdīšos saimniekojot. Jānis Rapa bija vienmēr jautrs, dzīvs, izpalīdzīgs; rakstniece šķita pret viņu mātišķīgi silta un laipna. Rapa bija tikai nedaudz vecāks par Īridu, un

125

Īrida bija divdesmitpiecus gadus jaunāka par rakstnieci. Tātad Kronā būtu varējis iezīmēties Rapas jauneklīgums, sangviniskā daba, varbūt ideālistiskā pieķeršanās izraudzītajam mūža darbam, pie kā savs nopelns varēja būt arī rakstnieces personības ietekmei. Sasummējot visas šīs pārdomas, Īrida secināja, ka drāmā Ilga ir gan spilgti autobiogrāfiski meti, bet tās audums ir lielā mērā literārizēts un nesedzas ar autores dzīves īstenību. Un ka Īridas pašas tuvību šai drāmai nenoteic tās formālais veidojums, pret ko viņai bija daži iebildumi, bet gan rakstnieces subjektīvais izjutums un atklāti pavērtais ieskats sievietes jūtu traģismā, ja tā ir pāraugusi tradicionālo subordinēto stāvokli mīlestības attieksmēs, apzinādamās esam pilnvērtīgs cilvēks.

O

Ikdienas pastaigās Anna Brigadere izvadāja Īridu gan īstenībā, gan atmiņās kavēdamās pa savas bērnības pasauli. Skatīdamās un klausīdamās Īrida domāja: šī nu ir jau trešā reize, kad esmu ar rakstnieci viņas dzimtajā pusē. Pirmo reiz sešpadsmit gadu meitene nejuta lielu vēlēšanos tuvināties nobriedušai četrdesmit vienu gadu vecai dāmai, kas rakstniecībā tomēr bija vēl tikai gaitas sākumā. Tovasar jau nebija pat ne Sprīdītis vēl nācis pasaulē. Tas radās tikai rudenī un Ziemassvētkos pēkšņi brīnišķīgā izrādē Latviešu biedrības teātrī ieliksmoja skatītājus un aplaimoja autori ar atzītas skatuves rakstnieces slavu. Kad pēc pieciem gadiem Īrida atkal daļu vasaras nodzīvoja Annas Brigaderes tuvumā, viņai bija jau citāda attieksme pret rakstnieci. Tomēr arī tad vēl tā bija distancēta ar gadu starpību un ar viņas pašas attīstības un interešu atšķirīgu ievirzi. Pēc tam rakstnieces augšup ejošā gaitā augstākā virsotne tika sasniegta ar 1912. gadā izrādīto lielo poētisko drāmu Princese Gundega un karalis Brusubārda. Īridai šīs izrādes burvība sakoncentrējās Daces Akmentiņas nekad neaizmirstā un nepārspējamā Sniedzes tēlā. Pret drāmas autores talantu viņa juta dziļu, tomēr vēl arvienu distancētu godbijību. Cilvēciskas tuvības izjūtu nu tikai viņā bija izraisījusi drāma Ilga, un šoreizējā — trešā ciemošanās Tērvetē bija šīs tuvības sekas.

Daļēji jau toreizējās vasarās Īrida bija iepazinusi vietas, kas saistījušās ar rakstnieces agro bērnību. Kalnamuižas Liellapsiņas, kur viņa šais vasarās dzīvoja, bija taču tās pašas mājas, kur rakstniece bija nodzīvojusi savu mūža otro un trešo dzīves gadiņu. Dzimusi viņa tur nebija. Dzimusi viņa bija Baļļās, un uz tām nu viņa veda Īridu — tās parādīt. Tikai no ārienes parādīt, jo šais kādreiz tēvmāsas mājās tagad dzīvoja sveši ļaudis. No Sprīdīšiem izejot uz Kalnamuižas lielceļu, dienvidu virzienā, pēc dažiem kilometriem jāiegriežas māju ceļā, kas noved līdzenā, no trim pusēm meža iežogotā, klusā nostūrī. Dīvaina sajūta Īridai: tā stāvēt un notālēm skatīties uz vecumā nosūbējušu māju, kur priekš tik daudz gadiem radusies sīka dzīvībiņa, kas augdama augusi liela sava gara spēkā. Viņa paskatās rakstniecē. Tā stāv klusa un sveša. Sveša šai vietai. Par kuru tai nav nekādu atmiņu. Kam viņas tapšanā nav bijis nekādas ietekmes.

Atmiņu rakstniecei nav vēl arī par Liellapsiņām, viena tēvbrāļa mājām. Tikai no nākošās, mātes dzimtās vietas, no mežsarga mājas Dreimaņa nākušas līdz dažas atmiņu ainas. Bet šī vieta ir par tālu, lai uz turieni tagad aizkļūtu ar Īridu. Totiesu Kalnamuižas mežus aiz Sprīdīšiem abas var izstaigāt krustu-šķērsu. O, tos jau arī Īrida labi pazīst no savām meitenes dienām! Cik reižu netika iets vai braukts cauri mežam pret ziemeļiem uz Pļaveniekiem, rakstnieces vēl cita tēvbrāļa mājām. Tur gan Anna Brigadere bērnībā nebija dzīvojusi. Tur viņa sāka dzīvot vasarās jau rakstniece būdama. Bet no Pļaveniekiem nebija tālu Iļļēni, viņas tēva dzimtās mājas, uz kurieni viņš ar ģimeni pārcēlās dzīvot no Dreimaņa. Gan ne kā māju saimnieks, tikaj par priekšstrādnieku šai sava jaunākā brāļa īpašumā. Arī ar šo vietu tagad rakstniecei nebija vairs nekādu reālu saišu, tomēr tā viņas atmiņās dzīvoja kā nekad neaizmirstamā bērnības paradīze. Uz to nu viņa veda Īridu pa tās vēl neredzētiem pakalnainiem meža ceļiem uz vakaru pusi, kur dziļi kalna piekājē vēl stāvēja plašās Brigaderu dzimtas šūpulis.

Arī te rakstniece netuvojās mājām. Viņas palika kalnā stāvam, pilnā vasaras saules spožumā, ar nepārredzamo Zemgales plašumu lejā, ar tālu mākoņu skreju gaisos. Cik pavisam citāda bija jutoņa šeit, nekā tai dienā Baļļu mājceļā! Rakstniece bija kā klusu gaviļu pilna, un atceļā tā stāstīja Īridai, ka esot domājusi kaut kādā veidā šo savu bērnības posmu aprakstīt. Tikai neesot vēl noskaidrojies, kādu literāru formu tam dot. Esot uzrakstīti

127

dažu atsevišķu notikumu tēlojumi, bet viss kopums neesot vēl iztēlē ieguvis noteiktu apveidu. — Īrida atcerējās kādus no šiem jau iespiestajiem tēlojumiem lasījusi.

Tomēr skarbā dzīves īstenība bija rakstnieci no tās bērnības paradīzes izdzinusi: pēc četriem gadiem tēvs no Iļļēniem atkal pārcēlies uz citu dzīves vietu — uz tālo „atmatu", uz Pļavenieku brāļa zemes gabalu, iestrādāt tur jaunu saimniecību. Ar cik lielu mīlestību rakstniece runāja par Iļļēniem, ar tādu pat nepatiku viņa pieminēja atmatas Jaunos Lozbergus. Klajš līdzenums nekultivētā zemē, neviena kociņa, ne krūmiņa, cik tālu vien skats sniedz, — tādu rakstniece attēlo Īridai astoņgadīgās meitenes jauno dzīves vietu. Tur viņa arī pārcieš pirmās smagās zaudējuma sāpes, jo pēc pieciem gadiem nomirst viņas dievinātais tēvs. Tēva nāve devusi citu pagriezienu rakstnieces dzīvei: tā izbeigusi dabai tuvo bērnības posmu, meitenei ar māti pārceļoties uz Jelgavu pie vecākās māsas Līziņas.

O

Kādu dienu pa Tērvetes upes paleju izstaigājušās, rakstniece ar Īridu apsēdās uz svaigi sastrādātu dēļu grēdas upes krastā un turpināja iesākto sarunu. Rakstniece stāstīja Īridai par iecerētu jaunu lugu. Tās prototipi sakņojoties diezgan tālā pagātnē kādas viņas radnieces traģiskos piedzīvojumos. Tie ierosinājuši viņā psīcholoģisku problēmu: pretstatot divus sieviešu tipus — heterisko un madonnisko — atklāt mātes instinkta varu un veidotāju spēku sievietes dvēselē. Iztēlē drāma esot jau nobriedusi gatavībai, nu tikai vajagot laika un spēka domās iznēsāto uzrakstīt. Neesot vēl skaidrībā par nosaukumu. Drāmatiskā konflikta atrisinājumā izšķīrēja nozīme būšot melno dimantu rotai, tāpēc liekoties, ka varētu lugu nosaukt Melnie dimanti. Bet vai tas neizklausoties vulgāri? — Šīs 1922. gada vasarā iznēsātās drāmas uzrakstīšana un galīgā stilistiskā izveidošana ievilkās līdz 1923. gada rudenim, un tad tai bija dots nosaukums Heteras mantojums. —

Rakstnieces akūtākā rūpe šai vasarā bija rudenī gaidāmā jaunās pasaku lugas Maija un Paija izrāde. Sērdienīte un mātes meita. Tautas pasaku visādi variētais motīvs. Šķietami pilnīgi objektīvs sižets. Un tomēr, par to runājot, rakstniece ļāva noprast, ka sērdienīgums viņai ir subjektīvs pārdzīvojums. Tad arī Irida atcerējās, ko viņai intervijā pirms jubilejas Jānis Rapa bija teicis. Ka Annas Brigaderes pirmais māksliniecikais impulss bijis — kļūt dziedonei, bet — ģimenē jau viena dziedone bija... Otrai — piedzīvotājaį brāļa pajumtē — tur nebija vietas...

O

Jā, visus šos ilgos gadus rakstniece bija mitusi brāļa Jāņa Brigadera pajumtē. Brāļa labvēlība deva viņai iespēju nodoties vienīgi rakstniecībai. Brigaderu plašajā dzīvoklī viņai bija sava istaba ar pavisam pieticīgu iekārtu. Pēc jubilejas apstākļi mainījās. Viņai atbrīvoja blakus vēl otru istabu, jo pašas līdzekļi nu atļāva iekārtot to pēc savas gaumes par darba un viesu telpu. Tajā novietojās pēc mākslinieka Rubja metiem darinātas mēbeles, un nu rakstniecei bija stilā izturēta īsti latviska mājvieta. Pēkšņi viņa bija kļuvusi tik „bagāta” kā nekad: tīkams miteklis pilsētā un vēl tāds pats laukos — Sprīdīšos. Te — Sprīdīšos viņa nu varēja savukārt uzņemt brāli un svainieni savā mājā. Tas viņai deva prieku un gandarījumu. Irida vēroja viņu sadzīvi. Ar brāli rakstniecei bija redzama tuvība. Ar svainieni — kādreizējo aktieri Brigaderu Maiju — vēsa laipnība. Sērdienīte un mātes meita — līdzšinējās ģimenes attieksmēs? Bet nu sērdienītei visi labie darbi ar uzviju bija atmaksāti. Nu viņa varēja atliekt muguru un ar paceltu galvu izbaudīt labdarīgo neatkarības izjūtu. Varēja būt devēja, ne vairs ņēmēja.

Vēl jau Sprīdīšiem nebija to īstā, rakstnieces iecerētā seja. Bija gan arī te dažas skaisti latviski iekārtotas iekštelpas — viesiem un pašiem. Bet ārs bija vēl pārkārtojams un iekārtojams. „Lūk te” — rakstniece ar plašu rokas vēzienu norādīja Iridai — „te visur būs rozes!” Dārznieks gan jau mitinājās savā mājiņā, pāri tiltam Tērvetes otrā krastā. Bija arī iedēstījis tur jau nelielu rožu „plantāciju.” Bet rakstnieces izplānotais rožu dēstu pārstādījums Sprīdīšu palejas dārzā varēs sākties tikai vēl nākošā vasarā. Un tad — ik gadā rožu dārzs kuplos un pletīsies plašumā un dos acu prieku ikvienam, kas iegriezīsies Sprīdīšos.

Arī jau šavasar Sprīdīšiem nebija trūcis apciemotāju.

129

To liecināja ieraksti viesu grāmatā. Bija gan ievērojamu un aicinātu personu vārdi, gan tādu, kas ieradušies tāpat gadījuma pēc. Tā vienudien Sprīdīšu pagalmā ienāca kāds skolnieks. Rakstniece laipni cēlās tam pretim. Izrādīja māju, dārzu un tad veda to pāri tiltiņam, lai izvadātu pa Sprīdīšu mežu, apskatītu Viesturkalnu, Kalnamuižas pilskalnu un pils drupas. Bija runīga un visādi pretimnācīga, nemaz neskopojās ar laiku. Īridu tas pārsteidza kā krass pretstats kādai citai rakstnieces izdarībai. Kādudien, saņēmusi pastu, viņa rādīja Īridai mazu vīstoklīti. To sūtot kāds jaunietis un pavadvēstulē lūdzot pēc viņas sprieduma par tā sacerējumu. Rakstniece vīstoklīti pavirši nometa pat neatvērusi, diezgan nicīgi noteikdama: „Kad tad es strādāšu pati savu darbu, ja tādus lūdzējus ievērošu." Īridai toreiz drusku nosāpēja sirds par neievēroto lūdzēju: vīstoklītis bija tik mazs, ka likās, daudz rakstnieces dārgā laika nebūtu prasījis to izlasīt un varbūt ar kādām rindām lūdzējam atbildēt. Katrā ziņā ne vairāk kā šodienējā laipnas nama mātes loma. Īridā zagās kāda nepatīkama doma: vai varbūt rakstnieces atsaucību šai otrā gadījumā, pretstatā neatsaucībai pirmajā, nemotivēja dziņa pēc personīgas popularitātes, vēlēšanās radīt jaunatnē simpatizējošu priekšstatu par sevi — un nevis patiesa sirsnība un nesavtīga atsaukšanās uz zēna interesi par viņas Sprīdīšiem. Ienāca prātā nostāsti par Rūdolfu Blaumani. Kā tas ir uzklausījis katru jaunu iesācēju rakstos. Kā pūlējies katru balstīt un veicināt tā attīstību. Anna Brigadere turēja Blaumani par savu īstu draugu. Bet šai ziņā viņai ar to, kā likās, līdzības nebija.

Varēja jau to saprast un attaisnot. Annai Brigaderei ceļš līdz virsotnēm nebija bijis ne viegls, ne gluds. Jau tas vien, ka viņa bija ienākusi rakstu pasaulē tik vēlos dzīves gados, it kā meta savu ēnu uz viņas darbu. Vismaz viņai pašai tā likās. Intervējot rakstnieci pirms jubilejas, lai iegūtu savam referātam biografiskos datus, Īrida cita starpā ieminējās kā par jau zināmu faktu: „Un dzimusi jūs esat 1869. gadā," — tā tas bija lasāms Konverzācijas vārdnīcā. Rakstniece mazliet samulsa un tad teica: „Nē, vārdnīcā ir ieviesusies kļūda. Esmu dzimusi 1861. gadā. Bet ja nu tur tā bija ierakstīts, tad domāju, lai arī pagaidām tā paliek. Jo mūsu ļaudis jau saista mākslinieka darba vērtību ar viņa gadiem un domā, ka

uz vecumu tas vairs nav spējīgs neko vērtīgu radīt."
Īrida tomēr šo atklājumu neizpauda: referātā viņa jubilāres dzimšanas gadu neminēja. Bet drīz pēc tam no rakstnieces pašas puses atklātībā nāca paskaidrojums par kļūdu attiecīgajā gada skaitlī.

Zināms rūgtums rakstniecē bija arī pret divi lielajiem laika biedriem: Raini un Aspaziju. Vaļsirdīgajās sarunās Jelgavā viņa pateica, kā to apbēdinājusi Aspazijas nepiedalīšanās viņas jubilejas rīkošanā. Viņa, turpretim, esot aktīvi sekmējusi Aspazijas jubilejas labo materiālo izdošanos, pilsoņu aprindās vākdama ziedojumus jubilārei, toreiz Šveices trimdā. Par Raini līdz viņai esot atnākušas nevalodas, it kā tas būtu izteicies, ka viņa intriģējot pret dzejnieku teātra aprindās. Par to rakstniece satraukti runāja ar dziļu sašutumu. Īridai tad bija licies, it kā taisni starp Raini un Annu Brigaderi pastāvētu kāda rivalitāte par pirmo vai vismaz par līdzīgu vietu, it īpaši no rakstnieces puses. Tepat, pa Sprīdīšu valstību staigājot, viņa arī izteica reiz domu, ka ja jau Zelma Lāgerlefa esot ieguvusi Nobeļa prēmiju, vai tad arī viņai tāda nepienāktos. Vispār, Īridai likās, it kā rakstniece ap šo jubilejas un pēcjubilejas laiku justu iekšēju nepieciešamību pēc savas vietas un stāvokļa atzīšanas un nostiprināšanas latviešu rakstniecības pašā augšgalā. Turpmākie darba gadi viņai šo gandarījumu arī papilnam deva.

Šīs Īridai bija bagātas vērojumu un pārdomu dienas. Pēc tām viņa uzrakstīja mazu tēlojumu — A n n a s B r i g a d e r e s d z i m t e n e u n S p r ī d ī š i, ko iespieda laikrakstā Latvis.

Autora iestarpinājums

Un nu rakstniece atkal aicināja Īridu ciemos savos Sprīdīšos, bet šoreiz tā nevarēja aicinājumam sekot. Nevarēja to darīt arī daudzās nākošās vasarās, jo negribēja šķirties no mazā dēla. Gadiem cauri garīgo tuvību uzturēja kopējā mīlestība uz teātri. Sākot ar vēl tai pašā jubilejas gadā izrādītajām drāmām — Ausmā un Maija un Paija un beidzot ar traģēdijas Karaliene Jāņa izrādi rakstnieces pirmsnāves gadā, Īrida bija izsekojusi un izvērtējusi visu, ko rakstniece bija devusi latviešu skatuvei. Visumā

131

tas bija bijis pozitīvs vērtējums, tomēr arī pa iebildumam nebija trūcis, reizēm pie lugas pašas, reizēm pie izrādes.

Annai Brigaderei bija tuvas personiskas attieksmes ar Nacionālo teātri, kur parādījās visas viņas lugas. Labu tiesu tādas veicināja apstāklis, ka brālim Jānim Brigaderam bija pastāvīgas viena vai otra veida saistības teātra administrācijā. Tā rakstniece bija tikpat kā savs cilvēks teātrī un varēja izsekot katras savas lugas tapšanai par izrādi, nereti no pirmā mēģinājuma līdz beidzamajam. Viņa bija uzmanīga pret aktieriem, neskopojās ar uzslavām un mēdza pateikties tiem ar ziedu veltēm pirmizrādēs. Un tomēr ne reizi vien viņa bija smagā depresijā pēc kādu lugu pirmizrādēm. Anna Brigadere rakstīja, kā saka, ar sirds asinīm. Viņai pašai tāpēc šķita, ka katram viņas darbam būtu jāatbalsojas dziļi jo dziļi tautas apziņā. Ja cerētās atbalss tādā mērā nebija, rakstniece jutās satriekta un iznīcināta. Tā pēc dažām pirmizrādēm viņa teicās nekad vairs luģu nerakstīt. Kad depresijas asums atslāba, modās atkal radīšanas dziņa, Nacionālis teātris varēja atkal dot gandrīz kārtēju ik sezonas Annas Brigaderes lugas izrādi. Pārspētā nomāktība izrādījās esam tikai katra pret sevi prasīga mākslinieka neapmierinātība par iecerē skatītā darba šķietami nepilnīgo rezultātu. Varbūt taisni drāmatiskais rakstnieks var izjust to jo spilgtāk, jo tam sava darba galīgais noveidojums ir jāuztic citu — skatuves mākslinieku rokām, nezinot, kāds tas beigās iznāks. Un kā ir gadījumi, kad skatuviskais iedzīvinājums rakstnieka darbu ceļ, tāpat arī netrūkst pretēju gadījumu. Reizēm režija pārprot autoru, reizēm aktieri lomas, un rezultātā skatītājs neiegūst skaidru jēgu par izrādes vērtīgumu. Ar Annu Brigaderi tāds vienreizējs spilgts notikums bija lugas Šuvējas sapnis izrāde. Lugas saturā jauna trūcīga meitene — šuvēja jūt dziņu kļūt par dziedoni, nokļūst Amerikā, iesaistās revijā, iemīlas un — vīlusies mākslas un mīlestības sapnī, atgriežas mājā. Kā visas Annas Brigaderes pozitīvās sievietes arī šī jaunā šuvēja ir ētiski stipra persona. Pieredzes trūkuma dēļ viņa,

*tāpat kā Ieviņa Heteras mantojumā,, var gan ie-
mīlēt sevis necienīgu vīrieti, bet nevar palikt ar
to,, tiklīdz ieskatījusi tā īsto seju. Tomēr tādu „švauk-
stu", kādu savā uztverē viņas partneri rādīja Jānis
Lejiņš un ko režija acīm redzot bija akceptējusi, gan
nespētu iemīlēt neviena vesela saprāta latviešu
meitene. Īridu līdz sašutumam pārsteidza šāds lo-
mas uztvērums, un pirmajā starpbrīdī viņa iestei-
dzās pie autores ložā, lai dzirdētu, kā tāds pārpra-
tums varējis notikt. Bet te viņa piedzīvoja vēl otru
pārsteigumu. Rakstniece manāmi nelaipni pateica,
ka slimības dēļ varējusi ierasties teātrī un sekot
mēģinājumiem tikai to otrā puslaikā, kad viss jau
bijis nopamatots un nekas vairs nav bijis gro-
zāms. Kad Īrida nesaprata, kā rakstniece va-
rējusi pieļaut tādu sava darba kropļojumu, viņa
strupi noteica: „Lejiņš jau arī ir patstāvīgs māksli-
nieks; ja viņš tā domā, ko es tur varu teikt." Īrida
apklusa. Tomēr šo izrādi apcerot, viņa sīki izanali-
zēja lugu ar tās raksturiem un aprādīja, pēc savas
pārliecības,, izrādes kļūmes. — Pēc dažām nedēļām
Anna Brigadere piezvanīja Īridai un priecīgā balsī
teica: „Aizejiet t a g a d uz Šuvējas sapņa izrādi, —
paskataities, kā Lejiņš n u spēlē." Īrida aizgāja.
Lejiņš spēlēja tā, kā viņa bija aprādījusi lomu spē-
lējamu savā apcerē. Un viss bija labi. —
     Jānis Lejiņš savā grāmatā Spēlmaņu cilts raksta:
„Brigadere nekad neglaimoja." — Varbūt viņa to
nedarīja. Bet viņa arī neteica visu patiesību, ja tā
būtu bijusi nepatīkama aktieriem, — lai nebojātu
attieksmes... To darīt viņa atstāja „kritiķiem" un
pateicās, ja kāds to viņas vietā izdarīja. Piemēra
dēļ — Īridai. Kad Dailes teātrī rādīja Princesi Gun-
degu un karali Brusubārdu, kas visumā bija laba
izrāde, Īrida, to apcerēdama, tomēr iebilda, ka po-
ētiskā teksta skandējumā tā dzejiskais plūdums
nav ticis pietiekami akcentēts. Par to rakstniece
viņai telefona sarunā pateicās: „Labi, ka jūs tā pa-
teicāt, es pati jau nevaru viņiem to teikt." — Ir jau
varbūt vajadzīga tāda diplomātiska izlocīšanās sava
mākslas ceļa nogludināšanai, — nodomāja Īrida
šādos gadījumos.*

O

Mazlietiņ ar diplomātiju bija jāsāk izlīdzēties arī Īridai, kaut citā nolūkā. Gads gadā bija noskaidrojies, ka Anna Brigadere vēlas Īridu Rasu-Zelmeni par savas dzīves un darba kopnovērtētāju Kopoto rakstu izdevumiem. Un ka daudz kas viņai tika uzticēts ar šo nolūku. Ka cilvēcisko tuvību izraisīja varbūt ne tik daudz vajadzība pēc līdzvērtīga drauga kā pēc noderīga rakstnieces personības un darbu uztvērēja un izgaismotāja. Saprotama vēlēšanās. Bija jau pienācis pēdējais laiks to darīt ar tik atzītu lielu rakstnieci.

Bet Īrida juta sevī pretestību šim aicinājumam. Viņa cienīja rakstnieci, viņa atzina tās darbu, viņa jutās tuva tai kā sieviete, sievietes specifiskajos jūtu un gara pārdzīvojumos. Un tomēr — bija kas, kas viņai iekšēji liedza tādu darbu uzņemties. Tā bija p a t i e s ī g u m a prasība, ko viņa nespēja aizliegties.

Anna Brigadere nenoliedzami bija liela personība. Tomēr, lai cik liels ir cilvēks, katram ir kādas cilvēciskas vājības. Katrs arī skatās uz lietām ar savām acīm, redz dažu ko citādi nekā otrs. Un Īrida bija ieskatījusi, ka viņa arī Annas Brigaderes dzīvē un viņā pašā dažu ko redz un vērtē citādi nekā rakstniece pati. Un arī to, ka rakstniece noteikti vēlēsies, lai Īrida pieņem v i ņ a s skatījumu, kad ievedīs to savā pasaulē pilnīgi. Bet to Īrida nevarēja. Viņa arī tur varēja skatīties vienīgi ar pašas neatkarīgām acīm un vērtēt ar pašas pārliecību. Saprazdama, ka tas gadījumā varētu ieviest kolīziju viņu starpā, varētu radīt neapmierinātību rakstniecē vai pat sarūgtinājumu, viņa sevī bija apņēmusies atteikties pagaidām no tik vispusīga pētījuma, kam būtu jāietver sevī ne tikai rakstnieces darbs, bet arī viņas persona visas pilnskanīgas dzīves aspektā. Un tāpēc nu viņai vajadzēja iemesla, kas attaisnotu tās atturību.

Iemesls radās — mazais dēls. Tas paņēma viņas laiku sev. Literārajam darbam tā vairs neatlika daudz. Zināms, ar lielu piespiešanos un ar lielu sirdsdedzi ilgākā laika posmā tāds darbs varbūt arī būtu bijis paveicams. Bet Īrida diplomātiskī izvairījās tādu varbūtību atzīt. Pa tam draudzīgs *rakstnieces atzinējs bija kļuvis Pēteris Ērmanis. Viņš labprāt uzņēmās sākumā Īridai paredzēto uzdevumu un veica to teicamā saskaņā ar rakstnieci, kā tas lasāms rakstā Atmiņas par Annu Brigaderi viņa grāmatā Sejas un sapņi. Īrida savukārt turpināja kārtējo teātra izrāžu apcerēšanu, un tajā tad automātiski ietilpa arī ikkatrs jauns rakstnieces devums skatuvei, nu jau desmito gadu. Šais gados Anna Brigadere vai ikkatru vēl tikai iecerēto lugu izstāstīja Īridai, uzrakstīto deva manuskriptā izlasīt un dažreiz izdarīja arī kādus pārgrozījumus pēc tās aizrādījumiem.*

O

Un kā ikkatrā 1. oktobrī šais gados, viņa gāja apsveikt rakstnieci tās dzimumdienā arī šai 1931. gadā, kad noslēdzās viņas mūža septiņdesmit gadu. Ikreiz tā bija bijusi svinību diena. Jo vairāk tāpēc pārsteidza Brigaderu klusais nams šai vakarā, — bez viesiem un — bez paša dzimumdienas bērna! Rakstniece esot Sprīdīšos...

Nekad viņa nebija tik vēlā rudenī uzturējusies Sprīdīšos. Ja viņa to tagad darīja, tad tā varēja būt tikai izvairīšanās no šīs dienas atklātas atzīmēšanas.

Bet atklātība jau to nezināja, un Annas Brigaderes popularitāte pa šiem gadiem bija tā augusi, ka visās malās sāka rīkot rakstniecei veltītas atceres. Drīz tās saplūda kopā ar nākamā gada janvārī atzīmējamo trīsdesmit piecu gadu darba atceri, un viss šis 1932. gads tad pagāja Annas Brigaderes zīmē. Sasummējot šais pēdējos desmit gados paveikto, jubilārei nebija nekāda iemesla vairīties no saviem gadiem. Šie bija bijuši jauneklīgas darba gribas pilni un bija devuši augstvērtīgus sasniegumus. Pirmajā vasarā Sprīdīšos tikai vēl miglaini iecerētās bērnības atmiņas bija ieveidotas divās brīnišķīgas daiļprozas grāmatās, un trešā — triloģijas Dievs, Daba, Darbs beidzamā daļa — tuvojās nobeigumam. Visu Latviju pieskanēja Annas Brigaderes darbu slava un deva viņai lielu paceldinātāju gandarījumu.

Arī Īridai atkal nācās pielikt savu mazu daļu rakstnieces godinājumiem. Studentu korporācijas

Tālavija dāmu komitejas rīkotā vakarā viņa lasīja referātu — Pēdējie desmit gadi Annas Brigaderes literārā darbībā. Rakstniece jutās neredzēti pacilāta un spirgta. Runāja arī pati, un stāstījums dzirkstīja asprātīgā humorā. Ar atmiņu acīm Irida joprojām redz viņu tādu — slaidu un vingru, tumša samta tērpā, gara rosības pārpilnu — septiņdesmit gadu j a u n u.
Referātu iespieda tā paša gada Izglītības Ministrijas Mēnešrakstā.

O

Un tomēr šo divu pēdējo jubileju pacilātības gaisotne neaiztaupīja Annai Brigaderei arī dažu smagi pārdzīvotu vilšanos. To izraisīja rakstnieces divu lielo traģēdiju — Pastari (1931.) un Karaliene Jāna (1932.) izrādes, kas nedeva autorei cerēto gandarījumu. Abos šais darbos rakstniece ir izkristalizējusi mūža atziņās savus dziļākos intīmos pārdzīvojumus, simboliski iesaistītus Latvijas valsts dzīves norisēs un ieveidotus liela stila dzejotas valodas traģēdijās. Tomēr to drāmatiskais izveidojums pilnībā nesedzās ar viņu psīcholoģisko un idejisko dižumu un tāpēc neaizsniedza skatītājus tā, kā rakstniece to bija paredzējusi. Īpaši tas sakāms par traģēdiju Pastari. Irida zināja, cik rakstniecei pašai tuvs šis darbs. Tā sižetu, bērnībā mātes stāstītu teiku, viņa bija nēsājusi sevī visu mūžu, vairākkārt tā izveidu drāmā pasākdama un atmezdama, līdz mūža galā šķita atradusi tai piemērotāko formu trochajiska pantmēra drāmatiskā dzejojumā, ietverdama tajā sava pasaules uzskata kvintesenci: „Sirds! — Es jūtu tevi augam, augam! — Sāpēs audz tu. — Tikai sāpes dara dzīvu. S a p r a s t s v i s s u n v i s s i r a t z ī t s." Autores ciešās tuvības dēļ ar šo sāpju evaņģēliju Iridai necēlās roka rakstīt analītisku apceri par izrādi. Aiz pietātes pret rakstnieci viņa pirmo reiz atkāpās no sava principa — būt līdz galam patiesai savos vērtējumos. Viņa negribēja šoreiz sāpināt rakstnieci ar negatīvu vērtējumu par traģēdijas formālo pusi. Un pirmo reiz viņa apzinīgi rakstīja nekvalificētu recenziju: viņa tikai atstāstīja traģēdijas un tās izrādes norisi, nemaz nepieskar-

136

*damās to kvalitātei. — Vai tas bija gudri darīts?
Vai rakstniece saprata šo žestu pareizi? Jeb vai
viņa tikai rūgti nodomāja, ka šoreiz arī Īrida, tāpat
kā citi izrādes recenzētāji, nav spējīga viņas darbu
saprast un pareizi novērtēt? —*

O

*Drāmā Ilga Anna Brigadere bija ieveidojusi vienu
sava mūža sāpi — neiespēju iegūt pilnvērtīgas mī-
lestības laimi. Traģēdijā Karaliene Jāna izskan otra
sāpe — neiespēja iegūt sievišķības augstāko pie-
pildījumu bērnā. Vairāk nekā desmit rakstnieces
dzīves gadu šķir Jānu no Ilgas. Šais gados s i e -
v i e t e Ilga ir izaugusi par m ā t i Jānu. Ilgu dzīves
nepilnība salauza un iedzina nāvē. Jāna to pārspēj
ar savas s i r d s auglību, un viņas nāve ir apzināts
labprātīgi nests upuris lielākai nākamai dzīvei. Jā-
nai nav miesīgu bērnu, bet savas sirds saulē viņa
kā „ērgļu pērklī" ir uzaudzinājusi jaunu nākotnes
cilti, kļūdama par māti visiem, kam „sirds grib
laba būt." Jāna ir simbols — Pasaules Māte — uni-
versālais sievietības princips kā regulētājs pretstats
vīrietības principam pasaules kosmisko likteņu gai-
tās. Un liktenīgā kārtā šai simboliskai traģēdijai
bija jāpaliek beidzamajai rakstnieces drāmatisko
darbu virknē. Tā kļuva par apoteozi viņas mūža
darbam un viņas būtības apliecinātāju. Jo a u g -
l ī g a m ā t e universālajā sievietības jēdzienā bija
Anna Brigadere pati, kaut arī viņas dzīvei bija lemts
Ilgas un karalienes Jānas traģisms.*

*Kad Īridas bijušais skolnieks, mācītājs Pauls Ro-
zenbergs aicināja viņu tai pavasarī uz savu Kok-
neses draudzi runāt mātes dienā, tad viņa iedo-
māja paplašināt mātes jēdzienu, ietverot tajā garīgo
māti. Un viņa runāja par Annu Brigaderi. Tas bija
neparasti. Bet Īridai šķita, ka, godinot mātes dienā
bezbērnīgo rakstnieci, viņai bija izdevies bagātināt
tradicionālo mātes jēdziena izpratni.*

O

*Zenta Mauriņa grāmatā Baltais ceļš stāsta, cik
nomākta jutusies Anna Brigadere par „netaisnajām*

atsauksmēm" pēc Karalienes Jānas pirmizrādes, un tad piebilst: „...un es domāju: mainās laikmeti, mainās virzieni, bet cilvēku stulbā netaisnība paliek arvienu tā pati." (15., 16. lapp.). Pretrunīgi pēc tam ir citā vietā lasīt: „Viņa nepazina bezcerīgo veltības izjūtu, tādēļ arī nevarēja rakstīt traģēdijas, kas pārliecina." (82. lapp., retinājums mans). Jo šāda atziņa taču tad arī ir kvalificējama kā „netaisna atsauksme"...

Ir saprotams, ja Anna Brigadere pati par dziļi izsāpētu darbu saka: „Ja ar šo darbu man neizdosies sabiedrību aizdedzināt, viņas sirds balsi atmodināt, — tad bezcerībā jānoliek spalva." Un pēc izrādes: „Tā īsti taču neviens nav sapratis. Bet pašai liekas, ka tas varbūt mans dziļākais darbs." (B. c., 15. lapp.). — Dziļākais psīcholoģiski un ideoloģiski — jā, bet — „vērtībā tā nav viņas augstākā virsotne," — spriež arī rakstnieces neapšaubāmi dziļi sirsnīgais atzinējs Pēteris Ērmanis jau pieminētajā rakstā Atmiņas par Annu Brigaderi. Subjektīvais radītāja mākslinieka izjutums pret savu radījumu palaikam ir atšķirīgs no viņa darba uztvērēja objektīvā izjutuma. Jo būtiski tuvāks radītājam ir kāds viņa darbs, jo sāpīgāka šī atšķirība. Irida domāja, ka tā to būs pārdzīvojusi Anna Brigadere, nesaņēmusi beziebildumu atsaucību savām lielajām traģēdijām.

O

Lai gan Annas Brigaderes Ilga bija pietuvinājusi Iridu rakstniecei kā neviens cits viņas darbs līdz tam, tomēr zināms atstatums viņas izjūtā joprojām palika. Irida juta rakstnieci viņas darbos tuvu, ne tik daudz dzīvē. Rakstniecei visa dzīve bija sakoncentrēta tās darbā. Arī draudzīgās attieksmēs būtiskais bija rezonances nepieciešamība viņas darbībai. Irida, turpretim, intensīvi dzīvoja savu personīgo dzīvi. Tā paņēma no viņas tās lielāko daļu. It īpaši jau pēc tam, kad viņas dzīvē ienāca bērns. Pie rakstnieces tad iznāca aiziet retāk. Mazāk aktīvi iesaistīties viņas pasaulē.

Trīsdesmit piecu gadu darba atceru izskaņā, 1932./33. gada ziemā rakstniece daudz slimoja. Želmeņi tai pavasarī posās pārcelties uz dzīvi Meža parkā, Irida bija nevaļīga un tikai pa tālruņi sazinājās ar rakstnieci. Kad viņa no jaunās dzīves vietas piezvanīja rakstniecei, tā solījās katrā ziņā pirms aizbraukšanas uz Sprīdīšiem viņu vēl apciemot. Un Irida solījās vasarā kopā ar dēlu apciemot Sprīdīšus, ko vienmēr bija atlikusi dēla mazgadības dēļ. Tomēr rakstniecei bija iznācis aizbraukt solījumu neizpildījušai. Un Iridai — tai nācās savu solījumu izpildīt vienai pašai pēc skumjās, skumjās ziņas saņemšanas...

O

Rīta stundas mierā, aiznākošā dienā pēc Jāņiem, ieskanējās tālruņa zvans. Zvanīja Latvja redaktors Felikss Krusa. Pēc dažām aplinkus frazēm jautājums: „Vai jūs jau zināt, ka mirusi Anna Brigadere? — Nē, to Irida nezināja. Viņa zināja, ka rakstniece aizbrauca uz Sprīdīšiem pēc noslimotās ziemas ar cerību tur atkal pa vasaru atspirgt. Ar cerību — tur atkal panākt nokavēto: formā īstenot iztēlē iecerētos un iznēsātos darbus. — Un nu bija beigas. Kā tas sāpēja!

Redaktors vēlējās izkārtot Iridai braucienu uz Sprīdīšiem, lai saņemtu no tās aprakstu par rakstnieces izvadīšanu no Tērvetes dievnama uz Rīgas Doma baznīcu. Notika sazināšanās ar grāmatnieku Jāni Rapu un pēc tam kopā autobrauciens uz Sprīdīšiem.

Sprīdīšu pagalmā sidrabotā Brigaderu Maija saņēma Iridu ar smagu pārmetumu: „Un nu jūs varējāt atbraukt!" — „Jā, nu es varēju atbraukt," teica Irida. — Vienpadsmit gados viņa to nebija varējusi. Pašas dzīve viņu bija atturējusi. — Lai paaugas dēlēns, — viņa bija domājusi — tad mēs aizbrauksim apskatīties vietas, kur mazās Anneles kājiņas ir tekalējušas. Puisēns bija lielos draugos ar Anneli jau kopš sava trešā dzīves gada. Viņš bija arī draugos ar Anneles garīgo māti — lielo Annu Brigaderi. Gan tad mēs izciemosimies.— Tā domājot aizritēja vasara pēc vasaras. Un nu bija par vēlu... Nu Anna Brigadere dusēja mūžības mierā mazajā, baltajā dievnamā Tērvetes kapu kalnā.

Viss vasaras ziedu krāšņums te bija mīlošu roku
sanests. Šaurā pagaidu šķirstā, tautas tērpā, uz
kreiso pusi pagrieztu vaigu,. kā mierīgi aizmigusi
gulēja rakstniece. Nāves labdarīgā roka bija aiz-
glāstījusi no aizgājējas sejas ilgo dzīves gadu zī-
mes. Tikai ap muti bija palicis tikko pamanāms
atstātības rūgtuma vaibsts...

Te nu kā lokā bija noslēgusies visa Annas Brī-
gaderes dzīve. Sākusies tuvējās Baļļu mājās, aiz-
locījusies tālos un dažādos ceļos, tā bija atgriezusies
un raženi vainagojusies Sprīdīšu desmit vasarās.
Likās, dabīgi varēja rasties doma, ka tepat rakst-
niecei piederētos arī apgulties... Līdzās dievinātā-
jam tēvam kalna kapsētiņā. To apsverot, tuvinieki
tomēr atzinuši, ka rakstniece ar saviem darbiem
tik dziļi ieklāvusies tautā, ka arī viņas atdusas
vietai jābūt tautai plaši pieejamai valsts galvas pil-
sētā — Meža kapos.

Brīnišķā saulainā novakarē tad nu gāja rakst-
nieces beidzamais ceļš cauri zaļās Zemgales lau-
kiem. Brīnišķi mākoņi gaisos, ziedi pļavās un pla-
šums visapkārt, — viss ko tā mīlēja aizgājēja šai
saulē, izvadīja viņu no dārgās dzimtās vietas uz
tālo aizsauli. Jelgava, kur Annele agrajā mūža pus-
plaukā bija jutusies kā akmeņu sprostā, nu iznāca
viņai pretī ar savu iedzīvotāju tūkstošiem, klājusi
akmeņainās ielas ar krāšņu ziedu rotājumu. Va-
kars jau bija ieslīdējis naktī, kad sēru gājiens ap-
stājās Doma baznīcā, Alfreda Kalniņa ērģeļu mū-
zikas sagaidīts.

Sēru dienas dalībnieki rakstnieki nu iegriezās
Mākslinieku klubā, lai atspirdzinātos un tad rakstītu
steidzamās korespondences saviem laikrakstiem. Arī
Īridai tas bija jādara: redaktors vēl līdz pusnaktij
bija vēlējies saņemt viņas rakstu. Pēc garās dienas
un intensīvā pārdzīvojuma Īridu mocīja nepaciešа-
mas galvas sāpes. Tās bija ar gribas spēku jā-
pārvar. Nākošā dienā Latvī bija raksts — P ē d ē-
j a i s   g ā j i e n s   p a   z a ļ ā s   Z e m g a l e s   l a u-
k i e m.

O

Valsts un tauta otrā dienā ar lielu godu pavadīja
aizgājēju atlikušajā ceļa posmā. Tā bija pieticīga

140

vieta kapsētā, ko rakstniece pati bija noskatījusi savai atdusai. Varēja likties, ka arī viņai — lielajai vientuļniecei dzīvē — būtu piederējies apgulties vienai tāda pakalna augstienē, kāds bija izraudzīts ģeniālajam vientulim Jānim Porukam. *Bet Anna Brigadere bija vēlējusies sev blakus aizmūžā brāli un tā dzīves biedri, ar kuriem tik cieši bija līdztekus gājis viņas darba mūža ceļš.*

Nepārredzams ļaužu pulks, grezns ziedu klāsts, runas... runas... Kopnovērtējumā tās apliecināja Annu Brigaderi pie viņas kapa par l i e l ā k o L a t v i j a s s i e v i e t i. Un Irida domāja: tas nu ir gandarījums l a t v i e š u l i e l ā k a j a i r a k s t n i e c e i par vienīgi darbam atdoto mūžu.

Pēc tam viņa uzrakstīja žurnālam Burtnieks lūgto rakstu — A n n a s B r i g a d e r e s p i e m i ņ a i.

O

Vasaras beigās Irida saņēma vēstuli no Ventspils. Rakstīja mācītājs un Ventspils ģimnazijas direktors Atis Jaunzems, rakstnieka Apsīšu Jēkaba dēls. Viņš lūdza Iridu uz Ventspili ar referātu par Annu Brigaderi. — Jā, viņa brauks. Ventspilī taču divus gadus bija dzīvojusi arī pati Anna Brigadere, kad uz turieni aizprecējās māsa Līziņa un ņēma mazo māsu līdz. Tur viņi bija bijusi izdevība mācīties, lasīt vācu klasiķus un mazpilsētas sabiedrībā vērot dzīvi un cilvēku likteņus. Vienu tādu viņa bija ietēlojusi pēc divdesmit gadiem uzrakstītā stāstā Lūcija Dunkere. Irida gribēja redzēt šo pilsētu un iztēlē izstaigāt to kopā ar toreiz jaunavībai plaukstošo Annu Brigaderi. Tāpēc, kad direktors Jaunzems apvaicājās par viņas honorāra prasībām, viņa tā vietā lūdza sagādāt tai iespēju pēc priekšlasījuma vienu lieku dienu palikt Ventspilī tās apskatei.

Viņa izbrauca sestdienas vakarā. Dzelzceļa piestātnē to sagaidīja direktors Jaunzems un aizveda uz viesnīcu pārnakšņošanai. Priekšlasījumam bija jānotiek svētdienas pievakarē, ģimnazijas telpās. Pusdienās direktors ielūdza Iridu savā ģimenē. Viņa kundze bija viena no rūpnieka Celmiņa meitām, — mazajām apaļajām sārtvaidzītēm, kas Iridai bija palikušas atmiņā no skolas gadiem Maldoņa ģimnazijā. *Tagad tā pati audzināja divas jaukas meitiņas. Kaut Īridai šī bija pirmā iepazīšanās ar direktoru un viņa ģimeni, viņa jutās apvienota ar tiem kopīgajā tuvībā ar Annu Brigaderi. Jo sarunās pierādījās, ka šai ģimenē rakstniece ir bijusi mīļš, tuvs draugs. Arī meitiņām. Tās pazina mazo Anneli tik pat labi, kā to bija pazinis Īridas mazais dēls. Šīs pēcpusdienas stundas deva Īridai īsto noskaņojumu vakara priekšlasījumam, kas bija pārpilns jaunu uzņēmīgu klausītājos. Priekšlasījums deva tiem koncentrētu ieskatu Annas Brigaderes dzīvē un darbā: biografiskus datus un kritisku kopnovērtējumu par rakstnieces sniegumiem visos literāros žanros — drāmā, daiļprozā un dzejā.*

Nākamā dienā, direktora Jaunzema laipnā pavadonībā, Īrida izstaigāja nelielo piejūras pilsētu. Neredzēts skats bija viļņu šķēlējs mols ostā un pati īpati dekoratīvā zvejnieku osta. Un tad viņi cēlās pāri upei un gāja uz kapsētu Pārventā. Tur nelaikā bija apgūlusies Anneles daiļā, apbrīnīgi mīļotā māsa Līziņa. Tās kapa vieta nebija aizmirsta ne aizlaista šais ilgajos, garajos gados. To zināja un apmeklēja kā ventspilnieki paši, tā katrs gadījuma iebraucējs, ja tam bija dzīvs sakars ar latviešu literātūru un pazīšanās ar Annas Brigaderes darbu cienītājiem Ventspilī.

Pievakarē Īrida šķīrās no simpatiskās Jaunzema ģimenes. Kā daudz izcilu gara darbinieku, arī direktora Jaunzema dzīvību paņēma Baigais gads: viņu nošāva komūnistu okupanti.

○

Rudenī, atsākoties akadēmiskajam gadam, Latvijas universitātes studenšu korporācijas rīkoja Annas Brigaderes piemiņas vakaru. Tās aicināja Īridu Rasu-Zelmeni piedalīties sarīkojumā ar Ventspilī lasīto referātu. Pārpildītā Latviešu biedrības zāle sagaidīja Īridu mēmā klusumā — dziļas goddevības gaisotnē pret aizgājušo rakstnieci — vairāku korporāciju goda filistri. Akadēmiski izglītotās latviešu sievietes bija uzņēmušas Annu Brigaderi savā vidū kā savu garīgo māti.

○

Dziļā ziemā ar šo pašu referātu Iridai bija jābrauc uz Annas Brigaderes dzimto vietu, tērvetiešiem godinot rakstnieces piemiņu. Kopā ar Jāni Rapu viņa brauca uz Sprīdīšiem. Uz ziemas salā tukšiem, aukstiem Sprīdīšiem... Priekšlasījums notika Tērvetes tuberkulozes sanatorijā. Pie vakariņu galda, pārrunājot iespaidus, Tērvetes skolas pārzinis uzsvēra priekšlasījuma īpašo nozīmi tieši šeit, rakstnieces dzimtajā pagastā. Jo esot bijis svarīgi parādīt rakstnieces lielumu pašu cilvēkiem, kas to līdz šim, ikdienas apstākļos, nemaz neesot pilnīgi apzinājušies. Akadēmiski augstvērtīgais priekšlasījums nu viņiem licis to saskatīt.

O

Jāpārnakšņo bija Sprīdīšos. Iesildītas bija tikai divi blakus istabas — rakstnieces darba un guļamtelpa un Jāņa Rapas istaba. Neiedomājams stāvoklis: Irida guļ gultā, kur gulējusi, domājusi, sapņojusi un uz neatmošanos aizmigusi Anna Brigadere... Domas un izjūtas drūzmējas ar pārvarīgu spēku un neļauj Iridai iemigt. Ilgi, ilgi...

Otrā rītā sanatorijas auto, kā atvedis, aizveda viņus abus atpakaļ uz mazo, ziemas atstātībā iegrimušo dzelzceļa piestātni atpakaļbraucienam uz Rīgu.

Šis lasītais raksts — Anna Brigadere — tika iespiests kompilatīvajā Latviešu literātūras vēsturē IV, 1936. g.[11]).

O

Sprīdīši Annai Brigaderei nebija tikai vasaras atpūtas un darba vieta. Tie bija arī rūpju objekts: to uzturēšana kārtībā un to izveidošana prasīja lielas piemaksas. Gadiem ejot, rakstniecei tas sāka šķist par grūtu, un viņa bija norūpējusies par Sprīdīšu nākotni. Stiprs atbalsts morāli un materiāli visos šais gados viņai bija bijis radinieks un draugs Jānis Rapa. Dārznieka kultivētais rožu dārzs bija rakstnieces pašas acu raugs. Jānis Rapa, liels koku mīļotājs, Tērvetes otrā krastā bija licis iekopt koku dārzu, kur netrūka arī botanisku retumu. Šī sirsnīgā dalība Sprīdīšu izkopšanā un rakstnieces pašas dzi-

143

vē un darbā tad arī ļāva saprast to, par ko faktu nezinātāji brīnījās, kad Rīgas Apgabaltiesas 3. civīlnodaļa apliecināja rakstnieces Annas Brigaderes notariālo testamentu „ar tiesas lēmumu no 1934. gada 28. februāra par likumīgā spēkā gājušu," — proti par to, ka testamentā Sprīdīši bija novēlēti Jānim Rapam. To rakstniece jau laikus bija nokārtojusi: testaments tika noslēgts 1930. gada 19. septembrī, un ar to nodrošināta Sprīdīšu eksistence pēc rakstnieces aiziešanas...

Literārajā pasaulē par notikumu kļuva testamenta sekojošā daļa: „a) Puse no manu literārisko darbu tekošiem ienākumiem nāk par labu manam brālim Jānim Brigaderim vai viņa laulātai draudzenei Annai Vilhelmīnei Brigaders viņu dzīves laikā; b) viss atlikums no manu literārisko darbu ienākumiem sastāda sevišķu fondu, kas izlietojams sekošā kārtā: 2/3 (divi trešdaļas) no tā manu darbu un piemiņas popularizēšanai kā Latvijā, tā ārzemēs; viena trešdaļa izdalāma literāriskai prēmijai, kas piespriežama ik pa trim gadiem labākam latvju nacionāli ideālistiska virziena daiļdarbam; c) minēto fondu pārzina un par viņa līdzekļiem lemj Annas Brigaderes komiteja, sastāvoša no trim personām. Komitejas pirmajā sastāvā ieiet mans brālis Jānis Brigaders, grāmatrūpnieks Jānis Rapa un viens ievērojamākas rakstnieku biedrības pārstāvis, bet literāriskās prēmijas izspriešanai pieaicināmi vēl divi literāti; d) pēc mana brāļa Jāņa Brigadera un svainienes Annas Vilhelmīnes Brigaders, dzimušas Veinbergs, nāves, visa viņiem pienākamā daļa ienākumu no maniem literāriskiem darbiem pāriet uz minēto fondu, pie kam turpmāk komitejas sastāvā jābūt vienam no manas dzimtas locekļiem un diviem rakstnieku biedrības pārstāvjiem no to rakstnieku vidus, kas darbojas nacionāli ideālistiskā virzienā. Komitejai ir kooptācijas tiesības."

Uz šī testamenta pamata Annas Brigaderes komiteja uzsāka darbību 1934. gada 17. maijā, par komitejas trešo dalībnieku pieaicinot rakstnieku Līgotņu Jēkabu, kas tai laikā bija Rakstnieku un žurnālistu arodbiedrības priekšsēdis. Amatus sadalot, Jānis Brigaders uzņēmās komitejas priekšsēža pienākumus, Jānis Rapa kasieŗa un Līgotņu Jēkabs sekretāra.

Pēc Jāņa Brigadera drīzās nāves, 1936. gada 27. februārī, palikušie pieaicināja komitejā Īridu Rasu-Zelmeni, Līgotņu Jēkabam kļūstot par priekšsēdi un viņai par sekretāri. Tā konstruējusies, komiteja sāka darboties no 1936. gada 29. februāŗa, sēdes izsmēlīgi protokolējot nummurotu lappušu grāmatā.

O

Pienāca laiks rūpēties par testamenta vienas prasības īstenošanu: piešķirt literāro prēmiju labākajam nacionāli ideālistiska virziena daiļdarbam no triju gadu literārā devuma. Saskaņā ar testamenta prasību, izspriešanā nolēma pieaicināt redaktoru Jāni Grīnu un bibliotēkāru Kārli Egli. Triju mēnešu ilga sirdsapzinīga sijāšanas darba rezultātā nobalsošanai beigās izvirzījās divi darbi: Aleksandra Grīna romāns Dvēseļu putenis un Jāņa Medeņa dzejoļu krājums Varenība. Pēdējo it seviški sīki interpretēja un karsti aizstāvēja Jānis Grīns. Līgotņu Jēkabs un Jānis Rapa iestājās par Al. Grīnu, kā Īridai likās — vairāk gan tāpēc, ka šis kareivīgais rakstnieks taī laikā bija lielā favorā valdošās aprindās. Pati viņa labprāt būtu godalgojusi dzejnieces Elzas Stērstes pēdējo dzejoļu grāmatu Mezgloti pavedieni, bet tai jau nebija nekāda izteikti nacionāli ideālistiska virziena; tā bija tikai smalka, formā izslīpēta, vispārcilvēciskā kultūrā bazēta dzeja. Tāpēc viņa pievienojās Jāņa Grīna ieteikumam un balsoja par Medeņa Varenību, kaut gan personīgi tuva šī bajāriskā dzeja viņai nebija. Bet viņa atzina un augsti novērtēja dzejnieka savas personīgas metriskās formas izkalšanu, kas manifestējas Varenībā un piešķiŗ šai dzejai patiesu monumentalitāti. Arī Kārlis Egle karstajās debatēs nosvērās Medeņa pusē, un tā, ar trim balsīm pret divām Jānis Medenis kļuva par pirmo Annas Brigaderes prēmijas laureātu, iegūstot trīs tūkstoš latu lielo godalgu.

Tā bija līdzšinējā godalgošanas praksē nedzirdēta summa. Kultūras fonda ik gadu piespriestās

145

augstākās godalgas māksliniekiem parasti nemēdza pārsniegt piecsimt latu. Annas Brigaderes darbi tik plaši bija gājuši tautā, ka to ienākumu tikai viena sestā daļa jau deva šo respektējamo summu. Kad tā paša gada maijā ar likumu nodibināja 50.000 latu valsts prēmiju — Tēvzemes balvu, kas ik gadus sadalāma ne vairāk kā 6 personām par izciliem nopelniem tautas un valsts labā, pie kam mazākais piešķīrums nedrīkst būt zem trīs tūkstoš latiem, — tad it dibināti sabiedrībā radās doma, ka tā būs bijusi Annas Brigaderes izcilā prēmija, kas deva ierosmi valdības kultūrāli augstvērtīgajam lēmumam par šādas Tēvzemes balvas dibināšanu.

Prēmijas pasniegšanas aktam komiteja izraudzīja 1937. gada 10. janvāri, to datumu, kuŗā bija notikušas rakstnieces 25 un 35 gadu darba jubilejas. Brīvās Zemes sarīkojumu zālē pārsvarā akta apmeklētājos, protams, bija literārā pasaule. Pēc komitejas priekšsēža Līgotņu Jēkaba apcerējuma par laureātu, katedrā kāpa dzejnieks pats — varens, stalts vīrs — un pērkonīgā balsī ritmiski skandēja rindu dzejoļu savos „Medeņa metros". Irida redzēja, dzirdēja un vēroja dzejnieku pirmo reiz. Viņa bija gan dzirdējusi valodas par viņu — par viņa bohēmiska dzīrotāja dabu... Par to bija ieskanējušās bažas arī komitejā: vai lielā prēmija sasniegs savu īsto mērķi — dot iespēju kādu laiku nodoties radīšanas darbam bez lielām materiālām rūpēm.

Bažas izrādījās bijušas nevietā. Prēmija palīdzēja dzejniekam atstāt maizes darbu Rīgā un uzcelt paša mitekli — Medeņus — dzimtā vietā. Arī Latvijas valsts un tautas likteņa traģisko samezglojumu laikā — pirmajā krievu un pēc tās vācu okupācijā — Jānis Medenis dzejoja un 1942. gadā publicēja jaunu dzejoļu krājumu Teiksmu raksti. Un tikai varmācīgā Latvijas brīvības nožņaugšana spēja apklusināt dižo dzejnieku, uz daudz gadiem izsūtītu verdzības postā. No tā kādreiz varenais vīrs atgriezās miesīgi un garīgi aizlauzts. Pēc vairākkārtējām sirds vājuma lēkmēm, 1961. gada 10. martā dzejnieks aizgāja mūžības mierā.

O

Dzīves līku loču ceļi reizēm saved kopā cilvēkus nekad neiedomātās vietās un laikos.

Bija 1940. gada rudens. Sestdienas vakars. Inta Zelmeņa brāļa meitas laulības. Pārdaugavā. Nedaudzo viesu vidū — dzejnieks Jānis Medenis ar kundzi. Jo viņš ir jaunlaulātā vīra brālēns. Abu vecākiem lauku mājas kaimiņos. Dzejnieks braucis no saviem Medeņiem tieši uz laulībām.

Latvieši dzīvoja krievu jūgā. Bet viņi vēl neapzināja visu tā baigumu. Vēl krieveļi tiem bija tikai pārgalvīgu anekdošu neizsmeļams avots. Tā arī šai vakarā asprātības par tiem sprēgāja pie mielasta galda, un smiekli pāršalca mazo sabiedrību, jo visi jau ir droši pašu cilvēki — nav ko baidīties vaļ pierauties.

Un tomēr! Reižu reizēm, kad valodas kļuva jo nepiesardzīgi skaļas, atskanēja klusinātājs — ššš, ššš... Tas bija pats nama tēvs, bijušais ārlietu ministrijas ierēdnis V., kas brīdināja pārgalvīgos nezinātājus. Viņš zināja. Viņš pēc krievu ienākšanas tika aizsaukts uz Maskavu, it kā sūtniecības lietu kārtošanai un — tur pazuda. Visus šos ilgos mēnešus viņa tuvinieki nekā par viņu nezināja — vai viņš dzīvs vai miris. Un kad viņš tikai nesen pārradās, tad viņa paša sieva teicās to vairs nepazīstam, — ne miesīgi, ne garīgi. Un arī neuzzināja — ne kur viņš bijis, ne ko darījis, ne kas ar viņu noticis. Šo mīklaino visa noklusēšanu tuvinieki nesaprata, jo šeit neviens jau vēl nezināja, ka brīvā atlaistam čekas upurim pie savas dzīvības ir jānosolās nekā par piedzīvoto neizpaust. Viņš nu šais sava dēla laulībās bija vienīgais, kuŗa tramīgie skati klejoja uz durvīm, uz logiem, slīdēja pāri jautrajiem kāziniekiem, apsaukdami un brīdinādami no neredzamā, visur esošā izspiegotāja.

Tas tomēr nevienu netraucēja. Irida vēroja dzejnieku. Šais pavisam citos, mājīgos apstākļos, nevis kā toreizējā akta oficiālajā gaisotnē. Sākumā tas likās pabikls, bet pie vīna glāzes iesildams, atraisījās un kļuva valodīgs, paklusi ducinādams savu tumšo basu. Drīz vien Īridai iesaistījās divsaruna ar dzejnieku. Abi atcerējās godalgošanas aktu, un Īrida ieminējās, ka tā apbrīnojusi dzejnieka balss spēku savu dzejoļu skandējumā. Uz to dzejnieks pateica, ka tas esot bijis no lielām bailēm. Viņam bijis tāds respekts pret Rasu-Zelmenes kundzi, ka aiz uztraukuma nespējis balsi novaldīt. Īridai bija jāpasmejas par tādu bērnišķīgu atzīšanos. Tomēr dzejnieks arī tagad nebeidza viņu cildināt un iedēvēja tās šī vakara izskatā par karalieni Elizabeti, un šai iesaukā vien vairs turpināja viņu uzrunāt.

Skanēja valodas, skanēja arī dziesmas. Reizēm dzejniekam duetā ar kundzi. Tie sēdēja pie galda iepretim viens otram. Un viņu skatos Īrida redzēja, ka tie arvienu vēl ir iemīlējušies viens otrā. Kundze nebija skaistule, tikai patīkama sieviete, un dziedot viņas lūpās drebēja mīlestība. — Vai nav viņai kādreiz grūti mīlēt šo izteikti stipru dziņu vīru? — domāja sevī Īrida, klausīdamās dzejnieka patlabanējā stāstījumā par dēku ar Andreju Upīti. Esot kollēgām Anša Gulbja izdodamās Konverzācijas vārdnīcas darbā, nereti iznākusi kopēja „plostošana," pie kam vecais proletāriešu rakstnieks neieturējis ne mēru, ne robežu. Tā reiz pagalam „nevarīgu" dzejnieks to pārvedis pie sevis pārgulēšanai. Arī nākamā rītā tas vēl nav apjēdzis, kur un pie kā atrodas un devis Medeņa kundzei samaksu par pavadīto nakti...

Ceļi un likteņi! Kad Īrida lasīja skopajās ziņās pēc dzejnieka atgriešanās no izsūtījuma par viņa laulības šķiršanu, tad viņai bija jādomā: kas viņus izšķīra? Vai lielais tālums, ilgie gadi, vai mīlestības izplēnējums vienam bezcerības postā, otram — varbūt — jaunā, labā dzīvē? Ar savām atmiņu acīm Īrida vēl arvien redz tos vienotus tvīksmīgā tieksmē, jo nekad vairs pēc toreizējās kāzu nakts nav tos redzējusi.

O

Trīs gadi atkal bija pagājuši. Atkal sākās lielais, atbildīgais sijāšanas darbs. Jāņa Grīna vietā, kas pa tam bija kļuvis Nacionālā teātra direktors, godalgošanas komisijā pieaicināja Annas Brigaderes garam tuvo jauno dzejnieci Zinaīdu Lazdu. Darbs bija grūts. Nedevās atrast neapstrīdami izcilu sacerējumu prēmēšanai.

Tuvojās jau gada beigas. Bija jāizšķiras. Tad pretrunās iestigušajā komisijā ienāca ziņa, ka vēl pirms Ziemassvētkiem tiks izdota Aleksandra Čaka latviešu strēlnieku poēmas Mūžības skartie otra daļa, un ar to šis dzejojumu cikls būšot nobeigts. Annas Brigaderes komiteja principā negodalgoja nenobeigtos darbus, piemēram, kāda romāna jau iznākušu daļu vai daļas, ja tam bija vēl paredzēts turpinājums. Tāpēc tā Čaka Mūžības skarto pirmo daļu nebija uzņēmusi apspriežamo darbu skaitā. Nu stāvoklis grozījās, un komiteja nepacietīgi gaidīja apsolīto grāmatu. Un tiešām, abi Mūžības skarto sējumi savā monumentalitātē tālu pārsniedza visu pārējo līdz tam apskatīto. Par poēmas mākslinieciesko kvalitāti nebija nekādu šaubu, un nacionālo momentu izvirzīja jau pati tematika, un taisni pārsteigt varēja dzejnieka izaugšana šais dzejojumos vietām pat līdz patētiski patriotiskam lietu skatījumam un izjutumam. Pārrunas komisijā gan izraisīja Čaka līdz tam pazītā pakreisā nostāja un simpatijas, bet komisija vērtēja d a r b u, ne p i l s o n i, un š i s darbs netikvien bija ieguvums latviešu nacionālajā mākslā, bet arī izredzēs solīja nacionāla dzejnieka ieguvumu. Arī personiskā sarunā ar dzejnieku izdevējs J. Rapa bija guvis pārliecību, ka no Čaka kreisās pagātnes nav gaidāmi pārsteigumi nākotnē un ka dzejnieks pats jūtami vēlas prēmiju iegūt.

Pēc godalgošanas akta (1940. gada 10. janvārī) oficiālās daļas Latviešu biedrībā komiteja bija sarīkojusi intīmas vakariņas. Īrida, kā komitejas locekle, bija laureāta galda dāma. Un viņa nav varējusi aizmirst, ar kādu pazemību dzejnieks pieņēma tā vakara pagodinājumu sev. Viņš teica tai, ka pilnīgi apzinoties to atbildību, ko viņam šis pagodinājums uzliekot un viņš soloties visu darīt, lai to at-

*taisnotu. Viņš stāstīja arī par saviem turpmākiem
plašiem nodomiem šīs pašas latviešu strēlnieku te-
matikas novadā.* Citādi bikls un kluss, necenzda-
mies vispārējo situāciju pārvaldīt, viņš norobežojās
sarunās ar Īridu, un viņai bija prieks, ka lielo mo-
rālo un materiālo Annas Brigaderes literārās prē-
mijas atbalstu komitejai bija izdevies piešķirt dzej-
niekam, kas ir netikvien izcili apdāvināts, bet kas
arī pilnā apziņā uzņemas lielo atbildības smagumu
savas tautas priekšā.

O

Nav izsakāms, kāds sitiens taisnī šīs sarunas dēļ
Īridai bija Aleksandra Čaka 1940./41. gada okupā-
cijas laikā žurnālā Karogs ievietotie divi viņa garie
dzejojumi ar Staļina slavināšanu un nacionālās Lat-
vijas nopulgošanu, ar 1940. gada 17. jūnija atzīšanu
par latviešu tautas laimīgo dienu! Kāpēc viņš to
darīja? Labprātīgi vai piespiests? To Īrida nezināja,
jo personiska kontakta tai ar dzejnieku pēc piemi-
nētā vakara vairs nebija bijis.

Jāatgriežas pie šī jautājuma atkal bija Annas Bri-
gaderes komitejai 1943. gada janvārī, sakarā ar rī-
kojamo nu jau treškārtējo prēmēšanas aktu. Čaks
komūnistiem nebija devies līdz uz Maskavu kā
Sudrabkalns. Bet viņš tomēr nebija arī vēlējies atkal
aktīvi darboties latviešu literātūrā pēc viņu aizieša-
nas. Nesaskan ar faktiem Jāņa Grīna teiktais, ka
Čaks vācu okupācijas laikā bijis aizliegts. Kritiķis
Jānis Rudzītis, viens no Latvju Mēnešraksta redak-
toriem, zina teikt, ka redakcija vairākkārt lūgusi no
Čaka darbus, bet viņš nenoteikti izvairījies tos dot.
Kāpēc? Vai aiz komūnistiskas pārliecības, jeb vai
tikai aiz zināmas smalkjūtības — nedzert no akas,
ko pats piespļāvis? Atkal nezināms.

Līdzīgu izvairību piedzīvoja Annas Brigaderes ko-
miteja. Sekojot tradicijai vajadzēja ielūgt aktā ag-
rākos laureātus. Bet Īridai, kas tai laikā bija komi-
tejas priekšsēde, šķita neiespējams — ar Annas
Brigaderes testamenta vēlējumu un garu nesaska-
ņojams — lūgt un sēdināt goda vietā dzejnieku, kas
slavinājis 1940. gada 17. jūniju, ja viņš to a i z
p ā r l i e c ī b a s darījis. Viņa gan cienīja katru

150

īstu pārliecību, arī to, kas bija pretrunā ar viņas pašas, bet tad tai bija jābūt godīgai un patiesai. *Kad nu Čaks bija bijis patiess? Vai tad, kad ar lielu iekšēju gatavību pieņēma Annas Brigaderes vienīgi nacionāli ideālistiskam darbam piešķiŗamo prēmiju un solījās būt tās cienīgs, jeb vai tad, kad to ar savu 17. jūnija slavinājumu nonicināja? Kad komitejas loceklis Kārlis Egle šai sakarā bija jautājis: „Saki, kas tu īsti esi — komūnists vai nacionālists? — Čaks vilcinādamies atbildējis: „Es esmu latviešu tautas dzejnieks."*

Vai tādēļ Čaks palika Latvijā 1944. gada rudenī? Vai viņš — tautas dzejnieks — gribēja palikt pie tautas? Nav pieņemams J. Grīna apgalvojums, ka Čaks aiz stipra s a r ū g t i n ā j u m a par to, ka vācu okupācijas laikā bijis aizliegts, palicis Rīgā, kur noliecies Maskavas sirpja un āmura varas priekšā. Jo Čaks jau 1940./41. gadā noliecās šīs varas priekšā, kad nebija vis vēl piedzīvojis no okupācijas varas sarūgtinājumu, bet gan ar Mūžības skartiem — ar Grīna paša vārdiem runājot — ieguvis lielus panākumus: kritikas un dzejnieku draudzes atzinību, popularitāti, godalgas. Līdz ar to tā kā jauns spožums pārlējies arī pār citām Čaka grāmatām.

Bet vai tā nebija t a u t a, kas godināja savu dzejnieku par tautas varonības godināšanu viņa dzejā? Kāpēc viņš no tās novērsās? Kāpēc viņš pa otram lāgam pieņēma gara verdzību, kad par to nekādu illūziju vairs nevarēja būt? Vai uz šiem jautājumiem kādreiz kāds varēs dot drošas atbildes? Dzejnieks pats ir apklusis mūžībā.

Atbildes tomēr ir meklētas un tikušas arī dotas, un visjaunākā no tām laika tecējumā ir Andreja Johansona 1970. gadā izdotajā grāmatā Visi Rīgas nami skan. Īridu tajā pārsteidza ne Čaka „politiskās ievirzes" iztirzājums, bet gan viņai līdz šim nezināmais atklājums par diezgan daudzām diskusijām par laureāta izvēli Annas Brigaderes prēmijai, kas notikušas „protams, ne jau Sabiedrisko lietu ministrijas uzraudzītajā presē, bet privātās sarunās." Šais diskusijās tad nu — vienkārt — aizrādīts, ka Annas Brigaderes prasītā nacionāli ideālistiskā no-

151

krāsa Čaka balādēs neesot saskatāma, un otrkārt —
tie, kas iedomājušies sevi par tālredzīgiem polīti-
ķiem, apgalvojuši, ka ļoti pareizi godalgot grāmatu,
kur cita starpā runa arī par sarkanajiem strēlnie-
kiem: tas veicināšot labas attiecības ar „draudzīgo
kaimiņu". Pastāstījis vēl kādu sarkano rakstnieku
un dižvīru sarunu par latviešu rakstnieku iznīcinā-
šanu 1937. gadā Krievijā, Andrejs Johansons secina:
„Kādu nezināšanu tad galu galā var pārmest Lat-
vijas „buržuāziskiem reālpolītiķiem" ar viņu ie-
domām, ka Staļinu spēs ietekmēt latviešu rakstnie-
cība un ka tam mīļi sarkanie strēlnieki?" — Pēc
tā tad nu iznāk, it kā Annas Brigaderes prēmijas
godalgošanas komisija ir bijusi buržuāziski reālpolī-
tiķi un tā godalgojusi Mūžības skartos, lai ietek-
mētu Staļinu, iedomādamās, ka tas mīl latviešu
sarkanos strēlniekus!!!

Bet Annas Brigaderes komiteja nenodarbojās ne
ar kādu polītiku, to neietekmēja un tai nebija ne-
kādu sakaru ar Sabiedrisko lietu ministriju. Tā ap-
sprieda darbus objektīvi ar mākslinieciskisku un na-
cionāli ideālistisku mērogu, kā rakstnieces testa-
menta noteikums to prasīja. Tā godalgoja Alek-
sandra Čaka Mūžības skartos pārliecināta, ka šī
augstā dziesma par latviešu strēlniekiem — arī „sar-
kanajiem" — apmierina abas šīs prasības. Ka tās
lēmums būtu ticis latviešu sabiedrībā plaši apstrī-
dēts vai aplami iztulkots, tas komitejai kā tādai ne-
kļuva zināms. Irida Rasa-Zelmene, kas vienīgā vēl
var runāt otrreizējās komitejas un godalgošanas ko-
misijas vārdā (K. Egle atrodas okupētajā Latvijā un
pārējie ir miruši), uzņemas atbildību par toreizējā
lēmuma pareizību. To sankcionē arī Jāņa Grīna at-
zinums vēl pēc piecpadsmit gadiem, ka Mūžības
skartie „izceļas kā viens no vērtīgākiem un p a-
t r i o t i s k ā k i e m dzejas krājumiem." (Laiks, 1955.
g. 18. aug.).

O

Starplaikā no otras līdz trešajai godalgošanas
reizei bija risinājušās kļūmīgās pārvērtibas Latvijas

valts dzīvē. 1943. gada rudenī, pārrunājot eventuālos papildu kandidātus godalgošanas komisijai, komiteja vienojās par principu — aicināt vienu vecākās paaudzes pārstāvi, otru no jaunajiem literātiem, lai apskatu apvārsnis būtu jo plašs. Pret Zinaīdas Lazdas atkārtotu nominēšanu iebilda Irida, aizrādot, ka starplaikā iznācis dzejnieces otrs dzejoļu krājums *Staru viesulis,* un to nebūtu ieteicams izņemt no sacensības, kas, saskaņā ar komitejas pieņemto nerakstīto likumu, būtu jādara, ja grāmatas autore pati būtu godalgošanas komisijas locekle. Dzejnieces vietā pieaicināja jauno kritiķi Jāni Rudzīti un no vecākās paaudzes literātūrzinātnieku Kārli Kārkliņu.

Arī šoreiz, pēc triju gadu literārā devuma visrūpīgākā izvērtējuma, sacensības beigu galā izvirzījās dzeja, pašā virsotnē paliekot trīs jauno dzejnieku — Ērika Ādamsona, Veronikas Strēlertes un Zinaīdas Lazdas — un dzejas vecmeistara Kārļa Skalbes grāmatām. Pati pēdējā izšķiršanās taisni šoreiz bija ļoti grūta: triju jauno grāmatas, katra ar savu izteikti individuālu dzejnieka seju, tīras dzejas vērtībā bija gandrīz vienādas, un tā bija tik augsta, ka jaunības tiesību vārdā godalgošanas komisija uzdrīkstējās tās vērtēt kopīgā līmenī ar Kārļa Skalbes grāmatu *Klusuma meldijas.* Annas Brigaderes komiteja zināja, ka rakstnieces testamentārais novēlējums bija radies no rūpes par latviešu literātūras nākotni, bet tālāku nākotni radīt ir lemts jaunatnei. Bet tāpat arī komiteja apzinājās, ka dzejniekam Kārlim Skalbem ir nodarīta netaisnība, aiz citiem, ne mākslinieciskiem iemesliem, nepiešķirot viņam Tēvzemes balvu. Šo netaisnību komiteja jutās aicināta kaut daļēji izpirkt ar prestiža ziņā otru — Annas Brigaderes prēmiju. Visu šo apstākļu apsvērumā komiteja izšķīrās šoreiz, izņēmuma kārtā, piešķirt divas godalgas tradicionālās vienas vietā, jo vairāk vēl arī tāpēc, ka lielās prēmijas materiālo nozīmību tās saņēmējam šoreiz samazināja vācu okupācijas laika ierobežojumi naudas izvērtēšanā un negrozīta palika tikai prēmijas lielā morālā vērtība.

Pēc komitejas šādas principiālas izšķiršanās par labu Kārlim Skalbem palika vēl komisijai grūtā izšķiršanās jauno dzejnieku pašu starpā. Ērikam Ādamsonam un Veronikai Strēlertei līdz tam bija bijis vairāk daudzināts vārds, bet ar krājumu Staru viesulis Zinaīda Lazda it kā pēkšņi atvērās krāšņā un īpatā dzejas plaukumā. Ar Strēlertes smalko intelektu grāmatā Lietus lāse un Ādamsona izsmalcināto poētiskumu Saules pulkstenī nu sacentās Zinaīdas Lazdas būtiskais latviskums viņas dzejas garā un formā. Un taisni šīs īpatības dēļ godalgošanas komisija beidzot izšķīrās par Lazdas dzeju, jo tā vispilnīgāk no visiem trijiem apmierināja arī testamenta īpašo prasību pēc godalgojamā darba nacionāli ideālistiskā virziena. Ja šīs īpašās prasības nebūtu bijis, tad — vismaz Īrida un Jānis Rudzītis subjektīvā izjutumā augstāko atzinību būtu devuši Ērika Ādamsona Saules pulkstenim.

Nenoliedzami, šī prominentā atzinība — Annas Brigaderes prēmijas piešķīrums — palīdzēja Zinaīdas Lazdas dzejai kļūt plašāk pazīstamai, nekā tas bija bijis līdz tam. Un taisni šai otrai viņas dzejoļu grāmatai tāds atbalsts lieti noderēja, jo šī nebija viegli lasāma dzeja. Kad godalgošanas aktā Nacionālajā teātrī (1943. g. 10. janvārī) Īrida Rasa-Zelmene, kā komitejas priekšsēde, teica tradicionālo runu par laureātiem, viņa īpaši centās raksturot būtisko atšķirību abu godalgoto grāmatu starpā. Līdzībā viņa teica, ka Skalbes dzeja ir kā ziedoša pļava, kur katrs ceļa gājējs — augsti mācītais vai nemācītais — bez pūlēm var noplūkt ziedu, kas ieliksmojis viņa acis. Zinaīdas Lazdas dzeja, turpretim, ir kā kalnu puķe, kas tikai ar zināmu piepūli iegūstama pacietīgam kalnā kāpējam.

O

Pēc cildenā akta Nacionālajā teātrī komitejas rīkotās mazās vakariņas šaurās necilās gadījuma telpās bija visai trūcīgas. Vācu okupācijas pārvalde gan bija izšķērdīgi piešķīrusi stipros dzērienus — vīnus, bet ēdamā nemaz. To nu vajadzēja iegūt nelegāli apmaiņā pret dzērieniem. Vakariņotāju pulciņš arī nebija nekāds plašais: godalgošanas komisija, laureāti, komitejas uzticības vīrs Jānis Grīns,

Skalbes kundze un vēl pa kādam tuviniekam vai draugam. Tomēr noskaņa bija pacilāta. Skalbe priecājās sevišķi par to, ka tāda godalgošana vispār šai laikā bijusi iespējama. Savā runā viņš teica — visapkārt esot drupas, un no šīm drupām pēkšņi pacēlusies Īridas Rasas-Zelmenes izstieptā roka ar Annas Brigaderes prēmiju. Šo pašu līdzību viņš bija jau teicis, kad Īrida ar sekretāru K. Egli aiznesa dzejniekam mājā ziņu par komitejas lēmumu. No tā būtu jāsecina, ka viņa prieks par piešķirumu bija īsts.

Tomēr komitejas lēmums varēja, varbūt, izraisīt delikāto jautājumu — vai ir bijis pareizi piešķirt godalgu r e i z ē jaunai dzejniecei ar Kārli Skalbi, tā it kā paceļot iesācēju vienā līmenī ar nobriedušu vecmeistaru? — Vai tādu jautātāju bija vairāk, to Īrida nezina, bet viens bija — literāts Jānis Kadilis, kas kādā sarunā ar viņu savā rāmajā nodabā ko līdzīgu pateica. Ja nu ari kādi apšaubītāji toreiz būtu bijuši, tad Zinaīdas Lazdas izaugšana gadu gaitā par trimdinieku neapšaubāmi izcilāko dzejnieci, domājams, būs tos apklusinājusi un attaisnojusi Annas Brigaderes komitejas uzticēšanos jaunās dzejnieces talanta solījumam.

Par jaunu Īridas domās atgriezās šis jautājums, lasot Andreja Johansona jau pieminēto ,,atklājumu" par literāro aprindu neapmierinātību ar Annas Brigaderes komitejas godalgas piespriedumu Aleksandram Čakam. Vai varbūt tomēr? Vai varbūt Kārlis Skalbe pats nevarēja justies pazemots — ar vienādu godalgu nolikts vienā līmenī ar j a u n u dzejnieci? Kā lai to tagad uzzina? Kas cits par to varētu ticamāk liecināt kā Skalbes kundze? — Un Īrida rakstīja vēstuli savai bijušajai klases biedrenei Maldoņa ģimnazijā. Abas bija arī viengadnieces: abas dzimušas vienā gadā, tikai ar pāris mēnešu atstarpi. Pēc skolas gadiem, katrai savu dzīvi dzīvojot, tām nebija bijis tikpat kā nekādas saskares. Tikai pašos pēdējos gados tās bija mazliet kontaktējušās ar pāris vēstulēm. Nu Īrida lūdza Skalbes kundzi vaļsirdīgi pateikt, kā īsti Skalbe pats, un varbūt arī viņa, uzņēma toreizējo godalgošanu. Atbildot, Skalbes kundze cita starpā rakstīja: ,,Pati sevi jau vairākkārt esmu nosodījusi, ka kavēju atbildi uz Tavu vēstuli. Kaut cik mani varētu aizbildināt tas, ka nekādas īstas atbildes nezināju, ko Tev dot. Vairs neatceros, ko Kārlis pats būtu teicis par Annas Brigaderes balvas dabūšanu. Man ir tikai kāda murgaina atmiņa sakarā ar šo notikumu, un es nu vairs nezinu, vai tā manī ir glabājusies jau visu laiku, jeb vai tā manā apziņā radusies sakarā ar Tavu vēstuli. Man prātā ir kāda maza sanāksme sakarā it kā ar šīs balvas piešķiršanu. — — — Apkārtne diezgan skumīga, un mana atmiņa man saka, ka es redzu Zinaīdu Lazdu, Jāni Grīnu, Jāni Rudzīti, Kārli Skalbi un ka arī es tur esmu. — — — Neskatoties uz trūcīgo apkārtni, man ir gaiša sajūta un man nezin kāpēc liekas, ka arī Kārlis ir labā gara stāvoklī. Tas ir viss, ko Tev varu pateikt. Es pat neatceros neviena vārda, ko šie cilvēki ir teikuši. Un visi viņi ir aizgājuši aizsaulē, izņemot mani, un nav neviena, kam pajautāt, vai šai vīzijai ir kāds pamats."

Pamatā šai vīzijai ir īstenībā notikušās mazās pēcprēmēšanas svinības. Un lai cik nepilnīga tā ir, tā apliecina Kārļa Skalbes labo gara stāvokli un rakstītājas pašas gaišo sajūtu šais svinībās. Un tas ir pietiekams atspēkojums jebkādām aizdomām par dzejnieka Kārļa Skalbes neapmierinātību ar Annas Brigaderes komitejas lēmumu.

○

Turpinājuma šim vienam komitejas uzdevumu nozarojumam — literāro godalgu piešķiršanai — vairs nebija ne Latvijā, ne trimdā. Latvija bija jāatstāj, un trimdā rekonstruēt komiteju Īridai izdevās tikai Amerikā, un — tai vairs neienāca kaut cik nozīmīgi rakstnieces autora honorāri. Annas Brigaderes literārā prēmija ir vairs tikai vēsturisks fakts. Visas trīs reizes to ieguva dzejnieki. Visstingrākajam vērtējumam augstākā vietā latviešu jaunlaiku literatūrā bija jāierāda lirikai, tā vēl reiz apliecinot jau atzīto patiesību, ka lirikā vispilnīgāk ir izpaudusies latviešu vārdu māksla, jau kopš pašas tautas radītajām tautas dziesmām.

O

Līdztekus periodiskajam prēmēšanas darbam Annas Brigaderes komiteja nepārtraukti rūpējās par otra sev uzliktā pienākuma veikšanu — popularizēt rakstnieces darbus un piemiņu Latvijā. Komiteja kopa lielās aizgājējas kapu un ik gadu atzīmēja rakstnieces nāves un dzimumdienu: noliekot puķes uz kapa un sarīkojot kapsētā svētbrīžus, ievietojot rakstus presē, ierosinot lekcijas radiofonā, piemiņas izrādes teātros, kur skolām izsniedza brīvvietas, kā arī atceres brīžus skolās, izdodot skolnieku priekšnesumiem krājumu Annas Brigaderes vakari, ko skolas saņēma bez maksas. Pēc Draudzīgā aicinājuma iedzīvināšanas skolas saņēma dāvinātas rakstnieces grāmatas. 1940. gada pavasarī komiteja — Līgotņu Jēkabs, Jānis Rapa un Irida Rasa-Zelmene — izbrauca uz Annas Brigaderes pirmo skolu Aucē, apdāvinot to ar Latvijas karogu un grāmatām. Saulainā dienā arī pats auto brauciens bija skaists pārdzīvojums. Pēc akta skolā komiteja apmeklēja arī visai netālos Sprīdīšus. Izstaigāja klusās istabas, dārzu. Svilpoja strazdi, un Jānis Rapa teica, ka rakstniece pēdējā vasarā neesot vairs sadzirdējusi putnu dziesmas. Jutusies nomākta par to.

Sprīdīšus joprojām apsaimniekoja, kā šķiet, tas pats rakstnieces dzīves laikā pieņemtais rentnieks. Komiteja bija raudzījusies, lai rakstnieces mūzejs tiktu uzturēts kārtībā, jo vasarās Sprīdīšos iegriezās daudz apmeklētāju. Gadu gaitā to skaits turpināja pieaugt, tā ka komitejai bija jāalgo gīds mūzeja apskatei un tā izdeva un bez atlīdzības izsniedza ekskursantiem rakstnieka Viļa Veldres uz pasūtinājuma sarakstīto un bagātīgi illūstrēto grāmatu Sprīdīši.

O

Kādā no darba sēdēm izvirzījās doma, ka ir laiks rūpēties par izsmēlīgu Annas Brigaderes dzīves un darbu pētījuma izdošanu. Abi pārējie komitejas locekļi vēlējās, lai to raksta Irida Rasa-Zelmene. Irida pārdomāja. Rakstnieces dzīves laikā viņa to nebija gribējusi darīt. Ka šāda nostāja bija pareiza, par

157

to viņu vēlāk pārliecināja arī kāda saruna ar Jāni Brigaderu un Jāni Rapu pēc tam, kad Valtera un Rapas apgāds bija izdevis Zentas Mauriņas Studiju par Annu Brigaderi — Baltais ceļš. Abus aizgājējas tuviniekus šī grāmata nebija apmierinājusi, jo — autore, lūk, neesot izlietojusi visu materiālu tā, kā viņai tas dots. — Ka neviens par savu darbu atbildīgs autors neizlieto nekritiski visu izziņu, ko tas savācis par apstrādājamo objektu, bet pārbauda un izsijā to ar paša personisko vērtējumu, to ieinteresētie tuvinieki nebija sapratuši. Un Īrida savā laikā bija baidījusies, ka arī rakstniece pati varētu, varbūt, to nesaprast, — tādēļ viņa atturējās. Tagad bija citādi. Likās, ka nu viņa varētu brīvi iegremdēties rakstniecē, personisko cilvēcisko attieksmju neierobežota. Tādēļ viņa neatteicās, bet sāka pamazām par lielo darbu interesēties.

Annas Brigaderes archīvu pārzināja un kārtoja Pēteris Ērmanis. Viņš bija jau atradis tur rakstnieces jaunībā rakstītu dienas grāmatu. Tā bija savā ziņā it kā triloģijas Dievs, Daba, Darbs turpinājums, vācu valodā. Dažus izrakstus no tās Īrida pārtulkoja un deva iespiešanai Brīvajā Zemē (1938).

Iespaidu atsvaidzināšanai Jānis Rapa aicināja izbraukt uz kādām dienām uz Sprīdīšiem. Īrida ņēma līdz savu divpadsmitgadīgo dēlu, lai arī tas nu skata īstenībā vietas, ko grāmatās sāka iepazīt kopš trešā dzīvības gada.

Pēc pārciestās dēliņa un dzīves drauga zaudēšanas nelaimīgās dzemdībās Jānis Rapa nu bija otrreiz apprecējies. Atbraucējus sagaidīja jaunā kundze, skaisti tērpusies tautiskā apģērbā. Viss te šķita kā agrāk: rakstnieces darbistaba, pārējās telpas, rožu dārzs, Sprīdīšu mežs — tuvā un tālākā apkārtne. Tikai — viena dzīve te bija izbeigusies, un aizsākusies jauna...

O

Komitejas pārrunās par iecerēto darbu radās pat tāda doma, vai nederētu mēģināt sadzīt pēdas Annas Brigaderes rakstītajām vēstulēm Dr. Langmeseram. Viņa vēstules rakstniece bija noteikusi pēc viņas nāves iznīcināt. Komiteja to tomēr nebija vēl darījusi. Aizzīmogotas tās pārņēma Jānis Rapa savā uzglabāšanā — pagaidām. Jo — kaut gan komiteja respektēja rakstnieces gribu paturēt šo vēstuļu saturu noslēpumā, tā domāja, ka tās ir pārāk svarīgas rakstnieces personības jo iespējami pilnīgai izgaismošanai, — lai pārsteidzīgi tās iznīcinātu. Varbūt tālākā laika perspektīvē tajās tomēr varētu uzdrīkstēties ieskatīties godprātīga pētnieka acs. It sevišķi, ja vēl izdotos atdabūt rakstnieces pašas vēstules. Dr. Langmesers gan bija miris, bet varbūt dzīvoja vēl viņa kundze? Varbūt viņu Davosā varētu vēl sameklēt? Varbūt arī tur glabājas kāds doktora archīvs? Vai nederētu Īridu Rasu-Zelmeni deleģēt uz Šveici, lai tur uz vietas mēģinātu darīt visu iespējamo lietas noskaidrošanai? Ja izdotos konfrontēt abpusējo saraksti, atklātos nevien vesels rakstnieces dzīves posms, bet būtu iegūta arī literāra vērtība, ko rakstniece pati atzina par labāko no visa, ko tā rakstījusi, — kā viņa to Īridai bija teikusi.

Tomēr Īridas nostāja pret šīm spekulatīvajām izredzēm bija visai skeptiska. Ja arī pieņemtu apšaubāmo varbūtību, ka Dr. Langmeseram Annas Brigaderes vēstules būtu bijušas tikpat dārgas un glabājamas kā tai viņējās, maz domājams, ka tādas tās būtu bijušas viņa sievai. Ja arī Dr. Langmesers vēstules būtu saglabājis savā dzīves laikā, pēc viņa nāves tās gan būs tikušas ieskaitītas dažos citos aizgājēja atstātos nenozīmīgos papīros un kopā ar tiem likvidētas. Arī varbūtība pēc tik daudz gadiem sastapt vēl dzīvu Langmesera kundzi un iegūt no tās kādu personisku izziņu par abu korrespondētāju attieksmēm Īridai šķita pavisam maz iespējama. Viņas skepse tad arī atvēsināja abus Šveices brauciena ierosinātājus komitejā, un šī illuzorā iedoma tika atmesta.

Intensīvi sākt strādāt gar padomāto darbu Īrida gan nepaguva, jo 1937. gada agrā pavasarī viņu sagrāba smaga slimība un, gan kulminēdamās, gan atslābdama, samocīja līdz 1940. gada vasarai. Un tad jau bija austrumu ienaidnieks klāt ar citu smaguma nastu, kad visus spēkus paņēma norūpēšanās par kailās dzīvības uzturēšanu.

o

*Pēc rakstnieces svainienes Annas Vilhelmīnes
Brigaderes nāves, 1940. gada 7. septembrī, komiteja
bija tiesīga pārņemt savā rīcībā visus ienākumus
no Annas Brigaderes atstātā literārā mantojuma. Ja
līdz tam viss rakstnieces darbu un piemiņas po-
pularizēšanai darītais bija norobežojies pašu tautā,
tad nu lielie līdzekļi komitejas kasē atļāva sākt do-
māt par rakstnieces darbu tulkošanu un izdošanu
ārpus Latvijas, kā testaments to prasīja.*

*Archīvā atradās 1900. gadā vācu valodā rakstītā
pasaka Mare. To komiteja iecerēja izdot abās —
vācu un latviešu — valodās, atzīmējot rakstnieces
80. dzimumdienu 1. oktobrī. Tā kā rakstnieces darbu
izdevējs Jānis Rapa šai pavasarī bija no dzīves aiz-
gājis, komiteja vienojās ar Zelta Ābeles apgādu.
Vācu oriģinālā komiteja saglabāja rakstnieces va-
lodu nepārrediģētu. Ludolfa Liberta krāšņi illūstrētā,
nelielā grāmata īsā laikā kļuva par vairs neiegūs-
tamu bibliogrāfisku retumu.*

*Vēl archīvā atrada autores pašas vācu valodā tul-
koto drāmu Princese Gundega un karalis Brusu-
bārda. Nākošos divos gados komiteja paguva sa-
rūpēt Dievs, Daba, Darbs triloģijas pirmās un otrās
daļas tulkojumus vācu valodā. Domājot par even-
tuālo šo manuskriptu izdevēju Vācijā, komiteja iz-
šķīrās stāties sakaros ar apgādu, kas bija izdevis
Ed. Virzas Straumēnu tulkojumu, jo mūsu periodikā
savā laikā bija lasāms par šī izdevuma jo plašu
popularitāti vācu lasītājos. Liels tāpēc bija komite-
jas pārsteigums, kad tā saņēma negatīvu atbildi,
motivētu ar to, ka apgāds nevarot uzņemties vēl
citu latviešu grāmatu izdošanu, jo Virzas grāmatai
neesot noieta, tā gulot joprojām grāmatu plauktos
lielā vairumā. — Vai komitejai būtu izdevies atrast
Vācijā izdevēju Annas Brigaderes darbiem, palika
nezināms, jo visus nodomus iznīcināja Padomijas
otrā okupācija. Nav arī zināms, kas ir noticis ar tul-
kojumu manuskriptiem, jo izšķirīgajās dienās 1944.
gada rudenī komitejas sekretārs Kārlis Egle, pie*

kuŗa glabājās kā manuskripti, tā darba sēžu protokolu grāmata, Rīgā nebija sastopams. Vēlāk pierādījās, ka viņš bija izšķīries palikt Latvijā, un tā komitejas priekšsēdei Īridai Rasai-Zelmenei tika atņemta iespēja visa lielā komitejas darba pierādījumu — protokolu grāmatu izvest brīvajā pasaulē.

O

Jānis Rapa, turīga Zemgales saimnieka dēls, grāmatu apgāda Valters un Rapa akc. sab. galvenais saimnieks un rīkotājs, nespēja samierināties ar pazeminātāju stāvokli, kādu tam ierādīja okupācijas vara, atstājot to apgādā par nenozīmīgu kalpotāju. Viņš izjuta savu mūža darbu izpostītu, un vienmēr žirgtais un kustīgais grāmatnieks vērtās drūmā, nomāktā vīrā. 1940./41. gada ziemā, uzturēdamies atpūtā Ogres sanatorijā, viņš bija izgājis naktī un meties lejā no Ogres tilta. Bet upe bija aizsalusi, viņš atrasts un izglābts. 28. maijā viņš meklēja nāvi otrreiz: izlēca pa logu no sava piektā stāva dzīvokļa, un nāve viņu pieņēma. Pirms savas aiziešanas viņš bija nokārtojis drauga pienākumu: iznīcinājis Dr. Langmesera Annai Brigaderei rakstītās vēstules, baidīdamies, ka tās nekrīt iebrucēju necienīgās rokās. Rapas kundze rakstāmgaldā bija atradusi Annas Brigaderes draugam rakstītās vēstules. Tās viņa nodeva Īridas Rasas-Zelmenes rīcībā. 1942. gada vasarā viņa aicināja Īridu ciemoties Sprīdīšos. Īrida tur nodzīvoja dažas nedēļas. Tās, līdzās vēstulēm, deva viņai izdevību ieskatīties jo dziļi aizgājušās rakstnieces intīmajā dzīvē. Jau rakstnieces dzīves laikā dažās sarunās Īrida bija guvusi iespaidu, ka rakstniece cenšas it kā pārliecināt viņu par Jāņa Rapas personības lielāku vērtīgumu, nekā tas varbūt no ārienes varētu likties. Tagad Rapas kundzes vaļsirdīgajos stāstījumos atvērās komplicēts attieksmju režģis: Brigaderi, rakstniece, Rapa, viņa pirmā sieva, otra sieva pēc rakstnieces nāves.

Kādu dienu, Īridai Sprīdīšu rožu dārzā sēžot, tai pievienojās viens no Plavenieku mātes dēliem, mutīgais Kārlis Zīverts, Sprīdīšu krusttēvs, jo tas bija viņš, kas iedēvēja rakstniecei piešķirto nelielo īpašumu par Šprīdīšiem. No Pļavenieku trīs dēliem šis bija tas tuvākais rakstniecei. Arī tas tagad zināja daudz ko stāstīt. Rakstniecei, kā sievietei,, ne visu dzīvē bija iespējams vērot tieši. Par vietām, kas pašai bijušas nepieejamas kā šokējošas, viņa izprašņājusi radinieku, ja vajadzīga bijusi attiecīga viela kādam darbam, piemēram, romānā Kvēlošā lokā. Rakstniece bijusi zināt kāra, un viņi varējuši visu atklāti pārrunāt. Arī rakstnieces intimāko dzīvi viņš izrādījās pārzinām, pat no kalpotājas atstāstījumiem.

Ko Īrida ar visām šīm valodām varēja iesākt, — ko pieņemt, ko atmest? Viņa taču nevarēja tās pārbaudīt, — kas patiesība, kas nevalodas. Viņa uzkrāja tās vēlākām pārdomām un eventuālai izsijāšanai.

Mierīgajās patapas dienās Sprīdīšos viņa gan paveica kādu mazāku pieprasītu darbu. Tuvojoties Annas Brigaderes nāves dienas desmit gadu atcerei, literāts un izdevējs Jānis Kadilis iecerēja izdot vienkopus trīs pasaku lugas — Sprīdīti, Maiju un Paiju un Lolitas brīnumputnu — un lūdza grāmatas ievadam Īridas apceri par tām. Sprīdīšu gaisotne veicināja iejušanos un iegremdēšanos rakstnieces gara pasaulē, un ar priecīgu prātu Īrida centās to izcelt īstajā gaismā pelnītam apbrīnam. Grāmata iznāca krāšņa: neparasti liela formāta, ar rakstnieces ģīmetni un ar Jāņa Kugas divdesmit krāsainām oriģināllitogrāfijām, — rakstnieces piemiņas cienīga.

O

Anna Brigadere triloģiju Dievs,, Daba, Darbs nobeidz ar Anneles pāraugšanu jaunavībā un aizbraukšanu uz Ventspili pie tur aizprecētās māsas Līziņas. No šīs vietas tad nu jāsākas viņas dzīves ceļa tālākai izsekošanai. Kad Īrida Rasa-Zelmene pēc rakstnieces nāves viesojās Ventspilī ar priekšlasījumu par viņas dzīvi un darbu, direktors Jaunzems viņai nodeva dažus Līziņas kapa vietas uzņēmumus, kā to bija lūdzis kāds vietējais skolotājs Sviestiņš. Pats viņš bijis par kautrīgu to darīt. Direktors tad arī pastāstīja, ka šis skolotājs dzīvi interesējoties par literātūru un jo sevišķi par Annu Brigaderi, kas te dzīvojusi.

Nu, pēc gadiem, Īrida to atcerējās, kad sāka domāt par braucienu uz Ventspili, lai tur mēģinātu izsekot rakstnieces pēdām. Direktora Jaunzema tur vairs nebija, un cita neviena viņa tur nepazina. Sameklējusi adresi, viņa rakstīja skolotājam Sviestiņam, pateikdama savu nodomu un lūgdama, lai ieteic tai kādu apmešanās vietu, jo nezina, cik brīvi vai nebrīvi tagad, kara laikā, šai piejūras pilsētā var kustēties. Skolotājs Sviestiņš atbildē laipni piedāvāja uzturēšanos viņa dzīvoklī. Un tā, pārbraukusi no Sprīdīšiem, vēl tās pašas vasaras nogalē Īrida brauca uz Ventspili.

Skolās mācību laiks vēl nebija atsācies, un skolotājs Sviestiņš vēlīgi ziedojās Īridas vajadzībām. Noteiktu faktu jau viņam daudz nevarēja būt, bet dažu ko viņš tomēr bija saklaušinājis. Viņš zināja un aizveda Īridu uz vietu, kur atradies Līziņas vīra, rūpnieka Preikšāta gaļas izstrādājumu veikals — stūra mājas apakšstāvā; augšstāvā dzīvoklis. Un — viņš zināja namiņu kādā ielā, kur dzīvojusi skaistā Lūcija Dunkere, kuras īsās dzīves romantiskajam stāstam Anna Brigadere pēc apmēram divdesmit gadiem deva tāda paša nosaukuma literāro izveidu. Rakstniece pati Īridai reiz bija teikusi, ka šis viņas stāsts ticis netaisni nokritizēts par vecromantisku, bet īstenībā viņa tikai uzrakstījusi Ventspilī novērotu reālu notikumu, pat varones vārda nepārgrozīdama. Varējusi droši tā darīt, zinādama, ka viņas darbi nekad līdz šīs mazpilsētas vācu aprindām nenonāks. — Viņi aizstaigāja arī uz kapsētu Pārventā un pakavējās pie māsas Līziņas kapa. Bet visbiežāk Īrida klejoja viena pati, vairākas dienas pateicīgi pieņemdama viesmīlīgās Sviestiņa kundzes gādību. Viņa klaiņoja pa pakalnainajiem piepilsētas mežiem, no tālienes vērodama jūras svītru apvāršņa malā. Uz liedagu nevarēja iet; tā bija aizliegtā josla, nožogota ar dzeloņstiepļu režģiem. Viņai patika arī izstaigāt šaurās, klusās ielas un iedomāties, ka to akmeņos dus neredzamas toreizējās jaunās, dziļjūtīgās dzīves vērotājas iemītās pēdas. No tām nu viņai

163

būtu jāatbuŗ jaunavas dzīves divi gadi ar tās centieniem un vēlmēm.

Pagaidām,, pārbraukusi mājā, Īrida uzrakstīja mazu patēlojumu Pa Annas Brigaderes pēdām Ventspilī, ko iespieda Latvju Mēnešrakstā, 1942. gada 10. nummurā.

O

Sprīdīšu mantinieku tiesiskais stāvoklis vācu okupācijas laikā Īridai palika neskaidrs. Jāņa Rapas atraitne ar mazgadīgo dēlu vasarās tur gan dzīvoja, bet likās, ka krievu okupācijas varas nelikumīgā īpašuma atsavināšana nebija anulēta. Tā varēja šķist, it kā īstais saimnieks Sprīdīšos drīzāk būtu ilggadīgais rentnieks un Rapas kundze vairāk tikai tāda vasaras viešņa. Varbūt viņa arī pati sāka tā justies, jo 1943. gada vasarā neuzaicināja vairs Īridu viesoties. Tomēr arī šai vasarā Īrida padzīvoja Sprīdīšos, šoreiz kopā ar Intu viņa atvaļinājuma laikā. To izkārtoja rakstniecības mūzeja direktors Arturs Baumanis, kuŗa pārziņā ietilpa arī Annas Brigaderes mūzejs Sprīdīšos. Viņš uzlika rentniekam par pienākumu ierādīt Īridai dzīvojamās telpas, tās apkopt un — vienojoties par atlīdzību — rūpēties par viesu uzturu. Īrida ar Intu apdzīvoja tās pašas divi mazās istabiņas mājas augšstāva ziemeļu galā, kur tā jau vienmēr agrāk bija mitusi. Maltītes viņi ieturēja ne parastajā ēdamistabā, bet mazajā lievenītī mājas ziemeļu-rītu pusē, kas tieši iesniedzas dārzā. Intam šis bija pirmais Sprīdīšu apciemojums, jo pirmsokupāciju gados Zelmeņu ģimene visus Inta atvaļinājumu laikus mēdza pavadīt kopā. Īrida nu kļuva par ceļvedi viņam, izstaigājot un izrādot visas tuvās un tālās vietas, pa kuŗām savā laikā viņu bija izvadājusi rakstniece pati. Skumji nu bija pa tām staigāt. It sevišķi Īrida sadrūma Pļaveniekos. Tur vairs nedzīvoja ne Pļavenieku māte ar saviem dēliem, ne Brigaderu dzimta. Atnācējus saņēma sveši ļaudis — rentnieki. Un šī tačū bija vieta, kas Īridas atmiņā glabāja nu taisni priekš četrdesmit gadiem gūtos pirmos saskarsmes iespaidus ar gaišo, laipno dāmu, kas toreiz vēl tikai dīglī ietvēra sevī latvju tautas dižāko rakstnieci.

Sprīdīšu pašu robežās arī šai priekšpēdējā brīvās Latvijas vasarā viss illuzori šķita tāpat esam, kā rakstniecei aizejot. Rozes koši ziedēja dārzā, istabās tas pats miers, vēsums un gaisma, kalnā pāri upei tas pats Sprīdīšu mežs ar botānisko dārzu vidū. Tikai nekur neredz no kāda sēdekļa paceļamies rakstnieci pašu un smejošu mājam un nākam pretim ciemiņam. — Ir tik skaisti un skumji. Jo — ir un nav; nav un ir. Nav mirstīgā veida redzamo lietu vidū; ir nemirstīgais gars absolūto vērtību transcendentālajā pasaulē.

O

Jo ilgāk Irida šais divi vasarās kavējās gan pašas, gan citu dotās atmiņās par rakstnieces privāto, intīmo dzīvi, jo skidrāk tā sāka atskārst, cik delikāts varēja kļūt uzdevums — nodot to atklātībai. Reiz saruna ar rakstnieci bija pievirzījusies jo dažādiem viņas sieviešu tēliem, īpaši romānā Kvēlošā lokā, un Iridā bija ierosījies līdzīgs jautājums, kādu viņa reiz bija jautājusi Dacei Akmentiņai: kā viņa spējusi skatuvē konģeniāli izdzīvot visu pilnskanīgo sievietības jūtu skālu, dzīves īstenībā to nepārdzīvojusi. Dace Akmentiņa atbildēja it vienkārši — „Es taču viņas izjutu." Bet Anna Brigadere pārtrauca Iridas jautājumu kā izbailēs iesaukdamās: „Neprasait, neprasait!" Un Irida neprasīja. Viņa saprata, ka rakstniece par kaut ko negrib teikt viņai nepatiesību un nevar teikt patiesību. Vai tagad lai Irida runātu, nemaz īsti nezinādama, kas no teiktā būtu patiesība, kas ne? Rakstniece neturpināja autobiografisko triloģiju, aizbildinādamās, ka par tālāko, t. i. par meitenes atmošanos jaunavībai un nobriešanu sievietībai, nevar vairs rakstīt t i e š i, — tas meklējams viņas darbos. Tieši, kā par dokumentāri pierādāmiem faktiem, literātūrzinātniskā darbā arī Irida nevarēja par to rakstīt, — bet — taisni pēdējos gados starptautiskā mērogā bija sarakstīts daudz biografisku romānu par ievērojamām personībām. Tāds romāns nedokumentē, tas iefantazē izraudzītās personas dzīvi brīvā literārā apdarē. Kad priekš gadiem iznāca rakstnieku pašu rakstītu biografisku ziņu izdevums,, *Kārlis Egle sarunā ar Īridu nobrīnījās par Annas Brigaderes dzīves datu skopumu — vai tad viņa patiesi nekā neesot piedzīvojusi! Īridai nu likās, ka viņa varētu parādīt šīs ārēji skopās mierīgās dzīves iekšējo bangainību, krāsainību, slēpto traģismu, — ja viņa rakstītu biogrāfisku romānu par Annu Brigaderi.*

Ja viņa rakstītu... Kā lai viņa to būtu izdarījusi, — šais abu okupāciju pusbada un citu grūtumu gados! Krieviem iebrūkot viņa bija atlaidusi kalpotāju. Vācu vara neatļāva mājkalpotājas turēt, — darba sievietes tika iesaistītas ,,produktīvākos'' — kaŗa vajadzībām noderīgos darbos. Kad Īrida kā kultūras darbiniece beidzot tādu atļauju dabūja, — izrādījās, ka patiešām kaut cik kvalificētu kalpotāju Rīgā vairs nebija. Kaut gan Īridas trīs gadu ilgā slimība — smaga bronchiālā astma — savu akūto asumu bija zaudējusi, latentā stāvoklī tā bija jūtama joprojām, un katra fiziska piepūlēšanās vai saaukstēšanās ik brīdi draudēja par jaunu izraisīt žņaudzējas lēkmes. Šādos apstākļos par sistēmatisku nodošanos kādam lielākam darbam — vai nu tas būtu bijis Annas Brigaderes komitejas uzdotais literātūrzinātniskais pētījums, vai arī pagaidām pašas iecerētais biografiskais romāns — nebija ko domāt. Tā divi nelielie, Sprīdīšos rakstītie darbi palika Īridas beidzamais devums rakstnieces piemiņai Latvijā. Tad nāca šķiršanās no Latvijas, un krusts bija jāuzliek visai dzīvei un visiem darbiem.

O

Dzīvei tomēr vēl bija lemta augšāmcelšanās. Sākuma gados Vācijā tā bija garīgi vārga un bezcerīga. Inta Zelmeņa darba vieta bija Dancigas piepilsētā Langfūrā,, pēc tam Pinebergā pie Hamburgas. Līdz šim Vācijas nostūrim angļu joslā ziņas par latviešu dzīvi citās joslās nonāca trūcīgas un vēlas. Tā Īrida, cita starpā, līdz 1946. gada janvārim nezināja, ka amerikāņu joslā jau kopš iepriekšējā gada oktobŗa iznāk latviešu mēnešraksts trimdā Ceļš. Šo nezināšanu viņa jo sevišķi nožēloja tad, kad redzēja, ka janvāŗa nummurs zināmā mērā veltīts Annas Brigaderes piemiņai: ar lielu attēlu, diviem dzejoļiem, vienu tēlojumu un Pēteŗa Ērmaņa plašu rakstu Atmiņas par Annu Brigaderi (kas uzņemts jau pieminētajā grāmatā Sejas un sapņi). Tā viņai bija pagājusi gaŗām iespēja laikus atgādināt latviešiem trimdā pienākumu pret 10. janvāri taisni šajā, 1946. gadā. Jo tā bija diena, ko pēc trīs gadiem atkal būtu vajadzējis piepildīt ar bagātu devumu kādam izcilam rakstniekam pēc Annas Brigaderes novēlējuma.

Šī diena pagāja tukša. Arī nākamās trejgades diena. Gandrīz viss, ko Īrida Rasa-Zelmene Vācijas trimdā ar saviem vien spēkiem spēja darīt Annas Brigaderes piemiņas popularizēšanai, bija dažu rakstu ievietošana trimdas presē rakstnieces dzimšanas un nāves dienas atcerēs. 1948. gads bija rakstnieces nāves dienas piecpadsmit gadu atcere, un Īrida to atzīmēja ar rakstiem vairākos laikrakstos.

Sīko piemiņas rakstu vidū vienu darbu Īrida tomēr uzrakstīja ar citu ierosmi un varbūt arī ar citu nozīmīgumu Annas Brigaderes izpratnei.

Apmēram stundas braucienā no Hamburgas uz rietumiem nelielajā Elmshornas pilsētā atradās latviešu bēgļu nometne. Tur bija noorganizētas un darbojās pamatskola un ģimnazija. Skolotāju vidū nebija, kas spētu mācīt latviešu literātūru, un 1946. gada sākumā skolu vadība lūdza Īridu Rasu-Zelmeni no netālās Pinebergas pārnākt uz nometni uzņemties šo darbu. Zelmeņi pārcēlās uz turieni februārī.

Rudenī šai nometnē notika plašāka apgabala skolotāju konference, un tās programmas izstrādātāji vēlējās no Īridas kādu referātu. Meklējoties pēc temata, Īrida iedomāja Annas Brigaderes Jānim Rapam rakstītās vēstules, ko tā bija paņēmusi līdz trimdā. Par jaunu tās pārlasījusi, viņa redzēja, ka tās savā saturā nodalāmas divās daļās: tādās, kur pausta sīka norūpēšanās par ikdienas lietām un vajadzībām un tādās, kas ietveŗ sevī dziļus individuālus pārdzīvojumus gan intīmās personiskās attieksmēs, gan nostājā pret savu darbu un tā rezonanci atklātībā. Pamatojoties uz šo otru daļu un līdztekus uz rakstnieces biogrāfiskiem datiem un dažiem viņas rakstiem, Īrida izstrādāja apcerējumu D r a u- d z ī b a s u n v i e n t u l ī b a s p r o b l ē m a A n- n a s B r i g a d e r e s d z ī v ē. Izsekojusi rakstnieces dzīves traģiskajai dilemmai — godā, slavā un arī visdziļākajā draudzībā un mīlestībā būt un palikt vientuļai — viņa beigās rezimē: „Annas Brigaderes lielums ir atzīts, viņas garam ir gandarīts; bet cietējs cilvēks viņā ir palicis vientuļš un nepieņemts."

Raksts lasīts vēl Baltijas universitātē Pinebergā, Libekas ģimnazijā un Libekas latviešu teātrī un iespiests žurnālā Laiks (1947. XIX, 56.—66. lapp.). Žurnāla redakcija izsludināja īpatu šai gadā ievietoto rakstu sacensību, par vērtētājiem uzaicinādama žurnāla lasītājus. Ar iesūtītāju balsīm pirmā vieta tika piešķirta filozofa Paula Jureviča vairākiem rakstiem kopumā. Otrā vietā ierindojās Īridas raksts.

O

Pienāca laiks un radās izdevība arī Zelmeņiem celties pāri lielajiem ūdeņiem uz Jauno pasauli. Dēlam Danim tas bija iespējams jau 1949. gada rudenī, Īrida ar Intu izkāpa šai krastā 1950. gada 21. decembrī. Ar savu izgalvotāju laipnu piepalīdzību viņi varēja iekārtoties kaut cik pieticīgai dzīvei. Vēl Vācijā esot, no laikraksta Laiks ziņām un dēla vēstulēm tie bija informēti par latviešu kultūrālo rosmju pirmsākumiem šai jaunajā patvēruma zemē. Svarīgākais notikums šķita Amerikas latviešu apvienības nodibināšanās. Sekojot tās darbībai pēc laikraksta atreferējumiem, Īrida atkal sāka domāt par Annas Brigaderes testamentārās gribas eventuālām īstenošanas iespējām. Ar tādu nolūku viņa iesūtīja Laika redakcijai rakstu — D a ž a s p ā r- d o m a s p a r K u l t ū r a s f o n d a n ā k o t n e s u z d e v u m i e m, nobeigdama to ar priekšlikumu: „Tā kā man bija lemts aktīvi darboties Annas Brigaderes komitejā un kļūt par tās priekšsēdi Latvijā, tad sajutu par savu pienākumu mēģināt arī trimdā

168

Vācijā izpildīt rakstnieces testamentāro gribu. Diemžēl tas neizdevās. Palikusi vairs vienīgā komitejas pārstāve brīvajā pasaulē„ es būtu nu laimīga no šīs atbildības atbrīvoties. Man šķiet, es nenoziegtos pret rakstnieces gribu un piemiņu, ja komitejas funkcijas nodotu Kultūras fondam izpildīšanai saskaņā ar rakstnieces testamenta noteikumiem, ar kuŗiem es fonda valdi varu iepazīstināt."

Drīz Laikā bija lasāms Īridas otrs raksts — A n- n a s B r i g a d e r e s g a d s:
„1. oktobrī paies deviņdesmit gadu no rakstnieces dzimumdienas. Vai tāpēc šo gadu mēs — trimdinieki — nevarētu padarīt par A n n a s B r i g a d e r e s g a d u mūsu kultūras dzīves izpausmēs? Atcerēsimies: kad Annai Brigaderei piepildījās septiņdesmit mūža gadu, visa tā gada ziemas sezona pagāja šī notikuma iezīmēta — neskaitāmos sarīkojumos jubilāres godināšanai. Nu viņas pašas mūsu vidū vairs nav, un arī viņas darbu pazīšana mūsu jaunatnē diezin vai būs vairs tik plaša kā kādreiz Latvijā. Bet Annas Brigaderes darbos, līdzās Kārlim Skalbem, vistīrāk manifestējas latvju gara īpatā mentalitāte. Vai tāpēc Kultūras biroja izglītības un mākslas sekciju vadītājiem nederētu apsvērt, kādos veidos latvieši visā brīvajā pasaulē varētu pieminēt lielo rakstnieci, lai par jaunu apaugļotu sevi ar viņas ticības spēku Latvijai.

Šie divi raksti ierosināja Kultūras biroja vadītāja E. Freivalda sazināšanos ar Īridu Rasu-Zelmeni. 1951. gada augustā notika viņu pirmā apspriede. Ziņojums par šo apspriedi lasāms Laika 5. septembra nummurā, ALA valdes sēdes atreferējumā: „Pārrunājot kultūras darbu, Kultūras biroja vadītājs E. Freivalds ziņoja„ ka panākta vienošanās ar Annas Brigaderes komitejas pārstāvi par komitejas iekļaušanu Kultūras fondā. Apvienības valde pieņēma papildinājumu noteikumos par Kultūras fondu, paredzot, ka pie tā pastāv Annas Brigaderes komiteja. Tā kā testamentāri Annas Brigaderes komiteja ir vienīgā Brigaderes literārā mantojuma īpašniece, *tad izdevējiem visi honorāri par Annas Brigaderes darbiem iemaksājami Amerikas latviešu kultūras fondam, kā arī no tā izprasāmas atļaujas par Brigaderes darbu izdošanu.*

Oktobrī, kad paiet 90 gadu no rakstnieces dzimšanas, visā Amerikā rīkojami Annas Brigaderes pieminas sarīkojumi. Tad pasludinās arī godalgas jaunatnei par Brigaderes dzīves un darbu apcerējumiem."

O

Pirmo tādu pieminas vakaru, 28. oktobrī, izkārtoja Kultūras birojs pats, respektīvi tā mākslas un sarīkojumu sekcija aktiera Jāņa Šāberta personā. Referēja Īrida Rasa-Zelmene par tematu — A n n a s B r i g a d e r e s v i e t a m ū s u g a r a d z ī v ē. Apceri viņa kompilēja no saviem agrākiem rakstiem, it īpaši no vispusīgā pārskata — Anna Brigadere, ko uz pieprasījuma bija sacerējusi pēc rakstnieces nāves. Tomēr viena lieta šai priekšlasījumā bija jauna.

Kad Īrida 1946. gada sākumā Vācijā uzņēmās mācīt latviešu literatūru Elmshornas nometnes ģimnazijā, tad trimdā nebija vēl itin nekādu attiecīgo mācības grāmatu. Viss materiālu avots bija viņas pašas zināšanas. Drīz pēc tam Grāmatu Draugs izdeva A. Dravnieka sarakstītu Latviešu literātūras vēsturi. Lai skolniekiem stundas gatavojot nebūtu jāpaļaujas tikai uz savām, varbūt nepilnīgām, piezīmēm vien, Īrida ieteica skolas vadībai uzņemt šo grāmatu mācības līdzekļos. Bet kad augstākās klases programmā bija nonākts līdz Annai Brigaderei, Īrida uzdūrās uz neiedomājamu aplamību divu rakstnieces darbu interpretācijā: uz pilnīgi pārprastu Ilgu un uz pilnīgi pretēju Raudupietes traģikas noslēgumu. Par Ilgu grāmatā teikts: „Ilgas tēlu rakstniece gribējusi rādīt negatīvu sievietes tipu." — Īridai jau vairākkārt savos rakstos bija nācies aizrādīt uz to, ka rakstniece ar autografu uz savas ģīmetnes apliecināja viņu par „Ilgas pirmo sapratēju." Tas dod viņai tiesību uzskatīt s a v u Ilgas interpretāciju par saskanīgu ar rakstnieces mākslinieciskisko nodomu Ilgu radot un argumentēt pret

170

diametrāli pretējiem apgalvojumiem. To viņa tad arī darīja šai priekšlasījumā, īsi savilkdama kopā un precizēdama rakstā — Jaunās sievietes problēma sakarā ar Annas Brigaderes drāmu Ilga — izteiktās domas. Ko Anna Brigadere saprata ar hetēru, to viņa izteica drāmā Hetēras mantojums. Ilga ir hetēras tiešais pretpols — līdz puritānismam skaudra un tīra viņa meklē gara saskaņu vīrieša un sievietes attieksmēs, lai „kopā sasniegtu to, kas nemūžam nav lemts sasniegt vienam." Ilga mīlestībā nemeklē „v ī r i e š a ideāltipu", kā to domā A. Dravnieks, bet c i l v ē k u vīrietī, kas pieņemtu arī viņā cilvēku, ne tikai sievieti vien — apjūsmošanai vai iekārei. Nevis tāpēc Ilga aiziet no dzīves, ka „atsacīties no savas pašmīlības un pārveidoties savā raksturā tā nebija spējīga," bet tāpēc, ka „paliek kaut kas — to nevajag nevienam."

Ja Ilgas novērtējumu A. Dravnieka literātūras vēsturē var vēl apzīmēt par pārpratumu, tad jau nekāda izskaidrojuma vairs nav tam, kas tajā lasāms par Raudupieti: „Raudupietes tēls Brigaderi varēja saistīt tikai tādā nozīmē, ka šai sievietei jāiet bojā. Rakstniece drāmā turas cieši pie noveles teksta un labi atveido Raudupietes neizlīdzināto dzīvi un viņas bojā eju." — Īstenībā ikkatrs, kas lasījis Blaumaņa noveli Raudupiete un pazīst Annas Brigaderes drāmu, rakstītu šīs noveles ierosmē, zina: bojā iet gan Blaumaņa, bet ne Brigaderes Raudupiete. Un tikai Blaumaņa Raudupietes bojā ejas moments bija tas, kas lika Annai Brigaderei radīt s a v u Raudupieti. Un zīmīgā atšķirība noveles un drāmas starpā taisni ir tā, ka vīrietis — Blaumanis — varēja šo Raudupieti atstāt viņas noziegumā lielceļa dubļos, bet sieviete — Brigadere — nespēja to pieļaut. Viņas būtība sacēlās pret šo sievietei nedabīgo stāvokli. Viņa varēja gan saprast, ka liela kaislība var izdedzināt sievietes sirdi par tuksnesi, bet bērna žēlums arī šai tuksnesī dzen jaunus asnus — nožēlu, izlīdzināšanos, piedošanu, un viņa s a v a i Raudupietei lemj traģisku d z ī v i traģiskas nāves vietā, lai ar to izpirktu vainu. — Ja nu pēc visa tā literātūras vēstures autors raksta„ ka Brigaderes Raudupiete iet bojā, tad vienīgais neattaisnojamais iemesls tam var būt, ka autors ir atļāvies spriest par drāmu, to ne lasījis, ne redzējis izrādē.

Aprādītās aplamības Īrida tad nu savā priekšlasījumā koriģēja, arī paskaidrodama, kāpēc to dara: „Lai klausītājies man piedod šo mazo kvazi literāro polemiku, bet ieskatīju to par nepieciešamu tieši tagad un tieši jaunākās paaudzes dēļ, kas šīs lugas nav lasījusi un, domājams, še svešumā arī nedabūs lasīt. Var gadīties, ka tai, tāpat ka dažam mazāk piedzīvojušam skolotājam daudzajās trimdas zemēs šī literātūras vēsture būs vienīgais avots spriedumu iegūšanai par mūsu rakstnieku darbiem. Šoreiz, runājot par Annu Brigaderi, šī rakstnieces būtību dziļi skārēja kļūdīšanās bija jāparāda, lai jaunatne neiegūtu greizu spriedumu par jautājumiem, kuru patstāvīgai vērtēšanai trimdas apstākļos trūkst tiešā literārā materiāla. Un tieši Ilgas tik kardināli nepareizs novērtējums nodara vislielāko pārestību Annai Brigaderei, jo tieši Ilga, līdzās karalienei Jānai, ir viņas vissubjektīvāk izciestais tēls.

Beigu novērtējumā Īrida teica: „Šķiet, Annas Brigaderes atstātais literārais mantojums neizlauzīs vairs ceļu uz sabangoto, saduļķoto tā saukto lielo pasauli. Nobeļa prēmijai latvieši viņu nelika priekšā, tāpat kā Raini ne. Bet savā tautā viņas ētiskās personības un mākslinieciskā talanta apvienotā ietekme ir bijusi un ir neparasti dziļa un plaša. Viņas darbu lielā objektivitāte, viņas pasaules skatīšana māksliniciskas pietātes acīm padarīja viņu par vienlīdz atzītu rakstnieci visās latviešu tautas šķirās un kārtās — par n ā c i j a s rakstnieci, kas atstaro vienoto nācijas garu dažādo šķiru un kārtu izstarojumos. Ar to viņa kļuva par tautas vienotāju, tā pildīdama lielāko patriotisko pienākumu pret savu tautu.

Samērā vēlu un klusi iesākās Annas Brigaderes literārās gaitas, bez ārēji redzamiem saviļņojumiem un lieliem trokšņiem ir bijusi viņas dzīve, bet viņas darbu vērtība ir kā rudens saulē krāšņi saplaucis dārzs, ko neskar vītums un salnas.

Latvieti! Apturi dažkārt soļus savās steidzīgajās gaitās pēc materiālās labklājības vērtībām un ieej

172

uz kādu brīdi Annas Brigaderes bagātajos dārzos!
To dziļums arvienu spirdzinās un stiprinās tevi die-
nās un nedienās."

2. decembrī Īrida šo referātu lasīja Grīnidžas pil-
sētā Konetiketā, ar viņas ierosmi Grīnidžas un Stam-
fordas latviešu kopas rīkotā Annas Brigaderes pie-
miņas vakarā. Viņas apraksts par šo vakaru lasāms
rakstā „Metropoles guļamtelpā", Laika 1951. gada
101./102. nummurā.

O

Sarīkojumā Ņujorkā programmas starpbrīdī pie
Īridas pienāca divas dāmas, kas teicās esam Annas
Brigaderes dzimts locekles, abas dzimušas Briga-
deres,, abas veclatvietes. Viņas lasījušas laikrakstā
ziņas par Annas Brigaderes komiteju un tās aicinā-
jumu pieteikties rakstnieces radiniekiem. Viņas bija
gatavas ar Īridu tuvāk sazināties komitejas jautā-
jumā. Norunāja satikšanos pie vienas no dāmām —
skolotājas Ainas Martinsones. Otra bija Emīlija
Smith — veclatviešos pazīstama rūpnieka kundze.
Pēc pārrunām vienojās, ka komitejā iestāsies Mar-
tinsona kundze, jo Īrida domāja, ka tai kā garīga
darba strādniecei darbošanās komitejā būs vairāk
piemērota nekā pilsoniskajai Smita kundzei.

Paziņojusi šo nokārtojumu E. Freivalda kungam,
Īrida ieteica par trešo locekli komitejā aicināt rakst-
nieku un izdevēju Jāni Kadili. Nu varēja dot laik-
rakstiem informāciju par darbības formālu atsāk-
šanu, Īridai Rasai-Zelmenei paturot priekšsēdes po-
steni. Kultūras fondu komitejā tās organizēšanās
laikā pārstāvēja E. Freivalds, vēlāk viņš savā vietā
uz komitejas sēdēm deleģēja dzejnieku un redaktoru
E. Raisteru.

Restaurējusi Annas Brigaderes komiteju un ieva-
dījusi tās darbību testamenta noteiktā kārtībā, Īrida
domāja, ka nu viņa varētu pati no aktīvas dalības
atteikties, nododot to jaunāku un stiprāku darbi-
nieku atbildībai. Tie tomēr kā vienā balsī lūdza
Īridu palikt komitejā, svēti solīdamies visus darbus

173

veikt paši, lai tikai Īrida dod savu vārdu komitejai, kas pēc viņu domām, nepieciešams tās prestīžam. Pārlikdama, ka varbūt tomēr jaunajiem darbiniekiem veicamie pienākumi vēl ir par svešiem, lai tajos pilnīgi orientētos, Īrida piekāpās pagaidām vēl palikt un ievadīt viņus darbā.

Formāli komiteja nu darbojās, faktiski tai savu īsto mērķu realizēšanai iznāca maz ko darīt, jo — joprojām, tāpat kā Vācijā, tam neienāca lielāki iemaksājumi. Vācijā izdotās grāmatas vairs nebija apgrozībā, Zviedrijas apgāds Daugava, lieliski reklamēdams no tikko izdotā Pasaku lugu krājuma, „neredzēja pamata" autora honorāra maksāšanai, jauni izdevumi vairs neradās. Kaut gan publicētā Annas Brigaderes gada ierosināti notika kā piemiņas vakari, tā dažu lugu izrādes, no to atlikumu vai procentu sīkajām iemaksām nesanāca kaut cik respektējamas summas.

Notika arī tā, ka solījums palika tikai solījums: visi darbības projekti un to veikumi tikpat gūlās uz Īridas pleciem vien. Darba grūtums un neveiksmība viņu smagi nospieda, un viņa par jaunu noteikti apņēmās no komitejas aiziet. Nu jau pārējiem locekļiem bija darba pieredzes diezgan, vajadzēja tikai labas gribas un atbildības apziņas. Savu atteikšanos viņa paziņoja 1953. gada 27. maija sēdē, lūdzot priekšsēža pienākumus uzņemties J. Kadilim, bet tam atteicoties, proponēja dzejnieci Karolu Dāli kā personu, kam Latvijā jau bijis zināms personisks kontakts ar rakstnieci. Dzejniece aicinājumu pieņēma, un jaunā komiteja lūdza Īridu palikt tajā par goda priekšsēdi. To jau varēja, ja tas ir tikai formāls nokārtojums, kas nesaista ar aktīva darba pienākumu.

Šo pārmaiņu komitejā Īrida nu paziņoja E. Freivaldam. Uz to viņa saņēma no Freivalda kunga ar 8. oktobri datētu vēstuli, kurā tas izteica izbrīnu par Īridas lēmumu un centās pārliecināt viņu to grozīt. Atbildes vēstulē viņa, motivēdama savu lēmumu, beigās piebilda: „Kas attiecas uz Jūsu iebildumu, ka man „vienīgai līdzi mantojums un pilnvarojums no Latvijas," tad domāju, ka nododot to jaunam sastāvam pēc ievadīšanas komitejas pienākumos, ne-

esmu noziegusies, jo tas pats būtu jādara tad, ja es
no šīs pasaules aizietu, kas ar maniem gadiem un
neveselību var notikt jebkuŗu dienu. — Šo pašu
iemeslu dēļ es lūdzu atsvabināt mani arī no pie-
nākuma pārstāvēt Kultūras fonda valdē teātŗa
mākslu.

O

Un tomēr Īridas Rasas-Zelmenes saistībai ar An-
nas Brigaderes atstāto mantojumu bija lemts tur-
pināties vēl ilgus gadus. Izrādījās,, ka viņas vārds
ar rakstnieces darbu bija tik cieši savijies, ka pazi-
ņojums laikrakstos par viņas aiziešanu no komitejas
bija it kā paslīdējis gar ausīm tiem, kas lika šo
darbu lietā. Atkal un atkal viņa saņēma vēstules
gan no padoma prasītājiem, gan no izrāžu rīkotā-
jiem, gan no lekciju gribētājiem. Lietišķos jautā-
jumus viņa noraidīja uz komiteju, mākslinieciskos
centās cik iespējams apmierināt. Gadu tecējumā
pierādījās, ka Anna Brigadere trimdiniekos ir aug-
šāmcēlusies. No komitejas trūkumā saistītajām ne-
varīgajām rokām viņu pārņēma—bērni un jaunatne,
ideālistu audzinātāju un māslinieku vadībā. Pats
pirmais Amerikā skatuvē iesoļoja pasaules gājējs
Sprīdītis, un jau tad, kad komiteja vēl nemaz nebija
restaurējusies. To Īrida uzzināja no Ad. Eglīša ap-
raksta Laikā par izrādi Kolorado Springsā. Apraksta
ierosināta, viņa uzrakstīja Laikā 1951. gada 28. jūlijā
ievietoto Vēstuli Sprīdīša izrādītājiem Kolorado
Springsā: „Nopriecājusies par Ad. Eglīša jauko Sprī-
dīša izrādes aprakstu Laika 56. nummurā, sevišķi
apstājos domās pie Kolorado bijušā gubernātora
ierosinājuma izrādīt Sprīdīti angļu valodā koledžas
zālē. — Šai sakarā gribu atgādināt faktu, kas pla-
šākai latviešu publikai laikam nebūs zināms. Proti,
ka Sprīdītis ir jau reiz izrādīts angļu valodā un
nekur citur kā Londonā — Londonas Internacionā-
lajā teātrī. Šķiet,, tas bija Latvijas patstāvības pir-
majos, divdesmitajos gados, pēc Annas Brigaderes
25 gadu darbības jubilejas. Pēc rakstnieces nāves
viņas archīvā atradām šīs Sprīdīša izrādes viena
skata uzņēmumu, ko nodevām rakstniecības mūze-
jam. — Ja nu tagad plašās Amerikas vienā vietā ir

radusies interese par Sprīdīti, vai to nevarētu mēģināt zināmā mērā apmierināt, izejot no šī pagātnes notikuma? Londonā mums ir tāds draugs — latviešu literātūras pazinējs un latviešu valodas pratējs — kā profesors Metjūss. Un Kolorado Springsā dzīvo mūsu godājamais profesors Ludis Bērziņš — Metjūsa bijušais kolēga Latvijas universitātē. Vai tad nu nevarētu ar godājamā profesora kunga starpniecību griezties pie profesora Metjūsa un lūgt viņu painteresēties, vai Londonas Internacionālā teātra archīvā nav varbūt vēl atrodams Sprīdīša tulkojums? Ja tas tur būtu un izrādītos labs, vai nevarētu norakstu no tā atsūtīt Kolorado Springsa Latviešu biedrības drāmatiskai kopai? Ja, turpretim, tas nebūtu atrodams, vai nevarētu lūgt profesoru Metjūsu to pārtulkot? — Taisnība ir Sprīdīša iestudētājai Strausa kundzei, ka Sprīdīša izrāde angļu valodā šobrīd tās kopai būtu grūti īstenojama lieta. Svarīgākais šķērslis, šķiet, būtu nevis tulkojuma trūkums (ko varētu dabūt), bet — ne visu izrādes dalībnieku pietiekamā angļu valodas prašana un — galvenais — amerikāņu ausīm kaut cik pieņemamā izruna. Tāpēc ienāk prātā šāds kompromiss: ja tulkojums būtu, vai nerastos iespēja to iespiest? Grāmatiņu varētu izplatīt ieinteresēto amerikāņu vidū, un tie varētu nākt uz izrādi l a t v i e š u valodā, lugu iepriekš izlasījuši. Izklausās drusku utopiski, bet vai gluži neiespējami? Neiespējams nav varbūt arī, ka grāmatā iespiestais Sprīdītis tādā kārtā varētu ieinteresēt izrādīšanai amerikāņu studentus pašus, kas savās koledžās tik aktīvi piekopj drāmatisko mākslu. — Liekas, līdzīgos gadījumos vajadzētu darīt visu, lai uzturētu un padziļinātu amerikāņos interesi par mūsu gara vērtībām. Še ir viens tāds gadījums, varbūt rasies arī citi, un tā pamazām sāks drupt tas Ķīnas mūris, aiz kura noslēptas, mūsu kultūras vērtības vēl arvienu lielajai pasaulei ir svešas. Vai nebūtu vērts padomāt un pamēģināt?"

Uz šo rakstiņu atsaucās ar vēstuli Īridai Jānis Grīns Zviedrijā.Viņš zināja pastāstīt, ka Sprīdīša tulkotāja bijusi pazīstamā latviešu sabiedriskā darbinieka Grosvalda jaunākā meita Margarēta, kas apprecējusi zviedru Ternbergu un dzīvo Zviedrijā. Sprīdīša tulkojuma norakstu varot dabūt no viņas par norakstīšanas izdevumiem. Sazinoties ar Ternberga kundzi, vienojās maksāt 25 dolarus par trīs Sprīdīša tulkojuma eksemplāriem. Saņemtus, tos sadalīja lasīšanai Kadilim, Raisteram un Īridai. Svarīgi bija uzzināt kāda amerikāņu lietpratēja spriedumu tiklab par lugas pašas noderīgumu amerikāņu bērniem, kā arī par tulkojuma vērtīgumu. Īridai bija iespējams tādu dabūt. Viņai bija tuvas attieksmes ar dēla izgalvotāju, mākslas priekšmetu skolotāju vidusskolā, kas darināja arī dekorācijas skolnieku izrādēm. Pie tās viņa bija iepazinusies ar skolas drāmatiskās mākslas skolotāju — skolnieku izrāžu iestudētāju. Īrida nu lūdza šo skolotāju izlasīt Sprīdīti un to novērtēt no amerikāņu mazo skatītāju viedokļa un vai varētu būt kādas cerības par šo bērnu lugu ieinteresēt amerikāņu teātŗa darbiniekus. Atbilde bija ierobežoti pozitīva: luga esot laba, ar poētiskām vērtībām, bet viņa domājot, ka priekš amerikāņu bērniem tai būtu par maz „excitement".

— Vēlāk, kad Īrida redzēja angļu un amerikāņu bērnu „Sprīdīti" — Peter Pan — Brodveja grandiozajā izrādē ar liellisko Mēriju Martinu šī lidojošā zēna lomā un mazo amerikāņu gaviļaino reakciju uz sava varoņa avantūrām, viņa arī pati saprata, ka latviskā Sprīdīša klusinātā pasaule tiem dotu par maz tāda aizrautīga „excitment."

Un tomēr — pēc turpat vai divdesmit gadiem — Sprīdīti ir skatījuši amerikāņu bērni. Par to ziņoja Valtera Nollendorfa raksts Laikā, 1969. gada 28. maijā — 1 8 0 0 s t u n d u g a ŗ š S p r ī d ī t i s. Tas pastāsta, ka Sprīdītis piedzīvojis četras izrādes Viskonsinas universitātē Madisonā, ko maģistra grada iegūšanai tulkojusi un iestudējusi Ainara Dankere Vaildere. Šīs izrādes apraksts un novērtējums apliecina Īridas secinājumu par pamatotu, jo izrādes recenzents konstatē: „Šis nebija „latvisks" Sprīdītis. Bet tūlīt arī jājautā, vai tīri „latvisks" Sprīdītis būtu varējis saistīt amerikāņu bērnus." — Lai tas to varētu, luga bijusi jāīsina un valoda jāpielāgo angļu valodas īpatnībām. Režisorei nav arī bijis iespējams sagādāt izrādei latviski iezīmīgu ārējo ietērpu kostīmos un dekorācijās. Par spīti minētajiem trūkumiem, izrāde ritējusi raiti, un mazie sekojuši ar lielu interesi. Izrādē dominējis uzsvars uz humoru, un visumā tas bijis vieglāks, jautrāks „Sprīdītis"nekā mums parasts. Un tā kā Aina Vaildere gribot turpināt tulkot un iestudēt bērnu lugas,, it sevišķi pētot Brigaderi, tad recenzents cerīgi nobeidz: „Kas zin, pēc gadiem Anna Brigadere varbūt būs pazīstama lugu rakstniece arī amerikāņu bērniem." Kaut tā būtu! — Irida mēģināja, bet viņai neizdevās uzzināt par Ainaras Vailderes tālāko nodomu eventuālo īstenošanos Annas Brigaderes lugu iedzīvināšanā amerikāņos.

O

Sarakstē ar Toronto Latviešu nacionālā teātra vadītāju, bijušo Latvijas nacionālā teātra aktieri Mildu Bērziņu, Irida uzzināja, ka arī tur Sprīdītis iesoļojis skatuvē jau 1951. gada Lieldienās. Sarakste iesākās ar gaidāmo atkārtoto izrādi šai teātrī 1952. gada Pēcziemsvētkos, 28. decembrī, kuru teātra vadītāja lūdza Iridu atbraukt noskatīties un, kā Annas Brigaderes komitejas priekšsēdei, teikt uzrunu izrādes apmeklētājiem. Bez tam viņa vēlējās kādu priekšlasījumu kopīgi visiem aktieriem, kas darbojas Toronto drāmatiskās kopās. Un vēl — priekšlasījumu Preses biedrības šai gadījumā izkārtotā sarīkojumā.

Irida bija gatava braucēja, bet notika kāda kļūme, kas visus labos nodomus izjauca: dažas dienas pirms svētkiem, pēc kādas izrādes Brodvejā,, cieši saspiestajā drūzmā pie izejas, viņai bija vai nu nejauši attaisījusies, var arī nemanot attaisīta rokas soma un no tās kopā ar citām vērtīgām lietām bija izzudusi ieceļotājas pase. Īsā laika dēļ to nebija iespējams atjaunot, un tā brauciens uz Toronto nevarēja notikt.

Šī paša gada marta mēnesī Ņujorkas latviešu teātris izrādīja pasaku lugu Maija un Paija. Šo izrādi apcerot, Irida rakstīja Laikā: „Divi lietas sevišķi iepriecina, domājot par Annas Brigaderes pasaku lugas Maija un Paija atkal parādīšanos ska-

tuvē: pirmkārt, ka arī mūsu pašreiz lielākā teātŗa vienība trimdā ir pievienojusies rakstnieces darba sevišķai cildināšanai šai viņas jubilejas gadā, un tad — ka šādā kārtā dota iespēja skatīt skaistā dzejas darba dzīvos tēlus kā latvju visjaunākajai paaudzei, tā arī šī krasta latviešiem, kam tie līdz šim bija neredzēti. Paldies teātrim par to."

Pa tam kultūras rosmes plauka un zarojās. Pie draudzēm dibinājās latviešu papildu skolas, savās vienībās organizējās skauti un gaidas, dibinājās jaunatnes pulciņi. Un it drīz sporadiski — te vienā te otrā vietā Amerikas plašumos — arī latviešu bērni un jaunieši paši, audzinātāju ierosināti un vadīti, sāka skatuviski izdzīvoties Annas Brigaderes pasaku tēlos, gan atsevišķos skatos vai cēlienos, gan veselās lugās. Kas saskaitīs visus mazos Sprīdīšus, visas paaudzes Maijas un Paijas ilgajos turpmākajos gados! Kā arī visus pārējos tēlus tiem biedros! Un kaut mazāk populārus tiem līdz dažkārt arī Lolitas brīnumputna un pat Princeses Gundegas un karaļa Brusubārdas varones un varoņus!

O

Kaut Anna Brigadere pati nepievienojās populārajam ieskatam, it kā viņas trīs pasaku lugas — Sprīdītis, Maija un Paija un Lolitas brīnumputns — būtu „bērnu" lugas, īstenībā tomēr rāda, ka tiklab senāk Latvijā, kā tagad trimdā visatsaucīgākie pret tām ir bērni. Citādi tas ir ar lielo pasaku drāmu Princese Gundega un karalis Brusubārda: tā vienmēr pirmām kārtām ir bijusi pieaugušo luga. Un tomēr — trimdas „lielie" teātŗi nebija uzdrīkstējušies to izrādīt. Nav zināms, vai tas noticis galveno lomu augsto prasību dēļ, vai arī lielā ansambļa un daudzo dekoratīvo maiņu dēļ. Tāpēc Irida pabrīnījās, lasot ziņu, ka šo lugu nolēmusi izrādīt Kultūras dienu rīcības komiteja Austrālijā jau 1952. gadā, apvienotu abu Melburnas ansambļu — Melburnas latviešu teātŗa un Latviešu biedrības teātŗa — iestudējumā. Turienes teātŗa recenzente, Māra Kalniete-Zaļkalne, Īridai personiski rakstītā vēstulē (24. 4. 54.) par šo izrādi liecina: „Ansamblis bija nevienāds un izrāde bija amatieriska, neskatoties uz labajiem galvenajiem tēliem." Kas tos tēlojuši, vēstule nemin.

O

Citādu pārsteigumu Īrida piedzīvoja, kad saņēma žurnālista H. Mindenberga vēstuli (18. 3. 59.), kas rakstīja: „Vašingtonas štata latviešu biedrības Sietlas nodaļas vārdā griežos pie Jums ar neparastu lūgumu — nākt talkā mūsu jauniešiem. 25. aprīlī Sietlā notiks jaunatnes kopas iestudētās A. Brigaderes lugas „Princese Gundega un karalis Brusubārda" pirmizrāde. Smago uzdevumu J. K. vadība un A. Grīnberga, kas lugu iestudē, uzņēmās, ne jau lai sniegtu spožu drāmatisku tēlojumu, bet lai 2 reizes nedēļā un jau kopš rudens posma, piesaistītu 34 jauniešus Latviešu namam, pašu videi un A. Brigaderes dzidrajai valodai. Vērojot mēģinājumus tomēr paliek iespaids, ka tekstu gan jaunieši ir apguvuši samērā labi, bet daudziem joprojām nav izpratnes par to, ko viņi runā. Sietlas nodaļas dāmu komiteja tad nu vienā svētdienas rītā pēc mēģinājuma aktieriem dos brokastis, un pēc tam iecerēta izklāste par A. Brigaderi, viņas lugām un speciāli par Princesi G. un karali B. — Par Brigaderes lomu mūsu literātūrā referētu jaunās paaudzes rakstniece Mirdza Timma, kas dzīvo mūsu štātā. Mūsu lielais lūgums būtu — vai Jūs nevarētu tieši lugas iztirzājumu. Varbūt arī īsumā par daudzajiem vārdiem lugā, kuŗus ikdienā gaužam maz lietojam un jaunieši viņu nozīmi nemaz neizprot. Vislabāk būtu Jūsu priekšlasījumu saņemt skaņu lentā."

Tātad nu jaunieši paši bija piekērušies šai lielajai, sarežģītajai lugai. Īridai tikai likās, ka viņas palīdzība būtu bijusi daudz svētīgāka, ja tā būtu lūgta jau pašā iestudēšanas procesā un nevis īsi pirms darba beigām. It īpaši neizprotamos vārdus noskaidrot būtu vajadzējis jau pašā sākumā, lai ievadītu jauniešus latviešu valodas dziļākā izjutumā. Tomēr viņa neatteicās palīdzēt arī tagad vēl, kaut arī laika sprīdis līdz 12. aprīlim, paredzētajai priekšlasījuma atskaņošanas dienai, bija visai īss priekšlasījuma sagatavošanai, ieskaņošanai un aizsūtīšanai. Savā atbildes vēstulē viņa apjautājās par jauno klausītājos inteliģences līmeni, lai zinātu priekšlasījumu tam pieskaņot. H. Mindenbergs par to raksta: „Studenti un vidusskolas audzēkņi. Savā amerikāņu vidē krietni pāri vidusmēram. Bet ar skumjām jāsaka, ka mūsu pašu kultūrālās dzīves skatījumā un literātūras pazišanā stipri tālu no tā, ko varētu vēlēties. No tiem 34 jauniešiem, kas izrādē piedalīsies, ir daži, kas tik daudz zina, ka A. Brigadere basketbolu nav spēlējusi... Protams, tas nu ir mazliet pārspīlēts uz slikto pusi un ar šīm galējībām Jums nav jārēķinās. Kad Sietlas jaunieši, aktīvākie un savā domāšanā latviskākie, izvēlējās šo lugu, mērķis bija — ne jau sniegt izcilu izrādi, bet gan vēlēšanās — turpat 1/2 gadu iesaistīt pēc iespējas lielu jauno saimi savā vidē, pie A. Brigaderes valodas. Pirms vairāk gadiem „Maijas un Paijas" mēģinājumi un izrāde deva šinī ziņā daudz pozitīva. Darbam nākot talkā tad nu nodaļa iecerējusi M. Timmas priekšlasījumu un Jūsu stāstījumu tiešī par to lugu, ko jaunie paši uzvedīs. No mana negatīvā slēdziena par mazākuma spriešanas spējām tomēr nenonivelējiet savu domu risinājumu."

Priekšlasījumu Īrida iesāka ar uzrunu: „Mīļie jaunie latvieši svešumā! No tālas tālienes līdz manim še austrumu krastā ir atnākusi ziņa, ka jūs tur, šīs plašās zemes pašos rietumos jau kopš rudens posma dzīvojat mūsu lielās rakstnieces Annas Brigaderes radītā latviskā gara pasaulē. Man ir liels prieks par to! Un ja nu ziņas devēji saka, ka vēlēšanās būtu, lai es nāktu talkā un palīdzētu jums skaidrāk saskatīt šo pasauli, kuŗā nu jums jādzīvo gan kā karaļiem, gan kā princesēm, gan kā vienkāršajiem latviešu cilvēkiem no tautas, tad es to labprāt gribu darīt. Jā, ir pat daži apstākļi, kas man liek izjust, it kā man būtu pat p i e n ā k u m s to darīt." Tālāk viņa pastāsta par šiem apstākļiem: agro iepazīšanos ar rakstnieci, vēlāko garīgo tuvību brieduma gados un testamentā uzlikto pienākumu pret rakstnieci pēc viņas nāves. Tad viņa noskaidro lugas ieceres rašanos un izveidošanu, pakāpeniski pārveidojot t a u- t a s pasakas lepno un stūrgalvīgo ķēniņa meitu s a v ā Gundegā.

Nobeigusi lugas analīzi, Irida griezās atkal tieši pie izrādes gatavotājiem: „Un nu uzklausaities labi, jaunie draugi! Šo lugu pirmo reiz izrādīja 1912. gada 1 2. a p r ī l ī; 1 2. a p r ī l ī — taisni tai pašā datumā pirms 47 gadiem, kad jūs nu klausāties manā tālajā balsī par to. Vai tā nav zīmīga dīvaina sagadīšanās, kaut arī toreiz tas bija vecā stila datums: pārceļot to uz jauno stilu — tas atkal sakristu ar jūsu i z r ā d e s dienu. Sīkums — jūs teiksit? Bet cik dīvains un dziļdomīgs sīkums! — Un izrāde toreiz, arī dīvainā kārtā, kļuva par p a v i s a m n e- a i z m i r s t a m u notikumu latviešu teātra dzīvē n e ar izcilo lugu pašu un arī n e ar abu galveno lomu skatuviskajiem attēliem, bet — ar S n i e- d z e s iemiesojumu latviešu visu laiku lielākās aktieres D a c e s A k m e n t i ņ a s n e p ā r s p ē j a- m ā u n n e p ā r s p ē t ā atveidā. Šai sakarībā vēlākos gados, personiskā sarunā ar Annu Brigaderi, rakstniece apliecināja vēl kādu citu, jau gluži abstraktu nozīmību Gundegas un Sniedzes simbolikā. Gundegu viņa apzīmēja par kultūras iemiesojumu un Sniedzi — par p a š u d a b u. Tā izprasta, Gundega rāda kultūras daudzveidību un sašķeltību, kas par harmonisku un pozitīvu spēku kļūst apvienībā ar dabas — Sniedzes — būtisko gudrību un likumību. Sniedzes tēls pie tam rakstniecei izdevies tik burvīgi l a t v i s k s, un būtisks latviskums jau arī bija viena no Daces Akmentiņas lielās mākslas lielajām burvībām. Esmu pārliecināta, ka arī jūsu tēlotāju vidū laimīga jūtas tā meitene, kam ļauts runāt skaidro, skaisto un zīmīgo latviešu valodu Sniedzes lomā.

Mani tālie jaunie draugi! Nezinu, vai šī mana neparastā sazināšanās ar jums būs auglīga: vai tā būs ar kaut ko kādu nieku palīdzējusi jūsu darbā. Man ļoti patiktu, ja jūs paši, kad izrāde būs garām, vaļsirdīgi man to pateiktu. Manas domas un mani

*labākie novēlējumi būs ar jums šai laikā un iz-
rādē, kuŗu es tik labprāt būtu noskatījusies. — Diev-
palīgs visiem darba darītājiem!"*

Nākošā dienā pēc atskaņojuma H. Mindenbergs
raksta Īridai: „Sirsnīgi tencinām! Lenta un Jūsu vē-
stule pienāca sestdien. Sāku gaidīt jau trešdien un
diezgan satraukti, jo tieši par Jūsu priešlasījumu in-
terese bija tik liela, ka būtu bijis gaužam nepatīkami
sagādāt vilšanos. Jūs saņemsiet arī sirsnīgu paldies
no pašiem jauniešiem, bet tur nu savs laiciņš paies.
Cik dzirdēju jaunos „aktieŗus" runājam, gribot aiz-
sūtīt sveicienam fotografiju no izrādes, un tā nu vēl
jāgaida.
Nebiju redzējis klausītājus ar tādu uzmanību se-
kojot kā šoreiz. Tiešām, Jūsu pūles 100 proc. at-
taisnojušās un daudz palīdzēs ne tikai galveno lomu
tēlotājiem, bet vispār dos labāku ieskatu par to, ko
jaunieši dara.
Biju ar Mirdzu Timmu sarunājis un viņa deva vis-
pārēju raksturojumu par A. Brigaderi un viņas dar-
biem, īsumā pieskaŗoties arī laikmetam, kuŗā rakst-
niece auga un vēlāk vadīja savus raženos darba
gadus. Jūs savukārt tik dzidrā valodā un skaidrā
tvērienā devāt par iestudējamo lugu, tā lieliski pa-
pildinot pirmo priekšlasījumu. Atskaņojot lielā zālē,
krietnā pastiprinājumā, gan labi dzirdējām Ņujorkas
trokšņus, tomēr uzmanība bija tā centrēta Jūsu
vārdu plūsmai, ka tas drīzi netraucēja. Rīt aizbraukšu
pie Dārziņa māmuļas atskaņot viņai."

Emīla Dārziņa kundze, Volfganga māte, 1. maijā
datētā vēstulē tad nu raksta Īridai:„ 12. aprīlis pa-
gājis un 25. tāpat„ bet es tikai 29. aprīlī dzirdēju Jūsu
balsi un klausījos Jūsu priekšlasījumā. 12. aprīlī to
noklausījās Volis un Anniņa (priekšlasījums tiem
bija ļoti paticis) un es paliku mājā pie Dainas. Tikai
aizvakar Harijs Mindenbergs atbrauca ar aparātu
pie mums un es Jūsu priekšlasījumu noklausījos 2
reizes no vietas ar visām ērtībām gultā sēdēdama.
Tas skanēja skaidri un iespaidīgi, ne vārds, ne in-
tonācija negāja zudumā, un likās, ka Jūs pate man

183

to lasāt priekšā tepat pie galda sēdēdama... Pate Anna Brigadere nebūtu varējusi uzrakstīt skaidrāku un izsmeļošāku komentāru savai lugai! Mindenbergs bija ļoti lepns, ka viņam bija izdevies sagādāt Sietlas jauniešiem tik dziļu ieskatu lugas ideju pasaulē. Cik ļoti šādi komentāru būtu vajadzīgi visām Raiņa lugām un vēl daudzām citām. Un ko tie dotu ne tikai jaunatnei vien, ja Jūs tos rakstītu un mēs biežāk tos dabūtu lasīt vai dzirdēt! — — — Ko tur un kas tur ko varētu darīt? — — —

O

Savā pirmajā vēstulē H. Mindenbergs vēl rakstīja: „Šinī pašā secībā vēl otrs jautājums. Vai mēs nevarētu dabūt regulāri no Jums, teiksim, ik pa diviem mēnešiem vienu 1/2 stundas priekšlasījumu skaņu lentā? Tematika — par tiem pašiem jautājumiem, par kuriem tik skaisti rakstāt Laikā. Jūs teiksit — tos jau var izlasīt. Ir jau pareizi, ja izlasa. Bet lasa vienīgi vecākā un vidējā paaudze. Jaunatne, ja nu vēl kādreiz ar koku piedzenama pie kādas grāmatas, tad latviešu laikrakstus rokā tikpat kā neņem. Otrkārt, priekšlasījumā vielu var citādi apstrādāt un akcentēt nekā avižu rakstā, kur vienmēr jācīnās ar telpu trūkumu. Šos priekšlasījumus kombinējot ar otru 1/2 stundu koncertam un piedevām beigās jautrākiem ritmiem, tā apvienojot to, kas patīk, ar to, kuŗu mēs gribētu lai patīk, tomēr būs iegūts daudz pozitīva."

Ierosinājumu Irida principā nenoraidīja, bet ieteica atstāt jautājuma izšķiršanu pēc tam, kad būs zināms, cik pieņemami — idejiski un financiāli — ir izkārtojies pirmais priekšlasījums. Uz to Mindenberga kungs atbild: „Tālāko šobrīd tiešām varam atstāt atklātu. Redzēsim, kā patiks pirmā skaņu lenta. Un cik tā izmaksās."

Ka pirmā skaņu lenta bija patikusi, to apliecina tiklab Dārziņa kundzes, kā Mindenberga kunga trešā vēstule. Tajā viņš vēl piebilst: „Visdrīzākā laikā rakstīšu par turpmāko sadarbību. Vēl reiz mīļš paldies."

Bet — „visdrīzākais laiks" — nav pienācis līdz šai dienai! Nav arī saņemts „sirsnīgais paldies no pašiem jauniešiem," nedz arī „sveicienam sūtītā fotografija no izrādes"! — Saproti pasauli!!!

○

Nākamā gada pavasarī Īrida saņēma vēstuli no Losandželosas. Rakstīja režisors un filmu darbinieks Vilis Lapenieks: „Rakstu Jums kā Brigaderes „mantiniecei" sakarā ar Losandželosas Latviešu teātra neprātīgo nodomu (tā daži saka) uzvest Princesi Gundegu un karali Brusubārdu. Ceru, ka Brigaderes komitejai nebūs iebildumu, ja iestudējam Gundegu." Tālāk viņš iepazīstina Īridu ar šo amatieru teātri, kas nodibinājies pirms desmit gadiem un ar Annas Brigaderes pasaku lugu 14. un 15. oktobrī atzīmēs savas darbības atceri. Uz to viņš aicina Īridu atbraukt, ja vien tas viņai iespējams, viesmīlīgi piedāvādams savu māju „dažas nedēļas pavaļoties saulainajā Kalifornijā." Par iestudējumu viņš saka: „Man ir pavisam īpatnēja pieeja un režijas plāni šim inscenējumam — bez jebkādām laikmeta vai tautības iezīmēm," un beigās viņš jautā: „Varbūt Jums būtu kādi norādījumi vai padomi sakarā ar mūsu inscenējumu? Darbam tie varētu nākt ļoti par svētību."

Tā kā konkrētāku norādījumu par režijas īpatnējām iecerēm vēstulē nebija, tad Īrida neredzēja iespējas, kā viņa varētu vēlamajā darbā iet talkā. Un lai kā viņa būtu vēlējusies izrādi redzēt, arī no tā bija jāatsakās: kopš vasaras līdz vēlam rudenim viņu mocīja akūta ļaundabīgā mazasinība, kas paralizēja jebkuru aktīvu piedalīšanos sabiedriskā dzīvē.

Par izrādi Laikā bija lasāma Anšlava Eglīša ļoti atzinīgā un rūpīgā apcere. Bet uz jauno gadu Īrida saņēma režisora paša Ziemsvētku vakarā rakstītu, deviņu liela formāta lappušu vēstuli ar „norēķiniem," „kā pie bikts, visu pēc kārtas." Šai biktī tiešām bija jāapbrīno V. Lapenieka bezaprēķinīgā nodošanās lielajam iestudējumam, aiz nepieciešamības uzņemoties it visu tā atsevišķo komponentu izveidošanu un to ieveidošanu kopumā izrādē, kaut — lai to veiktu — bijis „veselus divus mēnešus jāatstāj maizes darbs un dienu dienā jāstrādā tikai teātrim." *Seko sīks pilnīgs režijas plāna izklāsts, akcentējot pilnīgi brīvas fantastikas dominancī vielas traktējumā, gaismu technikas suverēnu pielietošanu inscenējumā un — saskaņā ar to — lomu īpatu uztvērumu un izveidojumu, pie tam abām galvenajām lomām dodot katrai divus tēlotājus. Režisors nožēlo, ka viņam nav tikpat kā nekādu foto materiālu no izrādēm, jo lielā laika trūkuma dēļ pie fotografēšanas nemaz nav ticis. Vēstulei tomēr pievienoti dažu atsevišķu tēlotāju uzņēmumi. Anšlavs Eglītis ar savu rakstu atzīst, ka eksperiments izdevies un ka lielāko gandarījumu izrādes dalībniekiem sniegusi skatītāju atsaucība, jo diezgan plašais Plummera teātris Holivudā abās izrādēs bijis piepildīts līdz pēdējai vietai.*

Vēstulej vēl ir interesants turpinājums: „Bet man ir vēl viena daudz dulnāka ideja nekā pati lugas iestudēšana. Ko Jūs teiksit par to? Ir tiešām žēl, ka trimdas apstākļos mūsu teātŗi ir spiesti aprobežoties ar savu iestudējumu uzvedumiem vai nu tikai savās mājās vaj arī nedaudzās tuvākās blakus pilsētās. Ir skaidrs, ka mēs nekad ar savu Gundegas milzu inscenējumu nevarēsim aizbraukt, teiksim piemēra pēc, uz Toronto un tāpat Toronto teātris ar savu Gundegas izrādi (Dziesmu svētku laikā) nekad nevarēs nokļūt pie mums Losandželosā. Tad nu es domāju: kā būtu, ja mēs no Gundegas izveidotu filmu — krāsu filmu ar tēmu „Kā mēs spēlējām Gundegu". Tā būtu nevis tiešs skatuves izrādes pārfilmējums, bet gan pēc speciāla scenārija gatavota visu raksturīgāko skatu mākslinieciska montāža, kas dotu vispārēju ieskatu par mūsu uzdevumu. Tā vismaz viens teātris pie otra varētu aizbraukt ar savu „viesizrādi." Ja to varētu izvest arī citi teātŗi, tā būtu lieliska kultūras vērtību apmaiņa no pagasta uz pagastu, pat no kontinenta uz kontinentu. Nelaime tikai tā, ka tāda padarīšana maksātu lielu naudu, kuŗu gan, manuprāt, apmainoties ar filmām un ņemot izrādēs ieejas maksas, varētu apmēram dabūt atpakaļ. Iztrūkums būtu sedzams pašiem teātŗiem. Un kas tur liels, lai aktieŗi atsakās no saviem honorāriem, kā mēs to jau vienmēr darām, tad nauda būs." Tomēr, sīkāk aprādījis konkrētās prasības filmas īstenošanai, entuziastiskais teātrālis pats atzīst: „Baidos, ka tādu ļaužu, kas sevi ilgāku laiku ziedos šaj filmas lietai, nebūs. Tā var gadīties, ka tā labā ideja var arī nerealizēties." — Varbūt tiešām jānožēlo, ka šis otrs iedomātais eksperiments tā arī nav realizējies.

O

Zīmīgi, ka trimdā nevien bērnu un jauniešu, bet arī pieaugušo izrādēs Anna Brigadere dzīvo galvenokārt savās pasaku lugās. Tas liekas apstiprinām jau Latvijā populāro uzskatu it kā tās arī būtu rakstnieces augstāk vērtējamais sniegums latviešu drāmatiskajā literātūrā. Tomēr tas nenozīmē, ka viņas reālajām lugām nebūtu savu skatuvisko un arī ideoloģisko vērtību, — trimdā tikai tās ir mazāk pieejamas un tāpēc vienīgi retas no tām ir pa reizei izrādītas.

Īridu šai sakarā pārsteidza vēstule, arī no Losandželosas, jau 1953. g. novembrī. Rakstīja aktieris Ansis Tipāns: „Pirms kāda pusgada savācu mazu teātra entuziastu grupu nelielajā Losandželosas latviešu kolonijā un tā pavisam klusu divas reizes nedēļas novakaros esam sanākuši un strādājuši. Bailes teikt, bet tā nu tas ir, esam strādājuši gar drāmu Ilga. Bijībā un pietātē pret lielo latviešu sievu Annu Brigaderi un viņas šo darbu, esam nākuši kopā, mēģinājuši un tuvojušies, bez skaidra lēmuma ar viņu rādīties uz skatuves. Pa šīm novakarēm ir radies arī kas labs un daudz kā arī trūkst. Vai Jūs, kundze, būtu ļoti sašutusi, ja mēs Ilgu tomēr rādītu uz skatuves? Savā laikā Stokholmā tāpat klusībā es iestudēju Ilgu, tā bija pirmā latviešu teātra izrāde Zviedrijā. Jānis Grīns un Mārtiņš Zīverts bija klāt ģenerālmēģinājumos un izrādē. Viņu atsauksmes bija vairāk nekā labas un drosminošas. Radās jau mazs prieka reibums, kad lasījām Grīna cildinošo kritiku mazajā bēgļu avīzītē. — Grīns drusku piekērās pašai drāmai, ka tā novecojusi un Ilgas tēls neskaidrs un nemotivēts. — Ilga nekad nevar novecot, viņa dzīvo un mūžam dzīvos meitenēs un sievās. — Cik gan jauki būtu, ja mazajā pasaulē nebūtu tik gaŗi ceļi. Tad mēs aiz-

ietu un klusām Jūs atvestu pie sevis kādā vakarā, vai varbūt izrādes vakarā, ja Jūs to atļautu. — Es runāju ar vienu šejienes Latviešu biedrības vīru par iespēju Jūs palūgt viesoties pie mums ar kādu priekšlasījumu. Viņš domā, ka kādus $100 mēs tādā vakarā savāktu, bet tas ir tikai puse no ceļa naudas. Ja nu tādu referātu noorganizētu arī San-Francisko, tad jau būtu iespējamāk. Tad to varētu saskaņot ar Ilgas izrādi un tas mums būtu notikums, un Jūs arī redzētu palmas, kalnus, tuksnešus un arī zilo Pacifika jūru. Tas varētu notikt janvāra beigās vai februāra sākumā. — Lūdzu rakstiet man par visu šo dažus vārdus."

Te nu atkal reiz Irida tika konfrontēta ar Ilgu! Par izrādi Stokholmā viņa nebija zinājusi. Ka Jānis Grīns nebija Ilgas „sapratējos", to Irida bija jau atzīmējusi, kā arī to, ka vīrietim vispār ir diezgan grūti Ilgu saprast. Tāpēc jo vairāk viņu pārsteidza fakts, ka ir kāds skatuves cilvēks, kas pats ar savu ierosmi atkārtoti un entuziasmēti strādā gar Ilgas iestudējumu. Protams, ka tas intriģēja. Izdevumu dēļ viņai nelikās neiespējams izrādes apmeklējums: bija arī citi aicinājumi, kas iznāktu pa ceļam uz Kaliforniju. Ja tādu priekšlasījumu virkni noorganizētu, varētu braukt. Bet radās cits iemesls, kas lika viņai atteikties. Sagadījās tā, ka abas amerikāņu dāmas, kas bija izgalvojušas Zelmeņus uz šejieni, Ziemassvētku laikā bija ciemojušās Kalifornijā. Atpakaļ lidojumā, naktī, ar lidmašīnu bija notikusi kāda kļūme, vajadzējis nolaisties kaut kur klajā laukā, un pasažieriem bija jāpavada auksta ziemas nakts bez pajumtes. Sekās — vecākā no dāmām tā bija apaukstējusies, ka iegula pailgā slimībā. — Un ja nu Iridai tā gadītos! Viņas latentā bronchiālā astma tad atkal uzliesmotu akūta (kā tas reizēm jau bija noticis) un varētu viņas gados nu kļūt arī fatāla. Ārstu stingrs noteikums bija, ka viņai jāizvairās no katras saaukstēšanās. Ja izrāde nenotiktu ziemā, varētu braukt. Janvārī vai februārī — nedrīkstēja riskēt. Un Kalifornijā Ilga palika neredzēta.

*Gadi virknējās. Kad trīspadsmit bija aizritējuši, —
tai pavasarī atkal vēstule no Anša Tipāna: „Pēc
visu daudzo piesūtīto lugu izlasīšanas un mazu
ieskatiņu iemetot arī lietuvju un igauņu pēdējos
gados uzrakstītajos skatuves darbos, bija jāizšķiras
— vai šogad (1966.) nebraukt turnejā vai arī braukt
ar Annas Brigaderes — Ilgu. — Tā kā no centriem
jautā, gaida un mudinošās vēstulēs urda braukt,
tad esam nolēmuši tomēr tā darīt ar — Ilgu. — Ce-
ļošanas laiks būtu — septembra, oktobra mēneši."*

*1. augustā otra vēstule: „Ar visām lomu maiņām
un pārkārtojumiem esmu drusku sanervozējies. Jā-
atzīstas — ar diezgan lielām grūtībām maniem spēl-
maņiem atklājas Ilgas pasaule un vispār šīs lugas
trauslā un dziļu apvaldītu jūtu kultūras gaisotne. —
Strādāju ar visu spēku, lai mēs tiektos un kaut cik
sniegtu Annu Brigaderi. — Bostonā mums izrāde
sestdien 24. septembrī, un svētdien tad varētu uz
brīdi pabūt ar Jums."*

*Pēc losandželosiešu intensīvās pirmās viesizrādes
Bostonā ar Anšlava Eglīša lugu Cilvēks grib spēlēt
bija nodibinājies zināms kontakts sarakstē ar Ansi
Tipānu. Izdebatēt vēstulēs aktuālus teātra jautāju-
mus, kas aktieriem palaikam interesē, nav iespē-
jams, tāpēc Irida labprāt ievēroja mazās trupas vē-
lēšanos paviesoties pie tās pēc vai priekš viesizrā-
dēm, kad dienu atstarpe ceļotājiem to atļāva. Šoreiz
apstākļi bija sarežģījušies. Februārī Irida bija pār-
cietusi sirdslēkmi un no tās grūti atpirga. Kaut gan
līdz pēdējam brīdim viņa bija cerējusi varēt uz il-
goto Ilgas izrādi braukt, tad tomēr to nespēja. Žēl
bija viņai, žēl režisoram un aktieriem. Tie — Ansis
Tipāns, Maruta Ludeka un Spodra Zaļuma — otrā
dienā pēc izrādes atbrauca pie Iridas. Viss pieva-
kares cēliens pagāja spraigās, dažbrīd arī kontro-
versālās pārrunās par Ilgas gan skatuvisko, gan
idejisko problēmu, un pēc tam Irida par to samak-
sāja ar visas nakts neciešamām angina pectoris
sāpēm, tikko tikko izglābjoties no jaunas lēkmes.
Domu izmaiņā iekaistot, viņai bija piemirsies ārsta
brīdinājums — no excitement!*

Par izrādi Laikā rakstīja Dzintars Freimanis. Iepriekš jau bija zināms, ka tā noris pavisam īpatos apstākļos: iestudēšanas procesā vairākkārt bijis jāmaina dažu lomu tēlotāji, un — ceļojuma sākumā auto katastrofā cietis un no ierindas izrauts jaunā architekta Evalda Krona tēlotājs. Zibenīgi izšķīries — režisors Ansis Tipāns bija uzņēmies viens pats tēlot visus trīs tik dažādos Ilgas partnerus! Liktos — gluži neiespējama situācija! Interesants tad nu ir izrādes apcerētāja spriedums par šīs situācijas skatuvisko īstenošanos: „Pavisam neparasts uzdevums šoreiz bija jāveic režisoram Ansim Tipānam, tēlojot nevien programmā minētās divas lomas — profesoru Zendborgu un rakstnieku Grantu, bet vēl trešo — Evaldu Kronu. Bet savā ziņā ir interesanti taisni tā, jo luga ar to iegūst īpašu zīmīgu simboliku: meklētājai Ilgai atkal un atkal ir jāatrod viens un tas pats vīrieša tips, — un izrāde guva īpašu liktenīgu vienību, kādu nedotu triju dažādu aktieru spēle šajās lomās."

Bez šīs apstākļu uzspiestās pārmaiņas izrāde devusi lugai arī citu, režisora gribētu, un tā izraisījusi apcerētājā sekojošas pārdomas: „Vai Ilga ir pieņemama mūsu dienās? — Reizē nē un jā. Neliekas vairs pilnīgi paticama mūsu laikā un vidē Ilgas kategoriskā prasība pēc dvēseliskas tīrības un nedalītām jūtām, jo mūsu laiks, diemžēl, šķiet raksturojams ar kompromisiem morālē un ar neviengabalainību cilvēka personībā. Šinī ziņā Ilga runā uz mums no pagājušiem gadiem. Pavisam moderna, turpretim, var kļūt Ilgas problēma, ja to uzskata par ilustrāciju mūsdienu literātūrā daudzinātajam „komunikācijas" jeb saprašanās trūkumam individu starpā. Ko tad citu simbolizē, piemēram, Samjuela Beketa lugās atkritumu tvertnēs ieslodzītie vai smiltīs līdz zodam ieraktie ļautiņi, ja ne indivīdu absolūto atšķirtību vienam no otra? Un vai šī pati traģiskās atšķirtības problēma, tikai bez vulgārās simbolikas, nav arī apskatāmās Annas Brigaderes drāmas pamatā? — Liekas, arī režisors Ansis Tipāns būs gribējis pasvītrot taisni to, ka Ilgas problēma sniedzas pāri drāmas sarakstīšanas laikam. Tā domāt liek izrādes ārējais izveidojums dekorācijās un tērpos, kas izskatās pavisam mūslaicīgs." Un beigās apcerētājs secina: „Ilga ir mūsu vidū. Viņas bezkompromisa personība un viņas traģika izrauj mūs no kompromisu pilnās ikdienas. Liels paldies par to visiem, visiem izrādes dalībniekiem!"

Lasot un pārrunājot šīs un vēl citas — lomu interpretējumu — problēmas, Īrida jo dziļāk izjuta nožēlu, ka arī šoreiz, Bostonā, viņai nebija ļauts saredzēties ar neatlaidīgā Anša Tipāna skatuvē iedzīvināto Ilgu.

Pēc turnejas Ansis Tipāns raksta: „Ilgas brauciens noslēdzies. — Šogad mūs visur neparasti labi apmeklēja,, un tomēr neesmu apmierināts. Ilga prasa kaut ko stipri vairāk nekā citas lugas. — Pārrēķinājos, un tagad nu zinu, ka ir kaut kas, ko no aktieŗa tomēr nevar izdabūt — — to, kā viņā nav. — Tā savās domās auklēto Ilgu publikā neaizraidīju. — Ir daudz atzinīgu, siltu pateicības vēstuļu, bet pašam tomēr skumji. —"

Laikam arī Ansim Tipānam būs beidzot jāsamierinās ar viņa domās izauklētās Ilgas „neesamību," jo paredzama nākotne diezin vai Ilgai būs. „Mūsu laiks" ir iesoļojis Ilgai svešos ceļos. Vai tie varētu atkal kādreiz ievirzīties Ilgas gara pasaulē?!

O

Toties visus pasaku tēlus Annas Brigaderes lugās joprojām, pat atkārtoti, skatuvē iedzīvina trimdas nākotnes cerība — latviešu bērni un jaunatne. Gandrīz neticami izklausās, ka pat svētdienas skolu bērni strādājuši gar lielo Princeses Gundegas un karaļa Brusubārdas drāmu un darbu sekmīgi paveikuši, kā to varēja lasīt par Ņujorkas draudzes skolnieku iestudējumu,, 1970. gada pavasarī. Īridai brauciens uz Ņujorku, lai to redzētu, arī nebija iespējams, jo aprīlī tā bija atkal pārcietusj sirds lēkmi. Par beidzamo tiešo saskarsmi viņai bija palikusi Sprīdīša izrāde Klīvlendā, 1962. gada 28. aprīlī. Uz to viņu ar vēstuli aicināja tās kādreizējais skolnieks 2. Rīgas pilsētas vidusskolā, skolotājs un sabiedrisks darbinieks Jānis Kalnietis, izrādes iestudētājs. Vēstule informē, ka abas pārējās pasaku lugas jau agrāk skautu un gaidu izrādītas un ka ar Sprīdīša izrādi Klīvlendas latviešu ev.-lut. draudzes svētdienas skola un tās absolventi atzīmē desmit gadu darba atceri. Cita starpā Kalnietis raksta: „Biju šīs idejas (ielūguma) ierosinātājs, un mani ar dedzību un sirsnību atbalsta vecāki, skolotāji, skolas pārzinis un — visi! Pozitīvā gadījumā mēs ļoti Jūs lūgtu tieši pirms izrādes sākuma teikt uzrunu klīvlendiešiem. — Esam paredzējuši turpat — izrādes namā kādā atsevišķā, klusā istabā mazas vakariņas, kur Jums būtu iespēja noglaudīt dažu manu „aktrišu" galviņu vai ierakstīt kādu piemiņas vārdu: tas meitenēm būtu liels pārdzīvojums, jo esmu gādājis, ka viņas Jūs jau šobrīd pazīst." — Taisni šī pēdējā solītā iespēja Īridai likās vērta uzņemties tālo ceļu. Uzruna, kam vienlīdz būtu jāapmierina bērni, jaunieši — absolventi un vecāki ar audzinātājiem neškita šai gadījumā būt tas svarīgākais. Bet gan pabūt neformāli kopā ar ieinteresētajiem izrādes dalībniekiem, intimā stāstījumā un sarunās atklāt viņiem dziļāk un būtiskāk rakstnieces garīgo seju, — tas gan varētu kļūt viņiem nozīmīgs vienreizējs ieguvums. Un Īrida brauc, — un — piedzīvoja pārsteigumu! Viesmīlīgi uzņemtai un aprūpētai skolas priekšnieka mājā, pēc izrādes izšķērdīgi apbalvotai ar neredzēti garkātainām, no Kalifornijas izrakstītām rozēm, — viņai nepavisam nebija sagādāta solītā iespēja „atsevišķā, klusā istabā noglaudīt „aktrišu" galviņas." Jā, viņa tās vairs ne redzēt nedabūja, jo pēc izrādes intīmo vakariņu vietā sākās parastie dejas prieki, kuŗos iejuka un Īridai pazuda visas noglaudāmās galviņas.

Vēlāk izrādījās, ka vilšanās bijusi abpusēja, jo darbinieki bija „ar lielāko interesi un nepacietību veltīgi gaidījuši Laikā kādu vārdu" no Īridas. „Bērni jau laikrakstus parasti nelasa, bet pēc Sprīdīša izrādes pēkšņi visi bija kļuvuši par uzcītīgiem Laika lasītājiem." — Īrida bija svārstījusies — rakstīt vai nerakstīt par šo viesošanos. Viņa saprata, ka darbinieki cerēja uz lielāku atzinību izrādei nekā viņa varēja tai dot. Un pati viņa sajutās tik maz devusi taisni tiem, kam viņa bija gribējusi daudz dot, ka — visu to kopā ņemot — izšķīrās klusēt. — „Lūdzu, neļaunojieties pārāk, ja kas nav izdevies, kā bija iecerēts: mūsu gribēšana tomēr bija visulabākā," raksta Kalnietis. „Es arvienu esmu tai pārliecībā, ka Brigaderes lugas un Jūsu viesošanās kopsummā tomēr devusi daudz, un viss tas ir liels sasniegums tanī dažkārt pavisam izmisīgajā cīņā, kuŗā esam iesaistījušies — kaut kā cēla, dižena saglabāšanā nākamajām audzēm." — Ar labāko sirdsapziņu Īrida varēja savā pēc gada izdotajā grāmatā — Cilvēks domā, Dievs dara — apliecināt atzinību šai cīņai — darbam, ko nenogurdināmi ik dienas dara cilvēki, kas vēl arvienu spējīgi atdāvināt ar dolariem dārgi samaksājamo laiku un pašu spēkus šobrīd šķietami nereālai Latvijas nākotnei. Kad viņa vēlāk saņēma skaistā tautiska raksta audumā iesietu foto albūmu ar ne tikai Sprīdīša, bet arī agrāko gadu — Lolitas brīnumputna un Maijas un Paijas izrāžu uzņēmumiem un lasīja sirsnīgos pateicības vārdus, viņa jutās vainīga par savu atturīgo klusēšanu.

O

Pēc tam drīz pienāca tie gadi, kad Īrida nespēja vairs nekādus izbraukumus vai citādas noteiktas saistības uzņemties. Pēc ilgajiem aktīva darba gadiem sabiedrībā viņa „atgriezās pie sevis." Arī te viņu vēl sasniedza Latviešu preses biedrības priekšnieka vēstule (1967. gada 3. decembrī), kur lasāms: „Jūs esiet vienīgā man zināmā Brigaderes fonda locekle," un „Es būtu pateicīgs, ja Jūs varētu atrast iespēju atrakstīt par šī fonda nākotnes darbības nodomiem. Ja Jūs domājiet, ka Preses biedrība varētu ko palīdzēt, lūdzu dariet to zināmu." — Vienīgais, ko Īrida varēja „darīt zināmu," bija — vēl reiz pateikt, ka sen jau nav vairs „Brigaderes fonda valdes locekle" un informēt par Annas Brigaderes komitejas traģisko likteni arī šeit Amerikā: priekšsēde — dzejniece Karola Dāle ir mirusi, sekretārs — žurnālists un dzejnieks Ēriks Raisters ir miris. Vai kasierei A. Martinsona kundzei pēc tam ir bijusi kāda sazināšanās ar ALA Kultūras fondu un vai ir meklēta kāda iespēja komiteju atjaunot un darboties, — tas Īridai nav zināms. Viņas dalības daļu gadi ir izbeiguši.

Ō

Jau vairākkārt minētajā Pēteŗa Ērmaņa rakstā — Atmiņas par Annu Brigaderi — lasāms: „Brigaderes dzīves un darbu apceres rakstīšana ievilkās gaŗumā. Beidzot uz Ziemassvētkiem (1931.) mana grāmata iznāca. Izdevēji gan nebija mierā, ka es savu darbu nosaucu tikai par materiāliem, bet es to neiedrošinājos citādi vērtēt. Varbūt cits autors — varbūt P. Jēger-Freimane, kas Brigaderes pētīšanai ziedojusi lielu daļu sava mūža darba — reiz sniegs īstī zinātnisku biografisku pētījumu."

Pieminētās autores līdziniece — Irida Rasa-Zelmene domā, ka šai citātā viņas daļa „Brigaderes pētīšanā," ir nesamērīgi pārvērtēta. Jo gan savas, gan apstākļu vainas dēļ viņa pie īstas „Brigaderes pētīšanas" nav nemaz tikusi. Ko viņa ir labprātīgi darījusi vai kas viņai ir bijis jādara, viņa nekad nav iedomājusies uzskatīt par „lielu daļu sava mūža darba." Jācer, ka vēl pienāks laiks, kad kāds „cits autors sniegs īsti zinātnisko biografisko pētījumu" par vēl arvienu lielāko latviešu rakstnieci Annu Brigaderi.

194

12

Vasara Baldonē pagāja mierā un saskaņā. Rudenī, mācību gadam sākoties, Ints atveda Īridu atpakaļ, jo viņa bija nodomājusi studijas turpināt un nobeigt. Pirms gala eksāmeniem atlika gatavot vairs tikai divus svarīgus pārbaudījumus. Gan viņa to līdz janvārim pagūs. — Bet jau pirmajās lekcijās viņai gandrīz līdz nemaņai bija jācīnās ar gaisa trūkumu pārpildītajās izelpotajās auditorijās un tā drīz vien no aktīva darba universitātē jāatsakās. Bija jātaupās un jāgatavojas lielākajam — dzīvības brīnuma pārbaudījumam.

Jaunā, 1925. gada pirmo dienu nobeidzot, Īrida teica Intam: „Jaunais gads nu ir sagaidīts un nosvētīts; nu var sākties jaunā gada darbi." To teikdama, viņa nenojauda, ka pēc dažu stundu miega viņu atmodinās norises viņas ķermenī, kas gatavoja ceļu jaunas dzīvības ienākšanai pasaulē. Ints ziņoja ārstam, un tas norīkoja steidzīgu ierašanos dzemdētavā. Un pēc nākamās nakts cīniņa, no vieglas nesamaņas Īridu atmodināja skaļš dzīvības sauciens — viņas bērna balss — trešā janvāra puspiektā rīta stundā. No ātrās un laimīgās norises pārsteigtais Ints nu varēja saņemt gaidīto dāvanu — skaistu dēlu.

Dzīvības brīnums! Kad tas gulēja viņas rokās, sūkdams no viņas spēku augšanai, Īrida atvēra viņa sakniebto dūrīti; mazā pirkstiņa nadziņš bija kā kniepadatas galviņa, — tik maziņš. Vai šis rožainais nieciņš — šī rociņa izaugs par stipru vīra roku, — domāja Īrida aizkustināta.

Kad Ints pēc divi nedēļām veda viņus abus uz māju, Īridas acīs iegula zvaigžņota debess. Arī nākamās naktis turējās skaidras, un pa sava augstā dzīvokļa logu viņa redzēja lielas un spožas zvaigznes spulgojam. Tas ieviļņoja viņā mistisku prieku: ja mana dēla mūža sākums ir zvaigžņu gaismas apmirdzēts, tad arī viņa dzīves gaitā netrūks zvaigžņu mirdzuma.

O

Gaidot uz savu bērniņu, Īrida bija lasījusi attiecīgu literātūru. Tā pauda teorētisko uzskatu, ka, paēdināts un apkopts, zīdainītis pārējo laiku guļ. Tāpēc viņa domāja, ka otrā semestrī varēs atkal atsākt studijas. Bet īstenībā tik vienkārša nebija. Jaunā dzīvība nav vienmērīgi precizēts mechanisms. Tā ir instinktīvu impulsu noteikts organisms, vienreizējs un iepriekš neaprēķināms, ar savām individuālām patikas un nepatikas sajūtām. Un itin drīz tam ar barību un miegu vien vairs nepietiek. Tas sāk uztvert pasauli ārpus sevis. Un tam ir vajadzīgs partneris pasaules aptveršanā. Vai lai Īrida šo partnerību uztic svešām samaksātām rokām? Ja viņai ir piešķirta laime būt mātei, tad viņas pirmais pienākums ir bērns. Studijas var gaidīt.

O

Vasaru Zelmeņi nolēma atkal dzīvot Rīgas jūrmalā, jo tā Intam bija visparocīgāk ik dienas pēc darba izbraukt pie savējiem. Viņš bija sameklējis mazu vasarnīcu Dzintaros, mežā, Lielupes pusē. Tur neķēra asie vēji no jūras, un mieru netraucēja kūrvietas trokšņainība. Šī bija viena no piecām tā paša īpašnieka — atvaļināta pulkveža Jākobsona — vasarnīcām, kas ceļot bijusi domāta pašu ģimenes dzīvošanai. Tāpēc tā atšķīrās no parastajām stereotipajām īres mājām: divstāvu balti apmests namiņš, angļu stilā, ar dzīvojamām telpām apakšā, guļamistabām augšā. No pārējām četrām vasarnīcām namiņš norobežots ar košumkrūmu apstādījumiem un ar divām augstu egļu rindām abpus kopējam ieejas ceļam. Baltajam namiņam ir pašam savi nelieli dārza vārtiņi. Pulkveža kundze ir puķu mīļotāja, tāpat kā Īrida: visapkārt namiņam iekārtota šaura dobes strēmele; Īrida to piestāda pilnu ar košziediņgajām petūnijām, kas kā krāsains vainags ieskauj baltās sienas. Ap lieveņīti vijas zilziedainais klemātus, un apaļo lielo dobi dārziņa vidū Īrida piedēsta ar visvisādām vasaras puķēm. Pa kluso meža ielu garām staigā citi vasarnieki, daži apstājas, vieni reiz saka — das ist ja ein Maerchenhaus...

Danis guļ savos ratiņos. Saulainās dienās Īrida izceļ to un noliek zālītē pasauļoties. Viņa grib to norūdīt — gaisā un saulē, jo viņš ir mazliet vārīgs bērns: reizēm labi neēd, guļ nemierīgi, — uztrūkstas no miega un raud. Bērnu ārsts saka, ka Danis ir vesels bērns, tikai drusku nervozs. — „Viņš raudās par to, ko citi nebūs pat pamanījuši," ārsts reiz teica. Stipri trokšņi viņu uztrauc. Vēl Rīgā, pavasarī, kādu dienu uznāca negaiss ar krusu. Lielie krusas graudi spalgi sitās pret rūtīm. Danis pārbiedēts sāka drebēt. Īrida izķēra viņu no gultiņas un izsteidzās priekšnamā. Citreiz tas bija Danīša kristībās. Mācītājs Ģīmis uzsāka svētrunu tik skaļā balsī, it kā viņš stāvētu kancelē un runātu plašā dievnamā. Bērns, pieradis pie klusām un maigām vecāku balsīm, satrūkās un sāka raudāt. Mācītājs nebija psīchologs, turpināja dārdināt mazo intīmo telpu, un kristāmais bērns visu ceremonijas laiku tā bija noraudājies, ka pārguris iekrita dziļā miegā un nogulēja pāri nākošajiem ēdienu laikiem.

Īrida bija bijusi jaunākais bērns ģimenē, tāpēc tagad viņas pašas bērns tai bija kā atklāsme nepazītai pasaulei. Katra diena atnesa jaunus brīnumus bērna attīstībā, un viņa tās gaitu fiksēja dienu piezīmēs. Sīkas zīdainīša kaites atsvēra bērna vispārīgā labsajūta — priecīgs prāts un dzīvīgums. Vasaras beigās pasāktā skaņu un skaņu kombināciju veidošana ziemas cēlienā pakāpeniski attīstījās apzinīgā vārdu darināšanā, un ieejot otrā dzīves gadā, Danis jau runāja savā īpatā bērna valodā, kā arī sāka staigāt.

Dzīve baltajā namiņā Zelmeņiem bija iepatikusies un viņi turpat atgriezās nākošajās vasarās. Jutās tikpat kā pašu mājā un — Danim tā attīstījās piederības sajūta noteiktai vietai, kur tas izdzīvojās pirmo bērnības gadu fantazijas pasaulē. Otrā vasarā viņi gan tur pārdzīvoja drāmatisku satraukumu. Bija jūlija vēls vakars. Danis bija noguldīts, un arī viņi paši jau sagatavojušies nakts mieram, kad Īrida saklausīja kādu neparastu troksni laukā. Izgājusi gaitenī, viņa ieraudzīja loga priekšā plandāmies uguns liesmas. Dega saimniecības ēka aiz viņu pagalmiņa. Jau cieši nomigušie citi vasarnieki to vēl nemanīja. Īridai iedzēla tikai viena zibenīga doma — Danis! Ja viņš uztrūksies no liesmu sprakšķēšanas un ieraudzīs baigo skatu, — kas tad notiks, kad viņš pārbīsies! Viņa izķēra aizmigušo bērnu no gultiņas, apklāja tā galviņu un — tāpat basām kājām un nakts tērpā — skrēja projām no nelaimes vietas. Lai Ints rūpējas par iedzīves glābšanu! Viņai jāglābj bērns!

Viņa skrēja pa smilšainu ielu, — tikai tālāk, tālāk, lai bērns neatmostas no trokšņa un kņadas, kas nu jau bija sacēlies ap degošo ēku. Ziņkārīgi ļaudis steidzās pretim, — viņa tik skrēja, pati nedomādama kurp. Beidzot viņu kādi apturēja. Piedāvāja iet ar bērnu pie viņiem. Viņa ļāvās vesties. Bērnu noguldīja. Nu tikai viņa atjēdzās domāt, kas būs noticis ar māju, ar Intu. Viņa uzticēja bērnu laipnajiem svešiniekiem un steidzās atpakaļ. Tā atrada Intu pie turpat mežā novietotās viņu iedzīvītes. Ugunsdzēsēji patlaban vēl laistīja viņu namiņa jumtu. Nodegušā ēka gruzdēja. Divas vasarnīcas viņpus tās arī vairs nebija glābjamas, — no tām palika divas pelnu kaudzes. Zelmeņu namiņu bija paglābušas abas augsto egļu rindas, to aizsegdamas, pašas smagi apsvilušas.

Līdz rīta gaismai viss bija galā. Zelmeņi varēja atgriezties savā namiņā, liesmas to nebija aizsniegušas, bet tā glītumu — ārā un iekšā — bija papostījusi laistīšana; apstādījumi un dobes bija sabradātas.

Dani Īrida atrada atmodušos. Tas mīlīgi „sarunājās" ar svešajiem mājiniekiem, un tie, krievi būdami, sajūsmīgi noliecināja — eto ņe rebjonok, eto angeļčik (tas nav bērniņš, tas ir eņģelītis).

Visu daudzmaz nokārtojis, Ints aizbrauca uz darbu. Tikko notikušo uzzinājuši, atsteidzās Dr. Kasparsons ar kundzi, gatavi uzņemt cietušos Zelmeņus savā vasarnīcā — Majoros. Paldies Dievam, tas nebija vajadzīgs! Neērtības pamazām nokārtojās, un atlikušā vasaras daļa dabas mierā un skaistumā nolīdzināja lielo satraukumu kā nebijušu.

O

Šai vasarā galīgi izveidojās Daņa valoda: no atsevišķiem vārdiem līdz teikuma uzbūvei. Interesanti bija šo attīstību vērot. Sākumā teikumā tikai nesaistīti lietu vārdi: Danī puķī mīmī — Danis dod puķīti mimmītei (mīmī — no priekšā teiktā „mīļa māmiņa"; tas palika joprojām lietošanā: māmiņas vietā mimmīte). Tad pievienojas verbi: ābelē aug āboli, pie kam patstāvīgi pareizi atvasina lokāmās galotnes. Tad lietu vārdam pievienojas kā apzīmētājs kādenis: sarkani āboli, jo tādi tie auga saimnieka dārzā. Un tad pakāpeniski lasās klāt skaitļu, vietnieku, apstākļu, satiksmes vārdi, saikļi, un taisni šie sīkie vārdiņi tiek lietoti ar sevišķu patiku, it kā valodas rotājums. Un otru dzīves gadu nobeidzot, Danis runāja pilnīgi skaidru pieauguša cilvēka valodu, gan dažkārt papildinātu ar paša etimoloģiju un valodas filozofiju.

Līdzi valodai strauji attīstījās atmiņas spēja un fantazēšanas prieks. Visvairāk mīl „lasīt," t. i., attēlus grāmatā skatīties un „rakstīt," t. i., zīmēt. Velk strīpiņas un stāsta, ko zīmē: tēti, mimmīti, Matildi (kalpone), vectētiņu, vāverīti, putniņu, mēnesīti u. t. t. „Redzi, mimmīt, kur putniņš laižas, sarkaniem spārniņiem; redz kur zila debestiņa; redz kur mimmīte, mazā mimmīte, spožām actiņām, rūtainiem zābaciņiem." Vispār, vārds „mazs" Danim ir visa laba un mīļa apzīmējums, arī vārds „priecīgs": „Mimmīte ies gulēt, mazā priecīgā gultiņā, mazā mimmīte." Vienkāršiem apzīmējumiem izteicienos drīz vien pievienojas salīdzinājumi, kuri dažkārt pārsteidz ar fantazijas oriģinalitāti un ātro asociāciju: „Sarkans auto, tā kā Danītim sarkans zīmulis mājā. — Zila debestiņa, tāpat kā mimmītei zils mētelītis. — Tev mimmīt, ir baltas kājas, tāpat kā bezdelīgas vēders balts. — (Saimniecības ēkas paspārnē bija iemitinājušās bezdelīgas). — Tev ir rozā deguntiņš, tāpat kā mazajam kaķītim. — Tauriņš laižas, tā kā aeroplāns laižas pa gaisu. — Lecošs pilns mēness debesmalā ir „tik liels kā taksometra rezerves ritenis." Pēdējie teicieni rāda, ka pilsētas bērnam civilizācijas priekšstati ir primārie, tiem viņš pielīdzina vēlāk iepazītās norises dabā.

Ugunsgrēka bojājumi bija likvidēti, iekštelpas glīti renovētas, kad Zelmeņi uzsāka trešo vasaru baltajā namiņā. Daņa priekšstatu pasauli jo dienas jo vairāk bagātināja gan meža, gan pasaku burvības. Katrā koka dobumā dzīvoja rūķi; bija jāapskraidelē ik koks un jāatrod viņu alas. Arī pats varēja pārversties rūķī, kāds tas bija redzams grāmatiņā Rūķīša ceļojums. Un ne tikai rūķos, — visvisādās citās lietās, dzīvniekos un darītājos pārvēršas Danis. Reiz Irida diezgan sāpīgi dabūja izjust tādu puisēna absolūtu iemiesošanos līdz galīgai konsekvencei. Saimniece turēja vistas. Tās dzīvoja, gulšņāja un kašājās pa krūmu apakšu apstādījumos ap pagalmiņu. Irida šaipus tiem bija iekārtojusi vasaras puķu dobi un priecājās nu jau jebkuru dienu redzēt ziedus uzplaukstam. Neizpratnē viņa vienudien ierauga dobi galīgi izkašņātu. — Kas to izdarījis? — „Es biju vista," — saka Danis...

Reizēm iedoma šķiet pavisam neiedomājama: salicis kājiņas blakus, Danis tup, bungo rokas pirkstiņiem pa kāju pirkstiņiem. „Ko tu, Danīt, dari?" — „Es spēlēju klavierītes."

Notiek arī otrādi — lietas tiek personificētas: augļu vāzē ir l i e l i āboli un m a z i bumbieri; Danis saka: „Tie bumbieri ir Daniši tiem āboliem; tie āboli ir tētiņi un mimmītes tiem bumbieriem. Vislielākais ir tētiņš. viens no mazākajiem — mimmīte." Kopības izjūta ar tēti un mimmīti ir visai dzīva: „Kādēļ tev tāds spožs riņķītis ap pirkstu?" — „Kad divi cilvēki ir tādi draudziņi, ka dzīvo vienmēr kopā, tad viņi ir apprecējušies un par zīmi tam valkā tādus gredzenus, kā tu tos redzi man un tētītim." Pēc brīža Danis ir sameklējis mazu baltu aizkara riņķīti, uzmaucis to pirkstiņā un saka: „Mēs visi trīs esam apprecējušies."

Vakaros noguldīts, Danis ne katrreiz drīz aizmieg. Liekas, ka viņa domas tad klīst apkārt pa pieredzēto tāpat kā lielam cilvēkam.

Kādu vakaru viņš saka: „Visās puķītēs tur apakšā ir Dieviņš." — „Kas tev to teica?" — „Es pats izdomāju. Ziediņos ir Dieviņš, lapiņās, kātiņos, zemītē, — visur, visur ir Dieviņš." To puisēns laikam konkrēti atvasināja no Iridas kādreizējā teiciena, ka Dieviņš ir visur. — Pēc brīža: „Kā tad Dieviņš var mani redzēt, kad es viņu neredzu? Es gribu Dieviņu redzēt. Es uztaisīšu garas, garas kāpnes, līdz debesīm; uzkāpšu augšā, attaisīšu vaļā mākoņus un debesis, ieiešu iekšā un paskatīšos, kāds ir Dieviņš. „Nolikšos tā uz vieniem sāniem un tad aizripošu līdz tai vietai, kur tas Dieviņš stāvēs vai sēdēs." — „Kāpēc tad tu riposi, kāpēc neiesi kājiņām?" — „Nu tad jau galviņa būs tā (rāda uz zemi), tā kā saulīte ripo pie debesīm, viņai jau nav kājiņu."

No tādām personīgām domām par Dieviņu izraisās arī personīgas vakarlūgšanas, izlūdzoties Dieviņa apsardzību visiem pa kārtai, kas tam mīļi, un palīdzību sev pašam: „Es gribu būt labs. Palīdzi man, miļais Dieviņ! — Palīdzi man tikt no klepus laukā! Un palīdzi man savaldīties, kad niķīši uznāk! un tad vēl lai ir tā, ka lai tā neuznāk, jo tas uznāk un uznāk, uznāk un uznāk, uznāk un uznāk! Beigas."

Un kādu dienu četru gadu vecais Danis izbiedē savu mimmīti ar tīri metafizisku jautājumu: „Vai cilvēki patiesi arī ir īstenībā? Vai tie varbūt nav tikai Dieviņa sapņi?"

Danim patīk „lasīt": viņš ieraušas mimmītei klēpī, skatās attēlus grāmatā un klausās par tiem priekšā lasīto. Pašlaik Sprīdītis nonāk pie Sīkstuļa un lūdz nakts mājas. — „Kāpēc tad viņš negāja pats uz savām mājām?" — „Viņš bija mežā apmaldījies." — „Kas tas ir apmaldījies?" — „Kad nevar vairs atrast ceļu atpakaļ uz savām mājām." — Īrida lasa tālāk. Bet puisēna domas ir apstājušās pie jautājuma — kāpēc Sprīdītis nevar atrast savas paša mājas, jo viņš to atjautā vairākkārt, līdz sāk raudāt, — tik žēl viņam ir Sprīdīša, ka tas nevar atrast savas mājas...

Danim ir liela skaisti ilustrēta pasaku grāmata par Misiņbārdi. Tur kādā attēlā Misiņbārdis brauc pa ielu ar tik lielu troksni, ka mājas sadreb un kāds puķu podiņš krīt uz leju no vaļēja loga palodzes. „Lai viņa nekrīt no loga, lai viņa nesasitas!" — sauc Danītis, un pašam mutīte līka uz raudāšanu...

Kādā pasakā, kā jau palaikam, darbojas ragana. — „Kas tā ragana tāda ir?" — „Ļauna sieva." — Pasaka stāsta, ka tā visus pārvērtusi par akmeņiem. Tas Dani redzami uztrauc. Pēc brīža saka, lai vairāk nelasot. — „Vai tu esi apnicis klausīdamies?" — Jā, esot apnicis, bet pats tāds domīgs. — „Labi, nelasīsim vairs." — Paiet mazs laiciņš, un Danis saka: „Lasi man vēl pasaku, bet nelasi tikai par to raganu." — „Vai tev tā ragana nepatīk?" — „Nepatīk." — „Kāpēc tev viņa nepatīk?" — „Tāpēc, ka viņa ir tāda ļauna." — „Vai tāpēc, ka viņa tos cilvēkus pārvērta par akmeņiem?" — „Jā," pie tam sejiņa pašam raudu pilna... Un turpmāk, grāmatu lasot, pats steidzās aizšķirt ciet šo lapas pusi par raganu, — tā bija ievērojis, kuŗa tā ir.

Tāpat Danis negrib dzirdēt otru pusi pasakai par sērdienīti un mātes meitu, — to, kur īstā meita tiek pārvērsta par piķa mici. — „Kāpēc tu man to otru dziesmu stāstīji? Nestāsti man nekad vairs to otru!"

Tomēr, lai cik dziļi jūtīgi Danis pārdzīvo pasaku pasauli, viņš nezaudē sakaru ar īstenību: „Vai tas Sprīdītis ir tikai grāmatā, vai viņš arī īstenībā kur dzīvo? — Kur tad? — Kuŗā mājā? — Kuŗā ielā?" — Kad pasaka stāsta: pameita sastapa maizes krāsni; maizīte lūdzās — izvelc mani, meitiņ u. t. t., Danis pēc laba brīža jautā: „Bet kā tad ārā varēja rasties krāsns?" — Noklausījies pasaku par ezīti, Danis retoriski jautā: „Kam ir lielais ezītis?" — „Liela ezīša nav, visi ezīši ir mazi." — „Krustmāmiņai ir lielais ezītis." (Zina, ka krustmāmiņas dēlu sauc par Ezīša kungu).

Kādu dienu Īrida lasa avīzi. Danis iekāpj tai klēpī un saka: „Es gribu dzirdēt, kas tur ir iekšā." Klausās kādu laiku un tad rezimē: „Dažu es saprotu un dažu es nesaprotu. Ko es nesaprotu, to es tāpat klausos, ko es saprotu, to es pārdomāju, kā tas ir."

Tādas „pārdomas" reizēm iegūst tīri neiedomājamu izpausmi. Kādu rītu, gultā ģērbjoties, Danis saka: „Kad es noiešu lejā kafiju dzert, tad mēlīte nolēks te lejā (ņem mēlīti ar rociņu un rāda) un palīdzēs kafijai ietupties rīklītē."

No pasaku ietekmes un apkārtnes īstenības Danis sāk stāstīt pats savas pasakas. Kamēr Īrida to vakarā sakopj gulēšanai, viņš steidzīgi stāsta: „Reiz gāja pa ceļu viena pudele. Gāja un gāja un satika korķīti. Prasa: „Vai tev arī ir pašam sava pudelīte?" — „Nē, nav." — „Nu tad nāc pie manis iekšā stobriņā." Korķītis iegāja stobriņā, un nu viņi gāja tālāk. Nonāca pie ūdens. Korķītis izkāpa no stobriņa, ūdens iegāja pudelītē, tad korķītis atkal iekāpa stobriņā, un tā viņi visi trīs dzīvoja tālāk, līdz savai noliktai nāvei." —

„Reiz gāja pudelīte ar korķīti un satika termometru. Termometrs teica: „Izkāp, korķīt, no stobriņa!" Korķītis izkāpa. Termometrs iekāpa pudelē, korķītis atkal atpakaļ stobriņā, un tā viņi dzīvoja līdz savai noliktai nāvei. Rūķītis atsūtīja līķa ratus." (Sižetus ierosināja pudele uz nakts galdiņa un termometrs pie pretējās sienas).

Darbojoties ap kādu rakstu, Īridai ievajagas pārlasīt Poruka Kukažiņu. Viņa to lasa balsī. Danis klausās. Viņa atliek sējumu atpakaļ grāmatu skapī. „Palasi atkal par to Kukažiņu," pēc kādām dienām Danis lūdzas. Viņa palasa, un Danis tā iemīl Kukažiņu, ka laiku pa laikam pats atveŗ grāmatu skapi, izņem attiecīgo sējumu, vēlāk uzšķiŗ pat vajadzīgo lapaspusi — tā viņš lasāmo vietu ir ievērojis — un nekad viņam neapnīk klausīties stāstu par Kukažiņu.

Kad Anna Brigadere atnesa Īridai tikko iznākušo Dievs, Daba, Darbs grāmatu, tā kļuva par abu — mātes un dēla — mīļāko lasāmo. Kad vien Danis redzēja Īridu nenodarbinātu, viņš paņēma grāmatu no rakstāmgalda, ierausās mimmītei klēpī, un abi „lasīja." Sākumā lasīja tikai Zeberiņa jaukos attēlus. Kad tie visi jau bija iepazīti no stāstījuma, Īrida šad tad palasīja pa gabaliņam priekšā. Un raugi: trīs gadu vecumā Danis tā „izlasīja" grāmatu, kas Īridai pašai bija šķitusi piemērota tikai gadu desmit vai divpadsmit veciem bērniem. Un ne tikai izlasīja, bet kāri gribēja zināt kā nu Annele dzīvos jaunajās mājās. Tāpēc, kad Anna Brigadere reiz atnāca ciemā, viņš skubināja to ātrāk rakstīt gatavu otru grāmatu par Anneli. Rakstniece smiedamās teica, ka otrā grāmatā Annele jau būšot izaugusi viņam par lielu, bet Danis domāja, ka viņš jau arī pa to laiku augšot lielāks. — Grāmatās ātrāki aug," rāmi noteica rakstniece. — Citureiz rakstniece atnesa Danim dzimumdienas dāvanai krājkasīti — zaļu skārda mājiņu ar sarkanu jumtu, teikdama, ka šī esot tāda māja, kuŗas iemītnieki skanot un grabot, kad to pakratot. Danis pakratīja, — skanēja gan. Mājiņu viņš vēlāk novietoja uz sava paša galda, un tā tur stāvēja ilgus gadus vēl pēc tam, kad devējas roka bija mitējusies grāmatas rakstīt...

Pasaku un šo un vēl citu jauku stāstu ietekmē Danis sāka arī pats grāmatas „rakstīt" un „izdot." Paprasījis papīru un sagriezis to kabatas formāta lielumā loksnītēs, viņš lūdza sadiegt tās par grāmatiņām un tad diktēja mimmītei vai tētim savus „stāstus un pasakas," jo pats, piecu gadu vecumā, vēl rakstīt nevarēja. Tā radās „sējumi": Daņa jaukā grāmatiņa, Daņa baltā grāmatiņa, Daņa grāmatiņa šim un tam un vēl citas, visas paša „ilustrētas."

O

Jūrmalas vasaras dienas cēliens piederēja Danim un mimmītei, bet pievakarēs brauca tētis mājā. Tad abi gāja tam pretim uz piestātni. Meža ceļš bija izlikts ar koka laipām. Pa tām bija raita paskriešanās. Kaut kur skanēja gramofons, — Danis imitēja to — killergaller, kullergaller! Kaut kur gāja nažu trinējs, saukdams — tači naži, tači naži! — un Danis sauca tam pakaļ svešos krievu vārdus. Tētis pacēla Dani kukuragās, un tad tam bija lielu lielie prieki. No rītiem Danis drīkstēja viens pats pavadīt tēti līdz ceļa stabiņam dārza galā, un tad rikšiem laida atpakaļ. Bet svētdienās vai atvaļinājuma dienās abiem bija savas vīriešu nodarbības. Uz tām palaikam uzvedināja Danis. Piemēram, — tepat bija Lielupe, vajadzētu iet zvejot. — Jā, bet zivis ķeras tikai agri no rīta, tu jau nevarēsi tik agri uzcelties, — domā tētis. Bet Danis domā, ka varēšot gan. — Kad tā, tad jāiegādājas makšķeres, zivju ēsma un trauks, kur lielo lomu ielikt. — Un vienā sestdienā, kad tas viss ir sagādāts, abi aiziet vakarā gulēt ar norunu, rītu agri celties uz makšķerēšanu, pie tam tētis domās nosmīn, ka puika jau nu neuzcelsies vis. Bet puika svētdienas rītā kā saukts ir augšā ar gaismiņu, un abi aiziet uz upi. Nomakšķerējušies nāk mājā, un — Danim spainītī ar ūdeni ir viena raudiņa un viens grundulēns... Tie nu dzīvo pa spainīti Danim par prieku visu dienu, līdz Īrida jokodama saka, ka nu taču būšot zivis jāpagatavojot, citādi tās turpat nobeigšoties. Danis kļūst domīgs. Klusītiņām paņem spainīti, sačukstas ar tēti un abi aiziet .Uz upi. Un Danis ielaiž zivtiņas atpakaļ upē, lai dzīvo...

Danis saka, ka abus — tēti un mimmīti — vienādi mīl, bet tā kā tētiņš ir mazāk mājā, tad viņš tais reizēs ir jāmīl vairāk, lai viņam iznāk tik pat daudz. — Tētiņš ir jāmīl ar valnīti, bet mimmīte tā, kā pa ceļu kad iet, — tā viņš bija izdomājis apzīmēt vienas mīlestības ik dienu vienmērīgumu un otras kāpinājumu atsevišķās reizēs.

Īrida tomēr šai ciešajā trīsvienībā redz un cieš no kāda liela pietrūkuma: Danim nerodas ne brālītis, ne māsiņa. Nav arī citu bērnu ikdienišķās sabiedrības ne Rīgā, ne jūrmalā. Ir tikai atsevišķas paciemošanās reizes ar vienas vai otras pazīstamas ģimenes bērniem. Visagrākā „draudzība" iesākās ar Jāņa Grīna dēlu Ervīnu, kas bija dzimis tikai divi dienas agrāk par Dani. Pirmo vizīti Danis notaisīja, kad abi bija otrā gadā. Danis, sīkāks un vieglāks, gāja jau kājām, Ervīns — robustāks un smagāks, šļūca vēl uz viena gurna. Grīna kundze noraksturoja savu dēlu par īstu zemnieku, ciemiņu — par smalku francūzi. Pēc ilgāka laika pats Grīns atveda savu dēlu pie Daņa ciemā. Visiem — lielajiem un mazajiem kopā dzīvojoties, Ervīns skaļi uzprasa: „Kur tev stāv pods?" — Grīns kā dzelts pielec kājās un iebrauc ar visiem desmit matu cekulā. Bet Īrida mierīgi paprasa, vai ciemiņam šis daikts pašlaik vajadzīgs. — Nē, viņš tikai tāpat gribējis zināt, kur draugam tas stāv...

Grīni tais vasarās dzīvoja Melužos. Tad nu pamīšus pa kādai reizei draugi viens pie otra aizbrauca. Temperamentīgais Ervīns tikai ar rūgtām asarām atlaida Dani mājā; Danis turpretim likās vēsāks un rezervētāks.

Īrida vēroja, ka Danis vispār viegli nepieķļaujas citiem bērniem. Sabiedrisks un drošs viņš bija ar pieaugušiem cilvēkiem, pret bērniem atturīgs un ne visai draudzīgs.

Tai vasarā, kad Danim bija pieci gadi, blakus vasarnīcā dzīvoja kāda krievu tautības kundze ar savu gadu piecpadsmit veco dēlu Paulu, kas, kā jau tas Latvijas pilsonim pieder̄as, runāja skaidru, labu latviešu valodu. Šis bija savāds zēns: viņš iemīļoja un draudzējās ar mazo Dani. Veseliem dienas cēlieniem viņš visādi ar to spēlējās, gan vizinādams to rotaļu automobilī, gan darbodamies kopā tā smilšu kastē, gan šā, gan citādi. Viņš bija tik rūpīgs un gādīgs, ka ne labākā bērnu aukle nevarētu ar to sacensties, un Īrida droši varēja atstāt Dani viņa sabiedrībā. Arī Danis pats pieķērās Paulam ciešāk nekā sava vecuma zēniem, un abi dzīvojās vislabākā saskaņā.

Vēl otrā nenodegušajā vasarnīcā tovasar dzīvoja kāda jaunava ar savu gadu septiņu-astoņu veco māsiņu Iliņu.

Kopējā pagalmā bērni reizēm satikās, bet nekāda īpaša draudzēšanās nebija nomanāma. Tāpēc Īridu ārkārtīgi pārsteidza, kad reiz, tāpat iejautājoties Danim — kuŗš no taviem draugiem tev vislabāk patīk — tas pateica — Iliņa. Jautādama viņa bija tikpat kā pārliecināta, ka atbilde būs — Pauls. Jo vairāk vēl tādēļ, ka Iliņa, viņas vērojumā, nemaz nebija īsti simpatiska rakstura meitene. Lai uzzinātu motivāciju tādai negaidītaj patikšanai, Īrida pēc kāda laika atkārtoja to pašu jautājumu, pie tam sarunā pati tiši ietekmēdama Paulam par labu. Danis tam arī pievienojās, bet pēc brīža pēkšņi saka: „Bet Iliņa man ir vēl labāka draudzenīte nekā visi citi mani draugi." — „Kāpēc tad tev tā Iliņa tā patīk?" — „Tāpēc ka viņa runā tik mazā balstiņā." — Motivējums rāda, ka Danis uztveŗ sievišķīgo meitenē, ka viņam patīk taisni tas, kas to atšķiŗ no zēniem. Neapzinīga tieksme uz sievišķīgo, — pirmais sīksīciņais vēja ziediņš, jo Iliņa pēc šīs vasaras nekad vairs nav ne satikta, ne redzēta.

„Lasot" Anneles grāmatu vai kādu citu ilustrētu lasāmvielu un klausoties priekšlasījumā, Danis pa reizei uzlika pirkstiņu uz vienu vai otru burtu un prasīja, kā to sauc. Tā salasījās un iegaumējās burti, un Danis bez ābeces patstāvīgi iemācījās skaņot, skaņas savilkt kopā un līdz sestam gadam — tekoši lasīt. Tāpat patstāvīgi iemācījās lielajiem antikva burtiem rakstīt un rakstīja pareizi — fonētiski. Tāpēc bija jāsāk domāt par skolu. Bija gan drusku par agru, bet Zelmeņi ieskatīja, ka Danim ar skolu gādājama bērnu sabiedrība, kuŗas tam mājā joprojām trūka.

O

Mēdz teikt, kur saule, tur ēnas. Daņa mazbērnības garīgās attīstības saulainību ēnoja viņa fiziskās struktūras trauslīgums. Katru pavasarī un katru rudeni viņš cieta no saaukstēšanās slimībām, un bērnu ārsts teica, — tā tas būšot, līdz viņš pieaugšot. Nervozitātes izpaudumi brīžiem maitāja draudzīgo saskaņu ar — liktos — nemotīvētu raudāšanu, ātrsirdīgumu, ietiepšanos, kas gan ik reiz nobeidzās ar labprātīgu nolūgšanos un patiesu vēlēšanos „būt labam." Sākot ar ceturto dzīves gadu šāda nelīdzsvarotība jūtami mazinājās un līdz sestajam gadam galīgi izbeidzās. Bija garā modrs un dzīvīgs bērns, tomēr svarā pieņēmās gausi un augumā bija pasīks. Ārsts domāja, ka viņam jūrmalas gaiss ir par asu un ieteica turpmāk vasaras dzīvi lauku dabā. Tas pats jau agrāk bija ieteikts Īridas pašas veselībai, un tā Zelmeņi 1931. gada rudenī nolēma uz balto namiņu Dzintaros vairs neatgriezties. Te nodzīvotās septiņās vasarās Īrida bija augusi kopā ar savu bērnu. Viņš to bija ievedis jaunā — savā pasaulē, kur ik mirklis un ik solis ir dzīvības brīnums. Viņas pašas dzīve ar to bija ieguvusi citu skaņu, citu vērtību, citu atbildību. Nu šis brīnumu pasaules nošķirtībai bija izbeigties. Tai nu bija saskarties un saskaņoties ar D a n i m svešas — jaunas pasaules prasībām. Bija jāsāk cits viņa agrās dzīves posms — skolas gadi.

13

Lai cik intensīvi Īrida dzīvoja ar savu bērnu, — viņā nerimās dziņa aktīvi kontaktēties ar sev tuvajām gara izpausmēm — teātri un literātūru. Taisni šais gados iekrita uzņemties un paveikt lielo darbu — monogrāfiju par Daci Akmentiņu. Bet vēl pirms tam uz plašāku apceri viņu bija ierosinājis 1927. gadā iznākušais Jāņa Veseļa romāns Tīrumu ļaudis, ar ko noslēdzās šī spilgtā episkā talanta desmit literārā darba gadi. Īridai šķita, ka šis romāns it kā pavelk svītru zem visa līdz tam rakstītā un uzsāk jaunu pagriezienu rakstnieka pasaules skatījumā. Tas viņu ieintriģēja par jaunu, vienkopus izsekot Veseļa ideoloģiskajam attīstības gājienam šais desmit gados, lai ieskatītu tā pašreizējo literāro seju.

Kaut gan periodikā bija bijuši lasāmi garāki vai īsāki apcerējumi par Veseļa grāmatām, par viņa dzīves datiem maz kas bija zināms. Īrida tāpēc griezās pie pirmavota — rakstnieka paša, lūgdama interviju. Rakstnieks dzīvoja Ģertrūdes ielas liela nama apakšējā stāvā, necilā mēbelētā istabā. Tur viņš tai labprāt uzticēja izsmēlīgus biogrāfiskus datus, un tā viņa varēja savā apcerē nodot atklātībai pirmo autentisko Veseļa dzīves aprakstu — vietas, faktus un norises, kas ietekmējuši un cieši ieaudušies daudzos viņa darbos.

Darbu apceri Īrida iesāka ar fantaziju Aklais ezers un konstatēja, ka tajā atrodams sākums visiem tālāk citos darbos šķetinātiem pavedieniem: tā ir kā mikrokosms rakstnieka apvienoto darbu makrokosmā. Mūžība un laicība, neaprobežotā bezgalība un aprobežotā pasaules esība, — tie ir vārdi un jēdzieni, kas sastopami ikkatrā nozīmīgākā Veseļa darbā. Tāpat arī otra teze un antiteze:

gars — miesa, pie kam gara iemiesojums parasti ir vīrietis, miesas — sieviete. Te Veselis pašā sākumā jau dokumentējas kā tipiski vīrietiska īpatnība, aktīvais radītājs elements, kas vīrieša konvencionālā uztverē ir augstākas kategorijas nekā sievietiskais elements dabā. Aklajā ezerā tas ir jauneklis Krišs Dainers, kas, rakstnieka izvadāts cauri nekautrīgi atsegtām seksuālainām, solās aiziet turp, kur darbs, cīņa un bauda ir viens un tas pats un saucas — Dzīvība." Tikai pēc ilga gājiena — romānā Tīruma ļaudis — Andrejs Vīksna nu ir nonācis tur. Aklā ezera un Tīrumu ļaužu starpā ir cieši sakari: kas pirmajā rūga un dīglī aizmetās, tas beidzamajā noskaidrots un nobriedis. Pārējie darbi, cits vairāk, cits mazāk, rāda ceļus, pa kādiem ir iets no pirmā līdz pēdējam gala punktam. Visnozīmīgākais to vidū ir romāns Eņģelis Ufīrs, beidzamais pirms Tīruma ļaudīm.

O

Apceri — Jānis Veselis — Irida nodeva jaunā žurnāla Daugava redaktoram Jānim Grīnam. Raksts vienam numuram varēja likties par garu. Kopīgā sarunā grāmatnieks Rapa ieteica to saīsināt, dzejnieks Jūlijs Roze — sadalīt, bet redaktors, kas rakstu bija jau izlasījis — noteica, ka tas nav ne īsināms, ne dalāms, un ievietoja to bez ierunām Daugavas 1928. gada 9. numurā[12]).

Tūliņ pēc tam Irida uzsāka intensīvi strādāt gar Daces Akmentiņas monogrāfiju, caurām dienām vākdama tai materiālus Misiņa bibliotēkā. Tur kādu dienu ienāca Jānis Veselis un, pateikdamies viņai par rakstu, piebilda, ka vēlētos dažas vietas ar viņu pārrunāt. Bet Iridai darbs ar monogrāfiju bija tik ļoti jāsteidzina, ka tai katrs mirklis bija dārgs, un viņa lūdza sarunu atlikt uz kādu vaļīgāku brīdi. Tāds tomēr tik drīz negadījās, un vēlāk viņa nožēloja, ka bija palaidusi garām interesanto izdevību ar rakstnieku pašu pārrunāt savu viņa darbu vērtējumu. Jo vairāk tādēļ, ka — kaut visumā Veseli augsti vērtējot, tai bija bijuši arī būtiski iebildumi pret dažu viņa lietu skatījumu, un tāpēc būtu bijis interesanti uzzināt, kā viņš uz tiem reaģējis. Ka reakcija nebūs bijusi visai negatīva, varētu secināt no tā, ka rakstnieks tai pasniedza savu nākošo darbu — traģēdiju Jumis — ar personisku ierakstu.

Zīmīgi, kā šo apceri pēc daudz gadiem piemin divi kritiķi, Īridas pašas darbu vērtējot, pretstatot Veseli Annai Brigaderei. Jānis Rudzītis raksta: „Te (literātūras kritikā) viņas lielākais nopelns — sev tuvās Annas Brigaderes dzīves un darbu pētījumi. Bet arī citos rakstos par rakstniekiem un viņu darbiem viņa parādījusi rūpīgumu un izpratni, atzīdama nevien sev tuvos, bet tāpat tālākus talantus. Piemēram, nedomāju, ka viņa justu tuvību ar Jāņa Veseļa pasauli, bet viņa bijusi starp pirmajiem, kas atzinusi un slavējusi Veseļa talanta spēku." (Laiks 100; 1951. g. 19. dec.). Un līdzīgi raksta Oļģerts Liepiņš: „Draudzība (ar A. B.) turpinājusies ilgus gadus, un kritiķe tai palikusi uzticīga arī pēc drāmatiķes nāves, kopdama tās piemiņu Annas Brigaderes komitejā, kas atjaunota tagad trimdā. Bet viņa savās interesēs nav bijusi šaura. Viņa bijusi starp pirmiem Jāņa Veseļa atzinējiem un veltījusi tam garāku apcerējumu, kur Veseļa talants taču ir tik pretējs Brigaderes dabai." (Latvija, 1951. g. 31. dec.).

Vēl pēc daudziem gadiem šo apceri no Īridas lūdza dzejnieks A. Kaugars ievietošanai gatavojamā Jāņa Veseļa piemiņai veltītā rakstu krājumā.

O

Tomēr visciešākās garīgās saites Īridu joprojām turēja pie teātra. Izrāžu apceres viņa atsāka atkal jau 1925./26. gada sezonā. Lielāks uzdevums bija radies jau agrāk, kad Latviešu drāmatiskie kursi rīkoja piemiņas brīdi savam aizgājušajam mākslinieciskajam vadītājam J. A. Duburam un aicināja Īridu par referenti.

Pirmais pasaules karš pārtrauca arī kursu normālo darbību. Duburs, pēc 1915./16. gada teātra sezonas Maskavā, pavasarī aizbrauca uz Somiju vasaras atpūtai, bet tur viņu pārsteidz nāve. Kursu vadību pēc tam pilnīgi pārņēma to administratīvais direktors E. Zeltmatis. Suverēnā mākslinieka Dubura vieta nu bija jāaizstāj ar pieaicinātiem režisoriem no teātriem. Zeltmatis aicināja arī Īridu aktīvi darboties kursos, bet viņa to nevēlējās darīt. Viņai šķita, ka ar Dubura zaudējumu kursi ir zaudējuši savu augsto standartu, jo Zeltmatis bija gan ļoti uzņēmīgs un izturīgs darbinieks, bet maz mākslinieks.

Apceri par Dubura māksliniecisko personību Īrida uzņēmās lielā gatavībā. Izsekojusi biografiskajiem datiem, viņa sīki aprādīja viņa daudzpusīgo mākslieniecisko darbību, kas sakņojās nevien tīri skatuviskā apdāvinātībā, bet tikpat daudz izcilā intelektā. Savu analīzi Īrida nobeidza ar atzinumu: „Nav otra skatuves mākslinieka mūsu teātra dzīves pagātnē un tagadnē, kas tik auglīgu darbību būtu spējis attīstīt kā aktieris, režisors, drāmas un operas skatuves direktors, dziedonis un deklamators, lugu tulkotājs un sarakstītājs, mākslas kritiķis, teorētiķis un paidagogs, jaunu skatuves mākslas iespējamību meklētājs. Dubura atziņa par skolas vajadzību, prasība pēc mākslinieciskas individuālitātes potenciālo spēju raisīšanas un disciplinēšanas speciālās normās — ir tilts, kas, pāri mests pagājušiem gadiem, vieno Duburu ar visu laiku teātra mākslas apzinīgākajiem kopējiem un augšup virzītājiem. Pie tam visā un katrā savā darbā Duburs bija t i k a i m ā k s l i n i e k s. Visā savā dzīvē nekad viņš nav saistījies ne ar kādu praktisku darbu ārpus mākslas sfairas, eksistences nodrošināšanas labad. Viņš bija mākslinieks par excellence, īsts dižciltīgs bohēmietis, kas nekad nekādos kompromisos neielaidās uz mākslas interešu lēses. Tāpēc arī viņa mākslinieka vārdam bija tīra un autoritātīva skaņa, un viņš piederēja pie sava laika visnozīmīgākām personībām latviešu gara dzīvē[13]).

O

Taisni pirmo gadu kursisti bija tie laimīgie, kas visvairāk ieguva no tiešās sadarbības ar Duburu. Vecākais — trešais un otrs kurss it kā saliedējās vienā vienībā, ko it īpaši bija sekmējusi Indrānu izrāde, kur galvenās lomas tēloja abu šo kursu audzēkņu izlase. Arī kursu pirmā izlaiduma absolventu trupā piedalījās daži tie paši vēl studijas nebeigušie kursisti. Gan lomu partnerības, gan personisku simpatiju ietekmē savukārt kursos bija izveidojušies atsevišķi draudzības pudurīši. Nešķirams trio šķita abas bijušās „draudziņietes" — Milda Riekstiņa un Emīlija Viesture kopā ar Riekstiņas biežo pretspēlētāju Antonu Ģēveli. Ar tiem biedriski kopā turējās savā starpā draudzīgie Jānis Simsons un Ludmila Špīlberga. Īridai Rasai bija labas koleģiālas attieksmes ar visiem tās partneriem, bet savas atturīgās dabas dēļ viņa nekur ciešāk nepieslējās; tās personiskā sabiedrība kursos bija viņas abi „pāži" — Andrejs Štūls un Ints Zelmenis. Nākamie gadi sijāja un vērtēja šīs dīglī iesaistījušās attieksmes, un dažas no tām kļuva liktenīgas.

Iridas kādreiz „aplami" nosapņotais piepildījās: Emīlija Viesture un Antons Ģēvelis apprecējās. Kad viņa par to brīnījās, pati Milda Riekstiņa viņai šo metamorfozu noskaidroja. Ģēvelis, stipri iemīlējies Riekstiņā bez pretmīlestības, staigājis apkārt līdz nāvei noskumis. Riekstiņas draudzene, Emīlija Viesture, labsirdīgas dabas būdama, centusies ar savu sabiedrību viņu izklaidēt un nomierināt. Iznākumā: jauna mīlestība, jauna dzīves laime un jauns liels ieguvums latviešu skatuvei Emīlijas Viestures it kā pārdzimušā personā. Milda Riekstiņa pati, teātra apmeklētāju iemīļota un apjūsmota „naīvā," turpretim negaidīti aplaimoja savu bērnības draugu no skolas sola, vēlāko pulkvedi Pēteri Līci, kas tikai aiz bezcerīgas mīlestības, kā viņa teica, aizgājis uz kara skolu universitātes vietā.

Ka Ludmilas Špīlbergas šķietami biedriskās attieksmes ar Jāni Simsonu varētu izveidoties liktenīgas, sākumā nelikās paredzams. Un tomēr tas notika. Iridas Rasas tiešā satiksme ar Špīlbergu izbeidzās ar kopīgo izrādi Dobelē. Bet viņa ir daudz domājusi par šo savu kādreizējo partneri, vērodama tās izaugšanu par lielu vienreizīgu mākslinieci. Un domājot par viņu, nav varējusi nedomāt par Jāni Simsonu, — par viņa spoži sāktās skatuves mākslinieka karjēras problēmatisko aizgrimšanu laika tumsā. Jo abi šie cilvēki savas dzīves bija apvienojuši vienā, ticēdami viens otram un balstīdami viens otru.

Autora iestarpinājums

Kad 1939. gada 1. augustā Jānis Simsons nomira sirdstriekas ķerts, Irida Rasa juta vajadzību noskaidrot savas pārdomas analītiskā piemiņas rakstā par aizgājēju. Tam nolūkam viņa vēlējās iegūt drošus biografiskus datus no viņa dzīves biedres Ludmilas Špīlbergas. Pati viņa šai laikā, chroniski slimodama, nevarēja daudz no mājas izkustēt. Tādēļ abas vienojās, ka māksliniece atbrauks pie Iridas viņas vasaras mītnē. Norunāja tam vienu svētdienas pievakari pēc dienas izrādes. Māksliniece pār-

212

nakšņos pie Īridas un pirmdienas rītā atgriezīsies laikā uz mēģinājumu teātrī.

Īridas slimošanas dēļ Zelmeņi tovasar bija meklējuši un atraduši dzīves vietu augstā saulei pieejamā vietā, ko tā arī sauca par Sauleskalnu. Māja bija kalna virsotnē, un no tā visapkārt atvērās plašs skats lejā uz jaunu priežu silāju. Kalnā īpašnieks bija iekopis augļu koku un ogulāju dārzu, apkārtējās pakalnes bija bagātas ar meža zemenēm. Tuvumā nebija citu māju, bija miers un cerība atspirgt.

Pavasarī Zelmeņi bija salīguši jaunu, tikko saimniecības skolu beigušu kalponīti. Tā tad nu lika lietā visu savu māku, lai Zelmeņi godam sagaidītu miļo mākslinieci ar izsmalcināti klātu vakariņu galdu, laukā, rieta saulē. Tikai — māksliniece dažnedažādai esmai tikpat kā nepieskārās — Margai par sirdssāpēm un arī Īridai to nožēlojot. Viņa nebija zinājusi, ka māksliniece tik stipri slimo ar kādu iekšķīgu kaiti, ka tai ieturama visstingrākā diete.

Siltajam vēlas vasaras vakaram krēslojot, Īrida ar savu viešņu pārgāja uz iekštelpām. Divātā viņām aizritēja nakts stundas līdz rīta gaismai kā nemanītas. Mājīgi ieritinājušās Īridas gultā, viņas kopīgi pārdzīvoja traģisko dzīves stāstu, vienai stāstot, otrai klausoties. Ludmila Špīlberga atvēra sevi Īridai aizkustinošā vaļsirdībā. Bija tā, it kā nedaudzi kopīgie jaunības gadi mākslinieciskajā gaisotnē atvieglotu tagad atklātību un padziļinātu garīgo tuvību, ko bija jau ieviesuši viņu starpā Špīlbergas mākslas devumi. Šī nakts palīdzēja Īridai, rakstot apceri — T a l a n t a, d a r b a, p e r s o n ī b a s u n r a k s t u r a n o z ī m e m ā k s l i n i e k a d z ī v ē.

Jāņa Simsona dzīve nobeidzās pēkšņi 1939. g. 1. augustā Gaujas viļnos, kad viņam bija 52 gadi. Tas ir vecums, kad mākslinieka talants mēdz būt pašā briedumā, un, ja tas ir apvienots ar vienreizīgu personību, tad māksliniekam vēl paredzami ilgi radītāja darba gadi. Bet Jāņa Simsona īstais darba mūžs bija jau izbeidzies kopš gadiem desmit. Tāpēc viņa aiziešana no dzīves tagad palika bez plašākas atbalss tautā, dziļi noskumdinādama vienīgi tos, kam viņš bija mīļš, tuvs cilvēks.

Tomēr skumjas pārdomas Jāņa Simsona aiziešana no dzīves varēja modināt ikvienā, kas pazina viņu kopš jaunības, kas zināja, ar kādām cerībām saistījās viņa mākslinieka gaitas sākums, un kas bija redzējis„ kā pēc īsa, spoža uzliesmojuma tās pamazām saplaka un izplēnēja ilgu gadu mākslinieciskas bezdarbības nīkuļošanā. Kāpēc tas tā? — sāp jautājums, — un sekojošās pārdomas gribētu uz to kaut aptuveni dot atbildi tiem, kas paši jauni un cerību pilni sāk grūto mākslinieka dzīves ceļu, mēģinādamas dzīvā piemērā noskaidrot, k ā d i i r p r i e k š n o t e i k u m i šā ceļa sekmīgai veikšanai — mākslas mērķa sasniegšanai.

No katra mākslinieka prasa vispirms t a l a n t u. Jānim Simsonam bija skatuves mākslinieka talants. Tas sakņojās viņa iedabā un izpaudās neikdienišķās tieksmēs jau agrā bērnībā. Viņš bija zemtuŗa ģimenē trešais — jaunākais — dēls. Vienkāršie, praktiski noskaņotie vecāki nesaprata mazo zēnu, kas dzīvoja pats savā pasaulē, kam patika skaļi lasīt, dziedāt, veidot, un māte bieži nelaimīgi nopūtusies — kas gan lai no tāda bērna iznāk? Tikai skolas gados, kad apdāvināto zēnu slavējis skolotājs, vecākiem kļuvusi vieglāka sirds un tie sākuši saprast, ka viņu jaunākajam dēlam būtu ejams cits — ne zemtuŗa — dzīves ceļš. Zēns aizrautīgi gribējis kļūt par skolotāju, bet vecāku mazā rocība tomēr neatļāvusi apmeklēt skolotāju semināru. Nobeidzis draudzes skolu, vecāku pierunāts, viņš aizbraucis uz lauksaimniecības skolu„ bet tur nav izturējis iestājeksāmena. Garīgās dziņas tomēr bijušas par stiprām, lai jauneklis spētu palikt mājās. Bez kādiem līdzekļiem viņš aizbrauc uz Pēterpili, lai tikai kaut ko gūtu savam garam. Tur viņš tautas augstskolā klausījies lekcijas par mākslu un literātūru un apmeklējis Mākslas veicināšanas biedrības zīmēšanas un gleznniecības skolu.

Bet trūkums dažos gados tā sabeidza no dabas stipro jaunekli, ka tikai brīnums izglāba viņu no „atraitnes dēla" likteņa: no Pēterpils Jāni Simsonu pārveda mājā pēdējā — pēc ārstu domām neglābjamā — slimības stadijā, bet kādas latviešu māmiņas - zinātājas vārītās zālītes un jaunekļa stiprā daba slimību tomēr pārvarēja. Pēc izveseļošanās Jānis Simsons atkal bez līdzekļiem atbrauca Rīgā, lai te turpinātu mācīties gleznniecību. Te viņš dabūja zināt, ka Dubura vadībā darbojas tikko atvērtie Latviešu drāmatiskie kursi. Duburu Simsons dievināja jau no tā laika, kad, vēl Alūksnē dzīvodams, bija dzirdējis mākslinieku deklamējam; sevišķi Raiņa Pastardiena viņa daiļrunājumā neizdzēšami iespiedusies jaunekļa atmiņā. Un Simsons ieradās kursos 1910. gada sākumā. Viņa izskats nebija tāds, kas plaši pavērtu ceļu uz skatuvi. Pārbaudes deklamācijā kursisti smējās par viņa malēniecisko izrunu, bet Duburs teica: „Ko jūs smejaties? Tam puisim ir izjūta." Bez dziļas izjūtas viņam vēl bija metalskanīga un reizē liriskas izteiksmes bagāta balss. Un neatlaidīga griba arī viņam bija. Vai par to varētu vēl šaubīties, zinot, ka pirmajā meklējumā pēc s a v a ceļa viņš apstājās tikai turpat jau pie kapsētas vārtiem un, tikko dzīvei atpakaļ atdots, tikpat neatlaidīgi meklēja atkal jaunas izdevības uzsākto ceļu turpināt? Ar gribas neatlaidību viņš panāca to, ka d a r b ā izlaboja savus izrunas defektus, attīstīja balss dabiskās dotības, disciplīnēja izjūtu, tās mīmisko un ķermenisko izteiksmi pakļaujot lomu veidotāja intelekta noteikumiem. Nebūdams ne liels, ne stalts, ne samērīgi noaudzis, nebūdams arī sejā skaists, Simsons tikai ar d a r b u varēja pierādīt savu talantu, darbā izcīnīt savu vietu uz skatuves. Ārējais izskats novilka arī viņa talanta izpausmei robežu: viņš nevarēja būt ne varonis, ne mīļotājs, bet gan ļoti plašu apmēru raksturtēlotājs. Ar savu mainīgo mīmiku, dzīvē zemnieciski smagnējo, bet lomās akrobātiski kustīgo ķermeni, ar savas balss metalisko, aso spalgumu un lirisko siltumu, plašas un dziļas izjūtas balstīts, Simsons vienlīdz spilgti varēja veidot lomas, sākot kaut vai no Blaumaņa pataloģiskā Mantrauša un beidzot ar viņa cildeno, drāmatiski lirisko Indrānu tēvu un šķīstsirdīgo skaidrības alcēju Bungatiņu. Simsona dabiskais talants tātad bija ne ārējas, re-

215

prezentātīvas, bet vairāk iekšējas dabas, un tāpēc, lai no viņa izveidotos mākslinieks, talants bija jākopj jo stingrā darbā. Lai gan talants ir nepieciešamais priekšnoteikums ikviena mākslinieka tapšanai, tomēr talants vien nevienu vēl par b r ī v u r a-d ī t ā j u nepadara. T a l a n t s p r a s a d a r b u, un tikai tie talantīgie cilvēki, kas visu mūžu nebeidz pašu spēkiem apstrādāt dievu doto rūdu — talantu„ kļūst par īstiem māksliniekiem — meistariem savā mākslā. Skatuves mākslinieks ir pats radītājs, pats instruments, ar ko rada, un šī instrumenta skatāmā un klausāmā daļa ir cilvēka nīcīgais ķermenis. Tas skatuves māksliniekam tāpēc ir kopjams, saudzējams un rūdāms par smalkāko izteiksmes līdzekli mākslinieka garam. Simsons kursos iemācījās sistēmatisko savu izteiksmes līdzekļu vingrināšanu radītāja darbam, tātad apmierināja arī otro prasību no mākslinieka — prasību pēc talanta un darba apvienības. To viņš mācījās ne tikai kursu darbā, bet varbūt vēl vairāk tiešajā satiksmē ar meistaru Duburu, ar ko viņam mācību laikā nodibinājās īsti tuvas attiecības. Kursos iestājoties, Simsons bija gaišs, labsirdīgs, jokdarīgs jauneklis. Ar to viņš iepatikās Duburam arī kā cilvēks. Kursi varēja lietot arī tās mākas, ko Simsonam bija devušas viņa gleznniecības studijas: viņš gatavoja zīmējumus kursu mīmikas mācības stundām un ar savu kaligrafiski skaisto rokrakstu rakstīja kursu oficiālos dokumentus. Viss tas padarīja Simsonu itin kā par mājas cilvēku kursos; viņam it dabiski sazināšanās dēļ bija jāapmeklē Duburs mājā, kad tas, bieži slimodams, nevarēja ierasties kursos. Stundām Simsons sēdēja pie Dubura gultas un remdināja viņa neciešamās sāpes nervu lēkmēs ar savu roku glāstiem, jo viņa pirkstos bija magnētisks nomierinātājs spēks. Protams,„ ka tādas tuvas attiecības stipri paklāva jaunekli dievinātā meistara ietekmei, un šī ietekme bija gan pozitīvas, gan tomēr arī negatīvas dabas.

Pozitīvais ieguvums bija tiešajā darba plāksnē. Duburs bija intelektuāls domātājs mākslinieks, vienīgais mākslas teorētiķis mūsu i z c i l o, patiesi spējīgo skatuves mākslinieku-radītāju starpā. Pats ar savām spējām un mākām viņš bija dzīvā piemērā tas, kādiem viņš mācīja tapt saviem audzēkņiem. Pilnīgi atzīdams zemapziņas milzīgo nozīmi mākslinieka radīšanas procesā, viņš tikpat svarīgu nozīmi mākslinieka tapšanā ierādīja viņa paša apzinīgam darbam, kas sagatavo un atraisa fiziskās un psīchiskās dotības radīšanas momentam. Un lūk, šai tiešajā ietekmē Simsons rūdījās pašveidošanās darba disciplīnā un, kursus beidzot, varēja imponēt ar tiešām jau it redzamu technisku gatavību kā savās lomās, tā it sevišķi daiļrunās.

Bet Duburs pats nebija savas intereses norobežojis tikai šaurā vienas mākslas speciālitātē vien; viņš ar savu inteliģenci aptvēra visu sava laika latviešu garīgo dzīvi un bija redzama un respektēta personība toreizējā gara darbinieku pasaulē. Sabiedrībā viņu pazina ne tikai kā ļoti spējīgu mākslinieku, bet arī kā pašapzinīgu un lepnu cilvēku. Viņš apzinājās savu vērtību un nekad nepiekāpās ne viņam nepieņemamu ieskatu priekšā mākslas pasaulē, nedz arī mākslas nesapratēju pilsoņu priekšā, kad tie gribēja izmantot mākslinieka darbu filantropijas vārdā. Tāpēc Duburs bieži stāvēja viens, bet katrā stāvoklī viņam bija cieņas pilna mākslinieka stāja, jo viņš bija personība.

Personība ir cilvēka īpaša vērtība, kas viņu vai viņa darbu padara vienreizīgu. Personība ne katrreiz ir iegūstama pat ar talantu un darbu kopā. Gandrīz varētu teikt, ka spēja kļūt par personību pati ir talants, kas ne katram dots. Bet ja skatuves mākslinieks apvieno sevī talantu, darba meistarību un personību, tad viņš publiku suģestē. Mākslinieks ar personību ir augstākās kvalitātes mākslinieks, un, stingri ņemot, tikai tāds arī īsti ir mākslinieka vārda cienīgs. Tāpēc jauniem talantiem nepietiek ar aroda prasmi vien, lai tie kļūtu par īstiem māksliniekiem; viņiem ir jābūt vēl kādai īpašai spējai — no savu garīgo dotību kopības veidot personību. Jaunībā personības veidošanos nereti auglīgi ietekmē tuvāka saskaršanās ar citu, jau nobriedušu, stipru personību. Bet tāda tuvība jaunam cilvēkam var kļūt bīstama, ja apaugļošanās vietā notiek akla pakļaušanās. Vajag stipra r a k s t u r a, sava paša nemainīga centra, l a i a u g t u p a t s i z s e v i s, *kļūtu* **pats**, jauna vienreizēja parādība ar savu paša vērtību un paša stāju dzīves un darba apstākļos. Un lūk, šai vietā, šķiet, sākās Dubura personības ietekmes negatīvā nozīme Jāņa Simsona dzīvē. Jaunam aktierim, stājoties skatuves darbā,, ir jāzina, ka tas ir kolektīvs darbs. Kolektīvā sekmīgi strādāt *r a d ī t ā j a* darbu var tikai tas, kuŗa raksturā ir sakļaušanās, saplūšanas spējas. Asi šķautņainie īpatņi, kas dvēseliski norobežojas no apkārtnes, ir vientuļie radītāji, kabineta darbinieki vai arī — ja tie ir valdonīgas dabas vai viengabalainas gribas cilvēki — viņi var kļūt par kolektīvā darba vadītājiem. Par Duburu ir zināms, ka viņš lieliem laika posmiem nestrādāja nevienā teātrī. Bet, arī ārpus tiešā teātŗa darba stāvēdams, viņš nezaudēja savu autoritātīvo stāju, jo ikviens bezpartejisks skatuves apstākļu pazinējs zināja, kas ir Duburs latviešu skatuvei. Šādu asu nostāju par savu pārliecību un taisnību Duburā ietekmē mācījās arī jaunais Jānis Simsons. Līdz zināmam mēram mākslinieka pašcieņas uzturēšanai tas bija labi. Pēc ļoti sekmīgas kursu beigšanas un tādas pašas debijas Rīgas latviešu biedrības Interimteātrī 1913. g. pavasarī sekoja pāris veiksmīga darba gadi šai mākslas iestādē, tēlojot atbildīgas raksturlomas. Kad, Pēteŗa Ozoliņa direkcijai izbeidzoties, Simsons reti vairs dabūja lomas, kas atbilstu viņa varēšanai, viņš lauza kontraktu un no teātŗa aizgāja, būdams pārliecināts, ka darba viņam netrūks arī ārpus šī teātŗa. Līdz aizbraukšanai uz Maskavu 1915. gada rudenī viņš daudz strādāja provinces un lauku skatuvēs, būdams reizē režisors, dekorātors un aktieris. Šai laikā viņš visā pilnībā izmantoja savas gleznotāja spējas un prasmi — dekorāciju zīmēšanā un gatavošanā, ko bija jau agrāk darījis vasarās, vēl kursists būdams. 1915./16. gada sezonu Simsons nostrādāja Maskavā vēl ciešākā sadraudzībā ar Duburu, jo te viņus tuvināja ne tikai kopīgs darbs, bet arī bēgļu dzīves posts. Pēc Dubura nāves 1916. gada vasarā Simsons palika it kā viņa tiešais garīgais mantinieks, turpinādams savu skatuves mākslinieka darbu svētā pārliecībā par Dubura mākslas teorētisko atziņu absolūto pilnību. Ne vēlāk mākslas

218

pieredze Parīzē (1919—1923), ne dažu gadu darbs pēc tam Dailes teātrī nav modinājuši Simsonā vajadzību uz mantoto fundamentālo atziņu pamatiem celt pašam savu virsbūvi. Dubura teorija, ko viņš pats nepaguva ne gluži pilnīgi izstrādāt, ne formulēt, palika Simsonam par dogmu; viņš sastinga tanī, nespēdams ieraudzīt tur nepabeigtās vietas, ko meistars pats laika gaitā neapšaubāmi būtu papildinājis un nobeidzis. Tā Simsons zaudēja garīgo elastību, kas nepieciešama skatuves mākslas kustīgā, kolektīvā radīšanas darbā. Arī Dubura dzīves stāju Simsons pieņēma par dogmu un apmulsa tanī, kad viņam pietrūka dievinātā meistara vadītāja rokas.

Dažus gadus gan tā visa vēl nemanīja. Pēc Latvijas valsts un Nacionālā teātra nodibināšanās izbeidzās Simsona karavīra un klaiņotāja gaitas. Viņš uzsāka Nacionālajā teātrī īsti spožu mākslinieka karjēru. Viņam pašķīrās ceļš uz visu mākslinieku ilgu zemi — pasaules mākslas pilsētu Parīzi. Viņš nodzīvoja tur četrus gadus. Latvijā iemīļoto mākslinieku gaidīja atpakaļ ar lielām cerībām. Te nezināja, ka ierēdņa pienākumi mūsu sūtniecībā neatstāja Simsonam tik daudz brīva laika, kā bija cerēts un cik būtu vajadzīgs nopietnām sistēmatiskām studijām skatuves mākslā. Te nezināja arī, ka Simsonam lika atgriezties dzimtenē kļūmīga apstākļu sarežģīšanās viņa darba vietā, kas radīja smagu nomāktību visā viņa turpmākajā dzīvē. Un beidzot — te nezināja, ka Simsons Parīzē bija zaudējis vērtības apziņu par labāko, kas ir cilvēka dzīvē: skaidru, sajūsmīgu jaunības mīlestību un savstarpēju uzticību, kas ir cilvēka sargeņģelis slidenās dzīves tekās. Tāpēc tikai pamazām Simsona mākslas draugi sāka atskārst, ka Parīzes posms mākslinieka dzīvē nav bijis kāpiens uz augšu; tikai tad, kad pēc dažiem vēl sekmīga darba gadiem iestājās mākslinieciska nīkuļošana.

Dabiski rodas jautājums, kā tas varēja notikt? Kā mākslinieks, kam bijusi iespēja uzņemt tik daudz auglīgu mākslieciecisku ietekmējumu, varēja mākslai nomirt, vēl dzīvs būdams? Šķiet, tāpēc, ka ietekmes nebija viņam viscaur organiski radniecīgas.

*Tās nepalīdzēja rakstura m viņā vei-
doties un nostiprināties viņa paša
dabas noteiktā virzienā,* bet, *piepotējot
tam svešus elementus, izraustīja un novājināja to.*
Simsons savā būtībā bija skaidrs un labsirdīgs cil-
vēks. *Ja darbā un sabiedrībā dažkārt dzirdēja dē-*
vējam viņu par kašķīgu un nesaticīgu, *tad tas bija
veids, kādā izpaudās viņa asā nostāja par savu
taisnību un tiesībām, ko viņš bija mācījies no sava
lielā skolotāja.* T u r *tā bija saskaņā ar raksturu un
stāvokli, t e tā nebija paša personībā pamatota, un
sekas bija* — *atsvešināšanās, sarūgtinājumi un ne-
pelnīta nobīdīšana malā. Simsons mācēja redzēt
skaistumu un mīlēja to* — *dabā, sevišķi puķēs un
cilvēkos. Neticams gandrīz tāpēc šķiet viņa dzīves
veids pēc atgriešanās no Parīzes, kas viss gandrīz
bija viena vienīga liela aklība pret to daiļo un vēr-
tīgo cilvēku, ko liktenis viņam bija novēlējis par
mūža draugu. Pakļaušanās svešas dzīves negatīva-
jiem elementiem, kas nebija saskaņā ar paša vien-
kāršo latvieša dabu, neticamā kārtā sapostīja Sim-
sona raksturu, pārvēršot viņu no neatlaidīgas gribas
vadīta ideālista par cilvēku ar sašķeltu personību,
kuŗa talants nelaikā aizgāja bojā. „Ja Duburs būtu
dzīvojis, tas viņu būtu noturējis; viņam vajadzēja,
kas viņu tur un vada,"* tā domā Simsona dzīves
biedre, māksliniece Ludmila Špīlberga, *kas viņa
dzīves pēdējos traģiskajos gados pati bija kļuvusi
par viņa vienīgo vadītāju un turētāju. Kādā dīvainā
pretrunā šāds atzinums ir ar to, ko zinām par kād-
reizējo jauno censoni Jāni Simsonu! Cik stipriem
vajadzēja būt tiem postītājiem spēkiem, kas sa-
grāva viņa pirmbūtnīgo garīgo centru! Vai stiprākie
to starpā tomēr nebūs bijuši tie, kas ļaunu kaišu
veidā kopš jaunības bija ieperinājušies viņa orga-
nismā un noslēpušies gaidīja tur izdevīgus apstākļus
akūtai iedarbībai? Agrā jaunībā nomāktā tuberku-
loze uzliesmoja straujā procesā, kad Simsons, kop-
dams savu jauno īpašumu Inčukalnā, lielā fiziskā
piepūlē sakarsis saaukstējās. Tatros ārstējoties no
tuberkulozes, kāda pēkšņa iekaisuma radītā ārkār-
tīgi augstā temperatūra padarīja aktīvu kaŗa gados
bez tiešas paša vainas iegūtu un jau par izārstētu*

ieskatītu venērisku slimību. 1935. gadā Simsons at-
griezās ar izārstētu tuberkulozi, bet arī ar pirmajām
gara slimības pazīmēm, ko tobrīd gan par tādām
vēl nepazina ne ārsti, ne tuvinieki, kam ik dienas
nācās sastapties ar krasām, neizprotamām pārmai-
ņām viņa raksturā un tieksmēs. Vai šīs apslēptās
kaites jau tad varbūt nevājināja Simsona garīgās
pretošanās spējas neapvaldītas dzīves vilinājumiem
un neatsvešināja viņu no sevis paša, kad par to
vēlāko iedarbību nevienam pat aizdomu nebija? Un
vai tādēļ no katra jauna mākslinieka kopā ar ta-
lantu un darba spēju nebūtu jāprasa arī vesels, sa-
prātīgi kopts un saudzēts fiziskais un garīgais cil-
vēks, kas ar stipru raksturu v i s o s apstākļos spē-
jīgs veidoties par pilnvērtīgu personību? Sevī stipri
centrētais cilvēks ikdienas apstākļos ļauj uz sevi
iedarboties tikai tām parādībām, kas viņu apaugļo
pozitīvi; pret sev kaitīgo svešo viņš ir imūns. Nav
Simsons vienīgais starp māksliniekiem, ko saēdusi
nevēlamu ietekmju un paražu rūsa; viņa piemērs
tikai ir spilgts un pašreizējs, un tāpēc taisni tas ir
izraisījis šīs pārdomas. Cik daudzi ir aizgājuši no
mums nelaikā, tāpēc ka viņi kopš jaunības nebija
veidojuši sevī stipru garīgas pretestības centru; cik
daudzi tā paša iemesla dēļ nespēj izraisīt visu savu
garīgo enerģiju pozitīvā mākslas darbībā, bet ļauj
tās labai daļai kropļoties sabiedriski negatīvos iz-
paudumos. Daudz talantu aiziet dzīvei bojā māksli-
nieku nepareizas nostājas dēļ pret dzīvi. Liela
māksla neprasa kvalificētu mākslinieku vien, tā
prasa arī kvalificētu cilvēku. Lielais, skaidrais, stip-
rais cilvēks radīs Latvijai a u g s t ā k ā s kvalitātes
mākslu, kādu tai ir tiesība prasīt no savas talantīgās
un darbā izturīgās tautas.

Raksts tika iespiests jaundibinātā, Kultūras ka-
meras izdotā žurnālā Raksti un Māksla, tā pirmajā
nummurā. Kad Īrida pēc tam piezvanīja māksliniec-
cei, lai pajautātu viņas domas par to, atbilde bija
sērīga. Esot kļuvis skumji lasot, ka sākumā tik
labās domas par Jāni izvēršoties beigās tik bargas.
Bet ko Īrida tur būtu varējusi līdzēt?! Tā taču bija
gan viņas pašas vērota, gan māksilnieces viņai

atvērta dzīves patiesība, ko viņa — kā tai šķita — bija tikai visai saudzīgi ieskicējusi, daudz ko nemaz vārdā nesaukdama.

O

Pēc vairāk nekā trīsdesmit gadiem Iridas domām vēl reiz bija jāatgriežas pie Jāņa Simsona un pie šī raksta. To izraisīja okupētajā Latvijā 1966. gadā izdotā K. Pamšes grāmata — N e m i e r ā a r s e v i, stāsts par aktrisi Ludmilu Špīlbergu.

Stāstījums ir tiešs, ar dzīvām sarunām, ar citātiem, ar mākslinieces domu un izjūtu fiksējumiem, — tā, it kā autors būtu rakstījis to, ko māksliniece pati viņam stāstījusi. Bet tas neliekas bijis iespējams, jo Ludmila Špīlberga nomira jau 1947. gadā, bet b r ī v a j ā Latvijā K. Pamšes vārds teātŗa rakstnieku vidū vēl nebija dzirdēts.

Irida tāpēc gribēja uzzināt, kāds sakars grāmatas autoram ir ar teātŗa pasauli un no kādiem avotiem viņš ieguvis biogrāfiskās ziņas un intīmo domu un pārdzīvojumu liecības, īsteni pēdējās, jo tajās dažs kas nesaskan ar mākslinieces pašas viņai uzticēto.

Šos jautājumus viņa adresēja uz Latviju un saņēma sekojošas, no Latv. mazās enciklopēdijas izrakstītas ziņas: „Kārlis Pamše (dz. 1917.), mācījies konserv. teātŗa fak. (1953.), bijis Drāmas teātra aktieris un režisors, tagad ir mūzikālās komēdijas režisors." Ziņu sūtītājs piebilst: „Par minētās grāmatas tapšanu varētu iedomāties, ka autora rīcībā bija visi teātŗa archīvi, eventuālo tuvinieku liecības un — galvenais — Raiņa vārdā nosauktā literātūras un mākslas mūzeja bagātie materiāli. Liekas, ka tur par L. Šp. savākti visi pieejamie materiāli, arī dienas grāmata, ja tāda bijusi, jo mūzejā darbojas ļoti spējīgi un centīgi darbinieki."

Pamšes stāstījumā vienreiz ir minēts mākslinieces ieraksts dienas grāmatā — savu pirmo Valmierā tēloto lomu atzīmējot un vienreiz piezīmju grāmatiņā — savas mākslinieciskās varēšanas pilnbriedā. Vispārēju avotu — norāžu saraksta grāmatas beigās nav. Tā lasītājs paliek neziņā — kas grāmatā ir ar mākslinieces dienas grāmatām apliecināti fakti, kas eventuālo tuvinieku liecības un kas autora brīva fantazija.

Grāmatas 135. lapas pusē lasāms: „Es reiz nejauši dzirdēju, ka kolēģi teātrī par mums brīnījās: tu esot šarmanta un skaista, brīnišķīgs cilvēks, bet es — kretīns un iedomīgs īgņa, kas sevi uzskatot par ģēniju. Neviens nesaprotot, kas tevi pie manis saistot." — Taisnība. Brīnījās toreiz un brīnās vēl tagad, kas lasījuši šo grāmatu. Bet šai pašā grāmatā atrodama arī atbilde uz šo jautājumu, vismaz daļēja. Tā izlasāma nodaļās — Vai! Cik augstu ir līdz galam un Uz ziedoša taka viņi sastapās. Tās apliecina Jāņa Simsona pozitīvo — atbalstītāja lomu Ludmilas Špīlbergas profesionālo teātra gaitu sākumā. Jādomā, ka to K. Pamše būs izlasījis mākslinieces dienas grāmatā. Tur ir runa par Špīlbergas it kā lielu nesekmīgumu pirmo gadu drāmatisko kursu studijās, par viņas izmisīgām šaubām par sevi un par Simsona lietpratīgiem paskaidrojumiem, draudzīgiem pamudinājumiem un tiešo palīdzību pirmo profesionālo darba iespēju rašanā. Zinot Špīlbergas skatuvisko degsmi un dziļjūtību, var saprast, ka viņa uz visu mūžu varēja pieķerties cilvēkam, ar kuru kopā bija sākta gaiša, laimīga mākslas dzīve.

Īrida gan zina, ka minētajās nodaļās notēlotais Špīlbergas kvazi nesekmīgums kursos īsti neatbilst patiesajiem apstākļiem. Ja viņa to tiešām tik smagi būtu izjutusi, tad tas tikai apliecinātu viņas pašas neparasti augstās prasības pret sevi. Īstenībā Duburs nekad nav šaubījies par viņu, drīzāk varbūt sākumā mazliet pārvērtējis. Tuvāk vēl neiepazinis viņas iespējas, viņš iecerēja to par Jūlijas Skaidrītes pēcteci — klasisko traģēdi. Ar to nolūku viņai otra kursa skatu vakaram tika piešķirta ledijas Milfordas loma Šillera traģēdijā Mīla un viltus. Un tiešām viņa pārsteidza ar māksliniecisku nevarību šai lomā taisni tos, kas jau bija ievērojuši viņas inteliģento atšķirību citu kursistu vidū, — arī Īridu. Vēlāk visa turpmākā Ludmilas Špīlbergas uz visaugstākajām virsotnēm kāpjošā mākslas dzīve rādīja, ka viņas psīchei svešs ir klasiskais patoss; te bija viņas robeža. Arī Duburs to pēc šī neveiksmīgā mēģinājuma atskārta, bet nešaubījās pēc tam uzticēt viņai lielo atbildīgo Ievas lomu Indrānos. Pēc īsa apmulsuma kursu nepierasto nodarbību stingrajās prasībās drīz vien atklājās Ludmilas Špilbergas Valmierā amatieru teātrī iegūtā priekšrocība — droša skatuviska stāja. Piecu gadu skatuves pieredze, kas citiem kursistiem trūka. Un nākamajā, pēdējā gadā vēl kursos būdama, viņa jau piedalījās absolventu trupas izrādēs, kur tai radās izdevība it īpaši spoži apliecināt savu talantu komēdijas aspektā[14]). K. Pamšes grāmatā spēlēšana šai trupā nav pieminēta.

Ne gluži patiesībai atbilst arī 32. lapas pusē it kā Dubura teiktais: „Otrajā kursā es tikai vienam audzēknim atļauju piedalīties koncertos, — tas ir Jānis Simsons." (Jāpiezīmē, ka Latvijā tai laikā dzejas teikšanas sarīkojumus nesauca par koncertiem.) Faktiski kāda speciāla atļauja labākajiem kursistiem nemaz nebija obligāti jāprasa, un ar dzejas teikšanu atklāti uzstājās ne tikvien Simsons, bet tāpat Milda Riekstiņa, Īrida Rasa, Jānis Ģērmanis un varbūt vēl kādi, ja tos rīkotāji aicināja.

O

Vispāri K. Pamšes grāmata rakstīta lielā cieņā un atzinībā par mākslinieci. Tajā ir dažas ļoti labas nodaļas, piemēra dēļ — nodaļa Davosas saulē un salā. Tomēr, pakļaudamies komūnistu doktrīnai, ka vērtējumiem ir jābūt partejiskiem, nevis objektīviem, viņš tad arī cenšas cik nu varēdams abus aprakstāmos māksliniekus iekrāsot politiski sarkanus. Kad Īrida 1937. gadā intervēja Ludmilu Špilbergu viņas 25 gadu skatuves darbības jubilejas rakstam, māksliniece pati nemaz nepieminēja īso dažu mēnešu darbošanos Valkas strādnieku teātrī, pirms Pagaidu nacionālā teātra nodibināšanās šai pilsētā. Tāpat arī Padomju Latvijas strādnieku teātri Rīgā, pirms Nacionālā teātra. Jo tie bija maznozīmīgi īsi starplaiki tais izšķirīgajos militāro un politisko cīņu gados Latvijā. K. Pamše, turpretīm, nodaļās Jāuzvar pašam sevi un Jautājumi prasa atbildi partejiski liek abiem jaunajiem aktieriem jūsmot par lielām darba iespējām tajos un gan pats, gan tie nonievā nacionālisma „ideologus" un viņu Valkā organizēto

224

teātri par balagānu. Īrida gan nezina, kāda bija Simsona un Špīlbergas politiskā pārliecība, jo viņu mākslinieciskajā darbībā tā nekur neizpaudās. Tomēr viņa šaubās, vai Špīlberga patiesi īstā sajūsmā varēja ar citēto dzejnieka Sudrabkalna dzejoli apsveikt sarkanās armijas otrreizējo, paliekamo ienākšanu Latvijā, kā rakstīts grāmatas beigu galā 195. lapas pusē.

Jādomā, ka ar autora politiskajiem aizspriedumiem būs izskaidrojama vēl daža neprecizitāte faktos. 55. lapas pusē lasāms, ka Simsons izlēmis braukt uz Parīzi tāpēc, ka angažementa noteikumi jaundibinātajā teātrī viņu aizvainojuši. Pārnācis no teātŗa „aizkaitināts un uzbudināts," viņš saka: „Nē, es šeit nepalieku. Braukšu projām. — Uz kurieni? — Vēl nezinu. Vajadzētu mācīties, kaut ko jaunu apgūt. Ja nu es brauktu uz Parīzi? — Bet līdzekļi? Es nemaz nevaru iedomāties, kā tu varētu tur eksistēt. — Esmu jau par to domājis: sarīkošu benefices izrādi," u. t. t. Un 58. lapas pusē: „Vēstules no Parīzes pavēstīja daudz jauna un interesanta. Iekļūt kādā no turienes teātŗa studijām Simsonam gan nebija vēl izdevies franču valodas neprašanas dēļ. Toties viņam bija radusies izdevība dabūt darbu kādā iestādē."

Patiesie aizbraukšanas apstākļi bija citādi. Simsons šais gados pēc kursu beigšanas bija jau nostiprinājis mākslas pazinējos spējīga skatuves mākslinieka vārdu. Viņu bija ievērojis arī ārlietu ministrs Z. Meierovics un ieteicis jaunajam aktierim paplašināt garīgo apvārsni kā arī izsmalcināt aroda techniku ārzemju studijās. Pie tam viņš bija solījis izgādāt sūtniecībā Parīzē kādu darbu eksistencei. Laimīgs par tādu izredzi, Simsons sarīkoja minēto benefices izrādi un tā materiāli nodrošināts aizbrauca studēt teātŗa mākslu Parīzē. — Redzams, ka obligātais partejisms nav ļāvis autoram vārdā minēt Latvijas valsts ministru, un Latvijas sūtniecība viņam pārvērtusies „kādā iestādē."

Tad vēl — ļoti smaga pretruna ar māksliecnieces pašas Īridai teikto ir lasāma grāmatas 161. lapas pusē: „Ja es būtu jaunāks, tad varbūt varētu tēlot vēl vienīgi Osvaldu (Ibsena drāmā Spoki). Arī Osvalds pārbrauca no Parīzes un lūdzās sauli... arī

viņam drausmīgi sāpēja galva... Ir tikai viena at-
šķirība — Osvalds nebija savā nelaimē vainīgs,
Osvalds to bija mantojis, bet es..." Pēc šī citāta,
Simsona gara slimība būtu Parīzē izlaidīgā dzīvē
iegūtās ļaunās slimības sekas. Bet Ludmila Špīl-
berga tai naktī teica Īridai, ka Simsons ar to infi-
cējies no kolēgas A. B. skūpsta, kad viņš, vēl ka-
reivis būdams, atvaļinājumā iegriezies teātrī. Gan-
drīz neticami tas izklausās, bet tā māksliniece teica,
noslaucīdama ar to paša vainas traipu no aizgājēja
vaiga. Ar dziļu žēlumu viņa runāja par sava sau-
lainā jaunības drauga pakāpenisko pārvēršanos
cietā ņirdzīgā noliedzējā. It īpaši rūgti viņa piemi-
nēja gadus Dailes teātrī. Bieži Simsons tad nācis
naktīs vēlu mājā, un viņai tad stundām bijis jā-
klausās neķītros stāstos par kopīgām nakts gaitām
ar Smiļģi un kompāniju. Bēdās novājējušu, viņš no-
nicinājis sievieti viņā — ,,kāda tu izskaties, kā ģin-
denis!" Un tomēr visu to un vēlākās viņa vājprā-
tīgās izdarības viņa bija pacietīgi panesusi. Īrida
juta, ka māksliniece arī tagad vēl žēlo un mīl
m ā k s l i n i e k u savā aizgājušajā draugā. ,,Dziļi
sevī viņš bija mākslinieks," viņa teica. ,,Viņš mīlēja
skaistumu. Viņš prata ziedus saistīt tik skaistos puš-
ķos kā neviens." — Daudz gadu viņi bija dzīvojuši
skaistajā draudzībā, ārēji nesaistījušies. Tad pie-
nākusi reize, kad viņai, kā pati teica, bijis jāizšķiras
starp diviem Jāņiem. Sajūsmīgs jauneklis gribēja
sniegt viņai sevi ideālā jaunības aizrautībā, apbrī-
nodams viņā mākslinieci, sievieti un cilvēku. Viņa
tomēr izšķīrusies par pirmo Jāni, abu kopējā skaistā
jaunības laika dēļ. Un reiz izšķīrusies, viņa palika
pie tā, lai cik smaga bija turpmākā kopējā dzīve.
　　Bija jau tajā arī gaišas dienas. Viņi uzcēla Inču-
kalnā nelielu, latviešu klētiņas stilā iecerētu mājiņu.
Kad Zelmeņi reiz vasarā, netālajā Siguldā dzīvo-
dami, apciemoja tur mākslinieku pāri, tos pārsteidza
silājā iekoptās stāvrozes neredzēti lieliem, krāšņiem
ziediem. Simsons bija speciāli no Vācijas izrakstījis
stādus un nu kopa rožkociņus kā īsts lietpratīgs
dārznieks. — Cik lielam gara aptumsumam tam
vajadzēja būt, kas lika viņam šo paša radīto krāš-
ņumu izpostīt! Kādā lēkmē viņš tos visus nocirtis.

O

Kad pienāca bargais izšķiršanās laiks — aizbraukt vai palikt, — Ludmila Špilberga palika Latvijā. K. Pamšes grāmatā par to lasāms 193.—194. lapas pusē: „Smagajās okupācijas dienās teātris gandrīz ik vakarus bija pārpildīts. Ludmila juta, ka cilvēki tur nāk ne tikai tādēļ, ka par reihsmarkām tik un tā nekā cita nevarēja nopirkt kā trūcīgo pārtikas devu un teātra biļetes, bet galvenokārt tādēļ, ka saikne ar mākslu palīdzēja tautai uzturēt dzīvu pārliecību par uzvaru, par fašisma nezvēra drīzu galu. Šī sajūta mākslinieci spārnoja katram jaunam darba rītam, katram izrādes vakaram. Tādēļ jo lielāks bija viņas pārsteigums, kad 1944. gada vasarā kāds uz ielas nejauši sastapts kolēģis vaicāja:

— Vai Tev aizbraukšanas dokumenti jau nokārtoti?

— Es nekur nedomāju braukt.

— Bet tev taču te vairs neviena piederīgā nav, tēvs nomira pagājušajā gadā.

— Nē, man te ir ļoti daudzi manas ģimenes cilvēki — mani skatītāji. Ja arī visi aktieri aizbrauktu, tad tie, kas skatās teātri, tomēr paliks. Un pirmajā vakarā pēc Rīgas atbrīvošanas es būšu uz skatuves — ja ne citādi, runāšu monologus no savām lomām, un zālē būs cilvēki, kas mani klausīsies.

Oktobra sākumā Ludmila Špilberga atnāca pie Antas Klints.

— Vai varu palikt pie tevis, kamēr Rīga būs brīva?

Anta apskāva atnācēju, bet Ludmila sarūgtināta pavēstīja:

— Visi Špilbergi aizbraukuši, arī mans brāļa dēls Vilis, kas — tu jau zini — bija man tikpat kā pašas dēls."

Irida domā, ka autora notēlotā mākslinieces izjūtu attieksme pret abu likteņīgo okupāciju nomaiņu būs jāatstāj viņa paša atbildībai, jo tā nav ne pierādāma, nedz noliedzama, lai arī kādā vēstulē no Latvijas par māksinieci teikts: „Priecājās par visiem, kas prom."Ka izšķiršanās svaru kausā smagi varēja svērt mākslinieces dziļā pieķeršanās teātrim

*Latvijā, par to, varbūt, nebūtu jāšaubās. Tomēr
Īridai par to ir vēl kāda cita liecība, kam — šķiet —
bija pats smagākais svars.*

*Ludmilas Špilbergas brālis — laikam Viktors —
bija bankas darbinieks, tāpat kā Ints Zelmenis.
Banku savstarpējās operācijās viņi bija iepazinušies.
Bet viņu veikalnieciskajās sarunās bija iejaukusies
arī kāda cita tematika — teātris, jo vienam māsa
bija aktiere un otram sieva — aktieru mākslas ap-
cerētāja. Profesionālā pazīšanās no tā ieguva per-
soniskāku nokrāsu.*

*Tais ceļa jūšu dienās Špilbergam bija gadījies
ienākt Inta Zelmeņa darba vietā. Vai gan kādam
toreiz bija iespējams nejautāt liktenīgo jautājumu?!
— Un tā Špilbergs bija pastāstījis Zelmenim, ka
viņa ģimene aizbrauc, bet ka māsa nav bijusi pie-
runājama braukt, — v i ņ a   n e s p ē j a   a t s t ā t
J ā ņ a   S i m s o n a   k a p a v i e t u! — Viņš tad esot
nodrošinājis viņas dzīvi vismaz pārejas laikam: at-
stājis viņas ziņā savu mājiņu Ķīšezera viņējā krastā
ar visu novākto dārza rudens ražu, — pārtikas viņai
tur netrūkšot ilgākam laikam.*

*Tā Ludmila Špilberga palika pie sava jaunībā
izraudzītā drauga nevien dzīvē, bet arī nāvē.*

O

*Vērtīgākais K. Pamšes grāmatā ir Ludmilas Špil-
bergas notēlojums darbā viņas absolūtajā atdevībā
teātrim, — viņas lomu analize, mākslinieciskais
sniegums un teātra publikas reakcija uz to. Sprie-
dumus un atzinumus viņš lielā mērā balsta uz
teātra kritikas vērtējumiem. Viņš bagātīgi citē iz-
vilkumus no kritikām, principiāli neminēdams to
autorus vārdā, izņemot vienā gadījumā J. Sudrab-
kalnu· Citu citātu vidū Īrida sastopas arī ar izrak-
stiem no savām apcerēm.*

*Gadu gaitā viņa ar sapratējas smaidu ir vērojusi
okupētās Latvijas attieksmes attīstību pret viņas
kādreizējo darbu teātra pasaulē. Ap piecdesmito
gadu vidu, kad sākās pirmā sataustīšanās ar atstāto
dzimteni, kad sāka pienākt tur izdotās grāmatas,*

228

apskatos par teātra mākslu Irida atpazina vienu otru savu kādreiz rakstītu domu ar atzīmi „kritika rakstīja" vai „kāds recenzents raksta" un tamlīdzīgi. Viņas vārds tad, acīmredzot, bija tabū, kaut gan darbs noderēja. Piecdesmito gadu beigās viņa ierauga jau savu vārdu, vairāk gan polēmiskā, nevis pozitīvā nolūkā. Tad — pārsteidz viņu jau dažās mazajās brošūrveidīgajās aktieru jubileju grāmatiņās bez iebildumiem uzņemtie viņas kādreizējie vērtējumi par attiecīgajiem jubilāriem. Arī aktieru monogrāfiju rakstūtājiem vēlāk ir noderējušas viņas domas, kā to no Latvijas saņemta vēstule par kādu no tām rāda: „Tur vietām gandrīz katrā lapaspusē Jūsu vārds, citētas Jūsu atsauksmes." Un nu — K. Pamšes grāmatā — viņa priecīgi atkalredzas ar dažu savu dziļā cieņā un apbrīnā teiktu vērtējumu taisni par tām lomām, kuras bija aizgājušās mākslinieces augstākie kalngali, — kaut arī grāmatas lasītājam viņa pati paliek anonīma, ar piekabi „kāds recenzents." Ir gandarījums zināt, ka viņas doma — kaut sīkās straumītēs — atkal iepludinās Latvijas gara dzīvē.

14

Ludmila Špīlberga nebija skaistule. Viņa bija daiļa. Daiļums ir vairāk nekā skaistums vien. Ar skaistumu cilvēks ienāk pasaulē kā ar dabas dotu lielu, nepelnītu balvu. Daiļš, turpretim, cilvēks var kļūt tikai ar paša spēkiem. Daiļums ir harmonija, fiziskā un garīgā skaistuma apvienots izpaudums. Gara dominēts un gara caurstrāvots cilvēks ir skaists arī tad, ja tā ķermenis ne katrreiz atbilst visām standartizētām skaistuma prasībām. Tāda daiļa bija Ludmila Špīlberga savas mākslas kalngalos.

Drāmatiskajos kursos ienākot, viņai bija tikai inteliģentas jaunas sievietes izskats. Neviens viņu nesauktu par īpaši skaistu, kā, piemēram, jauno Liliju Štengeli. Viņas labie dabiskie ārējie dotumi nekrita acīs. Viņa tos arī necentās mākslīgi pastiprināt. Tie izraisījās pamazām, darbā, reizē un saskaņā ar viņas cilvēciskās un māksliznieciskās personības augšanu. Neviens arī nevarēja paredzēt viņas gara plašo amplitūdu, kur ietilpa pašas krasākās galējības. Bet pēc 25 gadu fanātiskas sevis atdošanas skatuves darbam, māksliniece darba svētkos Īrida varēja liecināt, ka „Ludmilas Špīlbergas garīgajai bagātībai atbilst subtīli smalki ārējās izteiksmes līdzekļi. Harmoniski daiļš, mazliet trausli vārs stāvs, vieglas graciozas kustības. Gudra, smalka, gaišu matu vainagā ietverta seja, kuŗas gaišais daiļums ir tik īpatnējs, ka māksliniece pat zaudē daļu no savas burvības, ja viņai kādreiz ir tumšmataina maska. Skanīga, dzidra balss ar dabiski skaidru dikciju. Tās visas ir īpašības, kas ļauj māksliniecei radīt īsti sievišķīgus, ar personības šarmu iezīmētus tēlus divos virzienos: gudro, dvēseliski un garīgi izsmalcināto moderno sievieti (Ilga, Valeska, Inkena, Dāma) un draisko, dažkārt pat buršikozo komēdiju varoni

(Paija, Komēdija, Lilija, Lūcija). — Tas ir tas brīnišķīgais viņā, ka līdzās pat šķietami nevaldāmam temperamentam viņā iemājo vēss, skaudrs, smalkas sievišķības balstīts intelekts. — Viņas elegancei un viņas sievišķībai piemīt zināms ziemeļniecisks skaudrums un erotiskas pieglaudības trūkums, ar ko viņa raksturīgi atšķiras, piemēram, no Lilijas Štengeles. Lilijas Štengeles īpatība ir erotiskā sievišķība, Ludmilas Špīlbergas — garīgā sievišķība. Ar to viņa liekas būt tuvāka latvietes tipam, kas ir paskarba un kautra savu bagātību rādīšanā, kas vairāk grib būt uzminama, nekā pati sevi izrādīdama."

No Ludmilas Špīlbergas neskaitāmo lomu klāsta Īridas atmiņu acis joprojām redz trīs augstākās virsotnes. Mākslinieces psīches bezdibenīgie dziļumi līdz baigumam atklājās vienā nekad neaizmirstamā tēlā — Dorotejā Angermanē tāda paša nosaukuma Gerharda Hauptmaņa drāmā. Par to Īrida rakstīja:,,Cik šausmīgi satricina skatītāju ziedošās, pilnasinīgās meičas pārvēršanās paklīdušas morfinistes ģindenī! Visspilgtāko iespaidu viņa panāk trešajā cēlienā, stāstot par savu pagrimušo dzīvi. Aprauti asa katra atsevišķa vārda artikulācija, tikko manāma nervoza galvas drebēšana, izmisušas lauzītas roku kustības. Arī beidzamā cēlienā galīgi ruinētās Dorotejas neskanīgie smiekli un raudas un viņas gandrīz ģindenim līdzīgā maska ir tik satricinoši, ka kluso izlīdzināšanos nāvē skatītājs izjūt kā vienīgo atpestīšanu."

Un turpat līdzās, tā paša autora drāmā Pirms saules rieta, galīgs pretstats un tikpat neaizmirstams — ideāli jaunavīgais Inkenas tēls, kad māksliniece pati bija jau pusmūžā. Pārsteidza un pacildināja māksliniece kā no iekšējas gaismas apstarotā seja, un bija jāizjūt, cik pilnīgs šis veidojums savā apvaldītā formā, mākslinieciskā disciplīnējumā.

Un beidzot — Dāma, Šaņavska lugā Advokāts un rozes. Loma — gandrīz bez teksta; tikai divi uznācieni skatuvē. Bet Ludmila Špīlberga ar savas personības spēku pārvaldīja tajā visu skatuvi. Īsta dāma — ārējās parādības elegances apvienojums ar iekšējo smalkumu. Šis tēls vairāk kā neviens lika saprast un atzīt mākslinieces neatsveramo vērtību modernā reperuārā[15]).

Bet māksliniece pati? Ko saka māksliniece pati par saviem radījumiem? — Kādā no 25 gadu jubilejas priekšdienām, pārskatot kopā ar Īridu sevis radītos tēlus, viņa saka: „Savas sirdsapziņas priekšā neesmu nevienu piepildījusi." — Tā sevi tiesā tikai īsts mākslinieks, un tikai tādā bargā tiesā aug un veidojas īstā, lielā māksla. Tā izauga Ludmilas Špīlbergas suverenā māksla.

O

Skaistule bija Lilija Štengele. Apstākļi reizēm tā dīvaini sagadās. 1908. gada rudenī Īrida ar Liliju Štengeli, tā sakot aizmuguriski, bija izmainījušās vietām.

Jauna skolotāja, atstājusi lauku skolu, pieteikusies un pieņemta vienā no jaundibināmajām Latviešu izglītības biedrības skolām — Torņkalna proģimnazijā. Bet tur jāmāca arī latviešu literātūra, un to jaunā skolotāja Lilija Štengele nevar. Pārējās biedrības skolas būs elementārskolas, un kādā no tām tiks piedalīta vēlāk pieteikusies Īrida Rasa. Bet kļūst zināms, ka viņa v a r mācīt latviešu literātūru, un valde izdara izmaiņu: Īridu Rasu pieņem proģimnazijā un Lilijai Štengelei būs vieta kādā no elementārskolām. Tā izlemj Lilijas Štengeles neklā-tienē[16]).

Pēc četrdesmit pieciem gadiem Lilija Štengele raksta Īridai: „Gadījās, ka pēkšņi saslima viena no elfiņām G. Hauptmaņa Nogrimušajā zvanā. Te nu mani Skujenes draugi bija karsti ieteikuši Liliju ar garām zelta bizēm. Tā bija mana pirmā loma. Divi vārdi: „Māsas! Māsas!" Tālāk dejas un dziesmas elfu bariņā. Un vecmāmiņas koptie un audzētie mati plīvoja kā zelta vilnis."

Sagadījās vēl tā, ka arī Īridas acīs Lilijas Štengeles pirmais attēls bija iegulies ar smagu zelta bizi pār muguru, gan ne skatuvē, bet Latviešu drāmatiskajos kursos, kur viņa ieradās kopā ar dažiem citiem Rīgas Jaunā teātra aktieriem, kam šī teātra vadība deva iespēju tā papildināties savā arodā. Jo jaunā lauku skolotāja, iespaidīgu mākslniecisku draugu apjūsmota un iedrošināta, bija pārcēlusies uz Rīgu ar tiešo nolūku kļūt aktierei. Un Īrida domā, ka būtu bijis grēks, ja viņa to nebūtu darījusi, ja tāds skaistums būtu apracies lauku skoliņā.

Liels, slaiks, jaunavīgi lokans augums, skaisti veidota seja — apvienībā ar labskanīgi tembrētu balsi, dabisku grāciju, eleganci un skolotu intelektu palīdzēja Lilijai Štengelei it viegli iegūt publikas simpatijas. Šīs dabas dotās priekšrocības kopā ar kvēlu temperamentu piešķīra viņas radītiem tēliem īpatnēju erotiska kairuma nokrāsu, un viņa ātri vien izveidojās par nepārspējamu demimondēnes interpreti. Kaislīgā baudas priesteriene, kuras spēks ir viņas miesas varā pār vīriešu instinktiem, Lilijas Štengeles tēlos veidojās no vienkāršas ielas sievietes līdz klasiskajām šī tipa melodrāmatiskajām cietējām: Kamēliju dāmai, Adriennai Lekuvrērei, Zazā u. c. Jaunā māksliniece apzinājās savu ķermenisko skaistumu un demonstratīvi spēlēja ar to.

Bet gadu gaitā tās izteiksmes līdzekļi aistētiski izsmalcinājās, kļuva apgarotāki, ar atturīgu taktu lietoti, tā ka viņa spēja pacelt šīs sievietes pat harmoniska daiļuma augstumos. Izcils sniegums šai žanrā bija Napoleona sievas Žozefīnes tēls. Žozefīne ir sieviete, kas tuvu cinismam apzinās savas sievišķības varu pār vīriešiem, un tomēr Lilijas Štengeles veidojumā nebija nevienas vietas, ko māksliniece nepiepildītu ar burvīgu vieglumu, visam vulgārajam pāri starodama brīnišķīgas sievišķības siltumā. Šai lomā māksliniecei bija izdevies iemiesot it kā īpašu sievišķības ideju, atraisītu no miesiskuma reālā kairinājuma, paceltu jau tīras mākslas abstrakcijas sfairā.

Tīra aistētisma robežās ieturējās Lilijas Štengeles otra lomu nozare — salona dāmas. It īpaši vēsās angļu lēdijas noblesē visā pilnībā izpaudās māksliniecēs gaumes smalkums, elegance, viņas nosvērto, apvaldīto kustību māksliniecisks skaistums. Skatītājs varēja baudīt viņu pašu kā dzīvu gleznu.

Lilijas Štengeles mākslinieciskā dzīve nebija norobežojusies ar Latviju vien. Īsi pirms Pirmā pasaules kaŗa viņa aizbrauca uz Krieviju. Vienlaikus ar spēlēšanu latviešu teātrī viņa bija mācījusies un beigusi Krievu drāmatiskos kursus Rīgā. Speciālā izglītība un dabiskais skaistums pavēra viņai it plašas iespējas Krievijas labos provinču teātros, ar izredzēm uz pašu Maskavu. Bet nāca kaŗš un revolūcija un bēgšana no Krievijas uz Vakareiropu. No latviešu redzes loka Lilija Štengele šais gados bija nozudusi. Atgriezusies pēc deviņiem gadiem, būdama saaugusi ar krievu mākslu un zināmā mērā atsvešinājusies no latviskā gara un valodas, viņa iesaistījās

233

ne latviešu, bet Rīgas krievu teātrī. Tur par viņas nogatavojušos mākslu priecājās nevien krievi, bet arī latvieši, kas nu gāja uz krievu teātri skatīties savu neaizmirsto jauno, skaisto aktieri. Saites ar latviešu teātŗa publiku atjaunojās, un pamazām — sākumā viesizrādēs — latviešu teātŗa pasaule atguva atpakaļ mākslinieci Liliju Štengeli.

Tiklab mākslinieces aktieriskie dotumi, kā gadi citas tautas skatuvēs bija ievirzījuši viņu starptautiskā repertuārā. Tikai pēdējos gados brīvajā Latvijā viņai gadījās tās īpatnībai piemērota latviska loma — Blaumaņa bajāriskā Silmaču saimniece. Antonijas lomā Lilijas Štengeles sieviškības šarms lauza jaunu gultni, atrazdams sev jaunu izteiksmes formu, kas pārvērta viņu no lielās pasaules salona dāmas par pilnā ziedā uzplaukušu latviešu labieti. No mārkslinieces izplūzdama šī labietības saule apstaroja visu izrādi ar savu silto, plašo gaismu. Palaikam greznos modernos vai laikmeta kostīmos ģērbtās skaistules vietā acis nu līksmināja daiļava kuplā, krāšņā latviešu tautas tērpā, dziedādama un dejodama savas saimes vidū. Neaizmirstama aina!

Kā gadi un dzīves pieredze joprojām padziļināja un bagātināja Lilijas Štengeles mākslniecisko personību, to apliecināja kāda loma, kas aptveŗ visu plašo sievietes un māmslinieces jūtu dzīves diapazonu — no laimīgas, sajūsmīgas mīlētājas un drāmatiskas cietējas līdz atsacītājās rezignācijai un sirmgalves nevarībai. Šajā kādas māmslinieces Klementīnes lomā Lilija Štengele iespēja tik plaši mākslinieciski atvērties kā nevienā citā līdz tam: ar vienlīdz brīnišķīgu smaidu apburt sievietes skaistuma pilnplaukumā, kā arī mūža norietā; ar vienlīdz īstu šarmu būt dāmai blondā modes frizūrā, kā arī sirmas galvas cēlumā. Un dažas šīs lomas fazes, ietverdamas sevī raksturelementus, apliecināja vēl to, ka arī raksturlomās māmsliniecei var pavērties liela nākotne.

Tomēr pašā serdē Lilija Štengele bija un palika liela vēriena bohēmiete. Kad pienāca viņas 25 gadu skatuves darba svētki, māksliniece atgriezās pie Antonijas lomas — ungāru autora Lengiela Nakts serenādē. Šai lomā viņa jau pirms vairāk gadiem bija lieliski nodemonstrējusi demimondenas kairo sieviškību. Un taisni šī loma izraisīja Īridā īpašas pārdomas par sieviškības aspektiem un par skaistuma vērtību vispār aktieres darba dzīvē. Jo šai lomā toreiz bija jādublē Ludmilai Špilbergai, un — viņa kapitulēja Lilijas Štengeles priekšā. Ludmilas Špilbergas skaistums un vara pār cilvēku sirdīm izauga no viņas dziļās, bagātās cilvēciskās personības, un viņa k ļ u v a skaista apgarotā daiļumā. Lilija Štengele, turpretim — tā Īridai šķita — taisni tādēļ viegli un ātri ieguva savu neaizstājamo vietu skatuvē, ka b i j a ķermeniski skaista, apzinājās savu skaistumu un prata to, atbilstoši lomas raksturam, gudri lietot kā spēles izteiksmes līdzekli. Bijušās, apjūsmotās nakts lokālu zvaigznes Antonijas pēkšņi uzliesmojušais ievītušais kairums Lilijas Štengeles attēlā skurbināja ar dziļi kaistošu smeldzi, līdzīgi kā vēlas vasaras pārplaukušu rožziedu reibīgās smaržas. Ludmilas Špilbergas skaudrajā būtībā šāds erotiskais kairums neiemita, un tāpēc viņa nevarēja šai lomā pielīdzināties vai pārspēt Liliju Štengeli. Bet tikpat droši var teikt, ka Lilija Štengele nekad nevarētu būt bijusi tāda Doroteja Angermane, kādu to radīja Ludmila Špilberga, vai arī tā tipa dāma, kāda bija Špilberga Šaņavska lugā Dāmas lomā. Šīs divi pašas izcilākās sava laika latviešu aktieres bija par daudz atšķirīgas personības, lai viņu mākslinieciskos devumus varētu vērtējoši salīdzināt. Daiļā Ludmila Špilberga, daudz ciezdama personīgajā dzīvē, likās līdz pašām dzīlēm izprotam un sevī uzņemam cilvēkam lemtos, arī pašus smagākos likteņus. Skaistā Lilija Štengele, kaut arī ne bez personīgiem kompleksiem, likās it kā vieglā dejas solī pārstaigājam dzīvi un atspulgojam to krāšņos sevis pašas atveidos[17]).

O

Ka dabas dots miesīgs skaistums vien nespēj būt izšķīrējs faktors sekmīgām skatuves gaitām, tas pierādījās Īridas kādreiz Kauliņa deju skolā vērotās un arī K. Pamšes grāmatā pieminētās skaistās meitenes Mildas Sēnītes gadījumā, kas bija viengadniece ar Ludmilu Špilbergu drāmatiskajos kursos. Īridu pārsteidz, ka grāmatā šo meiteni it kā Špilberga apzīmē par trauslu un viņa pati sevi par maziņu. Īstenībā viņa nebija ne trausla, ne maziņa, bet šmaugi noaugusi skaista tumšmate[18]). „Maziņa" tā varbūt bija garā, ka nespēja noturēties tais izdevīgajās pozicijās, ko skaistums viņai ierādīja tās teātra gaitu sākumā. Nacionālajā teātrī viņai piešķīra skaistules Sulamītes lomu, bet tā palika nepiepildīta. Izmēģināšana turpinājās Dailes teātrī, bet arī tur ceļš uz nozīmīgāku nākotni nepaškīrās, un Milda Sēnīte pakāpeniski ierindojās tais bezpersoniskajos aktieros, kas dažnedažādās blakus lomās papildina ansambli bez kādām skaistuma vai citām ambīcijām. Lilijas Štengeles erotiski iekrāsotais skaistums viņas personā sadzīvoja ar inteliģenci un plašu garīgu vērienu. Kad Jānis Grīns bija kļuvis par Nacionālā teātra direktoru, viņš kādreiz Īridai teica, ka Lilija Štengele par veselu galvas tiesu ir pārāka par citām aktierēm teātrī. Varbūt viņš to teikdams bija izlaidis no acīm Ludmilu Špīlbergu, bet liela daļa taisnības viņam bija.

O

Bez dabiskā skaistuma un personības daiļuma ir vēl kāds cits — ilūzors skaistums, kam gan var būt izšķirēja nozīme skatuves dzīvē. Talantīga un sievišķīgi gudra aktiere var izveidot no sevis skaistuma ilūziju, ja viņa prot savus fiziskos defektus tušēt un pozitīvos dotumus izcelt — ar grima mākslu, ar ķermeņa izkopšanu, ar temperamentu, ar spēli dzīvē. Kad Īrida reiz kaut kur lasīja atzinumu, ka Emīlija Viesture ir viena no visskaistākajām latviešu sievietēm, tad viņai bija jāpasmaida. Jo Emīlija Viesture no dabas nebūt nebija skaista s i e v i e t e, bet ilgā, līču loču cilvēciskās un māksliniecikās veidošanās gaitā bija no sevis radījusi vienu no visspožākajām s k a i s t u m a i l ū z i j ā m latviešu skatuvē. Ne drāmatiskajos kursos, ne mākslinieciski neauglīgajā starplaikā pēc tiem līdz Dailes teātrim Emīlijai Viesturei vēl nebija savas pašas sejas. To viņa laimīgi atrada un izkopa Dailes teātrī, kas arī tai laikā dzinās pakaļ kādai iecerētai mākslas ilūzijai. Kustība, dinamika, dabas reālitātes pārspēšana ar stilizētu formu bija Dailes teātra inscenējumu ideāls, un tajā vajadzēja atbilstoši iekļauties aktierim: no sava ķermeņa izejot — meklēt dvēseli, no ārējās formas izejot, izteikt saturu. Neviens cits aktieris šai virzienā nebija tā saskaņojies ar Dailes teātra īpatību kā Emīlija Viesture. No mazizskatīgas, kustībā pagausas jaunas sievietes drāmatiskajos kursos Dailes teātra sistēmatiskā darbā izauga cēla skatuves parādība ar iezīmīgu, šai māksliniecei vien īpatu lidojošu gaitu, kas

236

viņas īstenībā diezgan spēcīgajam augumam uz skatuves piešķīra brīnišķīgu vieglumu, dažkārt sasniedzot tīri aitēriskas būtnes ilūziju. Ja Dailes teātra režija centās pēc nepārtrauktā kustībā vibrējoša ansambļa, tad par Emīliju Viesturi varēja teikt, ka visa viņas ārējā parādība uz skatuves ir ņirboša kustību vibrācija. Statisks stāvoklis skatuvē nebija viņai izdevīgs, jo viņas ķermenim trūka formu skaistuma, ar ko acis priecināt. Šo pietrūkumu viņa prata aizstāt ar izkoptu kustību ritmu, neļaujot skatītāja acīm apstāties un vērot, bet liekot tam trauksmaini sekot mākslinieces valdzinošai kustību spēlei, kas it kā aizplīvuroja un izkausēja zemes smagumu poētiskā mirāžā. No šādas ārējās kustības, kas ķermeni it kā pozitīvi pārveidoja, tad pakāpeniski kā no iepriekš sagatavotas auglīgas zemes raisījās lomu garīgais izpaudums, atbilstošā mīmikas, valodas un pārdzīvojumu technikā. Prasmīgi grimētajā sejā izteiksmīgi izcēlās Emīlijas Viestures acis, kas bija viņas lielākais dabiskais skaistums. Viņas valodā gadu gaitā iezagās valšķīgi sievišķīgs, kairs tonis, kas piešķīra viņas attēliem erotisku nokrāsu. Šī nokrāsa bija citāda nekā Lilijas Štengeles erotismam, kas bija būtisks, pašsaprotams, no viņas personības nešķirams. Emīlijas Viestures erotisms bija sīkākas dabas, vairāk piesavināts, koķets. Jānis Grīns reiz Īridai teica, ka Emīlijas Viestures balss notonējums esot pietiekami sievišķīgs, taisni tik daudz, cik tas viņam vajadzīgs. Īrida tad nodomāja, ka koķeterija Emīlijas Viestures balsī runā tiešāk uz vīrieti, turpretim Lilijas Štengeles labskanīgi mīkstā melodiskā balss baudāma bez dzimumu izšķirības.

Mazāk strauji un spilgti raisījās Emīlijas Viestures lomu pārdzīvojuma izpaudumi. Aizrāvusies ar Dailes teātra ārējās formas meklējumiem, nodarbināta gandrīz pāri spēkiem vai katrā izrādē, viņa nonāca pat pie bīstamas vietas mākslinieka attīstībā: sāka formā atkārtoties, vienmēr būdama un palikdama tā pati Emīlija Viesture, kas elementārā spēles priekā rotaļājas ar savu kustībā atbrīvoto ķermeni, it kā neapzinādamās tos bezdibeņus, kas arī ārējā formā šķir lomu no lomas: pat subreti no subretes, naīvo no naīvās, mīlētāju no mīlētājas. Tomēr dievu dzirksts šai māksliniecē bija dziļāk slēpta, un pienāca laiks, kad tās dzīvinātājs siltums sāka raisīt mākslinieces talanta iespējamības īstam mākslas plaukumam. Beidzamās šaubas par mākslinieces iespēju iemiesoties un atdzīvināt arī lielu, cēlu, iekšēja drāmatisma piesātinātu raksturu izklīdināja viņas karalienes Elizabetes attēls Šillera drāmā Don Karloss. Šeit augstākā mākslas patiesībā starojošā tēlā māksliniecei izdevās vispilnīgāk atraisīties no stereotipās cilvēciskās būtības objektīvā mākslas darbā. Karaliene Elizabete kļuva par Emīlijas Viestures mākslas sasniegumu augstāko virsotni, apliecinot beidzot, ka arī šai māksliniecei ir dots runāt l i e l a s m ā k s l a s valodu[19]).

Ārpusniekiem nav droši zināms, kas veicina un kas gremdē kāda skatuves mākslinieka karjēru. Emīlijas Viestures karjēra Dailes teātrī uzplauka žilbinoši ātri, bet pašā košākā plaukumā tā izbeidzās. Māksliniece aizbrauca uz Krieviju, lai, kā pati teica, iepazītos ar turienes bērnu teātṛiem. Kad viņa atgriezās, prīmadonnas vietu Dailes teātrī tā vairs nespēja atgūt. Kādas spožas mākslas gaitas tecējums bija izbeidzies...

O

Emīlijai Viesturei līdziniece — skaistuma ilūzijas radītāja — bija arī populārā un apjūsmotā aktiere un daiļrunātāja Birutа Skujeniece. Īrida viņu iepazina kā skolnieci, vienu klasi zemāk par sevi Maldoņa ģimnazijā. Viņa nebija skaista meitene. Bet kad viņa pēc dažiem gadiem jau tēloja Rūtiņu G. Hauptmaņa Nogrimušajā zvanā, tad Īrida ieraudzīja to fotogrāfa Rieksta vitrīnā līdz nepazīšanai pārvērstu: šīs lomas ietērpā viņa bija skaista[20]). Un kad pēc daudz gadiem Īridai bija izsmēlīga profesionāla saruna ar ne tikai lomās, bet arī dzīvē par skaistu apjūsmoto Birutu Skujenieci, tad māksliniece pati apliecināja grima neaizstājamo vērtību sava veidola izkopšanā: grims viņai esot tas pats, kas apģērbs; ja viņa izietu bez grima, tas būtu tāpat, kā kad viņa izietu neapģērbusies. — Cik rūpīga un pamatīga bija šāda veida „apģērbšanās", to pierādīja ilgais gaidīšanas laiks, iekams māksliniece bija diezgan sakopusies (pašas izteiciens), lai varētu viešņai rādīties. Sarunā māksliniece teica arī, ka māte — sava laika ievērojama teātra kritiķe Luīze Skujeniece — atrunājusi viņu no nodoma kļūt aktierei, jo tās āriene neesot skatuvei izdevīga. Bet Birutas Skujenieces meistarīgā grimēšanās māksla un tikpat

238

meistarīgā māka noturīgi iespēlēt sevi mākslīgi darinātajā veidolā arī dzīvē — izgaisināja dabisko neizdevīgumu, tai vietā iedvešot ilūzora skaistuma priekšstatu. Un talants, inteliģence, apzinīgs darbs, rūdīta griba bija tie visspēcīgie sabiedrotie, kas līdzēja Birutai Skujeniecei izveidoties par vienu no sava laika spilgtākajām teātra personībām[21]).

Talants un darbs, personības izkopšana, garīgā apvāršņa nemitīga paplašināšana, nemitīgs garīgs izsalkums, — tā Iridai gribējās rezimēt šīs pārdomas — ir tā māģiskā formula, kas audzina māksliniekus lielus. Ja tad skatuves māksliniekam vēl ir dabas līdzi dots ārējais skaistums, tad tā ir acij tīkama piedeva, arī darba gaitu atvieglotājs, bet reti kad izšķirīgs faktors.

15

Gadiem ejot, Īridas Rasas-Zelmenes dzīve un darbs
tā bija iesaistījušies latviešu teātŗa mākslas pasaulē, ka
tai bija dalība vai ikkatrā tās izcilākā notikumā. Kad
pienāca laiks atzīmēt Dailes teātŗa desmit darba gadus,
teātŗa vadība iecerēja summēt tā sasniegumus apceŗu
krājumā un sagatavoja un izdeva almanachu — Dailes
teātŗa desmit gadi. Arī no Īridas lūdza rakstu. Tā kā viņu
no visiem teātŗa mākslas komponentiem visvairāk in-
teresēja pats dzīvais cilvēks — radītājs aktieris, tad
viņas domas arī šoreiz apstājās pie tā un viņa deva
apceri — D a i l e s t e ā t ŗ a a k t i e ŗ u a u d z e. Šai
gadījumā tāds temats īpaši vilināja, jo Dailes teātrim
savu specifisko mākslniecisko nodomu sasniegšanai
b i j a jāaudzina pašam savi aktieŗi, kas spētu iekļauties
sintētiska formas teātŗa prasībās un no tām izejot — augt
un veidoties par māksliniecìskām personībām. Pēc pirmo
gadu meklēšanās un izlaipošanās ar nevienmērīgu ak-
tieŗu saimi, kur līdzās nobriedušiem reālā mākslas vir-
ziena māksliniekiem cīnījās jaunie un pavisam jaunie
Dailes teātŗa paša entuziasti, nu teātrim bija jau no-
briedis sava ansambļa kodols tik spilgtās personībās kā
Emīlija Viesture, Augusts Mitrēvics un Kārlis Veics. Ja
Emīlija Viesture pārnāca uz Dailes teātri jau ar aktieres
pagātni citās skatuvēs, tad abi pēdējie bija vienīgi Dai-
les teātŗa paša roku darbs.

Delartisks — kustīgs un lunkans pēc savas artistiskās
dabas, Augusts Mitrēvics ar savu ķermeni ideāli ie-
kļāvās Dailes teātŗa ritmizētajā ansamblī. Viņa kustību
un masku raksturīgais komisms vispirmais iekaŗoja ska-
tītājus. Bet viņa pasaules izjūtā iemita nevien komika
un humors, bet arī traģisms, ko apliecināja vesela rinda
lomu taisni šo divu elementu — komiskā un traģiskā ap-

vienojumā par traģikomisko: Vecheidelbergas pagraba meistars Kellermanis, vecais Bumbiers, Tenis. Tomēr visbūtiskāk Mitrēvica mākslas spēks bija paguvis izpausties divās centrālās lomās: Hašeka Šveikā un Ērenburga Lazikā, — pirmais liels savā aprobežota cilvēciņa negribētā komismā; otra vientiesīgā dvēsele, turpretim, izjūt visu pārdzīvojuma gammu — no komiskā uz traģikomisko un traģisko. Laurus Mitrēvics guva arī Dailes teātra jaunākajā pasākumā — mūzikālajā komēdijā, gan vairāk pateicoties savai groteskai komiķa figūrai nekā dziedoņa nopelniem.

Ja Viestures un Mitrēvica tēli izauga no kustības, tad Veica tēli — no maskas. Viņam ir pavisam ārkārtīga spēja pārveidot sevi maskā līdz nepazīšanai. Un var likties, ka tikai tad šis aktieris sāk īsti brīvi radīt, kad tas noslēpis savu jauneklīgi glīto cilvēcisko ārieni zem savdabīgas vai groteskas maskas, kas arvienu ir bijusi raksturīga un reizē neatkārtojami vienreizīga savā oriģinalitātē. Veica talants bija paguvis realizēties komikā, raksturkomikā un it īpaši tīros raksturos; te viņš ideāli ir radijis tādas galējības kā lielo bērnu Dr. Jitneru Vecheidelbergā, tā lielos ļaundarus — Gesleru Vilhelmā Tellā un hercogu Albu Don Karlosā, pēdējos taisni monumentālā drausmīgumā. Vērojot Veicu, Īridai ir šķitis, ka šim māksliniekam nepatīk pozitīvisma taisnā līnija. Ka viņā iemīt it kā pētnieka dziņa izsekot visiem zig-zagiem, kas ved pa līkumotām un slēptām cilvēka dvēseles ejām un tur atrastās dīvainības celt gaismā un dot tām savu radītāja seju.

Pretēji Viesturei un Mitrēvicam, Veica tēlos dominē statiskais elements. Viņš nekurp netraucas; viņam patīk formas slīpēšanas un puantēšanas prieks. Tāpēc viņa aristiskā īpatnība neliekas tik tieši izaugusi no Dailes teātra principiem kā divu pirmējo. Tomēr griba uz formu, kaut arī citādā veidā, vieno viņus, un šī mākslinieciskā trijotne nu bija Dailes teātra paša audzināto solistu augstākā virsotne.

O

Pēc septiņiem gadiem Dailes teātrim pienāca cita diža svinama reize — tās mākslinieciskais vadītājs, režisors un aktieris Eduards Smiļģis atzīmēja savas skatuves darbības trīsdesmit gadu ar Otello izrādi un ar jubilejas grāmatu — Eduards Smiļģis un viņa darbs. Irida šai grāmatai deva apceri par Smiļģa r e ž i s o r a darbu, atstādama jaunā kritiķa Kārļa Strauta ziņā jubilāra aktiera darba novērtējumu. Par Iridas rakstu almanachā Jānis Grīns viņai bija teicis, ka tā protot rakstīt jubilejas rakstus, kas neesot jubilejas raksti vien. Taisni tāpēc viņa šoreiz negribēja vērtēt Smiļģa aktiera darbu, jo jubilejas rakstam tomēr pamatā jābūt pozitīvam, bet viņa ne visai daudziem Smiļģa paša radītiem attēliem varēja piešķirt visaugstāko atzinību. Turpretim, ar tīru sirdsapziņu tā varēja atzīt viņa vienreizīgās personības nešķiramo saistību ar Dailes teātra jēdzienu, — ar tā tapšanu, veidošanos, sasniegumiem. Pārskatot Dailes teātra septiņpadsmit gadu ilgo mūžu, Irida atzīmēja tajā trīs attīstības fazes. Pirmie pieci gadi bija pagājuši drudžainā savas paša sejas meklēšanā. Līdz tam latviešu teātra mākslā valdīja drāmatiskais rakstnieks un aktieris, režisora reālā izkārtojumā. Dailes teātris atņēma tiem šo prioritāti, pasvītroti piešķirdams to citiem mākslas izpaudumiem: glezniecībai ar celtniecību, ritmikai ar deju, mūzikai un tīri techniskām skatuviskām funkcijām, no visa tā veidojot stilizētu izrādes ārējo formu, kur iekļauties režisora inscenētāja nodomiem pakļautajam aktierim ar drāmatiķi. Lai šādā veidā radītu noskaņotu izrādi, režisoram palīgos nepieciešami lietpratēji konsultanti, kas detaļās izstrādātos atsevišķos izrādes elementus nodod inscenētāja vienotājai gribai izrādes galīgai izveidošanai. Tā strādājot, Dailes teātra pirmo piecu darba gadu pozitīvā varēja ierakstīt izrādes ārējās formas virtuozitāti tiklab aktieru kā skatuviskās ainavas technikā; it īpaši pēdējā. Dailes teātra mazās skatuves telpas sadalīšana un izmantošana kā vertikālā, tā horizontālā virzienā dažās izrādēs bija radījusi tīros brīnumus, apliecinot inscenētāja Ed. Smiļģa fantazijas un techniskās meistarības neierobežotās iespējamības.

Otra piecgade iezīmējās ar režijas cenšanos pievērst vairāk uzmanības aktiera iekšējās technikas veidošanas procesam un lielākai saskaņai izrādē starp ārējo un iekšējo formu. Tas veicināja aktieru izaugšanu, formas āriškīgās vienpusības pāraugšanu un delartisma līdzsvarošanu ar psīcholoģisku pārdzīvojumu.

242

Pēc 10 gadu jubilejas Dailes teātra sākotnējā trauksmainība it kā pierima. Tas sāka vērtēt un pārvērtēt pats sevi, lai jo skaidrāk ieskatītu savu — aktuāla laikmetiska teātra — īsto ceļu un uzdevumu. Sākās vesela rinda Ed. Smiļģa inscenējumu pārstudējumu. To rezultātā radās latviskas komēdijas un latviskas traģēdijas stila inscenējumi, kuŗos bija iekausēti visi agrākie meklējumi un to labākie sasniegumi. Īridai šķita, ka nu Dailes teātra formu varētu atzīt par stilizētu reālību, kas ietveŗ sevī kāpinātu psīcholoģismu. Te forma vairs nevairās satura, nedz saturs iznīcina formu; abi ir līdzsvaroti sintezēti un vienlīdz nozīmīgi pilnvērtīgā izrādē.

No paša sākuma uzņēmies visu mākslniecisko atbildību par Dailes teātri, sadarbībā ar konsultantiem Smiļģis izveidoja to par mākslas faktoru, kas tīri teātrālo vērtību ziņā bija ierosinātājs un uz priekšu virzītājs latviešu teātra mākslā. Statistika rādīja, ka no visa Dailes teātra repertuāra 90 proc. bijuši Ed. Smiļģa inscenējumi. Dailes teātris bija kļuvis par Ed. Smiļģa mūža darbu, un Ed. Smiļģa vārds nebija vairs šķiŗams no Dailes teātra. Abi tie, kā ar savām kļūdām un maldiem, tā ar saviem sasniegumiem un nopelniem ieies Latviešu teātra vēsturē, piederēdami pie īpatnējākām tās parādībām[22]).

O

Īslaicīga, bet ietekmīga rosība latviešu teātra dzīvē izraisījās, kad Aktieŗu arodbiedrība atvēra Teātra skolu, izmantojot apstākli, ka Latvijā kā politiski bēgļi bija ieradušies slavenais krievu aktieris Michails Čechovs un režisors Gromovs. Abu lielo skatuvisko pieredzi un it īpaši Čechova izcilo māksliniecisko personību iesaistīja radošā skolas darbā, asistējot mūsu pašu redzamākajiem aktieŗiem no Nacionālā teātra. Apaugļojot skolas audzēkņus ar starptautiskas mākslas vērtībām, direkcija ne mazāk vēlējās ievadīt tos latviešu pašu teātra tradicijās, atsevišķās lekcijās iepazīstinot ar spilgtākajām skatuves mākslinieku personībām latviešu teātra neilgajā vēsturē.

Pirmajai lekcijai skolas direktors aktieris Jānis Šāberts aicināja Īridu Rasu-Zelmeni referēt par Bertu Rūmnieci sakarā ar mākslinieces neseno 50 gadu darba jubileju.

Personiski Irida bija iepazinusi Bertu Rūmnieci, kad pirms dažiem gadiem apmeklēja mākslinieci mājā, lai lūgtu ziņas par Daci Akmentiņu rakstāmai monogrāfijai. Viņu drusku pārsteidza mākslinieces pilsoniski glīti iekārtotais dzīvoklis, kas īsti nesaderējās ar viņas mākslinieku aprindās neparasto vienkāršas strādnieku sievas izskatu, — vaļējā jaciņā, lakatiņu ap galvu — tikai tādu viņu allaž redzēja steidzamies uz teātri. Nesaderējās ar šo izskatu arī mākslinieces inteliģentā valoda, viņas lietpratīgie skatuves parādību vērtējumi, viņas literārās intereses. Un Īridai tad atausa atmiņā agrā jaunībā viņai Dubura teiktie vārdi, ka Berta Rūmniece un Mirdza Šmitchene ir inteliģentākās aktrises Rīgas jaunajā teātrī.

Nu Īrida bija lūgusi Bertu Rūmnieci apciemot viņu, lai pie kafijas tases patērzējot tuvāk ieskatītos mākslinieces cilvēciskajā sejā. Šīs personiskās saskares deva viņai autentiskas biogrāfiskas ziņas referātam. Pēc tām viņa mēģināja atbildēt uz jautājumu — kas ir Berta Rūmniece latviešu teātrim? — Un pēc sīkākas analizes izraisījās atbilde: viņa ir universālā mātes jēdziena ideālais piepildījums reālos tēlos. Viņa ir latviešu lauku sētas un dzimtas dzīves labāko tradiciju paudēja mūsu zemnieku dzīves notēlojumos. Viņa ir sievietes sāpju cietēja un viņas nastu nesēja tās mūža otrā pusē, kad jaunības romantikas ziedi jau biruši, kad sievietes dzīvi pilda pienākums un uzupurēšanās dzimtas — bērnu labā. Bet viņa ir arī sīkpilsoniskās tukšības smējēja un sievietiskas čaukstenības graizītāja komikas bagātos skatuves tēlos. Traģika un humors vienlīdz spilgti iezīmē Bertas Rūmnieces mākslinieces seju, piešķirdami viņas veidojumiem pilnskanīgas cilvēcības augsto vērtību. Ar Bertas Rūmnieces vārdu saistās mūsu oriģināldrāmas uzplaukuma laiks, un viņai skatuvi atstājot, nekad vairs neskatīsim tādā latviskas īpatnības īstumā mūsu klasiskās zemniecības pavarda sargātāju — latviešu māti un sievu.

„Bez skatuves es palikšu kā bez dzīves sāls,“ skumji teica lielā māksliniece — l a t v i e š u t e ā t r a m ā t e. Šo goda titulu māksliniecei izšķērdīgi piešķīra no visām pusēm viņas darba zelta kāzās, un tas ar pilnu tiesību paliks viņas neatņemamais apzīmējums latviešu teātra vēsturē[23]).

244

Referāta klausītājos bez audzēkņiem bija arī daži aktieri un lūgti viesi, pēdējo vidū — mākslinieku aprindās ļoti populārais Alfreds Andersons, liels īpatnis — reizē praktisks sabiedrisks darbinieks un romantisks mūzikas mīļotājs — operu libretu un dziesmu tekstu tulkotājs latviešu skatuves dzīves vajadzībām. Pirms referāta sākuma Šāberts iečukstēja Īridai — lai neapvainojoties, ja dzirdot iekrākšanos: esot parasts, ka Alfreds Andersons iemiegot pa priekšlasījumu laiku, lai neattiecinot to uz sevi. — Īrida tomēr lielo vīru bija uzturējusi nomodā: pēc priekšlasījuma viņš noskūpstīja tai roku un teica: „Jums ir tā lielā māksla ar maz vārdiem daudz pateikt."

O

Tai pašā sezonā 75. dzimumdienu atzīmēja ievērojamās Brigaderu dzimtas locekle, kādreizējā Latviešu biedrības teātra aktiere Brigaderu Maija, un atkal skolas direkcija lūdza priekšlasījumu no Īridas.

Kad iznāca monogrāfija par Daci Akmentiņu, Anna Brigadere sajūsmīgi izsaucās: „Un nu jums ir jāraksta par Brigaderiem!" — Īrida toreiz klusēja: viņa zināja, ka nevar rakstīt par Brigaderiem, kā bija rakstījusi par totālo Daces Akmentiņas personību, — ar cilvēcisku tuvību, neierobežotu cieņu un apbrīnu. Bet viņa varēja rakstīt objektīvu apceri par latviešu turīgās un inteliģentās aprindās cienījamas dāmas jau pirms trīsdesmit trīs gadiem izbeigtu spožu aktieres karjēru, kas vairs bija tikai vēsturisks fakts.

Brigaderu Maijas, tāpat kā Daces Akmentiņas, skatuves talants sakņojās un izauga no dziesmas, — sākumā baznīcas, tad laicīgos koros, beidzot Latviešu biedrības korī, kas noveda uz skatuvi 1882 gadā. Pāršķirstot laikrakstos astoņdesmito un deviņdesmito gadu teātra recenzijas, Īrida redzēja tur apliecinātu Brigaderu Maijas izcilo vietu teātrī. Atkārtoti viņu dēvē par publikas mīlulīti dziesmu lugās tā saucamās subretes lomās, salīdzinot viņas dzidro soprānu gan ar cīruļu treļiem, gan lakstīgalas dziesmām, gan ar sidraba zvaniņiem. Viņas tēlošanas īpatībās atzīmēts dzīvīgums, ko izdevīgi balstīja attiecīgi skatuviskie dotumi: slaiks stāvs, spožas zilas acis, gaiši kupli mati, kā arī jūtīga sirds un straujš temperaments. Tad nu likās neparasti, ka līdzās šīm subretēm Brigaderu Maija tēlojusi arī raksturlomas, pat

245

vecas sievietes un — uz Blaumaņa tiešu vēlēšanos — ar izciliem panākumiem Roplaiņu māti drāmā Pazudušais dēls.

Un viss tas — īsos septiņpadsmit gados, pie tam vēl ar pārtraukumiem. Pēc katra tāda pārtraukuma māksliniece saņemta kā īsta publikas mīlule, un viņas 10 gadu darbības jubilejā, kas bijusi jau trīs dienas iepriekš galīgi izpirkta, prese vienbalsīgi atzīst Brigaderu Maiju par vienu no visiecienītākajām aktierēm vispār un par ievērojamāko latviešu subreti atsevišķi.

Bet pēc spožās jubilejas Īrida, dīvainā kārtā, arvienu retāk un retāk sastop Brigaderu Maijas vārdu izrāžu recenzijās. To sāk nomainīt citi, nebijuši vārdi. Personiskā, ļoti labprāt dotā intervijā Brigadera kundze paskaidroja, ka nav varējusi neizjust, ka šīs nomaiņas ne katrreiz savienojamas ar viņas vietu un stāvokli teātrī un tāpēc 1899. gada sezonai izbeidzoties galīgi pārtraukusi visus sakarus ar Latviešu biedrības teātri. Īrida domā, ka mākslas vārdā ir dziļi jāmožēlo, ka neapšaubīti liela māksliniece sarūgtināta atstājusi skatuvi savu spēju pašā plaukumā. Savu skaisto dziedones talantu viņa gan nelika novārtā, bet ilgus gadus vēl koncertēja Latvijas pilsētās un laukos un pat tālajā Pēterpilī un Maskavā. Arī ar visu savu turpmāko personisko dzīvi viņa bija tuva latviešu mākslas un sabiedriskai dzīvei. Būdama Jāņa Brigadera dzīves biedre un Annas Brigaderes svaine, viņa bija pratusi pulcināt savā namā to latviešu inteliģences daļu, kam rūp garīgās kultūras veicināšana jo dažādās nozarēs.

Arī šī jubileja izskanēja lielās mājas viesībās. Nama māte saņēma Zelmeņus starodama: Īridas ļoti atzinīgais viņas mākslinieciskās pagātnes atdzīvinājums bija to dziļi gandarījis[24]).

O

Par pašu dzimtas galvu — Jāni Brigaderu Īridai pienācās rakstīt tikai īsu nekrologu pēc viņa nāves 1936. gadā. Arī viņa aktiera mūžs bijis īss, jo — aiz solidaritātes — viņš izbeidzis aktiera darbu teātrī reizē ar kundzi. Tā latviešu skatuve nelaikā zaudēja vispusīgi spējīgu aktieri, kas sava staltā auguma, skaistā izskata, labās balss un mūzikalitātes dēļ tēlojis varoņu tēvus un mīļotājus, bonvivānus un dziedamās baritona lomas.

Ilgus gadus teātŗa cienītājus priecinājis slavenais trio — soprāns Brigaderu Maija, altiste Dace Akmentiņa un baritons Jānis Brigaders — populārajā Dzīvību par caru izrādē.

Tomēr Jānis Brigaders nepārtrauca saites ar teātŗa institūciju pašu. Līdztekus panākumiem mākslā gadu gaitā Brigaders bija guvis ievērojamus panākumus dažādos saimnieciskos pasākumos, jo kopā ar mākslinieku viņā labi sadzīvoja uzņēmīgs veikalnieks. Iegūtā turība tomēr neatsvešināja viņu no latviešu kultūras un mākslas interesēm. Uzturēdams sakarus ar Latviešu biedrību, viņš jo rosīgi darbojās biedrības teātŗa komisijā. Pēc Latvijas valsts nodibināšanās, būdams teātŗa komisijas priekšnieks, viņš ieteica nodot teātri valstij, un tā šis pirmais latviešu teātris kļuva par Latvijas nacionālā teātŗa pamatu. Pirmajos gados, kad teātri vadīja trīs direktori, Jānis Brigaders bija viens no tiem. Vēlāk viņu ievēlēja par teātŗa goda direktoru un goda padomnieku. Viņa ilggadējie piedzīvojumi teātŗa lietās ierādīja viņam vietu arī Skatuves padomē pie Izglītības ministrijas. Izsekojot Jāņa Brigadera vairāk nekā piecdesmit gadu nepārtrauktai interesei par teātŗa mākslu, jāsecina, ka viņš mazāk tai ir devis tieši, kā radītājs mākslinieks, bet vairāk kā tās norišu veicinātājs dažādās sabiedriskās funkcijās[25]).

16

Jo tālāk laikā, jo vairāk Īrida sāka izjust vajadzību pēc plašākiem apvāršņiem: pēc savu zināšanu un atziņu pārbaudes ar starptautiskiem mērogiem. Dēls bija paaudzies, tam nebija vairs nepieciešama viņas ik dienas gādība. Interesēdamās par notikumiem pasaules teātros, viņa uzzināja, ka 1936. gada vasarā Vīnē notiks Starptautisks teātra kongress. Uz to nu viņa gribēja braukt. Un tai pašā reizē apmeklēt netālajā Mocarta pilsētā Zalcburgā izdaudzinātās ik vasaras svētku spēles, kur līdzās operu izrādēm un koncertiem producējās aktuālā teātra slavenība — režisors Maksis Reinhards ar saviem iestudējumiem, kas Īridu jo īpaši interesēja.

Šis bija pasaules lielās saimnieciskās depresijas pēclaiks. Tās ietekmē Latvijas valdība stingri ierobežoja uz ārzemēm izvedamās valūtas daudzumu. Tas savukārt sašaurināja Īridas iespējas plašāk izmantot ceļojumu. Viņa izšķīrās par īsāko maršrutu cauri Polijai. Kongresa dienās bez parastās darba sekas bija paredzētas ārpus sezonas speciāli kongresa apmeklētājiem izkārtota teātra un operas izrāde. Pati uz savu roku Īrida bija nodomājusi nepalaist garām izdevību redzēt Vīnes teātra dzīves izslavēto specialitāti — kādu šarmantu opereti. Tāpat, cik laiks atļautu, iepazīt pašu Vīnes pilsētas seju.

O

Par Vīni tik daudz bija dzirdēts. Par zilajiem Donavas viļņiem romantizēts. Kāda vilšanās nu braucot pāri tiltam redzēt tos veļamies duļķaini pelēkus un smagus!

Novietojusies viesnīcā, Īrida iziet tuvējos apstādijumos. Daudz ziedu, daudz pieminekļu. Redzams Sv. Stefana katedrāles zaļganais tornis. Viņa ir ieradusies dienu agrāk, viņai ir laiks, — viņa aizstaigā līdz majestātiskajam dievnamam. Krēsla. Mistika. Svecīšu mirga altāṛu nišās. Kādas durvis ved „mantu kambarī": tur tūristiem izrāda zeltu un dārgakmeņu nesamaksājamas bagātības... Bet kad Īrida atpakaļceļā iet pa nomaļākām ieliņām, viņa redz vājas sievas un mazus bērnus šur tur pavārtēs gaidām dāvaniņu pasniedzam... „Gruess Gott, gnaedige Frau..." Ak, jā! Austro-Ungārijas lielvalsts taču ir sadrupināta. Vīne nu ir mazās Austrijas nedabiski lielā galva, — tā saka austrieši — un mazā zeme nespēj to vairs paēdināt.

Kongresa dienās daudz apsveikumu, daudz referātu, daudz debašu. Pārstāvētas dažādas valstis. Arī Latvijas Izglītības ministrija deleģējusi Skolu departamenta direktoru Jāni Celmu, un viņš nolasa mazu informatīvu pārskatu. Tas pazūd bez pēdu speciālistu izsmēlīgu priekšlasījumu un runu plūdos. Pie sienām inscenējumu paraugi un — Īrida ierauga to vidū mūsu Dailes teātṛa konsultanta — dekoratora un otra režisora-inscenētāja Jāņa Munča divus dekorāciju metus.

Kā palaikam šādās plašākās sanāksmēs, Īridai blakus sēdošā dāma uzsāk sarunas. Metus skatoties, viņa īpaši ievēro un uzslavē vienu, — tā ir Jāṇa Munča Pera Ginta dekorācija — slaids tilta loks, pāri mests spilgti ziliem ūdeņiem. Īrida pasaka, ka tas ir viņas tautieša — latvieša darbs. Dāmu tas sevišķi ieinteresē, iesaistās dziļākas profesionālas valodas, un dāma ielūdz Īridu nākošā dienā pusdienās.

Viņa ir žīdu tautības. Abi ar vīru gara interešu cilvēki. Māja pilna grāmatu. Sarunās ieskanas tumšs hitlerisma drauds. Bet Austrija vēl ir brīva, un ir ticība, ka tā paliks brīva...

Pievakarē laipnie paziņas aizved Īridu uz izdaudzināto Vīnes Prāteri — tautas izpriecu vietu tālākā ārpilsētā ar visvisādiem „tingeltangeļiem." Ir svētdiena, — tautas un līksmības pa pilnam. Pretstati kā visur: cildena klasiska drāmatiskā māksla slavenajā Burgteātrī, spoža galā izrāde greznajā Operas namā — izmeklētai gara izlasei un — lēta izklaidēšanās Prāterī „tautai"...

Kopā ar Jāni Celmu un viņa kundzi Īrida apmeklē operetes izrādi. Bet tā pievīl: ir vasara, nedarbojas pirmšķirīgie spēki un primadonnas lomā ir viešņa — to dienu ieslavētā zviedru filmaktiere Zāra Leandere, kas ar savu lielo augumu un pasmago personību nemaz neiekļaujas operetes stilā. Un tā īstā Vīnes operete paliek neredzēta.

O

Zalcburgas svētku spēļu idejiskais ierosinātājs bijis tā laika teātra pasaulē visvairāk atzītais režisors Maksis Reinhards. Tās atklāja 1931. gada vasaras beigās, un pēc tam ik vasaras rudens pusē teātra un mūzikas entuziasti no visas pasaules svētceļo uz Zalcburgu. Īrida zināja, ka to pieplūdums ir tik liels, ka ieejas kartes oficiāli ir izpirktas jau pirms vasaras sākuma. Bet — viņai bija arī personiska informācija, ka galvenie izpircēji ir paši zalcburģieši, kas tad organizētā veidā laiž kartes apgrozībā „melnajā tirgū," kur tās arvienu vēl katrs zinātājs var ar pārmaksu iegūt. Ar tādu drošību viņa tad pēc kongresa brauca uz šo Austrijas priekšalpu pilsētiņu, lielu gaidu pilna.

Mazā Zalcburga savā vienīgajā lielajā luksa viesnīcā nevar uzņemt visus iebraucējus. Aiz tā iemesla bija lieliski izkārtota iespēja īrēt istabas privātos dzīvokļos. Bez kādas apgrūtinošas meklēšanās ar saņemtajām adresēm varēja izraudzīties sev piemērotāko. Īrida salīga istabu ar brokastīm upes krastā un jutās kā viešņa patīkamas austriešu nama mātes gādībā.

Mocarta pilsēta Zalcburga ir kā plaukstās iekļauta divu klinšu kalnu ielejā. Cauri tai tek upe ar neredzēti zaļganu ūdeni, sadalīdama pilsētu divi daļās. Burvīga ir tās vecpilsēta ar mazītiņiem it kā pašā klintī iecirstiem namiņiem. Mazmaziņi lodziņi ar puķotām palodzēm diezin vai ielaiž cik necik saules gaismas mazajās istabiņās aiz tiem — domā Īrida, staigādama un priecādamās par dekoratīvo skatu. Jā, skatīt tos ir tīrais acu prieks, bet dzīvot tādos gan laikam būtu grūti, — viņa prāto. — Skaistumu un labsajūtu tālāk klīstot sāk bojāt uzbāzīgā komerciālā spekulācija ar dievišķā Mocarta vārdu. Kur tik pagriezies, katra sīkbodīte reklamē sevi gan ar Mocarta kūkām, gan desām, gan citu ko. Pilsēta ir lepna ar to, ka mūzikas brīnumbērns Mocarts te ir dzimis, tā godina viņu ar viņa mūzikas atskaņošanu un operu rādīšanu festivālos, bet tai pašā laikā vulgārizē viņa piemiņu ar sīkmanīgiem peļņas aprēķiniem. Tāda ir tūrisma zemju un pilsētu divkosīgā seja.

Pāri šaurajai upei tiltiņi ved uz otru pilsētas daļu. Tur sakoncentrēta gandrīz visa komerciālā un mākslinieciskā svētku spēļu darbība. Pa spirālveidīgu klintī izcirstu ceļu var uzkāpt Mūku kalna pašā galā. No tā atveras skats uz ieleju aiz pilsētas, un tur arī redzama vēsturiskā Leopoldskronas pils, kas nu ir Makša Reinharda īpašums. Tur svētku spēļu laikā greznās viesībās pulcējas mākslinieku augstākā izlase un šī pasākuma naudīgie financētāji — mākslu mecenāti. Vakaru pusē tālumā vīd Austrijas Alpi.

Svētdienas pēcpusdienā Irida iet uz pirmo svētku izrādi — Makša Reinharda iestudēto un kopš pašas pirmās reizes ik gadu atkārtoto Hugo fon Hofmanštāla mistēriju Jedermann. Skatītāju telpa ir apkārtējo namu ielenkts četrstūrains Doma baznīcas laukums. Skatuve — baznīcas portāls. Dekorācija — garš viesību galds tā priekšā. Aktieri — bagātā vīra viesi — dzīrotāji un cilvēku likteņa spēli virzītāji — mistisko spēku personificējumi. Spēle koncentrēta dinamiskā dzejas skandējumā.

Irida bija lasījusi aizrautīgas atsauksmes par mistērijas pirmo izrādi, kad bagātā vīra lomu tēlojis runas mākslā apbrīnojamais Aleksandrs Moisi, un arī citas galvenās lomas lielos augstumos cēluši izcilākie Vācijas aktieri. Izrādē, ko viņa skatījās, to vairs nebija, un tā nedeva viņai gaidīto lielo pacilājuma pārdzīvojumu.

To viņa saņēma otrā šī festivāla izrādē — Gētes Fausta pirmās daļas iestudējumā, kas norisa pavisam citos, neiedomātos apstākļos. Mūka kalna stāvā siena ir izrādes skatuve: klintī ir iedobtas ainu norises vietas. Izrāde notiek naktī. Visa klints skatuve ir tumsā. Izgaismojas Fausta vietuļnieka celle. Skaistā skandējumā vecā Fausta domas Gētes dzejā, izolētā no visa cita, plūst uz skatītāju... Izgaismojas Grietiņas tēls meitenīgajā telpā — nevainīgs un pieticīgs, tad — cietumā — drausmi satriecošs prāta sajukumā. Fantastiskā Valpurģu nakts, kas ir gandrīz neatrisināma problēma ierobežotās teātra skatuvēs, izraisās mežonīgās orģijās pa visu plašo klints sienu tumsas un gaismas mijiedirbē. Visā izrādē — gaisotne, monumentālitāte, dzeja, Fausta un Grietiņas traģēdija.

Irida iet kājām siltajā atvasaras naktī uz savu patālo mitekli upes otrā krastā. Viņu nes karsts sajūsmas vilnis.

Viņa ir saņēmusi reto dāvanu — prieku par lielu mākslu, kas cilvēku tuvina dievībai.

Šis pārdzīvojums arī palika Īridas vērtīgākais ieguvums Zalcburgā. Operas izrāde parastos teātra apstākļos nebija nekas īpats. Vēl pastaigas pa pilsētu, sīku piemiņas lietiņu izraudzīšanās mājiniekiem, un varēja sākt ardievoties atpakaļ ceļam. Īsajos brīžos, ko Īrida pavadīja mājā, viņa raudzīja ieskatīties kaut cik austriešu dzīvē. Bija taču tik satraukts laiks. Vācijā valdīja Hitlers ar ekspansijas nodomiem. Ko austrieši domāja par to? — Vismaz šīs mājas kundze domāja pozitīvi: vāciešiem zem Hitlera esot nākotne, austriešiem tās neesot. Pēc lielvalsts sabrukuma šī esot nabadzīga zeme, pakļauta nīkuļošanai. Viņi gaidot Hitleru Austrijā...

O

Mājup braucienā Īrida bija nodomājusi apstāties Varšavā, lai apmeklētu dažas poļu teātra izrādes. Latvijas sūtnis Polijā, Dr. M. Valters, viņai bija personiski pazīstams, tāpēc viņa iedrošinājās paziņot to sūtniecībai un lūgt attiecīgu informāciju par svešo pilsētu un teātriem. Sagadījās, ka sūtnim pašam šais dienās bija jāaizbrauc, bet viņš bija uzdevis sūtniecības darbiniekam pieņemt Īridu un būt tai vispāri izpalīdzīgam. To tas arī darīja, laipni uzaicinādams viņu pusdienās restorānā un divos vakaros pavadīdams uz divi teātriem. Jaunā sezona vēl nebija īsti sākusies, un izrādēs viņa neguva paliekošus iespaidus. — Pilsētas apskatē pavadonis aizveda viņu arī uz žīdu geto kā uz ko neredzētu, tā bija drūma aina. Veikalos ar lepnajiem poļiem bija grūti sarunāties: tie labprāt nerunāja ne krieviski, ne vāciski, — tie nīda abas šīs tautas. Poļu zeme, pa vagona logu skatīta, tomēr likās nabadzīga un nolaista, salīdzinot ar senāk redzēto kārtīgi kopto vācu lauku ainavu. Polija bija kontrastu zeme: dižciltīgie pani — un nabaga laukstrādnieks, kādu to pēdējos gados bija ievedusi arī Latvija savos laukos. — Mājās pārbraukusi, Īrida uzsāka rakstu sēriju Brīvajā Zemē par šī ceļojuma iespaidiem, bet pameta to nepabeigtu, jo steidzīgi vajadzēja izraudzīt rakstus un lasīt korektūras uz Ziemsvētkiem izdodamajam apceru krājumam.

252

17

Par grāmatas izdevēju Īrida bija iecerējusi apgādu Zemnieka Domas, jo tam bija ciešs sakars ar laikrakstu Brīvā Zeme, kur viņa rakstīja par teātŗa mākslu. Tāpēc viņa gribēja iepazīstināt redaktoru Jūliju Druvu ar paredzēto grāmatas saturu un lūgt viņa starpniecību, jo apgāda vadītāju viņa personiski nepazina. Kad viņa pa tālruni pieteicās ar savu vajadzību ierasties redakcijā, Jūlijs Druva tai vietā uzaicināja viņu nedēļas nogalē ciemā tā lauku mājās Mežmaļos.

Nu bija jau otrs gads, kopš viņa bija kļuvusi Brīvās Zemes pastāvīga līdzstrādniece ar atbildīgā redaktora solījumu — ļaut viņai pilnīgu mākslinieciskās sirdsapziņas brīvību. Savu solījumu viņš turēja, un Īrida nekad nav rakstījusi zem „laikmeta" spaida, par ko dzirdēja sūdzamies dažu citu rakstītāju. „Spaids" vairāk bija pašu rakstītāju vai laikrakstu izdevēju nepietiekamā pilsoniskā drosme. Vēl šai pašā vasarā Siguldas Rakstnieku pilī viņai bija gadījies tikties ar vienu no krievu laikraksta Sevodņa izdevējiem. Pārliekā sajūsmā, abas rokas skūpstīdams, viņš apliecināja savu lielo cieņu un atzinību tās rakstiem piebilzdams: „Ko mūsu Sudrabkalns uzraksta, par to mēs pasmejamies." (Dzejnieks Sudrabkalns bija šī laikraksta teātŗa kritiķis.) Kad Īrida gribēja šo kungu pārliecināt, ka Sudrabkalns varētu tikpat brīvi rakstīt, viņš izsaucās: „Mēs jau to nedrīkstam!" — Šo sarunu Īrida atstāstīja Jūlijam Druvam, un viņš sašutis teica: „Es viņiem daudzkārt esmu sacījis, ka tas nav vajadzīgs, kāpēc viņi netic!" Citreiz, pēc kādas izrādes tiekoties, Īridas kollēga no Jaunākajām Ziņām stāstīja viņai, ka to izdevēji viņu bargi nostrostējuši par pārāk neatzinīgu recenziju. Kad sevi aizstāvēdams viņš norādījis uz Īridas vēl daudz stingrāko kritiku, tie pateikuši:

„Jā, mēs jau nevaram sev atļauties to, ko Brīvā Zeme".
(Brīvo Zemi uzskatīja par valdības oficiozu). Un pats
Sudrabkalns reiz teātrī kollēgu pašu starpā par Īridu
teica: „Šis ir vienīgais cilvēks, kam vēl ir drosme runāt
patiesību."

Šāda nedrosme runāt patiesību tad arī bija par
iemeslu Īridas spriedumu daudzkārtējai pilnīgai atšķi-
rībai no citiem, tomēr Jūlijs Druva tos pieņēma, uzticē-
damies viņas mākslinieciskās sirdsapziņas godīgumam.

Nevarēja gan teikt, ka spaida vispār šai laikā nebūtu
bijis un ka arī Īridu tas nebūtu gribējis paklaut. Ziņas
par to un labi domāti brīdinājumi atklīda arī līdz viņai,
un reiz tai izgadījās pat izsmēlīgs personisks disputs par
kritiku ar ministru, kā pārziņā bija sabiedriskās lietas.
Tas tomēr neiedragāja ne viņas neatkarīgo stāju, ne
darbu. Jāsecina būtu, ka arī šī instance lieki pārcentās.

O

Bēnes stacijā Īridai pretim atbrauca pats Mežmaļu
saimnieks vienkāršā laucinieku aizjūgā. Bet Mežmaļu
jaunā dzīvojamā māja bija celta modernas vasarnīcas
stilā. Abpus ieejas ceļam līdz namdurvīm ziedēja visu
nokrāsu zeltainie gaiļpieši, saulainībā sacenzdamies ar
pašu debess spīdekli. Namā Īridu saņēma redaktora
jaunā dzīves līdzgaitniece, ko viņa nu tikai iepazina per-
soniski.

Ir pievakare. Saimnieks ved viešņu laukā izrādīt
saimniecību. Tā guļ klusā meža ielokā. Pāri pagalmam
redz vēl otru dzīvojamo māju — mazāku, vienkāršu, kas
bijusi „jaunsaimnieku" pirmais miteklis; tagad tur dzīvo
saimes ļaudis. Bet saimnieka lepnums ir modernā seklā
kūts, — un Īridai tāda ir gluži neredzēta. Grīda spodra
kā parkets, gaiši logi un katrai govij apaļa bļodiņa
priekšā, — kā piegrūž purnu, tā iesmeļas tīrs ūdentiņš. —
Jā, tā nu ir tā sauktā priekšzīmīgā saimniecība, kur
nekas vairs nav nejaušība, nedz patvaļa, bet viss ir
mērķtiecīgi izkārtots un aplēsts drošiem ienākumiem. Cik
pavisam citādas bija tās lauku mājas Zemgalē, kur
Īrida vadīja dažas vasaras savos meitenes gados. Zi-
nāms, arī tur norisa regulārs darbs, kas deva pārticību,

bet tur bija arī aizlaisti dārzi ar vecām ābelēm, kuru augļus neviens neskaitīja un neiegrāmatoja. Kā tur patīka iegrimt neskartā dabas poēzijā! — Bet te bija kultūra — ērta, gandrīz pilsētnieciska dzīve, lauksaimniecības progresa augstākie sasniegumi.

Pavisam tuvu gar Mežmaļiem iet dzelzceļa sliedes, un tepat ir pārbrauktuve. Ir pienācis vakars, un Jūlijs Druva stāsta Īridai par dzīvi Mežmaļos. Tā uzsākta grūtumā un pieticībā, sirsnīgā kopībā ar dzīves draugu, kam tomēr nebijis lemts pieredzēt tos uzplaukstam. Tepat uz šīs pārbrauktuves, viņa acu priekšā, ātrvilciens ķēris auto, kurā viņš tikko izvadījis savu sievu braucienā uz Rīgu. No ievainojumiem viņa mirusi, jo — tie nav padevušies ārstēšanai cukurslimības dēļ. Šis traģiskais gadījums tikai atklājis, ka viņa ar to slimo. Ar to tad arī atklājies līdz tam neizprastais iemesls kādai lielai nelaimei viņu kopdzīvē: bērniņi nākuši pasaulē nedzīvi. Visur citur meklēta vaina, pat viņš pats sākts turēt aizdomās, līdz īstā patiesība atklājusies viņai aizejot.

Jūlijs Druva apklust. Arī dziļi aizkustinātā Īrida klusē. Pēc brīža viņš atsāk. — Gadi gājuši, bet viņš nespējis atgūties no smagā trieciena. Tad reiz kādā Zemnieku Savienības sarīkojumā, garām slīdot dejotāju pāriem, viņa acis piesaista kāds pakausis ar biezām matu pīnēm. Viņa skats seko tam, — redz tikai biezās matu pīnes. Tad — viņš ierauga svešinieci draudzīgi sarunājamies ar Ausmu Rogu.

Dienas paiet, — no viņa acīm neizzūd matpīņu gredzens. Viņš apklaušinās un uzzina, ka svešā ir kaucmindiete un strādā šai mājturības skolā par mācības spēku. Viņš aprunājas ar laikraksta pielikuma Zemes Spēks redaktori Ausmu Rogu, vai šai izdevumā nevajadzētu vairāk vērības pievērst mājturības jautājumiem. Lai Roga palūdz viņa vārdā mājturībnieci Lidiju Kalniņas jaunkundzi šai sakarībā ierasties pie viņa redakcijā. Kalniņas jaunkundze ierodas, kļūst par Zemes Spēka līdzstrādnieci un — tagad ir Mežmaļu jaunā saimniece.

Mežmaļos nu rit jauna laimīga dzīve. Bet pagājušās vērtību Jūlijs Druva paturējis dziļi sirdī un veltījis tai arī redzamu piemiņu jaunceltajā mājā. Viņš uzved Īridu augšstāvā un atver istabu, kur lietās un attēlos dzīvo viņa pirmā sieva. Šo telpu neviens neapdzīvo; tā ir kā mūzejs aizgājušās piemiņai.

Mežmaļos ciemojoties, Irida iepazina Jūliju Druvu kā dziļi jutēju cilvēku, kā vīrieti, kam ir bijība un cieņa pret sievieti par to nezūdamo, ko tā devusi viņa dzīvei. Arī vēlākā kopīgā darbā iezīmējās Jūlija Druvas cieņa vispār pret sievieti, pret sievietes darbu kā ģimenē, tā citos uzdevumos, ja tai bija spējas un prasme to darīt. Visdziļāk tomēr viņš cienīja tās sievietes, kas ar izcilām gara spējām apvienoja ģimenes pienākuma apziņu. Tā, piemēram, viņš jūsmoja par dziedoni Hertu Lūsi, nevien par viņas brīnišķo dziedāšanu, bet arī par to, ka viņa esot brīnišķa māte saviem bērniem un saimniece savā lauku mājā.

O

Tā kā Irida strādāja vienīgi mājā, jo nebija saistīta ar darba stundām redakcijā, tad viņa īsti nezināja Jūlija Druvas tiešās ikdienas attieksmes ar redakcijas darbiniekiem. Tās viņa vēroja tikai dažādu plašāku sanāksmju gadījumos. Šķita, ka tās ir autoritatīvas, bet arī tēviški sirsnīgas, viņa īpatā humora iekrāsotas. Par tradiciju bija kļuvis redaktora gadskārtējais visas Brīvās Zemes saimes ielūgums Mežmaļos, kad vasara jau brieda uz rudens pusi.

1937. gada vasarā arī Irida piedalījās šādā izbraukumā. Svētdienas rītā tā bija kopēja līksma dziesmota braukšana īrētos autobusos. Visu baru sagaidīja namatēvs ar namamāti, dārzā, pie latviski bagātīgi klāta gara galda ar audeklu pārvilktā pajumtē. Visi brīvi sametās dārza zālītē, — mielojās, tērzēja, dziedāja. Un vakarā tādā pašā līksmībā un dziesmu priekā brauca atpakaļ.

Šais gados Irida chroniski slimoja, bet pa laikiem atlabdama turpināja nevien kārtējās pirmizrāžu apceres, bet uzsāka arī vairākdienu izbraucienus uz lielākajiem provinču teātriem un deva par tiem atsauksmes, sākot ar 1939. gadu Brīvajā Zemē, pēc tam Rakstu un Mākslas kameras izdotajā tāda paša nosaukuma žurnālā.

Tā izdošanas priekšdarbos svarīgākā problēma bija atbildīgā redaktora atrašana. Kādu dienu kameras vadītājs Jūlijs Druva ieaicināja savā birojā Īridu Rasu-Zelmeni. Pārrunu un izjautāšanas virziens ļāva noprast, ka paredzēta varētu būt viņas kandidatūra. Tad viņa norādīja uz savu veselības stāvokli, kas tai neļauj saistīties ar noteiktām darba stundām ārpus mājas, kā arī uz to, ka tai nav nekādas pieredzes par iespieddarbu tapšanas technisko pusi. — Tai laikā valdības aprindās favorā bija cerīgi jauni cilvēki un mazliet protežēta tika arī agrāk it kā novārtā atstātā Latgale. Šai noskaņā tad nu iznāca, ka par žurnāla redaktoru tika izraudzīts jaunais Latgales rakstnieks Alberts Sprūdžs.

Žurnālā vajadzēja uzņemt visas mākslas nozares, tām tātad katrai pienācās savs speciālists apakšredaktors. Piedāvāto skatuves mākslas daļas vadību Īrida uzņēmās. Gatavojot žurnāla pirmo nummuru, tūliņ jau pierādījās jauneklīgā virsredaktora nevarība. Viņš bija kautrīgs, bez iniciatīvas; likās, ka viņu nomāc apziņa par nesamērīgumu savā un piedzīvojušu speciālistu varēšanā. To drīz saprata arī kameras vadītājs, un Sprūdža vietā kādu dienu ieradās Rakstniecības mūzeja pārzinis rakstnieks Artūrs Baumanis.

Kaut žurnāls bija neparasti plašu apmēru, ietilpināt tajā visas mākslas nozares bija diezgan grūti. Vajadzēja ļoti ekonomizēt ar rakstu apmēriem. Īrida savā daļā bez pašas apcerēm par teātriem Latvijā paredzēja rakstus no vietām Vakareiropas valstīs, lūdzot korespondences no attiecīgiem darbiniekiem mūsu sūtniecībās. Bez tam viņa vēlējās aktīvi iesaistīt līdzdarbībā teātra māksliniekus pašus. Nodomi īstenojās labi. Viņa paguva dot pārskatus par Daugavpils, Liepājas, Jelgavas, Rēzeknes teātriem. Viņa saņēma rakstus no Londonas un Romas. Apstrādātus vai koriģētus rakstus viņa ieguva no aktieriem Jāņa Oša, Alfreda Alkšņa, Emīla Mača un atmiņu solījumu no Ādolfa Kaktiņa.

Pēc katra iznākušā nummura redakcijas sanāksmē kopīgi pārrunāja un novērtēja rakstus. Sanāksmes vadīja Jūlijs Druva. Viņš nodeva par rakstiem savu spriedumu, izteica vēlēšanās, bet nekad neko neuzspieda. Ja dažs nodaļas vadītājs reizēm nebija visai apmierināts ar telpu ierobežojumu, viņš mierināja un priecināja ar izredzēm, ka šis kopējais žurnāls ar laiku varēs sadalīties atseviško mākslas nozaŗu speciālos izdevumos. Tādā ticībā tika saskanīgi strādāts, līdz — sagruva viss. — Īrida sēdēja Svētes upes krastā, vēl turēdama rokās Martas Rasupes rakstu par Italijas teātŗiem, savu pēdējo apskatu par Valmieras teātri, gatavojot nākošo žurnāla nummuru, kad krievu tanki, no Lietuvas puses nākdami, žvadzēja jau pa Latvijas lielceļiem...

O

Viss apstājās. Tomēr formālā nolikvidēšana prasīja laiku. Kad Īrida ap jūlija vidu apciemoja Jūliju Druvu viņa dzīvoklī, viņš tikko bija saņēmis pavēli noteiktā dienā un stundā ierasties komūnistu varas vīru galvenajā mitēklī, lai dotu norēķinus par kameras vadību un paskaidrojumus par dažiem pret viņu celtiem apvainojumiem. Viņš bija saguris un noraizējies, tomēr ne gluži bez cerības. Un — kaut arī neparedzētā kārtā — viņš no neizbēgamās pazušanas čekas kambaŗos izglābās: noteiktajā dienā viņš darba vietā saļima smagā sirds lēkmē, un noteiktajā stundā atradās jau slimnīcā. Četri noslimoti mēneši slimnīcā un pēc tam gandrīz visa ziema Mežmaļos vēl brīnišķīgākā kārtā izglāba viņu no aizvešanas 14. jūnija rītā. Tad Mežmaļi jau bija atsavināti un Druvas ģimenei atļauta izvēle: pārcelties uz pilsētu vai — kādā citā sadalītā saimniecībā iegūt 10 hektāru zemes, līdzi ņemot, kas strādniekam pienākas: vienu zirgu, vienu govi, vienu aitu un nepieciešamo no citām lietām. Druvām bijis zināms, ka viņa skolas biedra Kristapa Rapas saimniecībā Ruņģos viena jaunsaimniecības platība palikusi vēl nepiešķirta, un pēc sazināšanās ar Rapu Druvas pārcēlušies uz dzīvi tur. Tur tad arī ieradušies čekisti liktenīgajā rītā. Noraudzījušies uz bālo, sirmo gulētāju, noteikuši — staričok i tak pomrjot (vecītis i tāpat nomirs). Izgājuši laukā, ilgāku laiku sarunājušies, tad uzrakstījuši kādu dokumentu, likuši citiem mājiniekiem to parakstīt un — aizbraukuši.

Jūlija mēnesī Druvas varēja atgriezties Mežmaļos saimniekot bez formālām īpašuma tiesībām. Bet kādā ziemas rītā ieradies kārtībnieks no Auces ar pavēli Jūliju Druvu apcietināt un novest uz Jelgavas cietumu. Noteikti drošu iemeslu tam nav izdevies noskaidrot, un tikai ar kundzes lielām pūlēm un meklēšanos Jūlijs Druva pēc apmēram trīs mēnešiem atbrīvots. Un tikai pēc tam varēja atsākties mierīga dzīve Mežmaļos.

Irida tajā, 1942. gada vasarā dažas nedēļas nodzīvoja Sprīdīšos. Uzzinājusi, ka Jūlijs Druva izglābies un atrodas Mežmaļos, viņa piezvanīja. Pastāstīja, kur atrodas, un Druva tūliņ aicināja viņu ciemā, solīdamies atbraukt tai pakaļ. Danis tai pašā vasarā strādāja par izpalīgu saimnieciskā darbinieka J. Skujēvica lauku mājās, kas atrodas kilometrus piecus no Sprīdīšiem, tuvāk Mežmaļiem. Norunāja, ka, uzturēšanos Sprīdīšos izbeidzot, Irida aizbrauks tur, un tur viņai pretim atbrauks Mežmaļu saimnieks.

Tas bija atkal mundrais, darbīgais, joviāla humora pilnais Jūlijs Druva, atspirdzis miesīgi un garīgi. Sirds tomēr bija saudzējama: lauku darbus viņš varēja tikai vadīt, ne līdzi strādāt. Dzīves veids Mežmaļos bija vienkāršs. Maltītes visi ieturēja kopā ar saimi. Arī Iridu, vienas nedēļas viešņu ieskaitot mājniekos, sēdināja pie tā paša saimes galda. Tikai kad atbrauca kādi tālāki viesi, tiem pasniedza atsevišķu cienastu ēdamistabā.

Kādu dienu tā ieradās profesors A. Švābe ar Jāni Kārkliņu. Tad laiks iesniedzās pusnaktī dedzīgās pārrunās par visiem sasāpējušiem jautājumiem un zīlējot nezināmo nākotni.

Arī nākošā vasarā Iridai pēc Sprīdīšiem iznāca paciemoties Mežmaļos. Tad viņai ar Intu atbrauca pakaļ Danis, kas šai vasarā tur dzīvoja reizē par izpalīgu un — it kā par mājskolotāju Druvas abiem — septiņu un piecu gadu vecajiem dēliem. Dzīve un darbi Mežmaļos nu bija ieguvuši pilnu skaņu, un tās spēcīgā reālitāte bija prasījusi savu tiesu: augšstāva istaba Mežmaļos nebija vairs noškirtas pagātnes glabātāja; tā piederēja ģimenes mājas kopībai un kalpoja tās vajadzībām.

Autora iestarpinājums

Šī vasara izbeidza Iridas personisko saskari ar redaktoru Jūliju Druvu. Pēc tam, trimdā Vācijā, viņi pa retam sarakstījās, — Irida no Vācijas ziemeļ-

austrumiem, Druva no vidienes. Dzīvojot Vircburgas drupu pagraba istabiņā, viņš nerima ne tik vien aktīvi līdzi darboties bēgļu nometnes garīgajā dzīvē, bet domāt arī par Latvijas nākotni, plaši sarakstoties un personiski satiekoties ar Latvijas laika sabiedriskajiem darbiniekiem. Viņu gan māc novērotā tautas kopas morālās stājas slīdēšana uz leju, tomēr viņš ir cerīgs un nepadodas depresijai. Viņš raksta: „Kā šinī laikā var dzīvot depresijā, kad mūsu apstākļi, mūsu dzīve, viss, it viss prasa darbību? Un man ir prieks, ka ir vēl ļaudis, ka ir jaunieši, kas arī meklē labo, gaišo. Kāpēc tad nu lai nedarbotos viņu labā, jo mēs taču ceram un ticam, ka jaunie būs tie, kas cels Latviju, mēs arī zinām, ka taisni jaunos gaida smagi un atbildības pilni darbi. Tāpēc palīdzēsim viņiem sagatavoties. Un tāpēc arī vietējo studentu svinīgajā aktā 17. novembra vakarā, viņu aicināts, es viņiem tēlošu dienas pirms 29 gadiem, lai viņi stiprinās nākotnes darbiem un cīņām." (6. 11. 47.)

Dažādo vēstulēs pārcilāto jautājumu vidū iznāca arī pārrunāt Tēvzemes balvas dažkārt disputētās piešķiršanas: it kā tās būtu dotas rakstniekiem par „laikmeta" resp. prezidenta Kārļa Ulmaņa slavināšanu. Par to ir interesantas domas tai pašā vēstulē: „Daudzie slavinājumi Ulmanim nepavisam tā nelipa, kā cilvēkiem tas šķiet. Viņš tādās reizēs arvien vēroja, kādam nolūkam cildinājumi tiek lietoti un kādu maksu cildinātājs prasīs vēlāk. Un gandrīz ne reizes viņš nemaldījās. Maksas prasība nāca vai nu kādas palīdzības prasībā, vai parāda atlaišanā, vai protekcijā un paaugstināšanā, vai kā citādi. Karstos cildinātājus viņš augsti nevērtēja."

Trimdinieku izklīdināšanu uz tālājam patvēruma zemēm Jūlijs Druva pārdzīvoja smagi, tomēr — kā viņš raksta — „ne sevis dēļ. Manis dēļ mūsu ģimene arī ieskaitīta grūti izvietojamos. Ja būs šā vai tā, es apmierināšos. Bet man nav ko slēpt, ka es nevaru sevi nerūpinājis redzēt tās grūtības, kādas stāv mums priekšā, to postu, kas piemeklējis mūsu trimdas tiesu, kas tagad plosa un rausta mūsu tautas atliekas še trimdā uz visām pusēm un izkaisa pa visiem vējiem. — Sevišķi smagas dienas nāca pēc 18. novembra, kad skaļrunis izkliedza, ka 24. novembrī jādodas uz komisiju Zinaīdai Lazdai. Dzejniece nokļuva tuvu sabrukumam un runāja tikai par došanos uz Latviju. Tās bija patiesi smagas dienas mums visiem, un kad mašīna pazuda mūsu skatam, tad jutām, ka liels robs izrauts latviešu gara pasaulei. Dvēseles sāpēm dažas dienas pievienojās arī smagas fiziskas ciešanas. — Mēs Vircburgā svētījām pēdējos valsts svētkus, jo nākošgada 18. novembrī neviena te vairs nebūs. Pētera Rožlapas iespaidīgais dekorējums mūs aizveda Brāļu kapos ar svētuguni uz kapa altāra. Mana runa tad nu bija pēdējā ne tikai Vircburgā. — Zinaīdas Lazdas dzejolīti Sēras, ko viņa uzrakstīja pēc svētbrīža, nosūtu Jums arī. Pēc tam gan jaukās, bet arī skumjās atmiņās mazā pulciņā pavadījām dažas stundas un šķīrāmies ticībā, ka uzvarai tomēr jānāk. — Es ticu prezidenta vārdiem, ko viņš teica saviem darbiniekiem brīdī, kad viņu izveda no pils uz Padomiju: „Un tomēr reiz atkal būs labi!' —" (1. dec. 1949.)

Šai vēstulē vienīgo reiz sarakstē ar Īridu Jūlijs Druva piemin savas „smagas fiziskas ciešanas." Bet pēc viņa nāves, 1950. gada 2. augustā, Druvas kundzes viņai rakstītās vēstulēs atklājās, ka 1940. gada jūlijā iegūtā sirds slimība bija viņu joprojām vairākkārt mocījusi ar smagām lēkmēm. Gandrīz jau likteņīgi to ķērusi lēkme Liepājā pēc formalitāšu nokārtošanas izbraukšanai uz Vāciju. Vēl grūtāka bijusi izšķiršanās par Ameriku, un dzīve te bijusi jāiesāk nepierastā šaurībā un saspiestībā. Par to kundze raksta: „Mēs atbraucām šeit uz Mičigenu, uz kurieni galvojumu bija sūtījusi nometnes bijušā zobārste. Kaut mums bija solīts, ka būs viegli atrast darbu un dzīvokli, tad tā tas nebija. Viņi dzīvoja uz laukiem dārzsaimniecībā, nelielā mājiņā, viņas vīram kalpojot par puisi. Tur tad nu iznāca arī mums apmesties vienā istabiņā, kur pat savas ceļa kastes nevarējām ienest. Tā kā satiksme ar Kalamazū bija grūta, tad palikām turpat dārzā strādāt. Darbs nebija viegls, man nepierasts, varbūt redzot mani nogurušu, arī vīram sāpēja sirds. No Amerikas skaļuma te dārza vidū neko nejuta, bet nebija tā miera,

kas būtu, ja mums pašiem būtu savs dzīvoklītis. Te
mēs četrās istabiņās bijām desmit cilvēki." (1957.
g. 10. jūl.)

Kādā pavisam citādā izjutumā bija ritējusi dzīve Vācijas šaurībā, — lasāms tālāk šai vēstulē: „Kad notika latviešu sanāksmes Vircburgā, tad mūsu pagraba istabiņā un vēlāk drusku labākā pulcējās mūsu latviešu pārstāvji, lai šaurākā lokā vēl pārrunātu mūsu likteņa pārbaudījumu un viens otru stiprinātu ticībā nākotnei. Cik bieži tika samierinātas arī pretēji domājošas puses un mēģināts pie mūsu vienkāršā latviskā azaida galda rast saprašanos. Tādos brīžos vīrs neizjuta savu slimību. Viņš bija atkal tas pats degsmes un kvēlošas tēvzemes mīlestības pilnais latvietis, kas juta tikai vienu vadošu domu — ,Par Latviju, nacionālu, daiļu un varenu', kā tas kādreiz bija Brīvās Zemes pirmās lappuses rindās lasāms. — Par visu vairāk viņš mīlēja latviešu jaunatni. Tai piederēja viņa nākotnes cerība un ticība, tāpēc viņš labprāt gāja un bieži lasīja sanāksmju vakaros gan Vircburgas latviešu studentu biedrībā, kur bija goda biedrs, gan baznīcas jauniešu pulciņā."

Arī Jūlija Druvas pati pēdējā runa, ko viņš teica 1950. gada Draudzīgā aicinājuma dienā, bija veltīta jaunatnei. To viņš nobeidza ar vārdiem: „Institūti, biedrības un deklarācijas izrādīsies par vājiem vai būs tikai palīga līdzeklis, to rāda jau šodiena. Būs jāieliek latviešu kultūras tīstoklis latviešu sievietes rokās, jāuzticas šīm maigajām, bet reizē drošajām rokām. Un par tik, par cik viņas uzticīgi šo tīstokli glabās un ar pirmajām aiju dziesmām noliks jauno audžu šūpulī, tik vispār mūsu ticībai ir pamats un spēks. L a t v i e š u s i e v a s u n j a u n a v a s l a i a p z i n ā s š o p i e n ā k u m u! — Un tad, kad būsim pieredzējuši, ka esam kļuvuši par robežakmeni divu laikmetu ceļa jūtīs, kad upuru dūmi klīdīs, tad iesim raudzīties no viena līdz otram polārlokam, cik pavardu vēl kuras no latviešu pagalēm. — Tur būs arī tie, no kuriem vīt otrreiz atjaunotās Latvijas dzīvības vainagu. — Mūsu jaunatne savā kodolā ir vēl vesela un nebojāta, tai pieder mūsu ticība. Jums jākļūst par mūsu uztica-*

mākajiem balstiem, tāpēc jums mūsu *svētība,
cieņa un draudzīgais aicinājums
augt, stipriem būt, izturēt un pastā-
vēt!"*

Jaunajā pasaulē Jūlijam Druvam nebija vairs
lemts turpināt sirdsdedzīgo kalpošanu latviešu jau-
natnei. Vēl neiedzīvojies šai svešajā zemē, pēc
kādas it mierīgi pavadītas dienas, pēkšņi pēc va-
kariņām, saļimis negantās sāpēs, kas šoreiz vairs
nav bijušas klusināmas...

Vēstulē Īridai, kas palika beidzamā, Jūlijs Druva
raksta: „Vienam otram no mums, vecajiem, būs
varbūt jāaiziet nepieredzējušiem laimīgo brīdi, bet
tas mani nedara izmisīgu, jo vecums un tam seko-
jošā iznīcība ir ikvienas radības dabiskais gājiens."

Latviešu teātŗa pirmie soļi repertuāŗa ziņā bija mākslinieciski nevarīgi. Tikai pamazām Rode-Ēbeliņa direkcijas laikā skatuvē ienāk jau pa kādai vērtīgai cittautu lugai un — mūsu pašu Rūdolfs Blaumanis. No lielajiem vakareiropiešiem pats pirmais iesoļo Šekspīrs. Gadu gaitā tam seko vācieši — Zūdermanis, Šillers un — Gerhards Hauptmanis, it īpaši pēdējais. No viņa ap trīsdesmit drāmatiskajiem darbiem latviešu valodā tulkoti turpat puse, un gandrīz visi tulkojumi arī izrādīti uz mūsu skatuvēm. Tāpēc arī saprotams, ka mūsu literārā un teātŗa kritika ir dzīvi sekojusi vai ikkatram Hauptmaņa darbam, kā arī atzīmējusi viņa jubileju gadus. Kad 1932. gadā vācu tauta svinēja savu pēc Gētes par lielāko atzītā dzejnieka 70 gadu jubileju, arī mūsu Nacionālais teātris ar izcilām sekmēm izrādīja viņa pēdējo psīcholoģisko drāmu Pirms saules rieta. Šai pašā sakarībā Filologu biedrības priekšnieks profesors Ernests Blese lūdza Īridu Rasu-Zelmeni dot par jubilāru priekšlasījumu biedrības sanāksmē Universitātē. Apcerē G e r h a r d s H a u p t m a n i s u z l a t v i e š u s k a t u v e s viņa sīki izsekoja G. Hauptmaņa darbu secībai Vācijā un līdztekus tai — mūsu skatuvē. Konstatējusi jubilāra — naturālista un romantiķa divsejību, viņa nobeidza apceri ar secinājumu: ,,Metot tagad skatu atpakaļ uz G. Hauptmaņa lugu lielo daudzumu un plašo izplatību mūsu teātŗos, varam noskaidrot, ko īsti mūsu skatuve ir no Hauptmaņa pieņēmusi. Kā analize rādīja, sociālās kustības mūsu gara dzīvē attiecīgās Hauptmaņa drāmas tieši nav ietekmējušas, jo cariskās Krievijas cenzūras apstākļu dēļ tās pārāk vēlu pie mums nonāca. Mēs esam vistuvāk iepazinuši un visdziļāk jūsmojuši nevis par naturālistu Hauptmani, bet par romantisko sapņu dzejnieku un cilvēku individuālo likteņu tēlotāju Hauptmani. Uz mūsu skatuvēm visplašākā izplatība bijusi tiem Hauptmaņa darbiem, kuŗos ietvertas lielas teātrālas un psīcholoģiskas vērtības: Nogrimušais zvans, Elga, Vientuļi cilvēki ir bijušas iemīļotākās Hauptmaņa lugas pie mums pirms pasaules kaŗa. Pēc tā mēs arī arvienu esam sekojuši rakstnieka darbībai un no viņa jaunajām lugām izrau- dzījušies tās, kuŗu varoņi iet nenovēršamus likteņa ceļus, kas iezīmēti viņu pašu dabā: Doroteju Angermani, Pirms saules rieta. Mēs esam jutušies un jūtamies G. Haupt- manim tuvu ne kā zināmas sadzīves kārtības vai mākslas virziena propagandētājam, bet kā māksliniekam — cil- vēka dvēseles slēpto bezdibeņu atvērējam, un tāpēc mūsu skatuves un G. Hauptmaņa sakari visumā arvienu ir bazējušies tikai uz tīri māksliniecisku interešu kopības."

Priekšlasījuma klausītājos citu vidū bija arī abi ģer- māņu filoloģijas valstsvācu mācības spēki — profesors Nusbergers un docents X (kam vārda Irida nezināja). Tā kā Latvijas universitātes prasība bija, ka cittautiešiem pakāpeniski jāpāriet uz latviešu valodu, tad arī abi pa- sniedzēji, jādomā aiz lojalitātes, mācījās mūsu valsts valodu un to jau tik tālu prata, ka varēja priekšlasījumu saprast. Iridu nu pārsteidza viņu abu ārkārtīgi sajūsmīgā, ar rokas skūpstiem apliecinātā atzinība pēc priekšlasī- juma. Viņus laikam savukārt bija pārsteigusi tiem sve- šas, speciālās akadēmiskās aprindās nepazīstamas lasī- tājas izsmēlīgā interpretācija par latviešu teātŗa tik tuviem sakariem ar vācu lielo drāmatiķi.

Šai vakarā Irida piedzīvoja arī sava priekšlasījuma ietekmētu aicinājumu — atgriezties universitātē. Pro- fesors Blese solījās nokārtot, ka visi priekš nu jau tik daudz gadiem izturētie pārbaudījumi tiktu atzīti, un daudz vairāk par valsts eksāmenu jau viņai nebija palicis pāri. Bet Irida pateicās un atteicās. Viņas dzīve tik tālu bija aizgājusi citā virzienā, ka piedāvātais atpakaļceļš, lai saistītos ar universitāti, nebija vairs ejams.

Priekšlasījumu Jānis Grīns ievietoja Daugavas 1933. gada 2. nummurā[26]).

O

Ar Jāni Grīnu Īrida iepazinās, kad viņš īsu laiku aizstāja kādu vēstures skolotāju 2. Rīgas pilsētas ģimnazijā. Prātā viņai palikusi maza personiska puante: viņi abi ir skolotāju istabā brīvā stundā. Īrida sildās pie krāsns — ir ziema. Grīns pienāk un saka — viņam esot Zelmenes kundzes žēl, redzot, kā viņa te salstot. Balss noskaņojums varēja pavedināt domāt, ka teiktais nav tikai fakta konstatējums, bet ka viņš redzēja, kā viņa te dziļi sirdī sala...

Grīns tad bija nesen nodibinātā laikraksta Latvis literārās daļas vadītājs. Šai pašā skolotāju istabā viņš aicināja Īridu uzņemties teātra kritikas rakstīšanu Latvī, ko līdz tam darīja pats. Viņa atteicās. Viņa pārāk dziļi cienīja skatuves mākslinieku darbu, lai rakstītu sasteigtu reportāžu tai pašā naktī pēc izrādes, kas nevarēja būt atpārdzīvots un atbildīgi pārdomāts šī darba cienīgs novērtējums; bez tam, arī intensīvais darbs skolā bija tam par šķērsli.

Grīns un Zelmeņi tais gados dzīvoja tuvos kaimiņos: pirmie — Gertrūdes un Tērbatas ielas stūra namā, otrie — Tērbatas ielā vienu namu šaipus Gertrūdes ielas, tāpēc šad tad pēc pirmizrādēm Īridai ar Grīnu iznāca pa ceļam uz māju. Tas drusku satuvināja un izraisīja vēl citu mazu puanti: Ir Annas Brigaderes 25 darba gadu jubilejas atsvēte Brigaderu namā. Pret rīta pusi Īrida, Grīns un Jaunsudrabiņš (kas dzīvoja tālāk Gertrūdes ielā) iet kopīgi mājup pa Lāčplēša ielu. Tuvojoties Tērbatas ielai, Grīns saņem cieši Īridas elkoni un klusu lūdzas — neiesim vēl mājā, un ved viņu tālāk uz Dailes teātra pusi. Jaunsudrabiņš nezina, ka Īrida tepat dzīvo. Viņš aiziet viens pa Tērbatas ielu uz augšu, domādams, ka Grīns pavada dāmu mājā. Atguvusies no mazā pārsteiguma, Īrida atsmej — kur tad mēs iesim, — un griežas atpakaļ uz savu namu...

Tad — ir kāda pirmizrāde. Sagadās atkal reizē iet uz māju. Īrida ir smagā depresijā. Ir tāda reize, ka ir grūti iet mājā... Un viņa saka Grīnam: „Šovakar jūs varat aizvest mani kaut kur pasēdēt." (Šādi aicinājumi ir bijuši un palikuši nepieņemti). Viņi atrodas Lāčplēša un Tērbatas ielas krustojumā, un Grīns aizved viņu tepat uz restorānu Dailes teātra namā. Palaikam viņi pa ceļam jautri un asprātīgi patērzē, bet šovakar Īrida ir kā nogrimusi savā smagumā. Valodas neraisās. Ir jāceļas un jāiet.

Iegriežoties savā ielā, viņa redz — augstais logs ir gaišs. Arī Grīns to redz un saka: „Zelmeņa kungs gaida jūs mājā." — „Arī Grīna kundze gaida jūs." — „Viņa ir pieradusi."

1923. gada martā pie dieviem aizgāja baltais Barona tēvs. Doma baznīcas altāra telpā, lauru zaļumā un sveču mirdzumā atdusas vēl viņa mirstīgā daļa, un nemitīga ļaužu straume mēmi lokās apkārt tā dusas vietai, Īridā dziļi iegulst šī aina, un viņas domās izveidojas mazs atvadu dzejojums. Izvadīšanas dienā Doma plašajā dievnamā ir cilvēks pie cilvēka. Dūc ērģeles, skan dziesmas, skan apceres un cildinājuma vārdi. Īridā ieskanas Plūdoņa Rekviema motīvs, un domās veidojas tā parafrazēts Barontēva dzīves dzejots skatījums. Abus dzejojumus viņa aiznes uz redakciju Grīnam, un viņš tos ievieto Latvī. Viņš lūdz arī, lai tā uztic viņam v i s u s savus dzejoļus, pats gan tūliņ piebilzdams, ka nav jau gan ne ar ko viņas uzticēšanos izpelnījies. Bet viņai nemaz nav ko uzticēt, jo viņa jau vispār nedzejo, tikai šoreiz kā nejauši dziļais pārdzīvojums izlējies dzejā.

Pēc šī gadījumā viņai gan tomēr viens otrs pārdzīvojums vēl izlējās dzejoļa formā, un katru no tiem Grīns uzņēma Latvī. Bet to nebija daudz, un tas neturpinājās ilgi. Viņas dzīvē ienāca bērns, un viņa to nevis apdzejoja, bet d z ī v o j a ar to. Dzīve bija pārpārim pilna ar dzīvošanas pašas poēziju.

Tai pašā laikā, tikai divi dienas agrāk, arī Grīnu ģimene bija pavairojusies ar dēlu. Zelmeņiem dēla atnākšana bija ilgi gaidīta laime un atbildīgs dzīves uzdevums. Tāpēc viņi dziļā neizprašanā uzklausīja ziņu, ka Jānis Grīns spējis šais dienās sašaut sevi pašnāvības nolūkā. Kā tas iespējams? — Zelmenis domāja. Kā iespējams trīs bērnus labprātīgi atstāt bez tēva? Kas bija stiprāks par tēva lepnumu par dēlu pēc divi meitenēm, ka varēja pamest to? — Tā bija Grīna impulsīvā daba, tas bija viņa holēriķa temperaments, tā bija viņa goda apziņa — kā viņš to izjuta. Kāds literārs konflikts ar brāli, rakstnieku Aleksandru Grīnu, ko viņš izjutis kā nepiedodamu goda aizvainojumu, pārsteidzīgi iespieda tam ieroci rokā, vēršoties pret paša dzīvību.

Grīns nebija, ko sauc par ģimenes cilvēku. Viņa plašajai dabai vajadzēja plašu apvāršņu. Viņš tos atrada savās vispusīgajās gara dzīves interesēs, pirmā vietā literātūrā. Un liktenis izlaboja viņa pārsteidzīgo žestu, gandrīz bezcerīgos apstākļos atstādams tomēr viņu dzīvu, bez kādām ļaunām sekām, darbīgu un nozīmīgu veselam posmam latviešu literārajā pasaulē, kas īsti sākās ar žurnāla Daugavas iznākšanu, ap kuru viņš kā ap celmu apaudzēja veselu paaudzi jaunu literātu. Viņš bija vadītājs saimnieks savā Daugavas saimē.

Īrida Rasa-Zelmene nepiederēja šai saimei. Viņa nepiedalījās šīs saimes regulārajās sanāksmēs, jo nedēļas nogalēs viņa piederēja savai ģimenei. Viņas attieksmes ar Jāni Grīnu palika joprojām tai pašā norobežotā personiskā plāksnē. Viņa jau arī daudz nerakstīja Daugavai; tikai šie divi jau minētie pētījumi — par Jāni Veseli un Gerhardu Hauptmani — bija viņas nodeva Daugavai Jāņa Grīna redakcijas laikā. Lielāko daļu laika, ko viņa varēja atļaut literārai darbībai, paņēma aktuālā teātra dzīve.

Nacionālajā teātrī labi sen jau bija nobriedis laiks vadības maiņai. Tas visumā bija iestidzis mazvērtīgā repertuārā un sasteigtu iestudējumu paviršībā. Tāpēc Īrida patiesi priecājās, kad ar 1937./38. gada sezonu Artūru Bērziņu nominīja Jānis Grīns. Lai gan arī Grīns nebija profesionāls teātra cilvēks, varēja cerēt, ka tikpat augstas prasības kā pret literātūru viņš centīsies uzturēt arī pret teātri. — Viņš arī patiesi metās ar visu krūti darbā. „Profesionālā" romānu drāmatizētāja un „tautas lugu ar dziesmām un dejām" rakstītāja Valdemāra Zonberga vietā viņš par teātra drāmaturgu ataicināja Jūliju Rozi — apklususu dzejnieku, bet cilvēku, kam bija savas speciālas intereses par teātra mākslas formāliem jautājumiem. Jaunu talantu meklētājs un balstītājs literātūrā, Grīns arī teātrim tūliņ ar pirmo sezonu izmeklēja jaunus aktierus no provinces skatuvēm, gribēdams aizstāt ar tiem dažus vecos, kurus it kā laiks būtu laist atpūtā... Nevarēja gan teikt, ka šāda karstgalvīga izdarīšanās būtu simtprocentīgi attaisnojusies teātrim par labu. — Literāts būdams, Grīns dabiski lielu vērību pievērsa valodai teātrī, it īpaši ritmizētas valodas skandēšanai dzejas vārsmās rakstītās lugās, kas latviešu teātros pa-

laikam bija novārtā atstāts izrādes komponents. Tam no-
lūkam viņš aicināja paraugam dzejnieku Edvartu Virzu,
literātos īpaši ieslavētu ar savas dzejas skandēšanu.
Īridai gan bija zināma skepse pret to, ka Virzas uz-
svērti ritmiskais d z e j a s skandējums būtu paraugā
ņemams aktieriem l o m a s teksta ritmiskai interpretā-
cijai. Aktiera uzdevums ir daudz grūtāks: viņam nav
jāsuģestē ar dzejas plūdumu vien, viņam ir jāiespēj
iespēlēt tajā un nezaudēt attiecību pret partneri, d z ī v o t
tajā. Īrida vēroja, ka aktieri dažkārt pārcentībā runāja
viens otram garām. Jo spilgti tas pierādījās Princeses
Gundegas un karaļa Brusubārdas jaunajā iestudējumā.
No Jāņa Grīna tāpat kā no visiem citiem teātru di-
rektoriem valdība prasīja nevien vērtīgu repertuāru, bet
arī sekmīgu saimniecisku vadību, lai teātris nedarbotos
ar financiāliem zaudējumiem. Un tas nu Grīnam arī drīz
vien kļuva par klupšanas akmeni: labais repertuārs fi-
nanciāli nesedzās. — Kādā izrādē Dailes teātrī Grīns
palūdza Īridu starpbrīža pastaigā. Viņš atklāja grūto
dilemmu: no viņa prasot teātra financiālā stāvokļa uz-
labošanu, bet izrādes netiekot pietiekami apmeklētas,
lai to panāktu. Tad nu viņa brālis esot piedāvājies uz-
rakstīt lugu, ko plašā publika apmeklēšot (goda kon-
flikts pa šiem gadiem bija nolīdzinājies). Un esot uz-
rakstījis — komēdiju Kalēja līgava. Bet viņš šaubo-ties,
vai teātra mākslinieciskā prestiža dēļ viņš to drīkstot maz
izrādīt. Viņš nu gribētu, lai Zelmenes kundze izlasītu
lugu un pateiktu, kā viņa domā, — vai tā būtu izrādāma
vai ne. — Īrida izlasīja. Luga tendēja uz pazemas gaumes
jokiem, — varbūt, ka tā neizvēlīgai publikai patiktu. —
Ar grūtu sirdi Grīns to uzņēma repertuārā un — pa-
turēja izrādīšanai ne vien šajā, bet vēl nākošajā se-
zonā... Tā ideālists teātra direktorā Grīnā kapitulēja
praktiskās reālitātes nenovēršamības priekšā.
Agrāk kādreiz Grīns bija Īridai teicis, ka Artūrs Bēr-
ziņš sakot, ka viņa esot vienīgais kritiķis, kas neatzīstot
viņa teātri. Uz to viņš esot atbildējis: „Viņa ir vienīgais
kritiķis, ko tu nekā nevari nopirkt." — „Nopirkšana" no-
zīmēja samaksātu pakalpojumu iespēju došanu, piemē-
ram, lugu tulkošanu teātrim. — Ka, stāvot par savu
teātri, tāds direktors var kļūt neobjektīvs pret kritiķi, tas
mazlietiņ tā notika arī ar Jāni Grīnu. Sagadījās kādā
sezonā, ka Nacionālajā un Jelgavas teātrī izrādīja vienu

un to pašu klasisku lugu, un Īridas novērtējums iznāca labvēlīgāks pēdējam. Tad nu kāda trešā persona atstāstīja viņai it kā Grīna sašutumu par to, ka viņas skatījumam neesot pareizā perspektīva, ja tā varējusi provinces teātri pacelt pāri mākslinieciski pirmajam teātrim Latvijā. — Bet Īrida jau to nebija darījusi. Viņa nebija salīdzinājusi t e ā t r u s, tikai divas atsevišķas izrādes. Un to viņa bija vairākkārt pieredzējusi savos izbraucienos pa provinces teātriem, ka kāds atsevišķs aktieris tai pašā lomā pārspēj kādu slavenu aktieri galvaspilsētas teātrī. Viņa nevērtēja ne aktierus, ne izrādes pēc to „statusa," bet priecājās par katru spilgtu parādību un nekavējās to atzīmēt, vienalga — vai tā bija pamanīta mazajā Rēzeknē vai lielajā Rīgā.

Grīna sašutums jau laikam arī bija tikai acumirkļa aizvainojums, jo attieksmēs ar Īridu tam nekādu seku nebija. Kad viņa uzņēmās teātra mākslas daļas redakciju žurnālā Raksti un Māksla, viņai iznāca „pasēdēšana" ar Grīnu Romas viesnīcas restorānā, lai informētu viņu par savu nodomu aicināt aktierus par aktīviem dalībniekiem šīs daļas jo plašāi, vispusīgai, profesionāli nozīmīgai izveidošanai. Grīns tam atsaucās pozitīvi. Norunāja, ka Īrida ieradīsies teātrī norunātā dienā un iepazīstinās sapulcinātos aktierus ar tāda žurnāla tapšanu un viņas nodomu iesaistīt māksliniekus pašus par saviem līdzstrādniekiem. Lielu ilūziju jau viņai nebija, — viņa labi pazina parasto aktieru skepsi pret kritiķi. Bet viņai tomēr bija it labas cilvēciskas attieksmes ar dažiem jaunāko gadu gājumu aktieriem, un ar tiem viņa cerēja spēt it draudzīgi sadarboties. Sākuma panākumi varēja apmierināt, bet darbošanās laiks iznāca par īsu, lai varētu spriest, kā nodomi šai virzienā būtu realizējušies. Uzbruka Latvijai lielā nelaime un apklusināja ikkatru neatkarīgu balsi.

Arī Jānim Grīnam bija jāzaudē teātra direktora postenis, tomēr galīgā nežēlastībā viņš pie komūnistiem nebija, jo varēja strādāt Izglītības komisariāta bibliotēku nodaļā. Arī literāri viņš neapklusa, sāka rakstīt recenzijas par Padomju rakstnieku grāmatām. Cildinošas recenzijas, — kādā no tām neticami pārsteigdams Īridu ar atziņu, ka mūsu literātūra salīdzinoši ir atpalikusi! Kādreiz tiekoties, it kā sajuzdams Īridas noliedzošo nostāju, Grīns tad teica, viņš domājot, ka vienmēr, visos apstāķļos vajagot aktīvi darboties. — Īrida šai laikā bija no katras aktivitātes atrāvusies.

Autora iestarpinājums

Bet kad pienāca laiks izšķirties, Jānis Grīns cēlās pāri uz Baltijas jūŗas Zviedrijas krastu. No turienes, laiku pa laikam, ir nonākusi kāda ziņa līdz Īridai. 1948. gada aprīlī Grīns raksta uz Mēzenes kazarmām Libekā: „Arī šeit pie mums ķļuvis zināms, ka Jums šo mēnesi esot jubileja — 35 darba gadi. Lūdzu pieņemt arī manus, manas ģimenes, tāpat arī Latvju Ziņu un Daugavas suminājumus un labākos novēlējumus! Lai nu paveicas vēl uzrakstīt esejas, apceres, atmiņas. Visādā ziņā jubileju atkārtosim kaut kādā veidā, kad tiksim mājā. — Rītu vai parīt nosūtu Jums vienu paciņu ar ēdamām lietām. Tā paciņa Jums uz jubileju."

Īridas septiņdesmit gadu dzimumdienā neviens vēl nav ticis mājā, un viņa saņem Grīna apsveikumu tālās Jaunās pasaules austrumu krastā: „Jau no Latvja un Valtera un Rapas (Brigaderes) laikiem esam turējušies vienā līnijā, lai arī esam diezgan dažādas dabas. — Man vienmēr Jūsu rakstos ir patikusi jo stipri — domas skaidrība, „nesievišķīgā" loģika — jau tīri stilistiski. Ja arī ne katrreiz esmu varējis domāt kā Jūs, tad kas par to! Viss jaukums pazustu, ja visi domātu vienādi. Otrām kārtām, nevaru atcerēties nevienas reizes, kad Jūs būtu ko teikusi kādu blakus apsvērumu dēļ, — vienmēr Jums ir pirmā vietā bijusi vienīgi lieta pati, galvenā kārtā latviešu teātŗa un teātŗa publikas augsme. Tas ir ļoti daudz. Mēs latvieši savā kultūrālā zaļumā, bez labām tradicijām, vēl diezgan bieži lielāmies kā gaiļi savā starpā ar gudrību un erudīciju. Jūs to nedarāt, esat nosvērta vērtētāja. Un uz Jums, tāpat kā atgriezeniski uz Annu Brigaderi, var attiecināt Brigaderes skici Valša ritums, kas man ir ļoti patikusi."

Un vēl pēc pieciem gadiem Grīns raksta: „Un tad nu — sveicinu Jūs lielajos mūža svētkos, novēlot veselību, možu garu un svētīgu mūžu tālāk.

271

Jūs, fiziski trauslā sieviete, esat nogāzusi lielu darba kalnu, vienu no lielākajiem mūsu teātŗa vēsturē." Laika Mēnešraksta 1956. gada 1. nummurā bija lasāms Iridas Rasas-Zelmenes raksts — Raiņa un Aspazijas kopus mūža jauni izgaismojumi. Apcere dibināta uz Feliksa Cielēna grāmatas — Rainis un Aspazija, papildinot ar datiem no K. Dziļlejas un Klāras Kalniņas manuskriptiem un — pieminot Dr. K. Kasparsona vienpadsmit rindas par Raini viņa rakstā Atceres, Ceļa Zīmju 26. nummurā. Par tām viņa rakstīja: „Tur ir dažas rindas, kas laikam gan katru, kas tās lasīja, varēja satriekt, jo nekad un nekur līdz šim nebija ne lasīts, ne dzirdēts, ka Rainis kādā savas dzīves posmā būtu bijis žūpa un netiklis. Bet šo Atceru vienpadsmit rindas to apgalvo, pie tam tādā izteiksmē, ka tās ir grūti atkārtot. Tā kā atklājums ir literāra sensācija, tad visai svarīgi būtu zināt, vai ir vēl kādi starp dzīvajiem, kas tai laikā, kad Rainis strādāja Dienas Lapas redakcijā, viņu pazina un varētu šo Dr. Kasparsona kā garāmejot izmesto tā laika Raiņa morālo iznīcināšanu apstiprināt vai noliegt. Tiem būtu jāatsaucas."

Uz šo Iridas rakstu atsaucās Jānis Grīns ar divi vēstulēm: „Mani ierosināja aizrakstīt Jums Jūsu raksts, īpaši jau tā vieta par Kasparsona atmiņām. Vispirms, K. atminās Ceļa Zīmju redakcija ir attiecīgo vietu mīkstinājusi, nosvītrojot dažus teikumus. Tad — Rīgas laikos, neatceros vairs kur, bet Valdis (Zālītis) publicēja savu atmiņu gabaliņu par Raini Viļņas laikos." — Turpinājumā Grīns tad nu pastāsta vispirms apmēram to pašu, kas lasāms Andreja Johansona grāmatā Visi Rīgas nami skan, 48.— 49. lapp., un vēl dažu ko citu, pats beigās jautādams un atbildēdams: „Bet kāpēc to Jums rakstu? — Nebrīnaities lūdzu, kas man tur par daļu. Vienīgi — mūsu rakstnieku reputācijas saudzēšana."

Kad pēc Grīna nāves iznāca grāmata Redaktora atmiņas, Laika redaktors Kārlis Rabācs rakstīja par to recenziju. Tur viņš atstāsta Grīna izteicienu par savām atmiņu skicēm par rakstniekiem apmēram tā, ka viņš negribot nocelt tos no pjedestāla, kur tautā nodibinājies spriedums tos uzcēlis. — Tāpēc arī Irida negrib to tagad viņa vietā darīt, un patur neci-

tētus citus viņa atklājumus šais divi vēstulēs, lai —
„saudzētu mūsu rakstnieku reputāciju."

Pateikdamies par Iridas apsveikumu 65 gadu dzimumdienā, Jānis Grīns raksta: „Jūtos vēl diezgan spēcīgs un spirgts." Arī pēc gada viņš vēl raksta: „Arī es nevaru sūdzēties, bet esmu jau no dabas diezgan vitāls." Bet tai pašā gadā citā vēstulē, pārstāstījis par savas ģimenes dzīvi, piebilst: „Varētu jau dzīvot, ja vien nenāktu virsū vecums." — Un pēc kādiem gadiem: „Esmu kļuvis izklaidīgs, aizmāršīgs un spēju maz strādāt. Tas, ko uzrakstu, pašam nepatīk. Ar savām kaitēm (slimības nosauktas) esmu nomocījies jau veselu gadu." — Un vēl pēc gada: „Esmu kļuvis slinks, kaut strādāt it kā varētu. Daudz guļu un pa paradumam daudz arī lasu, bet rakstīt netīk. Derētu uzrakstīt atmiņu grāmatu, kuŗai fragmenti jau šur tur iespiesti." — Slimību izvārdzinātais Grīns šai vēstulē nav vairs pārliecinātais nerimtīgais aktīvists; tajā viņš atnāk pie Iridas kā rezonētājs pesimists: „Lielā politika nokļuvusi kādā stagnācijā, kāpēc nerisinās neko pamatos, tikai blakus līnijās. Koeksistences politika mums, trimdiniekiem, nav labvēlīga, tas jau redzams. Lielā kaŗa vēl tik drīz nebūs. Padomijā tautas sacelšanās neiespējama. Un tāpēc no mūsu latviešu tautas paliks pāri tikai nožēlojamas atliekas. Mēs, mūsu gados, atpakaļ netiksim vairs. Un ja arī tiktu, tur neko nenoderēsim. — Es piedalos šeit emigrantu organizācijās: Nacionālajā Fondā, Penklubā u. c. Kaut kas taču jādara, bet liela prieka nav, stāvoklis šķietas bezcerīgs. Varbūt var cerēt uz kādu „brīnumu." — Nosūtu no Baltijas jūŗas krasta daudz sveicienu."
Šie palika beidzamie Jāņa Grīna Iridai sūtītie sveicieni, izsūtīti 1962. gadā 30. martā.

19

1934. gadā apgāds Literātūra sāka izdot monumentālu darbu — vairāku sējumu kollektīvo Latviešu literātūras vēsturi profesora L. Bērziņa virsredakcijā, aktīvo redakcijas darbu uzņemoties Kārlim Eglem. Viņa aicināta, Irida Rasa-Zelmene šim izdevumam veica divus speciālus pētījumus: L a t v i e š u d r ā m a t i s k ā s r a k s t - n i e c ī b a s p o s m s (III sēj.) u n L a t v i e š u s i e - v i e t e s p i r m i e m ē ģ i n ā j u m i r a k s t n i e c ī b ā (II sēj.).

Pirmajā rakstā viņa aprādīja, ka latviešu drāmatiskās rakstniecības attīstība savā pirmajā posmā ir cieši saistīta ar latviešu teātra attīstību, kas chronoloģiski sakrīt ar tautiskās atmodas laikmetu. Pirms tā, sveštautiešu mēģinājumi, galvenokārt lokalizējumi un tulkojumi, bija radušies kailas didaktikas nolūkos. Istā dzīvā prasība pēc latviešu drāmas radās tikai tad, kad bija jau radies latviešu teātris. Abu šo faktoru radošais dzinējspēks bija Adolfs Alunāns, — rakstnieka, teātra direktora un popularizētāja, režisora un aktiera lomā. Viņa rakstnieka darbība bija daudzpusīga, tomēr visa tā kopojās vienā mērķī — teātrī. Tāpēc arī viņa lugas, kas ir visa centrā, ir pirmā kārtā teātra lugas, kas rakstītas savam laikam, sava laika speciālām teātra prasībām, nerūpējoties tik daudz par to literāri mākslaniecisko pašvērtību, kas arī drāmatiskam darbam ļauj dzīvot pāri laikmeta robežām kā patstāvīgai literārai parādībai neatkarīgi no skatuves. Viņa mūža darbs nenorobežojās ar latviešu teātra nodibināšanu un izveidošanu galvaspilsētā vien. Tā otrā posmā viņš uzsāka teātra popularizēšanu visā latviešu tautā — ceļojošās izrādēs.

Ad. Alunāna darba nozīmi bija jau pareizi novērtējuši viņa vadītā Latviešu biedrības teātra aktieri, pasniegdami tā 25 gadu darbības jubilejā sudraba lauru vainagu ar veltījumu — Ad. Alunānam — latviešu teātra tēvam, ko arī latviešu teātra vēsture pilnam ir atzinusi. Pēc ciešo sakaru uzrādīšanas starp latviešu teātra un drāmas attīstību Īrida secināja, ka arī latviešu literātūras vēsturei ir jāatzīst Ad. Alunāns par latviešu dramatiskās rakstniecības tēvu, kas nevien pats devis tai ap divdesmit lugu, bet kā ietekmē veidojies latviešu drāmatiskās rakstniecības pirmais posms.

Par apbrīnojamu parādību tai laikā jāatzīst Marija Pēkšena, kam dzīvē nebija nekāda sakara ar teātri un kas tomēr pirmā sekoja Ad. Alunānam, rakstot lugas tieši izrādīšanai. Un kad Rīgas latviešu biedrības sarīkotā lugu konkursā 1870. gadā no vienpadsmit iesūtītām lugām vienai Zinātnības komisija piesprieda godalgu, tad izrādījās, ka šīs lugas — Gertrūde — autors ir kāda kundzene Marija Pēkšena. Vai nav jābrīnās: divdesmit piecus gadus veca jaunava, kas nekad vēl nav Rīgā bijusi, tātad nav arī vēl teātri redzējusi, uzraksta lugu, par kuru kritika saka, ka tā „sarakstīta ar lielu drāmatisku likumu un skatuves prašanu!" Pie tam tas notiek laikā, kad latviešu oriģināldrāmas tik pat kā vēl nemaz nav un latviešu teātris tikko sācis darboties! Tas apliecina Marijas Pēkšenas drāmatiskā talanta būtiskumu, kas ar primāru spēku spieda kluso, kautro lauku jaunavu — kā Ad. Alunāns viņu raksturojis — kalpot jaundzimušajam latviešu teātrim.

Marija Pēkšena ir sarakstījusi četras lugas, kas visas ir uzglabājušās tikai rokrakstos (Rīgas pilsētas Misiņa bibliotēkā. Būdama latviešu pirmā drāmatiskā rakstniece, viņa, kopā ar Ad. Alunānu, devusi latviešu teātrim pirmo vērtīgāko oriģinālrepertuāru, un vēstures spriedums var viņu atzīt par cienīgu priekšteci tām rakstniecēm, kas vēlākos gados tik bagātīgi pārstāv latviešu drāmatisko literātūru.

Tālāk izsekojusi visiem Ad. Alunāna pēctečiem, Īrida atzina, ka, kaut viņu vidū bija arī tādi, kuru dažas lugas chronoloģiski iesniedzās jaunajos laikos, to mākslinieciskā vērtība nebija tik augsta, lai tās spētu iekļauties un skatuviski dzīvot jauno laiku repertuārā, un tāpēc arī šie autori ierindojami latviešu drāmas attīstības pirmajā posmā.

Ja šim rakstam Irida varēja atrast un izmantot dažus gatavus materiālus, tad otrs tai bija veicams kā pilnīgi jauns patstāvīgs pētījums. Tā rezultātā viņa varēja konstatēt, ka tautiskās atmodas laikmetā atrodami pirmsākumi sievietes līdzdalībai latviešu rakstniecībā visos tās novirzienos — dzejā, stāstā, drāmā, ceļojumu aprakstā, vēsturē, publicistikā un populārzinātnē. Pie tam dažviet tie ir tikai labas gribas, bet dažviet arī īsta talanta izpaudumi.

Kopumā ņemtus šos pirmos mēģinājumus Irida atzina par jaunu apliecinājumu latvietes sensenajam tikumam: visos apstākļos stāties līdzās latvietim un plecu pie pleca uzņemties un veikt savu darba daļu — kopīgai materiālai un garīgai labklājībai.

Šiem divi pētījumiem par dabisku turpinājumu varētu uzskatīt Iridas apceri Latvju sieviete literātūrā un dzīvē, kas gan uzrakstīta agrāk, 1931. gadā, paklausot Annas Brigaderes atkārtotam lūgumam — dot kādu rakstu viņas rediģētajai Daugavas gada grāmatai. Izejot no pamatatziņas, ka ilgus gadus mūsu literātūrā bija tikai divi sieviešu vārdi ar zelta skaņu — Aspazija un Anna Brigadere, Irida te izseko un apgaismo jaunāko laiku apstākļus, kas veicināja turpmāko sievietes profesionālo iesaistīšanos latviešu literātūras vispusīgā jaunradē.

Kollektīvajā Literātūras vēsturē Kārlis Egle uzņēma arī Iridas aptveŗošo priekšlasījuma rakstu par Annu Brigaderi un jubileju rakstus — Ivandes Kaijas literārā un sabiedriskā darbība un Sievietes mīlestības psīcholoģija Angelikas Gailītes daiļprozā[27]).

Ar Kārli Egli Irida bija sastrādājusi jo cieši jau no pat divdesmito gadu sākuma viņa un brāļa Rūdolfa rediģētajā grāmatrūpnieku izdotajā žurnālā Latvju grāmata. K. Egle piegādāja viņai visas jauniznākušās lugas recenzēšanai. Tā līdzās kārtējām izrādēm viņa izsekoja drāmatiskajai literātūrai arī grāmatā. Tur viņa sastapās ar daudziem gan dzirdētiem, gan nedzirdētiem autoriem, kas līdz izrādei nebija tikuši un nekad arī netika. Tur viņa pirmo reiz ieraudzīja arī kāda vēl nedzirdēta M. Zīverta — vārsmās rakstītas lugas autora vārdu. Vārsmojums bija izplūdis, tāls drāmatiskas formas koncentrācijai, un tomēr likās, ka svešajam rakstītājam ir kas ko teikt. Tā Irida to arī recenzijā konstatēja. Pēc nedaudz gadiem viņa ar šo vārdu atkal sastapās režisora Pēteŗa Ozola jaundibinātajā Mazajā teātrī — kamerspēles Tīreļpurvs izrādē, un nu viņa varēja jau droši apliecināt, ka šim rakstītājam nevien i r kas ko teikt, bet ka viņš prot arī to pateikt perfektā drāmatiskā formā. Tas bija izejas punkts Mārtiņa Zīverta kalnup gājienam uz latviešu drāmas virsotnēm.

Iridas pašas gājiens, sācies Teodora Zeiferta paspārnē — viņa vadītos žurnālos — un nu pietuvodamies ceturtdaļgadsimta ceļa zīmei, bija paguvis iegriezties vai visos galvenajos periodiskos izdevumos, apzinīgi atstādams nomaļus vienīgi kreisā novirziena izdevumus.

20

Veselības apsvērumu dēļ 1931. gada rudenī nolēmuši uz balto namiņu Dzintaros vairs neatgriezties, nākamā pavasarī Zelmeņi atrada skaistu vietu vasaras dzīvei Siguldā. No piestātnes labā atpakļgājienā uz Rīgas pusi, pašā augstajā Gaujas krastā. Uz jauncelto vasarnīcu veda ceļš cauri labi iekoptam jaunu augļu koku un krāšņu puķu dobju dārzam. Zelmeņi noīrēja daļu vasarnīcas, ar plašu slēgtu lieveni vakara pusē, ar izskatu uz visu krāšņo Gaujas leju. Un kas jo sevišķi vērtīgi likās, — īpašniekiem bija divi bērni — zēns un meitene — apmēram Daņa gados: Tā Danim nu reiz būs mājā bērnu sabiedrība!

Vasarnīcas īpašnieks bija vīrs pusmūža gados, īpašniece — vēl jauna it skaista sieviete, — likās pārtikuši cilvēki. Kundze nezin ar ko it kā slimoja, — gandrīz pastāvīgi uzturējās gultā. Bērni — dzīvoja savā vaļā. Un Danis nu līdz ar tiem. Ints Zelmenis varēja atbraukt nedēļu nogalēs, — viss likās labi izkārtojies.

Bet dienu pa dienai, it negribot — plāno sienu dēļ — Zelmeņiem vērās skats uz šīs ārēji skaistās dzīves slēptajiem trumiem. Nesaticība, meli, bērnu ļaunprātīgi nedarbi. Irida cieta, redzot Dani bērniškīgā naivitātē un biedrošanās priekā pakļaujamies nevēlamai ietekmei. Kad viņa nedarbus pārrunāja ar Dani, tas raudādams teica, — kad tu man tā saki, tad es zinu, ka tā ir, bet kad es esmu ar viņiem, es to aizmirstu. Pārsprieduši novēroto, Zelmeņi izšķīrās šo vietu atstāt un pārcelties uz Rakstnieku pili. Par pieredzēto, Irida sevī nodomāja — es varētu rakstīt noveli, dodot tai nosaukumu — Ziedošais mārks.

Par izīrējamām telpām Rakstnieku pilī tovasar pārzināja Jānis Porietis. Ar viņa laipnu gādību Zelmeņi dabūja telpas dārznieka mājas vienā galā. Otru apdzīvoja bijušais Latvijas ģenerālkonsuls Londonā E. Bīriņš ar savu jauno kundzi un skaitījās par pils pārvaldnieku. Bija žēl redzēt šo pusmūža vīru mazā necilā dzīvītē, kas bija zaudējis savu valsts darbinieka vietu Anglijas puritāniskā aizspriedumu dēļ, proti tādēļ, ka bija šķīries no sievas, lai apprecētu savu jauno sekretāri, — kā jaunā kundze Īridai stāstīja. Te nu Zelmeņi nodzīvoja vasaras otru pusi līdz vēlam rudenim. Danim te vairs nebija rotaļu biedru, bet viņš jutās it laimīgs un apmierināts lauku dzīves apstākļos, staigādams līdzi kalponei uz aizgaldu pie sivēniem un taisīdams gargabalskrējienus tukšā sporta laukumā.

O

Īrida bija dzirdējusi, ka ne visai tālu te kaut kur dzīvo aktiere Paula Baltābola savā viņai piešķirtā jaunsaimniecībā. Pilsoniskā dzīvē viņa bija kļuvusi Merksona kundze, apprecēdamās ar gados viņai nepiemēroti jaunu, kādreizējo Rīgas pilsētas 2. vidusskolas skolnieku, to pašu, kas komūnistu īsajā valdīšanas laikā pagodināja skolas direktoru K. Kundziņu ar „biedra" titulu un Īridas vadītā iestudējumā Rainim par godu gribēja spēlēt Ģirtu Vilku. Arī Paula Baltābola piederēja sabiedrības kreisajām aprindām. Bet viņa bija māksliniece un sirsnīgs, gaišs cilvēks. Īridai gribējās viņu apciemot. Saklaušinājuši adresi visi trīs Zelmeņi kādu dienu devās to sameklēt.

Viņi atrada mākslinieci dārzā. Ne dīkā atpūtā, bet necilā smaga darba strādnieces izskatā cītīgi ravējām nesen lietū sakuplojušās nezāles.

Kāda grūti definējama ausu slimība bija tā pasliktinājusi mākslinieces dzirdi, ka tā nespēja vairs bez jūtamiem traucējumiem ansamblī darboties, un viņas aktieres nākotne bija nopietni apdraudēta. Ar lielu mīlestību viņa nu bija piekērusies savam jaunajam īpašumam. Bija iekopts plašs augļu dārzs ar sevišķi smalkām dažādu augļu šķirnēm. Tiem esot labs noiets Švarca restorāna izsmalcinātajai virtuvei — tā „jaunsaimniece" stāstīja. Zelmeņiem likās gluži neērti ar tādu dārgu mantu mieloties, redzot un dzirdot, kādā grūtā darbā tā sagādāta.

Paciemojušies norunāja nākamā svētdienā satikties un kopīgi apstaigāt mazāk pazītas vietas plašākā Siguldas apkaimē attālāk no populārā kūrvietas centra. Prieks bija redzēt todienējo darba rūķīti atguvušu savu pazīstamo mākslinieces atveidu, — svētdienīgi starojošu, skaistu un stipru.

Pēc kādiem gadiem, kad Zelmeņi, Īridai slimojot, atkal vasarā dzīvoja Rakstnieku pilī, Paula Baltābola ar savu vīru Merksonu atsūtīja viņai groziņu sava dārza dārgo, smalko augļu. Bet kad vēl pēc gada Latviju piemeklēja bargā ziema pirms Baigā gada, — tad salā nomira arī Paulas Baltābolas lolojums, viņas ar pūlēm un mīlestību audzētais dārzs.

O

Paula Baltābola bija ienācēja Siguldā, Dailes teātra ritmikas konsultante Felicita Ertnere bija Siguldas iezemiete — dzimusi un augusi un joprojām vasarās dzīvodama dzimtajās lauku mājās Siguldas pagastā. Tas bija labi patāls gājiens uz turieni no Rakstnieku pils. Māju īpašnieks bija Ertneres vecākais brālis. Arī jaunākais ar tuberkulozi slimais tur uzturējās. Kad Zelmeņi tai pašā vasarā vienu novakari tur paciemojās, atpakaļceļā viņus izvadīja Ertnere ar trīs gadu septiņu-astoņu vecām meitenītēm — trejmeitiņām, kā viņa tās nodēvēja. Un pastāstīja: divas esot vecākā brāļa, trešo — jaunākais, neprecējies brālis adoptējis kā vienu no tiem bērniem, kas nesenajos lielajos plūdos Latgalē bija zaudējuši vecākus un nu tika žēlsirdīgu cilvēku pieņemti ģimenēs kā audžubērni. Nu ar šo meiteni — Anneli — esot radies grūts stāvoklis, jo brālis esot miršanas stadijā. — Īrida klausījās un domāja — kāpēc viņai jāstāsta šī pasaciņa? Pietiek taču tikai paskatīties uz šo meitenīti, lai zinātu, kas ir viņas tēvs... Ar skolas gadiem sākot, Annele dzīvoja Rīgā Felicitas Ertneres gādībā.

Kad Īrida Dailes teātrī redzēja Felicitu Ertneri pirmo reiz, tā viņai šķita neglīta. Bet drīz viņa pārliecinājās, ka Felicita Ertnere ir viena no tām sievietēm, kuru īpatnējo pievilcību nenoteic parasto mērogu glītums vai neglītums.

Felicita Ertnere bija gudra sieviete. Visādi gudra. Viņa prata valdīt un vadīt, pazemīgi palikdama aizfrontē. Dailes teātra aktieru attieksme pret viņu bija pretrunīga — bija, kas viņu ieskatīja par teātra labo garu, bija, kas par ļauno. Skaidra tikai bija un ar gadiem pieauga viņas noteicēja ietekme nevien kāda aktiera mākslinieciskās karjēras sekmēšanā vai kavēšanā, bet arī teātra paša mākslinieciskā virziena modificēšanā. Teātra attīstības gaitā notika atklāta vai slēpta cīņa Munča protežētā teātrālā un Ertneres vairāk psīcholoģiskā novirziena starpā, kas it īpaši kļuva redzams, kad Ertnere ieguva arī režijas iespējas teātrī. Abi principi beigās sintezējās Edvarda Smiļģa stilizētos reālības un kāpināta psīcholoģisma iezīmētos iestudējumos.

O

Arī Īridas pašas izjūta pret Felicitu Ertneri vērsās pretrunīga. Ertnere izturējās pret viņu ļoti atzinīgi un uzmanīgi, pat sirsnīgi. Viņa neslēpa arī vairs savu intīmo dzīvi, — pēdējos gados Latvijā viņa ar Īridu vaļsirdīgi runāja par variācijām savās attieksmēs ar Smiļģi ilgajos gados Dailes teātrī. Labas daļas Smiļģa mākslinieciskо izpaudumu pamatā bija Ertneres aizkulisēs strādātais sagatavošanas sīkdarbs. Lielās lomas, kā piemēram Otello jubilejas izrādei, tika izanalizētas un izstrādātas pie Ertneres mājā, un tikai pēc tam Smiļģis ar tām gāja skatuves mēģinājumos. Ja Smiļģa patvaldnieciskā un bohēmiski plašā daba svaidīja viņu ekstrēmos, — Ertnere bija tas nemainīgais centrs, kas to vienmēr pievilka atpakaļ. Viņa koriģēja arī Smiļģa sabiedriskās kļūdas un vadīja pēc sava prāta tā karjēras ceļus. Tā piemēram: Smiļģim ir dzimumdiena novembrī, Īridai decembrī. Īrida apsveic Smiļģi viņa kabinetā Dailes teātrī pirms jubilejas izrādes, Smiļģis nav viņas apsveicēju vidū tās jubilejas dienā. Kādu dienu vēlāk telefonā runā smaga paģiraina balss, — acīm redzot, ir bijusi kārtējā vairākdienu pazušana no teātra, un Ertnere nu ir atgādinājusi un norīkojusi izdarīt nokavēto pienākumu. —
Citreiz — ir Īridas vārda diena, Mežaparkā. Ir tikai maza dāmu kafija. Par lielu pārsteigumu piestāj pie vārtiem Smiļģa mazais auto, un abi ar Ertneri tie nāk pa ceļu uz augšu. Laikam taču Ertnerei ir licies, ka tā vajag. Kad vēlāk kādā gadījumā Īrida ieminējās par apciemojumu, Smiļģis teica — es eju, kur mana gubernante mani ved.
Viss rādīja, it kā Felicitai Ertnerei būtu īsta tuvība ar Īridu. Un tomēr bija kāds šķietami niecīgs sīkums, kas

uzturēja Īridā aizdomas par neīstumu. Interesantu un saskanīgu sarunu laikā viņu reizēm pēkšņi ķēra zibenīgs, auksts, no paša acu kakta slepus mests skats, kas it kā mirklī pārkontrolēja situāciju un nebija domāts Īridas redzēšanai. Bet viņa to uztvēra, un tas viņā katrreiz iedzēla ar jautājumu — kas īsti ir Felicitas Ērtneres tuvošanās mērķis viņai? — Cik patiesa vai aprēķinīga ir viņas atzinīgā sirsnība? — Lielā šķiršanās jautājumu atstāja neatbildētu.

Dailes teātra dzīves norisēs Felicitas Ertneres loma noteikti bija daudz svarīgāka, nekā viņas oficiālais stāvoklis teātrī to viņai ierādīja. Viņa bija kā kāda apakšstrāva Dailes teātra dzīvē, kas, virspusē nemanīta, spēja tās tecējuma gultni palīkumot.

O

Pēc Zelmeņu pārcelšanās uz Mežaparku nevajadzēja vairs meklēt vasaras dzīvi kur citur: tepat bija gaiss, saule, ūdens un miers. Tā vietā viņi sāka domāt par fragmentāru paceļošanos pa Latviju Inta atvaļinājumu laikā, lai īstāk iepazītu savu dzimto zemi. Danis nu tam bija diezgan pieaudzis.

Īridu vienmēr bija interesējis uzzināt ko vairāk par vietu un apstākļiem, kur viņa piedzimusi un kur pagājuši viņas dzīves pirmie divi neapzinātie gadiņi. Tāpēc Zelmeņi pirmajam ceļojumam, 1935. gada vasarā, izraudzīja Zemgales Tukuma apriņķi. Viņi uzzināja, ka Vecmoku muižas centrs piešķirts tā īpašnieka atraitnei, pēc dzimuma igaunietei, un tā tur iekārtojusi un uztur pansiju vasarniekiem. Tur varētu kādas nedēļas padzīvot. Bet vispirms viņi apstājās Tukumā, ar ko Īridu saistīja jauks pārdzīvojums agrā bērnībā[28]). Bez tam viņa gribēja baznīcas grāmatās papētīt savu „cilts koku." Pēc svētdienas dievkalpojuma Tukuma baznīcā, iepazinušies ar mācītāju un pateikuši tam Īridas vēlēšanos, viņi norunātajā dienā uzņēmās patālu gājienu kājām līdz Tukuma otrai piestātnei, kur dzīvoja mācītājs. Baznīcas grāmatās Īrida ieguva diezgan izsmēlīgas ziņas, galvenokārt mātes tēva līnijā, bet tās, diemžēl, kā daudz kas cits līdzi nepaņemts, palika Latvijā, un atmiņā tās ir izbālējušas. — Otrs patāls ceļa gabals tika paveikts uz Durbi — Raiņa mūzeja apskatei Durbes pilī.

Meitenes gados iepazinusies ar tipisko Zemgales līdzenumu Tērvetes un Zaļinieku pagastā, Īrida tādu bija domājusi arī savu dzimto vietu. Bet nu viņu pārsteidza Tukuma tuvākās un tālākās apkārtnes viļņaini vijīgā pakalnu ainava. Vecmoku pusmuižas Knauķu vietu, kilometru piecu attālumā no muižas centra, Zelmeņi atrada gleznainas dziļas gravas priekšā, stāvas kraujas malā. Nu tur redzēja skaisti iekoptu dārzsaimniecību. Bet kā par brīnumu — turpat vēl stāvēja vecā kalpu māja Ķīļi, kur Īrida bija piedzimusi. — Kādu dienu muižas rentnieka zirdziņš aizveda Zelmeņus uz izdaudzināto Milzu kalnu, ar skatu no tā virsotnes uz leju visapkārt.

Iepriekšējā vasarā Zelmeņu Mežaparka draudzīga paziņa Bulles kundze bija ielūgusi viņus paviesoties kādu laiku tās vasaras mītnē Kandavas tuvumā. Toreiz Īrida nejutās spējīga ielūgumu pieņemt, jo pārdzīvoja smagu depresiju, kad pēc viena mēneša bija zaudēta cerība uz brālīša vai māsiņas ierašanos Danim. Nu, dzīvojot igauņu baronietes pansijā, viņa iedomāja šo ielūgumu — vai to nevarētu attiecināt uz kādām dienām šai vasarā? Kandava jau arī bija uzņemta viņu ceļojuma plānā. Tas pats muižas rentnieks aizveda tos uz viesnicu Kandavā. No turienes Bulles kundzi pārsteidza Īridas piezvanījums un pastāstījums, kur atrodas un ka taisās viņu apciemot. Zinādama, cik maz nepieciešamo ērtību var sniegt mazpilsētas viesnīca, Bulles kundze tūliņ laipni piedāvāja Zelmeņiem uzturēšanos viņas mītnē.

Tā atradās ārpus pilsētas dienvidu virzienā, Rīgas advokāta Grīnberga īpašumā, labi iekoptā augļu dārzā. Vēl dažus kilometrus tālāk, Abavas lejas augstās kraujas pašā malā stāvēja Kandavas mācītāja māja. Tur kopš kādiem gadiem dzīvoja mācītājs Richards Zariņš (ne Ņujorkas draudzes mācītājs ar tādu pašu vārdu). Tas bija Zelmeņu sens paziņa no drāmatisko kursu laikiem, kur arī viņš mācījās teātra mākslu. Bija ļoti jauns, kautrīgs jauneklis kādā zemākā kursā. Blakus minot, — kāda īpatnēja parādība: drāmatiskās mākslas un teoloģijas studijas bija jau krustojušās trīs gadījumos: Richards Zariņš Dubura vadītajos kursos, mācītājs Romans Vanags(?) Birutas Skujenieces teātra studijā un teoloģijas students un aktieris Osvalds Uršteins — Ernesta Feldmaņa kursos.

Izrādījās, ka mācītājs Zariņš ir Bulles ģimenes mājas draugs. Kundzes izrīkotās mazās viesībās satikušies, norunāja paciemošanās dienu mācītāja mājā. Tā pārsteidza ar mākslinieciski gaumīgu iekārtu, — ar gleznām, un citiem mākslas priekšmetiem. Bulles kundze zināja teikt, ka mācītājs viņam pienācīgo naudu zirga un aizjūga iegādei neesot vis izlietojis tam nolūkam, bet nopircis par to dārgu gleznu; draudzes locekļus viņš apstaigājot kājām. Dzirdot pat runājam, ka viņa mājas iekārta esot par pasaulīgu mācītāja mītnei. — Tā nu šis vientuļais vīrs te dzīvoja, sadraudzībā ar daiļajām mākslām un — ar dzeju. Jo viņš arī pats dzejoja un vēlāk paguva izdot dzejoļu krājumu. Dzīves vieta jau te bija apskaužami skaista: upes palejā auga izslavētie Kandavas milzu ozoli, un pāri upei izpletās krūmājiem klāts dziednicisko dūņu purvājs.

Kad pienāca Baigais gads, mācītājs Richards Zariņš nozuda. Teica, ka nav uzzināts, kas ar viņu noticis. Pieļāva domu, it kā viņš būtu varējis labprātīgi aiziet un nozust dūņu purvājā...

Lai par ilgu nebūtu jāizmanto Bulles kundzes viesmīlība, Zelmeņi apstaigāja Pārabavu, meklēdami kādu īrējamu apmešanās vietu. Un — viņi atrada to pašu, kur Ints ar Īridu dzīvoja pirms divpadsmit gadiem. Dzīvoklītis likās vairāk noplucis, bet skats pāri Abavai tas pats — ar senās ordeņa pils dekoratīvo torni mazpilsētas ainavā. No šejienes tad viņi pēc dažām dienām aizbrauca uz Zemītes pagastu viesos pie dzejniecēm — Birznieku Sofijas un Latiņas, ar to mazo ceļojumu nobeigdami.

O

Nākošā vasarā Īrida vēlējās iepazīt Inta dzimto vietu Brožēnu — Valmieras apriņķa Rencēnu pagastā. Rudenī viņi bija atstājuši Mežaparku, tāpēc nu vajadzēja atkal sarūpēt dzīves vietu vasarai. To viņi šoreiz atrada patālāk Vidzemē — Nītaurē. Apskates izbraucienā likās, ka vieta būs laba. Saimniecības dzīvojamā māja, pakalnā celta, bija jauna: istabas lielas un gaišas, kaut pakailas. Gan arī tuvākā apkārtne bija kaila — nebija dārza. Bet turpat palejā līkumoja neliela upīte, kur varēs peldēties, un pāri tai — dziļš egļu mežs ar ēnainiem pastaigu ceļiem. Saimnieks bija puiša cilvēks, visādi pretimnācīgs. Māsa tam — mācīta mājsaimniece — uzņems

Zelmeņus pilnā pansijā un tie savu kalponi varēs atstāt mājā Inta vajadzībām. Jo Intam nebūs iespējams ik nedēļas nogalē izbraukāt — satiksme tam par neērtu. Bet pēc Jāņiem viņam būs atvaļinājums, un no šejienes tad būs ērta paceļošana nodomātajā Vidzemes ziemeļu virzienā.

Tā nu iznāca, ka pirmās nedēļas Irida ar Dani te padzīvoja vieni paši. Danis aizrautīgi „iesaistījās" saimniecības darbos: saimnieks Vārna, ko mājinieki sauca par Sašu, izrādījās piemīlīgas dabas un labprāt pieņēma puisēnu biedros, kad darbs to atļāva. Bet Irida te piedzīvoja vilšanos: daudz kas no solītā ikdienas dzīves vajadzībām tā ir palika tikai solīts. Kad viņa pavasarī bija apjautājusies, kā ir ar svaigu produktu, it īpaši zaļumu, ogu un citu augļu dabūšanu pārtikai, saimnieks apgalvoja, ka Nītaures centrā viss ir dabūjams. Istenībā pierādījās, ka tur nekas tamlīdzīgs nav dabūjams, un Zelmeņiem bija jāēd karstā vasaras laikā, piemēram, ar žāvētu cūkas gaļu vārīta taukaina klimpu zupa. Mācītā mājsaimniece bija no mājas pazudusi, kad Zelmeņi atbrauca, aizgājusi peļņas darbā citur, un ēdienus gatavoja kalpone, kas gan arī teicās Cēsīs saimniecības skolu beigusi, bet kuras virējas māka maz to apliecināja. Un tā, kad Ints atbrauca, Irida to sagaidīja ar šīm un vēl citām līdzīgām Ijaba vēstīm, kas lika apšaubīt palikšanu šeit vēl pēc Inta atvaļinājuma.

Bet pagaidām — laiks bija jauks, vasara pilnā ziedēšanā, un visi prāti rāvās projām no dienas rūpēm uz aizgrimšanu dabas briedumā un mierā.

Saimnieks Saša tomēr bija diezgan paglītots jauns cilvēks. Viņš satikās arī ar apkārtnes inteliģenci. Un tā viņš zināja pastāstīt Zelmeņiem, ka patālākos kaimiņos vasarā dzīvo aktieris Jānis Lejiņš savas kundzes lauku mājās. Jāņos viņi no Vārnām ejot uz turieni līgot. Nupat vienu dienu viņš saticis Lejiņu Nītaures centrā, pastāstījis, ka Irida Rasa-Zelmene dzīvojot viņa mājā, un Lejiņš aicinājis visus uz līgošanu.

Jāņu vakarā tad nu visi arī gāja. Satikās tādā kalniņā tāds bariņš. Palīgoja, patērzēja, un Lejiņa kundze ielūdza Zelmeņus uz Jāņu dienas pusdienām. Bija ērta, jauka, dārzos ieaugusi māja, galdā bez citiem gardumiem pašu

285

dārza zemenes, gaisotnē — mājasmātes un tēva laipnā viesmīlība, Danim — gadu piecu vecās Lejiņu meitiņas sabiedrība (ne Lolitas, — tā vēl nebija dzimusi). Maza, patīkama epizode tās vasaras norisē.

Ziedēja pļavas, viļņojās un ziedēja rudzi. Zelmeņi peldējās, sauļojās un priecājās par visu, ko deva šī spožā vasaras diena. Ints ar Dani pašlaik bradāja pa upīti, ūdens augus pētīdami. Pēkšņi viņš nobāla un noplūda aukstiem sviedriem. Izbijušies, kā spēdami, nokļuva līdz istabai un Intu steidzīgi noguldīja. Viņa sirds aumaļoja. Nezinādama, ko citu darīt, Īrida klāja aukstus apliekamos uz to. Bet Intu pašu pārņēma baiļu lēkme, — viņš gribēja, lai Īrida tur savu roku uz viņa sirds. Lai viņa sēž pie tā, lai neaiziet... Viņa slaucīja aukstos sviedrus no Inta pieres, turēja roku uz viņa sirds, un — tā pamazām nomierinājās. Lēkme izbeidzās, un likās, nekādu seku turpmākās dienās neatstāja.

Bet Īridā notikušais atsauca atmiņu par kādu citu reizi. Tas bija viņu laulības dzīves pirmajās dienās — Līgatnē. Viņi abi tāpat skraidelēja un bradāja pa Līgatnes upīti, un pēkšņi ar Intu notika kas līdzīgs šim gadījumam, gan ne tik smagā veidā. Toreiz viņi nodomāja, ka iemesls bijis upītes ledus aukstais ūdens, — tā bija avotaina un ūdens tajā tik auksts, ka peldēties nemaz nevarēja ,tikai pabradāt. — Tagad Īridā modās aizdoma, vai te tomēr nebija kāds sakars, kāds dziļāks iemesls Intā pašā? Iedomāja arī ārsta teikto pēc Inta atveseļošanās no pārciestā nelaimes gadījuma, ka nav neiespējama kādu seku izpaušanās pēc piecdesmit gadu sasniegšanas. Nu bija tie apmēram piecdesmit gadi... Bet — kā toreiz, tā arī tagad — Īrida noklusēja savu baiļošanos. Intam tas nebija jāzina...

Pret atvaļinājuma beigām viņi uzsāka mazo ceļojumu, pateikuši iepriekš saimniekam, ka atgriezušies brauks atpakaļ uz Rīgu visi. Viņus aizveda uz kilometru piecpadsmit attālo Līgatnes staciju. Viņi izkāpa Cēsīs, apmetās jaunajā Cēsu viesnīcā, lai pāris dienās apskatītu pilsētu un apkārtni. Patika mazās pilsētas gleznainais skats ar pilsdrupu ornamentu. Aizsoļoja kilometrus piecus uz vasarnīcu rajonu Gaujas malā. Daudz vairāk te arī nebija ko redzēt, un viņi turpināja ceļu līdz Valmierai. Tā, pēc pakalnainajām un krāsainajām Cēsīm likās pelēka un zemei pieplakusi. Apmetās jaunā, tīrā tūristu mājā. Pārgaujā. Pēcpusdienā izstaigājuši pilsētu, nolēma otrā rītā ar autobusu braukt uz Brožēnu. Bet autobusa atiešanu viņi nokavēja un nu spriedelēja, ko tālāk darīt. Turpat laukuma malā stāvēja ormaņi. Viņi noskatīja vienu labu pajūgu — ar spēcīgu zirgu un platiem ērtiem ratiem — un nolīga ormani uz visu dienu — braukt, kur liek. Un šis sākumā nepatīkamais nokavējums nu sagādāja viņiem to skaistāko pārdzīvojumu visā šai braucienā.

Diena bija brīnumjauka. Lielceļš veda starp labības laukiem, kas krāšņojās gatavības briedumā. Nesteidzīgā braukšana ļāva dabas vasarīgo burvību izbaudīt pilnā mērā. Pusceļā viņi apstājās kādas paziņas lielsaimniecībā, kur viņus, un tāpat arī ormani, pacienāja ar bagātīgu launagu. Un tad jau bija arī Brožēns klāt! Tikai te nu redzēja pavisam citādu ainu nekā Ints to bija Iridai aprakstījis vēstulē uz Hellerauu priekš divdesmit četriem gadiem! Nebija vairs ne vecās mājas, ne kūts, ne klēts. Ceļmalā staltojās divstāvu jaunceltne, vēl galīgi neizbūvēta — dzīvojamā māja rentniekam, domāta arī eventuāli īpašnieka paša lietošanai vasarā. Brožēns šais gados bija pārgājis Inta tēvbrāļa znota, rūpnieka Miljona īpašumā. Dziļāk aiz pagalma redzēja masīvu mūra ēku — kūti ar klēti. Un tikai pavisam nomaļus dīķīša malā, zem veciem kokiem pazemīgi vēl sēdēja vecā pirtiņa. Gāja namā — sveši cilvēki. Ints iepazīstināja ar sevi, teikdams, kas ir šī vieta viņam. Parunājās tāpat, pārstaigāja telpas — ko vairāk... Bija skumji. Irida mēģināja iztēloties mazo puišeli, kas skraidījis te un nevarējis saprast, kā tas var būt, ka cilvēki Rīgā staigā pa ielām, kā viņš dzirdēja lielos cilvēkus runājam, jo — par ielām Broženā saukuši rindās nokrautas malkas grēdas, — tā Ints viņai kādreiz bija teicis...

Viņi turpināja ceļu uz Burtnieku ezeru. Tas gulēja pievakares saulē gluds un spožs. Viņi apbrauca tā vienu galu un tad iegriezās kapsētā. Tur nebija vairs vecā kapsarga, un Ints pats nevarēja vairs atrast sava tēva kapa. Viss bija aizaudzis...

Atpakaļceļā viņus jau panāca vakara tumsa. Klusumā grieza griezes. Svētīga diena.

Mājup viņi brauca līdz Siguldai. Gribēja apskatīties, vai tur — Rakstnieku pilī — nebūtu iespējams izkārtot dzīvi vasaras otrai pusei. Tā izkārtojās: viņi noīrēja plašu istabu pils pagalma koka mājā ar pilnu pansiju.

Te nu atkal Irida dzīvoja ar Dani, un sestdienās atbrauca tētis. Izstaigāja sen pazīstamās vietas, izsēdējās Paradīzes kalnā ar plašo izskatu pāri Gaujai, paogoja pa mežu.

Bet vienu sestdienu, nakts klusumā, kad Danis bija aizmidzis, Ints pateica — es esmu slims. Bijušas kādas reizes darbā, kad viņam licies, ka viņš uz kādu sekundi pazūd pats sev — uz kādu tumšu mirkli. Tad viņš aizgājis pie Dr. Vētras. Tas konstatējis ļoti augstu asins spiedienu. No tā visas grūtības, arī toreizējā lēkme. Un baiļu sajūta. Noteicis, ka nedrīkst sauļoties. — Un viņi to bija vienmēr lielā labsajūtā darījuši! Nu bija jāpiesargās un no dažām ieražām jāatsakās, gan tad būs labi.

Tomēr labi nebija: nākošā svētdienā Intu pēkšņi sagrāba tik spēcīga un ilgstoša lēkme, ka tas satrauca pat pārējos pansionārus pilī. Ārsta te nebija — kā dabūt Intu uz Rīgu? — Pret vakaru lēkme atslāba, Irida steidzīgi nokārtoja Inta aizvešanu līdz stacijai un sakārtojās arī pati ar Dani aizbraukšanai.

Vēl bija kāds mēnesis līdz mācību sākumam skolās. Zelmeņi negribēja, ka Danim tas būtu jāvada pilsētā. Ints atlaba un centās pierunāt Iridu painteresēties, vai nav kāda iespēja viņai ar Dani vēl kur padzīvot šo laiku. Viņa pameklēja pa sludinājumiem laikrakstos un piezvanīja uz kādu adresi Saulkrastos. Bija iespējams dabūt istabu ar pansiju. Viņa ar Dani aizbrauca apskatīt. Nu vairs nebija sarežģītā braukšana ar kuģīti Neibādē. Neibādes kūrvieta bija pārdēvēta par Saulkrastiem, un uz tiem nu veda jauna dzelzceļa līnija. — Uz sarunāto vietu bija jāiet pa to pašu ceļu, gar tām pašām mājām, kur priekš divdesmit sešiem gadiem aizsākās Iridas un Inta romantiskā draudzība. Apkārtnes romantikas vairs nejuta: mežs bija izcirsts klajāks, mājokļu redzēja daudz vairāk, — ikdiena tuvāka. Līdz Garjāņiem — meklējamām mājām bija jāiet vēl krietns ceļa gabals tālāk. Mājai piegūla augļu dārzs, istaba — plaša, ar atsevišķu ieeju cauri mazam lievenītim. Varēja apmierināties, un māte ar dēlu uzsāka dzīvi pa trešam lāgam šai vasarā.

Bet Īridai šīs vasaras nogalei bija vēl kāds cits nodoms: brauciens uz Vīni un Zalcburgu. Kā nu būs ar to? Inta saslimšana likās to izjaucam. Ints tomēr pūlējās pārliecināt Īridu braukt. Viņš jūtoties atkal pilnīgi vesels. Ar lielu šaubīšanos viņa beidzot ļāvās pārrunāties. Nebija jau arī uz ilgu laiku. Un laukos, jūras tuvumā, sāka jau just gaisā agra rudens mitrumu, vakari satumsa ātrāk, — tā kā Danim arī bija laiks atgriezties pilsētā. Visu to apsveŗot, Īrida saņēmās un — aizbrauca, — iegūt arī savam garam kaut ko no šīs nemierīgās vasaras.

21

Pēc atgriešanās no Austrijas un pēc grāmatas Atziņu ceļi iznākšanas ar jauno, 1937. gadu Irida sāka gatavoties nodomātajam braucienam uz Parīzi rudenī, teātŗa sezonai sākoties: bija jāatsvaidzina un jāpapildina franču valodas prasme. Vienu vasaras mēnesi pirms tam Zelmeņi tomēr vēl gribēja turpināt uzsākto paceļošanu — šoreiz pa vēl neredzēto Latgali. Intam bija kāda jaunības paziņa, kas tagad dzīvoja Rēzeknē, un Iridai savukārt maza pazīšanās ar Daugavpili, kur tā bija viesojusies ar priekšlasījumu. Šīs pilsētas izmantojot par atbalsta punktiem, varētu izplānot ezeru zemes vairāk daudzināto vietu apmeklēšanu.

Piektajā martā pilī notika plaša oficiāla sabiedrisko darbinieku pieņemšana. Jūlijs Druva iepazīstinot nosauca Prezidentam katra ienācēja vārdu. Sasveicinoties ar Iridu, Prezidents teica: „Jūs esat tā dāma, kas pagājušā vasarā bijāt Vīnē." Iridai atlika tikai izbrīnīties par Prezidenta tāda sīka fakta zināšanu un atcerēšanos.

Viesu bija daudz. Pie bagātīgi klātā vakariņu galda noskaidrojās, ka Prezidenta nolūks ir iepazīstināt dažādo nozaru darbiniekus ar savu plašo, tuvākai nākotnei paredzēto darbības plānu un dalīties domām par to. Viņš runāja ilgi un izsmēlīgi, un pēc viņa cēlās un runāja ievērojamākie savu nozaru pārstāvji. Vakariņu procedūra ieilga, telpa piekarsa, un lielu atvieglinājumu izjuta, kad varēja celties no galda un izklīst pa blakus telpām. Kāds vedināja Iridu iet pils tornī, — esot lielisks izskats uz Daugavu. Kontrasts starp ēdamzāles karsto un ledus auksto gaisu tornī bija tik ass, ka Irida vienā mirklī juta degunu it kā aizsistu ciet kā lielās iesnās.

Piektais marts ir Austras diena. Tradicionāli Irida šai dienā mēdza apciemot dzejnieci Austru Dāli. Kaut arī vakars nu bija jau vēls, viņa kopā ar dzejnieci Elzu Stērsti gribēja vēl aizbraukt uz vārda dienas svinībām. Laiks tai dienā bija visai nepiemīlīgs — vējains un lietains. Pils priekšā stāvēja ormaņu rinda, — varēja ērti aizbraukt līdz Dāļu namam Marijas ielā. No turienes uz savu dzīves vietu Viestura dārza tuvumā Irida nāca kājām. Bet ielas pludoja lietū, un viņas kājas vieglās kurpītēs samirka slapjas. Sekās no visa šī vakara — nepārejošs aizcietējums degunā, kas velkas dziļāk un dziļāk lejā gaisa rīklē.

Cīnīdamās ar pieaugošu gaisa trūkumu, Irida domā, ka tās ir tikai neparasti stipras iesnas, un kas gan iesnu dēļ liksies gultā. Viņa turpina savas dienas gaitas un darbus, līdz tas tomēr vairs nav iespējams un ir jāuzmeklē ārsts. Elpojamo orgānu slimību speciālista Dr. R. Sniķera diagnoze ir — bronchiālā astma. Un tā nu ir tik dziļi ieperinājusies Iridas bronchos, ka viņa smok nost. Nemitīgs klepus plēš krūtis pušu, velti lauzdamies izdabūt laukā sīkstās smacējošās gļotas. Ir tāda sajūta it kā kāds būtu dūri iegrūdis rīklē. Ne dienu, ne nakti nevar atgulties, — jāsēž uz priekšu saknupušai negantās mokās. Nekas nelīdz. Ārsts paraksta diatermiju — nelīdz. Paraksta Ķemerus, kur ir speciālu tvaiku ieelpošanas ierīce — nelīdz. Kamēr viņa dzīvo un ārstējas Ķemeru jaunajā sanatorijā, Ints sameklē vasaras dzīves vietu Baldonē, cerībā, ka tās skuju koku mežu ozona bagātais gaiss darīs Iridai labu. Un tā — Latgales apceļošanas vietā Zelmeņi nodzīvo šo vasaru Baldonē. Saeimas deputāta Lībtāla vasaras mājiņa piegul Morisona kalna pakājei. Tā ir uz divi gali, un vienu no tiem — divas istabas ar plašu stiklotu lieveni noīrē Zelmeņi, pielīgstot arī pilnu pansiju.

Tā bija grūta vasara. Baldone gan deva ideālus ārstēšanās apstākļus — sēra un dūņu vannas, ārsta aprūpi, labu gaisu, mieru,—un tomēr neatdeva veselību. Un līdzi fiziskām ciešanām Irida cieta garīgi: viņa nespēja vairs dzīvot ar savu dēlu pilnīgu kopīgu dzīvi, jo nespēja ne ar to kopā staigāt, ne kopīgi lasīt, ne sarunāties. Un te nebija neviena cita, ar ko viņam biedroties; — vienīgi tēvs nedēļas nogalēs un atvaļinājuma laikā.

Pret rudeni tomēr radās cerība, ka silmība būs pārvarēta. Veltīgi: tās bija tikai intensitātes svārstības, vairāk nekas. Tās ļāva arī Īridai, kaut ar biežiem traucējumiem, turpināt darbu. Pa telefonu izsauca auto vai iepriekš sameklēja ormani, kas viņu aizveda uz teātri un tāpat atveda atpakaļ. Tā pagāja ziema, tuvojās 1938. gada pavasaris un līdzi tam — atkal ierosinājums rīkot viņas 25 darba gadu atceri. Viņa atteicās: slimības jauni uzliesmojumi to nepieļāva.

Pienāca Lieldienas. Viens no ieteikumiem astmas lēkmju atvieglošanai ir klimata maiņa vai vismaz dzīves vietas un apstākļu maiņa. Tāpēc Zelmeņi nolēma Lieldienu brīvlaikā uzturēties Siguldā. Astmas ārstēšanā par iedarbīgāko līdzekli atzīti speciāli iešļircinājumi, — tie tad arī palīdzēja Īridai galīgi nenosmakt. Gadījās, ka tai pašā reizē Siguldā dzīvoja jauna ārste, Lidija K. Iepazinusies ar Zelmeņiem un uzzinājusi, kas Īridai vainas, viņa ieteica kādu citu līdzekli injekcijām, pati tās izdarīdama. Un brīnums — Īrida juta tik lielu atvieglinājumu, ka sāka gandrīz ticēt izārstēšanās iespējai un, atgriezusies mājā, deva beidzot atļauju sava darba atceres atzīmēšanai atklātībā.

Viņa gan bija domājusi to citādi sagaidīt un aizvadīt. Pusmūža slieksni viņa pārkāpa ar lielām darba cerībām. Nu, kad dēls neprasīja vairs tik daudz laika sev, viņa gribēja pievērsties sen lolotiem lielākiem literāriem uzdevumiem. Ilggadējos teātra dzīves vērojumos viņai bija nobriedušas atziņas un pārliecības, ko nu gribēja formulēt apjomīgos rakstos. Iepriekšējā vasarā uzsākto tiešo ieskatīšanos Vakareiropas teātra mākslas dzīvē viņa gribēja turpināt iespējami plašos apmēros. Visa pieredzētā un novērtētā apvienojumam vajadzēja ietverties grāmatā, ar ko noslēgtos tās patstāvīgās literārās darbības 25 gadi 1938. gada martā.

Nedziedināmā slimība visu nodomāto iznīcināja: uz Franciju Īrida neaizbrauca un grāmatu neuzrakstīja. Tā vietā viņa tikai iespēja sakopot jubilejās rakstītus aktieru māksliniecisko personību skicējumus. Nelielo grāmatu — Siluetes — izdeva Valtera un Rapas apgāds. No tās

292

raugās divdesmit aktieŗu sejas — pašu attēlos un Īridas apcerēs. Liela daļa to ir viņas laika biedri, citi — vecākās paaudzes. No pēdējiem viņa it īpaši silti atceras reto saskari ar Aleksi Mierlauku, kas pašā pirmajā drāmatisko kursu skatu vakarā par viņu bija teicis — tā mazā man patīk. Un kas pēc vairāk nekā trīsdesmit gadiem, kad viņa savas slimības samocītās balss dēļ baiļojās par tās dzirdamību priekšlasījumā par Gerhardu Hauptmani Nacionālajā teātrī, drošināja viņu, ka tās balss „nesot" tālu, jo viņa veidojot skaņas „priekšā." Par veco meistaru un viņa īpatnējo terminoloģiju dzirdēja jau dažu labu humoristisku nostāstu teātŗa pasaulē, — arī par viņa savdabīgo personību. Viņš dzīvoja viens un kopa savu mājas soli ne sliktāk par jebkuŗu sieviešu dzimuma nama māti. Kad Īrida lūdza no viņa atmiņas par Daci Akmentiņu rakstāmai grāmatai, viņš to ieaicināja pie sevis mājā. Dzīvoklis bija ar plašu vaļēju lieveni, un tur ziedēja visu krāsu dažnedažādas puķes. Maestro gatavoja pusdienas un, kad vira bija gatava, klāja galdu. Virums bija tik stipri savircots, ka Īridai elpa rāvās ciet, bet bija jāēd un jāslavē virēja māka, citādi nevarēja. No Mierlauka viņa dzirdēja tik daudz patiesi sirsnīgu cildinājumu par Daces Akmentiņas mākslu kā ne no viena cita aktieŗa. Pie tam dzīvi viņš atcerējās atsevišķas lomas un nocitēja pat neaizmirstamas vietas to tēlojumos.

Otrreiz Īrida baudīja Mierlauka viesmīlību tā 50 gadu darba jubilejas gadījumā, intervējot viņu jubilejas rakstam, un tad viņa iepazina nama tēva izdaudzināto kafijas virēja māku. Un kad vēl pēc kādiem gadiem viņa lūdza mākslinieka ģīmetni šīs jubilejas atceres raksta ilustrēšanai grāmatā, viņš nevienu no saviem attēliem neatzina tam par labu diezgan un uzņēmās pūles fotografēties speciāli šai vajadzībai. Tā iegūtais uzņēmums nerāda aktieri lomā; tas rāda īpatnēju mierīga, domās iegrimuša cilvēka profilu.

Un beidzot — Īrida pārsteidza Aleksi Mierlauku ar savu apciemojumu neaicinātu — Sarkanā Krusta slimnīcā. Viņa zināja, ka tikai īss laika sprīdis vairs ir atlicis māksliniekam šai saulē. Un viņa juta aicinājumu s e v ī — aiziet un aiznest tam kāda zieda sveicienu vēl, jo bija redzējusi, ka viņš ir puķu mīļotājs un audzētājs savā mājā. — Slimnieks bija pārcietis operāciju un jutās it žirgts. Priecīgi stāstīja Īridai, ka varot atkal uzņemt barību. Un ticēja atveseļošanās procesam...

Pēc dažām dienām tas izbeidzās... Savdabīgais cilvēks un mākslinieks bija aizgājis mums nezināmos aizsaules ceļos.

Arī lielumlielā daļa citu grāmatas Siluetes cilvēku pa gadiem ir aizgājuši šais ceļos. No visiem divdesmit — četri vēl sildās mūža vēlās novakares saulītē, — cik ilgi vēl?...

O

Slimošanas dēļ novēlotā darba atcere notika 18. maijā, Virsnieku kluba zālē. Tās izkārtošanu Preses biedrības vārdā uzņēmās Nacionālā teātra direktors Jānis Grīns, Misiņa bibliotēkas pārzinis Kārlis Egle, rakstniece Elīna Zālīte un dzejnieces Austra un Karola Dāle. Bija sarunāti divi referenti. Angelika Gailīte biografijai un Kārlis Strauts teātra kritiķes darba novērtēšanai. Bez tam — Īridai par lielu pārsteigumu — ar Grīna ieteikumu programmā bija arī viņas Latvī ievietoto dzejoļu lasījums.

Viss nu būtu labi, tikai — iedomātā izveseļošanās pierādījās par mānu, un svētku dienai tuvojoties slimība uzliesmoja jaunā spēkā. Ko nu darīt? Atcelt? — Grūti būtu izjaukt rīkotāju pūliņu. Un Īrida, nodrošinājusies ar ārsti un injekcijām, Jāņa Grīna vesta, brauc kopā ar savējiem uz svinību vietu, kur viņu sagaida Preses biedrības priekšnieks un Brīvās Zemes redaktors Jūlijs Druva. Viņa iztur programmas daļu, bet tad ir steidzīgi izdarāma injekcija, un ārste neļaiž viņu pie svētku viesiem, iekams iešļircinājums nav iedarbojies. Tie sēž pie klātiem galdiem un gaida, un lielā daļa nesaprot, kur viņa kavējas, jo nekā par slimibu nezina. Vakariņu laikā Īrida pūlas noturēties, bet apsveicēju runām atbildēt viņa nespēj. Un beidzot viņa nespēj vairs nosēdēt. Viņa pateicas ar dažiem vārdiem par visu, un Jānis Grīns ved viņus mājā ar milzīgu ziedu kalnu. Ko lai viņa ar to iesāk? Viņa nespēj, kā citkārt, ziedu skaistumu baudīt, jo nepacieš nekādas smaržas ieelpojamā gaisā, — tās smacē viņu nost. Simti rožu ziedu tiek novietoti vannā, un Īridai jāpaliek tikai ar apziņu par tām, bez prieka acīm.

Svētku brīdim sekoja jo grūtas naktis un dienas. Vieglākās pastarpēs viņa pārcilāja rakstītos apsveikumus un rakstus periodikā. Bija jau interesanti paklausīties atbalsis, kas atsaukušās viņas divdesmit piecu gadu darbam.

Viņas domas apstājās pie kāda apsveikuma, kas viņu cildināja par „teātra sirdsapziņu," — tik izcilu pagodinājumu tai bija piešķīris kollēga no Jaunākajām Ziņām. (Pelnīti vai nepelnīti šis atzinums ir pavadījis viņu visā turpmākajā darba cēlienā, pēdējo reiz vēl pārsteigdams Artura Plauža rakstā Samulsums publikā, žurnāla Tilts 106./107. nummurā, 1970. g. 64. lapp.).

Dienas presē bija rakstījuši — Jānis Grīns Brīvajā Zemē, Kārlis Egle Rītā, Austra Dāle Jaunākās Ziņās, bet dziļāko saviļņojumu Īridā izraisīja viens no rakstiem žurnālos — Karolas Dāles apcere Akadēmiski izglītoto sieviešu izdotā žurnālā Latviete. Īrida pazinās ar Karolu Dāli literārās aprindās, bet viņa nejuta ar šo jauno dzejnieci nekādu tuvību. Viņa atzina tās intelektu, arī liriķes apdāvinātību, bet tās dinamiskā personība šķita viņai par skaļu, par agresīvu. Un nu viņa piedzīvoja to lielo brīnumu, ka taisni šķietami viņai garīgi tālā Karola Dāle bija uzminējusi viņas dziļāko būtību īstāk par visiem citiem rakstītājiem, — viņas „mimozisko" dabu, kā dzejniece to apzīmē.

Autora iestarpinājums

Kad šai tālajā, svešajā pasaules malā Īridu taisījās godināt, viņas 40 literārās darbības gadus atzīmējot, Laika redaktors apjautājās, ko viņa vēlētos par autoru jubilejas rakstam. Iedomādama aprādīto apceri pirms gadiem, viņa minēja Karolu Dāli. Tad nu arī Laikā bija lasāma „portreta skice," kas saturā izteica to pašu domu, bet formas apdarē, pretēji toreizējam rakstam, uzrādīja šejienes darba dzīves nevaļas sasteigtību. Skici iesākot, dzejniece noraksturo Īridu šādi: „Domājot par jubilāri, man arvien nāk prātā mimozas zars. Pats zars ir stingrs un tvirts, bet ziedi pie visvieglākā pieskāriena aizveras. Noli me tangere! Gara tvirtums un dvēseles kautrība ir visbūtiskākās iezīmes jubilāres savdabīgajā personībā. Viņa ir visievērojamākā teātra kritiķe, rakstniece un sabiedriska darbiniece. Rakstnieces garīgo tapšanu un māksliniecisko radīšanu lielā mērā ietekmējušas pieminētās rakstura īpašības: gara tvirtums un dvēseles kautrība."

Trimdas dzīvē personiski saskarties ar Karolu Dāli Īridai ir iznācis pareti. Un tomēr, kad viņa no Ņujorkas apkaimes pārcēlās uz dzīvi Rodailendā, dzejniece jau pirmajā vasarā apciemoja viņu jaunajā mītnē. Savu tuvības izjūtu viņa apliecināja arī ar dzejoļa veltījumu Īridai tās 75 gadu dzimumdienā. Un vēl pēc pieciem gadiem Īrida izbrīnēta lasa Karolas Dāles vēstulē: „...Atceros Jūs kā šodien Ata Ķeniņa mājā, kad viņš bija izglītības ministrs. Jūs staigājāt pa zāli rokās saķērusies ar Veltu Bulli — Viktora māsīcu, un izskatījāties pēc karalienes. Es gandrīz vai Jūs apskaudu. Austra Dāle nolasīja savu dzejoli Jaunā Ieva, un man šķita — šī Jaunā Ieva esat Jūs." — Īrida pati kādreiz par šo Jauno Ievu bija rakstījusi: „No konkrētiem vērojumiem ir izkristalizējies abstraktais jaunās sievietes — Jaunās Ievas — skatījums, kas to rāda kā pirmatnīgās sieviškības, rakstu gudrības un atziņu drosmes apvienotāju sevī." — Un nu lai Īrida būtu šīs abstrakcijas prototips?! Tas viņai nekad nebija ienācis prātā! Un arī tas ne, ka viņai būtu tik augsta vieta Karolas Dāles vērtējumā!

Dzejniece pati apvienoja sevī augstu intelektu ar spēcīgu dziņu dzīvi. Tā degdama dega un pēkšņi izdzisa nāves naktī. Bet dzejniece neticēja nāvei. Viņa ticēja reinkarnācijai. Varbūt viņa nu atdzimusi kādā spožā putnā ar drošu un kaislu dziesmu atvērtā knābī?!

O

Neko no šīs jubilejas rakstu liecībām Īrida nav varējusi paņemt līdz Latviju atstājot. Un tad, atkal kā brīnumu — Vācijas trimdā Daņa kādreizējs klases biedrs Frenču licejā atsūta viņam vēstulē vienu lapu no kāda žurnāla (nosaukuma nav), jo tajā esot raksts par viņa māti. Pēc formāta un citu rakstu fragmentiem spriežot, varētu domāt, ka tas ir akadēmiskais žurnāls Universitas. Un tajā ir rakstnieces Elvīras Kociņas raksts Lielā vērtētāja, kas sākas tā: „Teātra pirmizrādēs varbūt jūs, lasītāj, esat ievērojuši kādu trauslu, klusu sievieti. Viņa reizums tinas uzmetnī, jo nejūtas vesela. Slimība tomēr to nav atturējusi mājās. Viņai jāredz jaunais mākslas darbs... Ja kāds to sveicina, viņas bālajai sejai pārslīd mīļš, sirsnīgs smaids. Gaŗāmejot varbūt kādreiz jums laimējas dzirdēt viņas balsi. Tā ir tik dzidri skaidra kā skanošs pulkstenītis. Tikpat skaidra kā viņas doma. — Kamēr šī gleznā sieviete sēž teātŗa zālē, varat būt apmierināts. Zālē sēž lielā vērtētāja un mūsu mākslas apcirkņos vētī graudus no pelavām. — — — Viņu nevar ietekmēt ne mākslinieka vārds, ne viņa personība, ne arī kāda pārejoša moderna ideja. Mākslinieciska forma, aistētiskas un ētiskas vērtības ir tās, ko viņa meklē katrā darbā. — Aristokratiski atturīgi kritiķe pasaka savu spriedumu. Ne pārspīlēti cildinoši, nekad asi nievājoši. Aiz viņas atturības jūtama silta sievietes sirds, kas labprāt saudzē. Viņa negrib iznīcināt. Viņa grib kopt un audzēt katru talantu. — — Katrs jauns autors un aktieris būs izjutis, ar kādu sirsnību un labvēlību viņa saskata gaišāko un skaistāko viņa darbā. — Kamēr teātŗa zālē sēž šī kritiķe, varat būt mierīgi. Lielā vērtētāja ir darbā. Graudi būs skaidri un tīri."

Žurnāla lapa ir datēta ar 5. VI, 38., — tātad arī šis ir jāuzskata par jubilejas rakstu. Īrida to nebija lasījusi, nedz zinājusi, ka tāds ir. Tas nu ir nokļuvis pie viņas ar gadu desmit novēlošanos. Kā vienīgo redzamo liecību par viņas divdesmit piecu gadu darba atbalsi tā atļaujas uzņemt izvilkumus no tā savas dzīves atklājumā.

22

Pēc jubilejas vasaras dzīvei Zelmeņi atkal iekārtojās Siguldā. Ar Jūlija Druvas gādību viņi dabūja pie Rakstnieku pils piederīgajā koka mājā atsevišķu divu istabu dzīvokli ar vannas istabu, ar izeju uz augļu dārzu, pilnīgā atšķirtībā no trokšņainās dzīves pilī. Sākumā viņi gāja uz pils ēdamzāli maltītēs, bet Īrida nepanesa piesmēķēto gaisu, un — ar Druvas rīkojumu — viesmīļi pienesa tiem ēdienu pašu telpās. Pienāca Jāņi. Pļavas bija pilnas ziedu. Īrida saplūca krāšņu laukapuķu pušķi, bet sekas — no ieelpotajiem ziedu putekļiem — jo spēcīgs slimības uzliesmojums ar smagām lēkmēm. Tā — slimībai augšup lejup svārstoties pagāja nākošā ziema, nomocīdama Īridu tik vārgu, ka tā nespēja vairs pārvarēt kāpnes uz savu augsto dzīvokli, — bija jāmeklē cits apakšējā stāvā. Pilsētā Īrida vienmēr bija meklējusies dzīvot ar plašu izskatu uz āru, tāpēc viņai bija jāraud, ieejot Inta atrastajā dzīvoklī, kas likās zemei pieplokam un rādīja tikai pretējā nama logu rindu pāri ielai. Dzīvoklis profesora Ālkšņa namā jau nebija slikts un atradās labā rajonā, pavisam tuvu Viestura dārzam, — tas tad arī bija zināms mierinājums. Uz to viņi pārcēlās pēc Silciema Sauleskalnā nodzīvotās vasaras.

1939./40. gada ziema bija rosīga darba pilna dažādos Rakstu un mākslas kameras pasākumos. Vasarai Zelmeņi sameklēja dzīves vietu Zemgales Jēkabniekos, kāda Jelgavas advokāta lauku mājā, Svētes upes krastā. Te Īridas veselības stāvoklī notika labvēlīga pārmaiņa. Vēl pēc dažām lēkmēm iestājās nomierināšanās. Likās, ka organisms beidzot ir pārvarējis slimības akūto procesu un tā kļūst chroniska, joprojām prasīdama izsargāšanos no saaukstēšanās un no smagas fiziskas piepūles.

Medaini smaržodamas ziedēja liepas. Īrida ar Dani velti gaidīja tēti atbraucam. Tā vietā atskanēja telefona zvans. Skopa ziņa par satraukumu Rīgā. Krievi apdraudot robežas. Darba vietu nedrīkstot atstāt. Nezinot, kad varēšot atbraukt...

Vakarā Īrida klausās radio ziņas. Krievi Lietuvā... Sirds pagurst, — nākošie būsim mēs...

Kad krievi jau Rīgā, atbrauc Ints. Ir Jāņu vakars. Saimnieka meitai dzeŗ kāzas. Kāzinieki līksmo. Kāda paziņa pačukst Īridai, ka šie ir kreiso politisko uzskatu cilvēki, — tie nav noskumuši par krievu ienākšanu Latvijā.

Apstākļiem mainoties, Intam nav izredžu uz izbraukšanu pa nedēļu nogalēm, nedz uz atvaļinājumu. Viņš pārved savējos mājā.

No 1919. gada pieredzes Īrida zināja, ka nu sāksies bada laiki. Viņa atlaida kalponi un uzņēmās pati darbus mājsaimniecībā. Kā visu citu, Inta darba vietu — Latviešu akciju banku — pārņēma krievu okupanti, pārdēvējot par Latvijas bankas II nodaļu. Tā kā komerciālā uzņēmumā nav tieši jāizpaužas darbinieka garīgajai satversmei — viņa ieskatiem un dzīves ziņai, tad Inta palikšana savā vietā, vismaz pagaidām, nebija apdraudēta. Citādi tas bija ar Īridu, kuŗas raksti rādīja tās ideālistisko pasaules uzskatu un nacionālistes pārliecību. Viņa zināja, ka komūnistiem nenoderēs, un arī tāpēc pati brīvprātīgi pārorientējās no atklāta sabiedriska darba uz noslēgtu savas ģimenes aprūpi mājā.

Tomēr no Brīvās Zemes par Brīvo Zemnieku pārdēvētais laikraksts turpināja Īridu algot, it kā viņa būtu automātiski pārņemta tā līdzstrādniekos. Tas ieintriģēja viņu izmēģināt — vai varbūt tomēr arī šai režimā nebūtu iespējams rakstīt patiesību, paturot garīgo neatkarību kā savas darbības priekšnoteikumu. Viņa uzrakstīja plašāku pārspriedumu par Maskavas Dailes teātŗa dibinātāja Staņislavska divi ievērojamām grāmatām par aktieŗa mākslu, ar nodomu uzsveŗot, ka latviešu aktieŗiem Staņislavskis nav svešs, ka viņa grāmatas mums bijušas pieejamas arī agrāk un viņa metodes pazīstamas tiem, kas mācījušies Maskavas studijā, — tā netieši noraidīdama uzbāzīgo propagandas saukli, ka nule tikai mums paveŗoties iespējas īstai mākslas dzīvei. Rakstu, protams, neievietoja, kaut redaktors Īridai apliecināja, ka ne raksta saturs, ne viņas persona neesot tam par iemeslu un ka vispār rakstīt viņa varot.

Bet Īrida to vairs nedarīja. Kad pienāca rudens ar teātra sezonas sākumu, tikai tad beidzot jaunais redaktors sadūšojās viņai pa tālruni pateikt, ka teātra kritiku gan tā nevarēšot rakstīt, bet citus viņas rakstus esot atļauts ievietot.

Īrida šo laipno atļauju netika izmantojusi, nedz paklausījusi citu līdzstrādnieku labi domātajam padomam — rakstīt ar pseudonīmu. Jo viņai nekad nav bijis svarīgi rakstīt rakstīšanas dēļ, bet i r bijis svarīgi izteikt to, kas tai sakāms, un to viņa vienmēr ir atklāti ar savu vārdu apliecinājusi. Nu viņai tas vairs nebija iespējams, un tāpēc viņa pilnīgi atrāvās malā un klusēja[29]).

Notikumu turpmākajā dabiskajā norisē Īrida saņēma divus paziņojumus. Pirmo, datētu ar 1940. gada 4. oktobri, sūta Padomju Latvijas rakstnieku un žurnālistu arodbiedrība, Rīgā, Ģertrūdes ielā 6, un tajā lasāms: „Padomju Latvijas rakstnieku un žurnālistu arodbiedrība savā š. g. 6. septembra sēdē, skatot cauri biedru sarakstu konstatēja, ka daļa biedru pēc sava aroda stāža un politiski-idejiskās darbības neatbilst arodbiedrības biedru prasībām, kamdēļ daļu biedru pārskaitīja biedros-kandidātos. Pēc zināma laika darbības kandidātus pārskaitīs par biedriem. Kandidātiem attiecībā pret arodbiedrību ir tie paši pienākumi kas biedriem. — Minētā sēdē arī Jūs esat pārskaitīti biedros-kandidātos."

Šo paziņojumu pirmā vietā kā priekšsēdētāja vietnieks bija parakstījis neviens cits kā Rūdolfs Egle, tas pats, kas priekš apmēram divdesmit gadiem, kad Īridai patiesi vēl nebija aroda stāža, pagodināja viņu ar personisku apmeklējumu un pazemīgu lūgumu — dot viņa rediģētajam žurnālam Latvju grāmata rakstu par Annas Brigaderes jubilejas gadījumā izdoto apjomīgo dzejas grāmatu Paisums. Nu šī paša kunga roka ar tā parakstu nebija kautrējusies noniecināt viņu par bezstāža rakstītāju, kad tai bija jau aiz muguras atklātībā atzīmēti 25 literārās darbības gadi!

Tā kā pēc želīgi atvēlētā „zināmā laika" nekāda Īridas „darbība" nebija konstatējama, tad viņa saņēma otru paziņojumu, nu jau no tā pārdēvētās Preses darbinieku arodbiedrības, izsūtītu 1941. gada 20. februārī, ar sekojošu saturu: „Paziņoju, ka Arodbiedrību Centrālā Padome ar š. g. 12. februāra lēmumu apvienojusi Preses darbinieku un Poligrafiskās rūpniecības strādnieku arodbiedrības vienā — Poligrafiskās rūpniecības un Preses darbinieku arodbiedrībā, kas pārņēma tikai noteiktās darba vietās saistītos biedrus. Pārējie, to starpā arī Jūs, no arodbiedrības biedru sarakstiem svītroti sākot ar š. g. 21. februāri. Sekretārs." — Šim paziņojumam nav ne adresāta vārda — k a m paziņo, nedz personas paraksta, k a s paziņo. — Vai tiešām augstie biedri būtu sakaunējušies personiski apliecināt savu principiālu lēmumu, vērstu pret noteiktu personu?!

Tā nu Īrida bija arī formāli nolikvidēta, kaut faktiski tā pati sevi bija nolikvidējusi kopš okupācijas sākuma. Atklātībā viņai nebija vairs vērtības ne nozīmes savas tautas dzīvē.

Tomēr arī mājas dzīvē ļaunprātīgā vara lauzās iekšā. Zelmeņu sešu istabu dzīvokļa kvadratūra bija par plašu četriem cilvēkiem. Viņu mājas rajona pārzinis — sīks žīdiņš — izrādījās godīgs cilvēks. Viņš brīdināja un ieteica ieņemt laikus pašiem līdziedzīvotājus, jo tādus tiem katrā ziņā pielikšot klāt. Pēc sludinājuma laikrakstā ieradās gribētāji, un Zelmeņi par mata tiesu izglābās no pagodinājuma dzīvot kopā ar kādu acīmredzamu svarīgu latviešu varas vīru. Brīdī, kad Īrida tikko bija izdevusi divas izīrējamās istabas, ieradās stalti nocaudzis kungs, tērpies spoži brūnā ādas virssvārkā, ar jājampātadziņu rokā un tādas pat slaikas smalkas dāmas pavadībā un gluži sašutis negribēja ticēt, ka telpas jau izīrētas. Tikai kad Īrida parādīja nule iemaksai saņemto naudas zīmi, kas tai vēl bija rokā, augstie viesi atkāpās.

Bija pārlaista grūta ziema. Vasara nesolīja nekā labāka. 13. jūnijā Īrida aizbrauca līdz Danim uz Mežaparku, kur viņš bija sameklējis darbu zooloģiskajā dārzā. Pēc tam viņi uz brīdi iegriezās pie Dālēm un pievakarē brauca mājā. Nākdami gar Strēlnieku dārzu, viņi kādas sāņielas galā, lielākā laukumā redzēja sablīvētus neparasti daudz smago automobīļu. Nobrīnījās, kādai vajadzībai tie tur sabraukuši.

Nākamā, sestdienas rītā, Irida bija nodomājusi braukt uz Centrāltirgu iepirkties. Zvana Ints no darba vietas un ieteic nebraukt: pilsētā esot liels satraukums. Kas par satraukumu — viņš nepasaka. Tirgus vietā tad nu viņa ies tepat uz tuvējiem veikaliem Ausekļa ielā kaut ko nopirkt. Viņa iziet — un nākošā šķērsielā redz — pie kāda nama durvīm stāv vaļējs smagais auto, tajā sēž saknupusi sieviete ar mazu nastiņu pie rokas, un mašīnu ielenc četri vīri ar uzvilktiem durkļiem. Iridai saļogās kājas. Viņa nespēj tālāk iet. Viņa griežas atpakaļ. Tad tādēļ tās kravas mašīnas vakar...

Pārnāk Ints. Notikušais noskaidrojies: pagājušā naktī un vēl šorīt uzlasīti un aizvesti nezin' uz kurien, laba tiesa latviešu sabiedrībā redzamāko cilvēku no visām svarīgākajām darba nozarēm. Arī no viņu nama, no dzīvokļiem viņu pašu kāpnēs daži ir aizvesti. Zelmeņi personiski nejūtas apdraudēti: viņi nav bijuši tādos posteņos, kam tiešs sakars ar valsts politiku vai lielākiem saimnieciskiem uzņēmumiem.

Svētdienas pēcpusdienā pie Zelmeņiem atnāk Emīla Dārziņa kundze, lai redzētu — kā viņa saka — vai Irida nav aizvesta. Tas viņus pārsteidz. Bet kad Dārziņa kundze zina minēt aizvestus arī labu skaitu garīga darba strādnieku, to vidū Robertu Kroderu, tad Irida sadrūvējas. Ja būtu aizvests Artūrs Kroders, tas būtu saprotams, jo viņš ir politisks rakstnieks. Bet Roberts — teātŗa mākslas kritiķis — tad jau arī ar Iridu tas var notikt...

Skumjš, skumjš vakars. Viņi visi trīs ir savākuši nepieciešamāko līdzņemamo katrs savā pauniņā un sēž vakara krēslā un gaida... Danis ar asarām acīs saka — mēs visi trīs turēsimies kopā un pārcietīsim... Tobrīd jau neviens vēl nezināja velnišķīgo ģimenes locekļu atraušanas metodi vergu valsts uzbūvei.

Dienas tomēr pagāja, un prāti kaut cik nomierinājās. Tad kā zibens iespēra ziņa par Hitlera uzbrukumu Padomijai. Pilsēta iegrima tumsā. Intam naktis bija jāsarga tautas manta — jādežūrē bankā. Kaut arī bija noteikts, ka gaisa uzbrukumu laikā visiem jāiet uz tuvējām patvertnēm vai māju pagrabos, Īrida ar savējiem to nedarīja, jo neredzēja tur vairāk drošības nekā savā apakšējā stāva dzīvoklī, ja turējās sētas pusē, kur mazāk logu. Danim iekārtoja guļas vietu vannas istabā — bez loga.

Kādas nakts tumsā un klusumā drausmīgi noskan durvju zvans. Danis un vectēvs guļ cieši nomiguši, — tie nedzird. Dzird Īrida, un viņai pamirst kājas, — nu ir tā reize klāt! — Nekad! Nekad es vairs neredzēšu Intu — kā asa šautra izskrien caur smadzenēm bezcerīgākais vārds pasaulē — nekad — kā toreiz — Piebalgas doktorātā... Kāpnēs klaudz smagi soļi. — Viņi kāpj uz augšu — viņi ņems vēl citus — tad viņi nāks atpakaļ... Īrida taustās uz durvīm. Viņa nepazīst vairs sava dzīvokļa. Viņa atsitas vienā sienā — otrā, viņa nevar durvis uztaustīt melnajā tumsā, nedz atrast gaismas slēdzi. Tad viņa dzird soļus atkal lejup klaudzam. — Nu būs. — Soļi aizklaudz garām durvīm kāpnēs uz leju. — Aiziet... Īrida atjēdzas no mēmā pamiruma. Viņa ieslēdz gaismu. Un redz, ka atrodas pavisam citā telpā, ne durvju priekštelpā, — necilvēciskajā satraukumā tā bija zaudējusi orientēšanās spēju.

Danis guļ mierīgi. Bumbas sprāgst tālumā. Izrādās — zvans bijis signāls, ka jāiet uz patvertni. Stulbais sētnieks nav iedomājis iedzīvotājiem iepriekš pateikt, ka uzlidojumus pieteiks ar durvju zvanu. — Šī kļūme lika Īridai pārdzīvot šausmas, ko pārdzīvojuši tūkstoši nelaimīgo īstenībā aizvesto.

23

Ir 1. jūlija pavēls rīts. Zelmeņi brokasto. Pēkšņi —
neticami — pa atvērto logu ieplūst — Dievs, svētī Lat-
viju! — Danis izskrien laukā, — un mirklī — aizelsies —
atpakaļ: „Latvijas karogs izlikts pie pretējā nama!" —
Ak Dievs! Glābti! Latvija brīva!
Viss ir sakustējies. Ļaudis plūst. Uz kurieni? — Uz Brī-
vības piemineklī! — Patlaban Milda Brechmane-Štengele
ar Latvijas karogu noliecas pie verdzības ķēžu rāvēju
kājām. Paziņas apkampjas — prieka skurbulī: Latvija
brīva!

Cauri Rīgai velkas garas piekusušu karavīru rindas.
Kājnieki, zirdzinieki — vācieši. Aizmirsts ir gadsimtu
naids. Aizmirstas Pirmā pasaules kara pārestības. Tie
atbrīvo no vissadiskākā ienaidnieka pasaulē. Un viņu
pēdās plīvo Latvijas brīvības karogs un skan Latvijas
valsts himna!

Atskurbums nāca rūgts. Brīvības nebija. Bija gan lat-
viešu pašpārvalde, bet bez pašnoteikšanās tiesībām,
subordinēta okupācijas varai. Par valsts neatkarības un
sabiedriskās iekārtas atjaunošanu vācu okupanti neru-
nāja. Vienu okupāciju tikai bija nomainījusi otra.

Starpība tomēr bija. Kaut cenzēta, nacionāli kultūrālā
darbība noliegta netika. Liedzēji drīzāk bija lokano mu-
guru latvieši paši. Irida nebija steigusies izbeigt lab-
prātīgi uzņemto garīgo trimdu, jo rietumu okupantu ideo-
loģija tai nebija vairāk pieņemama nekā austrumu. To-

mēr agrākās saistības latviešu kultūras dzīvē sāka piespiest viņu to darīt. Tā, kad tuvojās 1. oktobris, viņai vajadzēja izkārtot piemiņas brīdi kapsētā Annas Brigaderes 80. dzimumdiens atcerei. Šī paša mēneša 13. dienā bija atzīmējama dzejnieka Jāņa Poruka 70. dzimumdiena, un Tēvijas — vienīgā okupantu atļautā, pulkveža E. Kreišmaņa izdotā laikraksta literārās daļas redaktors Kārlis Zariņš pa tālruni lūdza no Īridas rakstu, beigās piebilzdams, ka izdevēji prasot, lai viņa rakstot ar pseudonimu(!) Viņa kļuva mēma aiz brīnuma un sašutuma un, protams, atsacījās rakstīt. Redaktors tomēr tik neatlaidīgi vēlējās rakstu par Poruku tikai no viņas, kā pats teica, ka bija izkaulējis neiedomājamās prasības atsaukšanu. Šai gadījumā kaili atklājās vienas daļas latviešu nicināmā padevība jaunajai okupācijas varai. Šie ļaudis vairījās no spilgtiem nacionālā uzplaukuma laika darbinieku vārdiem — gan nevarēdami iztikt bez viņu darbiem — domādami tā izdabāt jaunajiem kungiem. Kad laika tecējums rādīja, ka centība šai virzienā bijusi pārmērīga un pat lieka, tad beidzot Tēvijas atbildīgais redaktors Pauls Kovaļevskis bija licis ziņot Īridai, ka nu viņa varot rakstīt arī teātra kritiku, kas līdz tam tai nebija piedāvāts. Tās vietā Kārlis Zariņš, gribēdams tomēr viņu laikrakstam piesaistīt, ievietoja īsās skicītes, ko viņa periodiski rakstīja par pašas brīvi izraudzītiem intervētiem aktieriem. Nu viņa teātra kritiku Tēvijā vairs neuzņēmās, jo šai postenī bija jau aicināta jaunajā Kultūras un Sabiedrisko lietu departamenta izdotajā žurnālā Latvju Mēnešraksts.

Latviešu nacionālās pozicijas, vismaz gara dzīvē, pakāpeniski nostiprinājās. Abi lielie galvaspilsētas teātri darbojās ārēji netraucēti. Nacionālajā teātrī mainījās direktori, — Jūliju Rozi nomainīja Jānis Zariņš. Dailes teātrī, pēc iekšējas krizes, mākslinieciskajā vadībā atkal nostiprinājās Ed. Smiļģis. Kā viens, tā otrs teātris deva dažas izcilas izrādes. Kultūras un sabiedrisko lietu departamenta direktoram Žanim Unāmam bija izdevies dabūt no vācu pārvaldes lielāku summu godalgām skatuves mākslas un literātūras augstāko sasniegumu godalgošanai. Mākslas jautājumos Ž. Unāms konsultējās ar Īridu Rasu Zelmeni. Viņa piedalījās godalgošanas komisijās, un viņas spriedumam dažkārt bija izšķirēja nozīme. Nebūdama oficiāli saistīta ar departamentu, viņa piederēja tajā ar savu darbu. Viņas darbu pieprasīja tādā mērā, ka tā atkal bez atlikuma tika ierauta savas tautas kultūras aprūpē. Stāvokli raksturo šāds sīks fakts: Slimības dēļ Irida nebija varējusi ierasties noliktajā literārās godalgošanas komisijas sēdē. Viņai piesūta izlasīšanai lielu kaudzi grāmatu mājā. Tas viņu drusku sanikno, un tiekoties viņa saka departamenta direktoram: „Jūs mani laikam arī no kapa vēl celsit augšā!" Viņš: „Ja vien tas būtu iespējams, kundze, katrā ziņā!" —

Kultūras un sabiedrisko lietu departaments it labi sadzīvoja ar okupantu kultūras lietu pārraudzītājiem Latvijā. To apliecināja divas lielas „pieņemšanas" Rīgas biržas zālē. Vienu rīkoja okupantu vara latviešu kultūras darbiniekiem, otru — departaments — šai varai. Spilgtākais moments vienā: pasarkanā Lilita Bērziņa — augstā vācu varas vīra Jekelna galda dāma! Otrā — skaidrā latviešu valodā runājošs vācu „fazāns"! Ar to viņš izbrīnināja grupiņu teātrinieku, ar kuriem kopā Irida sēdēja. Viņa iejautājās — kā tas iespējams, ka Vācijas valsts karavīrs runā tik labu latviešu valodu? Un viņš pastāstīja, ka ir dzimis un audzis Latvijā, Ikšķiles mācītājmuižā, jo ir Ikšķiles draudzes mācītāja Marnica dēls, un ka no bērnu dienām runājis latviski. Tas tūliņ iesaistīja valodas. Arī par latviešu tautas pašreizējo politisko stāvokli. Marnics simpatizēja latviešu nacionālajiem centieniem, neatzina Rozenberga austrumu politiku un izteica pārliecību, ka arī Hitlers to neatzīstot. Viņam tikai neesot laika tagad par citu ko domāt kā tikai par kara lietām. Pēc kara viss nokārtošoties. Viņi, t. i. vācu virsnieki, ticot Hitleram. Ka viņš izvedīšot savu misiju līdz galam. — Iridai šķita Marnics simpatisks inteliģents cilvēks, bet — kā varēja ticēt viņa „ticībai"?

Pēc vairāk nekā divdesmit gadiem Dr. Harijs Marnics, Ikšķiles mācītāja dēls, sarakstīja grāmatu Mūsu baltā Daugava. Īpatnēju, skaistu grāmatu. Tā runā ar mīlestību par dzimto zemi Latviju, ar draudzīgumu par latviešu cilvēkiem. Un ticību Hitlera misijai tā vairs neapliecina...

Pa tam notikumi austrumu frontē kļuva ik dienas traģiskāki. „Frontes saīsināšana" iesniedzās jau Latvijas robežās. Vienā no 1944. gada vēlajām jūlija dienām Irida aizbrauca uz Bieriņiem Pārdaugavā, lai kādu radinieku dārzā salasītu avenes ievārījumam. Tur darbodamās, viņa ieklausās — arvien biežāk un tuvāk dzirdami bumbu sprādzieni dienvidu pusē. Kļūst baigi, — jābeidz un jā- steidzas mājā. Patālo ceļa gabalu līdz tramvaja gala piestātnei Torņakalnā nogājusi, viņa iekļūst vagonā sa- trauktos ļaudīs — notiekot krievu uzlidojums Jelgavai. Tātad tik tuvu jau!

Visus pēdējos gadus, kā austrumu, tā rietumu okupā- cijā, Zelmeņi bija dzīvojuši grūtu dzīvi. Vienīgais sta- bilais papildinājums skopajām pārtikas kartītēm bija ārsta parakstītās papildus devas — piens un krējums — slimajai Iridai, vēlāk arī Danim, kad viņa jaunajam au- gošajam organismam sāka pietrūkt nepieciešamo uz- būves vielu. Neregulāri, laiku pa laikam varēja ko iegūt par vāciešu izsniegtajām cigaretēm un „dzidro," jo Zel- meņu ģimenē neviens ne smēķēja, ne dzēra. Tomēr tas nebija viegli izdarāms, ja trūka sakaru un praktiskas izveicības maiņtirdzniecībā. Stāvēšana rindās, lai dabūtu reizēm ko atsevišķi izsludinātu, bija parasta lieta un ne reti nobeidzās ar neko, kad pieveduma nepietika visiem gaidītājiem. — Reiz stāvēdama tā rindā mazā veikaliņā tuvējā Vidus ielā, Irida satika tur aktieri Jāni Šābertu, kas šai ielā dzīvoja. Sarunājoties Šāberts, kā jau izdarīgs cilvēks, izjautājis Iridu par iztikšanu un dzirdējis par tās grūtībām, spontāni piedāvāja palīdzību: viņam ir sakari ar laucinjekiem Vidzemē, kur viņa kundzei ir lielas lauku mājas: viņš braukā uz turieni un varētu arī pret Zelmeņu „mantu" iemainīt ko labāku. Un patiesi, ar viņa gādību Zelmeņi šad tad ieguva pa kādam gardumam, ko sen nebija baudījuši. Šāberta labsirdīgo izpalīdzību tais sma- gajās dienās Irida arvienu piemin ar pateicību.

Inta Zelmeņa darba vieta ar vāciešu ienākšanu dabūja atkal jaunus saimniekus. Viens no Hitlera tautsaimnie- ciskajiem pasākumiem Vācijā bija Bank der deutschen Arbeit nodibināšana ar nodaļām visās lielākās Vācijas pilsētās. Tādu nodaļu okupanti tad nu iekārtoja arī Rīgā bijušajā Latviešu akciju bankā. Pēc Jelgavas sagraušanas jūlija uzlidojumā visi prāti Rīgā kļuva nemierīgi: vai arī galvas pilsētai nedraudēja tas pats? Un kad radās legāla iespēja pa jūŗas ceļu izmukt uz Vāciju, daudzi to it drīz darīja. Bank der deutschen Arbeit direkcija izsniedza ierēdņiem tā saukto Marschbefehl, kas bija reizē izceļošanas atļauja un eventuāls norīkojums darbā kādā no bankas nodaļām Vācijā. To varēja brīvi izlietot vai neizlietot — piespiest braukt nevienu nepiespieda.

Zelmeņi grūti cīnījās ar sevi — kā lai atstāj Latviju?! Bet arī — kā lai paliek? — Danis bija iesaukšanas gados. Vācu vara viņu bija atbrīvojusi kā no darba dienesta tā no piespiedu mobilizācijas — sirds aritmijas dēļ, ko varēja pierādīt ar pēdējos gados gadskārtējām elektrokardiogrammu pārbaudēm. Bet nebija domājams, ka arī krievi tās respektētu, un Danim tad sarkanajā frontē būtu jācīnās pret saviem klases biedriem rietumu pusē! Un jākrīt par sarkano Latviju! Drausmīgi iedomāties! Nemaz nerunājot par gara verdzību, kam paliekot būtu jāpadodas.

Danis tai pavasarī bija absolvējis vidusskolu un gribēja rudenī sākt studijas universitātē. Vasaras brīvlaikam viņš dabūja darbu Kultūras un sabiedrisko lietu departamentā. Sākoties lielajai bēgļu kustībai uz Kurzemi, viņu pārskaitīja Evakuācijas štābā. Vācu frontei Latvijā brūkot, ar Hitlera pavēli slēdza visas kultūras iestādes — teātŗus, operu, arī universitāti. Sākās evakuēšanās.

Kultūras un sabiedrisko lietu departaments strādāja vēl līdz beidzamam brīdim. Tas gan bija zaudējis savu direktoru, kas šai kritiskajā laikā savas personas drošību bija novērtējis augstāk par atbildības pienākumu pret viņam uzticētā departamenta personālu, pats aizbēgdams un atstādams to likteņa varā. Ar slavējamu pienākuma apziņu tad departamenta mākslas daļas vadītājs G. Brēmanis uzņēmās rūpi par iestādes evakuēšanu.

Zelmeņiem nu bija jāizšķiŗas — braukt vai palikt. Danis tika atkal pieskaitīts departamentam un tā uzņemts evakuējamo skaitā kopā ar piederīgajiem. Zelmenis saņēma Marschbefehl uz noteiktu darba vietu Dancigā — Langfūrā. Aizbraukt bija iespējams evakuējoties uz Liepāju un no turienes uz Vāciju. Ko citu viņi varēja darīt — apzinoties, ka pie komūnistiem Intam ar Irīdu būs jāpazūd — vienam kā „kolaborantam" ar vāciešiem, otrai kā pretkomūnistiskai nacionālistei — un ka Danis ar savu aritmisko sirdi nespēs pārciest ierindu sarkanarmijā! — Vai nebija vēl kāda cerība? Vai nebija vēl kāda iespēja Rīgu noturēt? Latviju aizstāvēt? — Irida jautāja vienā vietā, otrā. Jauns redaktors viņai bija teicis — dzīvi mēs no Latvijas neatkāpsimies, bet viens no pirmajiem jau devās pāri jūŗām drošībā. Piedzīvojis augstāks virsnieks viņai bija teicis — Vācija ir stipra, tā vēl var kaŗot, bet savu ģimeni viņš bija jau nogādājis Vācijā drošībā. Tad Irida saņēmās un pieteicās audiencē pie Evakuācijas štāba priekšnieka un lūdza patiesu atbildi par kaŗa vadības nodomiem Latvijā. Un J. Niedra to deva — viņai „kā sabiedriskai darbiniecei uzticot to, ko tautai vēl slēpa," — ka Rīgu neaizstāvēs un nākamā frontes linija būs aiz Ventas. „Ja jums ir iespēja braukt, tad brauciet!" — „Departaments evakuējas uz Liepāju, varbūt palikt Kurzemē, nogaidīt?" — „Ja vien jums ir iespējams, tad brauciet tūliņ tālāk!" — Šī atbilde atņēma katru cerību. Bija jābrauc!

Palika vēl jautājums par Iridas deviņdesmit divi gadi veco tēvu. Savos gados viņš gan bija vēl it spirgts, arī garīgi možs, bet ka viņš varētu pārciest paredzamās ceļa grūtības un dzīvi svešumā, tas gan nebija iedomājams. Arī psīchiski viņš nesaprastu tādu nepieciešamību, jo Zelmeņi cik iespējams slēpa no viņa lielākos komūnistu šausmu darbus kā viņa psīchei pilnīgi neaptveŗamus. Tāpēc arī tagad nolēma teikt viņam tikai daļu patiesības, ka darba vieta uzlidojumu dēļ evakuējas uz Liepāju, bet noslēpa pagaidām Latvijas atstāšanu. Vectēvu atstāja dzīvoklī, un aizgādību par viņu uzņēmās Intas jaunākais brālis ar svainieni, kas palika Latvijā, jo nebija atklātībā redzami cilvēki, kam draudētu tieša vajāšana.

O

Departamentam atļāva evakuēties, bet nebija zināms, vai vispār un ja — tad cik daudz bagažas vilcienā varēs iekraut. Tāpēc grūti nācās izšķirties, ko ņemt, ko pamest. Bija jāizšķiŗas par kailās dzīvības saglabāšanu — siltām drēbēm, segām un kaut niecīgiem pārtikas aiztaupījumiem. Viss mīļais un sirdij dārgais bija jāatstāj: grāmatu krātuve, jubileju dāvanas — sudrabs, kristals, porcelāns, kāda glezna, Treselta flīģelis un — palma!

Jā — palmas bija Zelmeņu laulības dzīves līdzgaitnieces! Kāzu dāvanai Inta „audžu māte" — Kasparsona kundze atsūtīja viņiem divas labi paaugušās palmas no tām, kas krāšņoja viņas pašas viesistabu: vienu fēniksa, otru vēdekļu palmu. Fēniksa — vārīgākā — pa viņu prombūtnes laiku Petrogrādā kārtīgi nekopta iznīka, bet vēdekļu palma auga augdama un izauga tik liela un kupla, ka aizņēma pusi istabas un taisījās ieaugt griestos, — galotne jau liecās atpakaļ. Nu tai vajadzēja citu, augstāku griestu mājvietu, — kur tādu atrast? Kam to atdāvināt? — Rakstu un mākslas kameras priekšsēdis Jūlijs Druva dzīvoja Rīgas patriciešu celtā namā ar augstu griestu istabām, — Īridai likās, ka tur būtu īstā vieta viņas palmai. Bet Druvas kundze baidījās to pieņemt, jo nemācēšot apkopt kā nākas, un arī saules neesot pietiekami daudz dzīvoklī. Tad Druvam pašam radās padoms: viņš nopirks palmu kamerai, — tur tai būs saules un platības diezgan! — Un Īridas palma greznoja kameras sēžu zāles priekštelpu, dienvidus saulē gozēdamās, līdz — — — sarkanā vara to pievāca, — Dievs vien zina, uz kurieni!... Kāds stāstīja Īridai, ka redzējis gar Daugavas malu vedam lielu palmu, kas izskatījusies kā viņas palma kamerā. —

Daņa kristībās viņa krustmāte Kasparsona kundze iedāvināja mazu vēdekļa palmiņu no savēja vidus. Tā arī auga augdama un izaugusi savukārt taisījās ieaugt griestos, aizstādama pirmējo. Kad nu Īrida ar sāpīgu sirdi atvadījās no sava audzējuma, viņas vecais tēvs teica — nebēdājies, meitiņ, es tavu palmīti izkopšu. — Cik ilgi? — Svešumā ziņa pienāca Īridai, ka kopējs aizgājis aizmūžā tā paša gada decembrī. — Kas tad notika ar viņas lolojumu svešu ļaužu ieņemtajā dzīvoklī?! —

Ints rūpīgi šķiro un novieto saiņos nepieciešamākās praktiskās lietas. Īrida ir salasījusi vienuviet fotogrāfijas — albūmos un atsevišķos uzņēmumos, — tur ir uzskatāmi fiksēta viņu dzīve: viņi paši savas kopīgās dzīves sākumā, Daņa uzaugšana gadu pa gadam, ik dzimumdienā redzama, Īridas māte, tēvs, grupas uzņēmums Hellerauā, Daņa paša izdarītie ģimenes uzņēmumi... viss, viss saistīts ar sirdij dārgām atmiņām. Īrida liek šos dārgumus kastē, bet Ints izņem ārā, — nebūs diezgan vietas nepieciešamajam. Viņa izmēģinās vēl un vēl, — Ints atkal izņēma ārā: „Mēs pēc pus gada būsim atpakaļ." Īrida padodas. Viņa ataicina Misiņa bibliotēkas sētnieku (pārzinis Kārlis Egle nav atrodams) un uzdod viņam aizvest uz bibliotēku uzglabāšanai labu skaitu J. Kadiļa izdoto grāmatu — Trīs pasaku lugas, dārgās fotogrāfijas, dārgo vēstuļu saraksti ar Intu Hellerauas un Zīlbekas vasarās, ar Jāņa Akurātera roku viņai rakstīto dzejoli, Virzas un vēl citas kultūrvēsturiski nozīmīgas vēstules, — visu nodošanai pārzinim uzglabāšanai — līdz Zelmeņi atgriezīsies...

Nekad Īrida nav varējusi piedot Intam, nekad nav varējusi piedot sev — lētticīgo paļaušanos uz atgriešanos pēc pusgada... Tā nolaupīja viņai pagājušās vērtīgās dzīves redzamās zīmes, kas vairs nav atgūstamas. Ziņas ir, ka viņas „archīvu" pārņēmusi Misiņa bibliotēka, bet no vērtīgajiem uzņēmumiem tur atrodamas vairs tik nedaudzas atliekas. Dievs vien zina, kam un kur tās ir izvazātas.

Ir pienācis pēdējais vakars — nakts. Pārgurumā un bēdās. Nākošais rīts — diena. Divdesmit ceturtais septembris. Pievakarē Zelmeņi atstāj māju — visu, kas bijis... Ar rokas ratiņiem aizved mazo mantību uz tālo vietu, kur stāv bēgļu vilcieni. Viņi drīkst aizņemt tikai mazu daļu vagona nodalījumā. Pašiem neērti jāiespiežas starp mantām. Visi vagoni pildās. Neviens nezina, kad vilciens aties. Iestājas tumsa — nakts. Nākošā diena — un vēl viena nakts. Un vēl viena. Ir auksts rīts. Jāmazgājas laukā pie pumpja. Salst. Šīs dienas — 27. septembra pievakarē vilciens izkustas. Brauc. Locekļi kā salauzti. Nav pietiekami vietas, kur guļot izstiepties. Brauc tumsā. Kaut kur netālu ir fronte. Dzird šāvienus, redz ugunis blāzmojam. Uzlidojums. Pavēle atstāt vagonus, slēpties aiz un zem tiem. Joprojām brauc. Un nākošā dienā vilciens iebrauc Liepājā.

24

Liepājā evakuācijas vadītājs G. Brēmanis bija izgādājis departamentam uzturēšanos teātrī, gaidot uz norīkošanu kuģos. Tā kā teātris nedarbojās, telpu netrūka. Zināms gan, bez kādām dzīvošanas ērtībām, — jāguļ uz grīdas. Izklāja segas un gulēja. Siltuma nebija. Pa durvju apakšu vilka vēsums. Īrida neizturēja, — paaugstināta temperatūra. Pārcēla guļvietu no grīdas uz galdu. Tur viņa gulēja karstumos dienas un naktis. Kādu dienu ienāca aktieris Nikolajs Mūrnieks ar kundzi — aktieri Irmgardi Mitrēvicu. Īrida bija ar tiem mazliet satuvinājusies kādreizējā šī teātra apmeklējumā, viesmīlīgi ieaicināta pusdienot viņu mājā. Tagad tie piedāvāja Zelmeņiem pāriet uz viņu dzīvokli, jo paši uzturoties uz laukiem. Zelmeņi pieņēma laipno piedāvājumu, un tā atlikušās dienas pavadīja cilvēciskos apstākļos.

Liepājā darbojās kāda latviešu evakuācijas komisija, kas sadarbībā ar vāciešiem kārtoja bēgļu izvietošanu kuģos. Drīz Zelmeņiem pienāca paziņojums, ka tie ieskaitīti nākošajā braucienā.

Bija pats pēdējais laiks, jo sākās jau uzlidojumi Liepājai. Zelmeņi sagādāja pajūgu braucienam uz ostu, kur bija jāierodas pievakarē uzņemšanai kuģī. Viņi patlaban krāva mantas pajūgā, kad atskanēja sirēnas kauciens. Sekoja vēl nepieredzēti spēcīgs uzlidojums. Bija jāpamet pajūgs pavārtē un jāglābjas nama patvertnē. Uzlidojums ieilga. No detonācijas šķindēdami plīsa logu stikli augšējos stāvos. Patvertnē šur tur sametušies kvērnēja bailēs sagumuši cilvēki. — Beidzot atsaukums. Zelmeņi izbrauc no pavārtes, — iela noklāta stiklu šķembām. Zirgs izvairīgi soļo pa tām. Tumsā blāzmojas ugunsgrēki pa pilsētas pamalēm. Krastmala pilna mantu kaudžu un cilvēku. Viss tumšs, arī kuģa siluets nedzīvs melno tumsā.

Ir atsaukta uzņemšana kuģī šovakar. Ir jāgaida krastmalā līdz rītam.

Ir oktobra nakts. Salst. Ļaudis kustas, — dauza kājas, slaista rokas, lai sasildītos. Īrida nespēj staigāt. Ints un Danis ieņem viņu vidū un silda ar savu siltumu. Neizturami! Te kāds nāk no kuģa. Nokāpj pa pieslietajām kāpnēm lejā taisni pretim Zelmeņu vietai. Un viņi pazīstas: tas ir žurnālists Voldemārs Strautmanis, izbraukšanas izkārtotājs latviešu pusē. Viņš aprunājas ar Zelmeņiem. Dzirdējis, ka Īrida te salst ar neizgulētas gripas paaugstinātu temperātūru, viņš atgriežas kuģī. Pēc brīža viņš nāk ar ziņu, ka slimniecei atļauts uzkāpt kuģī. Tikai viņai vienai, Intam ar Dani jāpaliek visu salto nakti turpat krastmalā. Viņa kāpj. Viņai rokā ir grozs ar tai jūlija dienā salasīto aveņu ievārījuma stiklenēm. To viņa visu laiku ir glābusi, lai tukšajā Vācijā būtu ko panaškoties. Grozs ir smags. Ar vienu roku jāturas pie kāpņu margām, otra nupat nupat vairs nespēs grozu noturēt — pirksti draud jau raisīties vaļā un ļaut dārgajam grozaṁ nokrist jūras dzelmē!

Augšā, kāpņu galā, pie kuģa margām atspiedies stāv vācu sargkareivis un noskatās kāpējā. Vai viņš redz, cik tai grūti? Viņš steigšus nokāpj tai pretim un izņem grozu tai no rokas brīdī, kad tas taisās jau izslīdēt no pirkstiem. Augšā Īridu sagaida kuģa māsa un noved telpā, kur tā var palikt un atpūsties. Viņa nu ir siltumā, bet rūpes ir par abiem palicējiem. Kas zina, kad kuģis atvērsies tiem un visiem citiem salstošajiem rīta gaidītājiem!

Rīts beidzot ataust, 10. oktobrī pelēks, nomācies, auksts rīts. Drudžaina darbība krastmalā. Mantu kalni un cilvēki nogrimst netīra preču kuģa trīs stāvos. Zelmeņi pašā dziļā dibenā. Kā izsmiekls visapkārt rēgojas glābšanas jostu grēdas. Apjozies vai neapjozies, — kas gan spētu izkļūt nenosmacis no šī žurku midzeņa avārijas gadījumā!

Diena vilkās gausa. Tikai pievakarē kuģa ļaudis sāka rosīties aizbraukšanai. Sadrūmuši, klusi, dzimtenes atstājēji lasījās uz klāja. Vēl reiz skatīt Latviju. Kuģa ķermenim sadreboties, tauvām atlaižoties no krasta, ieskanējās sāpīgi cildena un skumja aizbraucēju lūgšana Visuvarenajam — Dievs, svētī Latviju!

Krasts attālinājās. Debess pamalē vēl redzēja no pelēkā padebešu sloga izlauzušos sārtu saules apli. Latvijas sauli... Tad pelēka krēsla sabiezēja visapkārt — pelēki debeši, pelēks ūdens. Un — spalgs trauksmes signāls. Virs Liepājas iedegās „eglītes" — atkal uzlidojums. Asa komanda — atstāt klāju, izdzēst ugunis. Tumsa.

Īrida stāv absolūtā tumsā. Viņai šķiet — tā nogrimst tumsā. Dzīve, darbs, nozīme, vērtība, — viss aizgrimst aiz likteņa tumsas loka.

Nepasakāma sāpe smeldz viņas sirdī. Te viņa stāv ar saviem vismīļajiem. Kas nebija pārdzīvots — izpriecāts un iciests ilgajos kopības gados? Ints! Cik viņai nebija bijis jāatceras vecā mācītāja Bernevica — dzīves pazinēja vārdi, ka tikai kopā dzīvojot pilnīgi atklāšoties katra viņu daba, un tad varot būt, ka tas prasīšot pacietību un panesību vienam pret otru. Toreiz viņa laimīga sevī bija nodomājusi — uz mums gan tas nav attiecināms — tik dziļi mēs šais piecos gados esam iepazinuši viens otru. — Tagad viņa zināja, ka ne piecos gados, ne veselā mūžā ne vistuvākie cilvēki nevar iepazīt viens otru, ne katrs pats sevi līdz galam un ka pacietības un panesības mērs vienam pret otru nekad nevar būt par lielu. Katrs pēc savas dabas un dzimuma viņi ir bijuši laimīgi un nelaimīgi, bet nekad tie nav gribējuši aiziet viens no otra. Un Danis! Viņu nākotnes iecerējums! Viņš auga brīvā Latvijā, brīvs Latvijas pilsonis. Bet viņa gaišajam, brīvajam garam uzgūla smags vilšanās un neizpratnes mākonis, kad svešas ideoloģijas un varmācīgas varas ielauzās latviešu jaunatnes ideālistiskajā pasaules skatījumā. Pāragrs skepticisms draudēja apēnot viņa harmonisko dzīves izjūtu. Un nu, kad viņam laiks bija pienācis uzsākt patstāvīgu, viņa gara intereses rosinātāju un veicinātāju dzīvi, — viņš nu te stāvēja aklā tumsā — no savas dzimtenes izdzīts un aplaupīts bēglis. No dzimtenes, ko viņš arī bija gribējis aizstāvēt līdz pēdējam, pievienojoties tiem, kas bija solījušies dzīvi no Latvijas neatkāpties, bet kuru nu te vairs nebija.

Smeldze sāp. Mainīgā un mānīgā dzīve ir ar vienu roku devusi, ar otru ņēmusi. Kas beigās paliks pārsvarā?

PĒCVĀRDI

Kādēļ es rakstu šīs grāmatas?

Istenībā tikai vienu — Es atgriežos pie sevis. Ka tā ir sadalījusies vairāk grāmatās, tas ir tādēļ vien, ka uzsākot rakstīšanu tik vēlos mūža gados, drošība pagūt nostaigāt „atgriešanos līdz galam" — šķita nereāla. Tādēļ apzīmēts ikreizējais tuvākais mērķis — līdz nākošām krustcelēm.

Šais grāmatās es nerakstu romānus literāra žanra nozīmē. Es arī nerakstu ne kultūras, ne literātūras vēsturi. Es rakstu savas personības vēsturi. Kādēļ?

Kad manus piecdesmit darba gadus atklātības spriedums bija jau apzīmogojis ar sirdsapzinīgas teātra rakstnieces resp. kritiķes vārdu, es rakstīju grāmatu Cilvēks domā — Dievs dara. Tajā es norobežojos no visa cita savā dzīvē, dodama ieskatu vienīgi savā pieejā teātra mākslas principiālai vērtēšanai. Pēc tam es teicu sev — diezgan!

Diezgan iets pa citu pēdām! Apstājies beidzot, ceļa galā, pati pie sevis savā veselumā! Atklāj pati savu izaugšanu un tapšanu par to, kas tu esi! Atklātības piešķirtais cildinājums tavam darbam dod tev morālu tiesību to darīt.

Bet man, pēc savas dabas, nebija viegli to darīt. Lai spētu būt patiesa līdz galam, esmu subjektu pārvērtusi objektā, atdalījusi sevi no sevis un, tā distancējoties, aprakstījusi un analizējusi sevi kā trešo personu, ārpus sevis, ar veselu mūžu attālinātu no sevis.

Dzīve ir savedusi mani kopā ar latviešu tautā nozīmīgām kultūrvēsturiskām personām un faktiem, un no tā manas grāmatas tomēr iegūst arī plašāku pārpersonisku nozīmību.

Šais grāmatās nav neviena izdomāta fakta, un citāti ir autentiski, kā tie aizķērušies atmiņā, daudzkārt sava svarīguma dēļ man personiski. Pirmās divi grāmatas —

315

Es atgriežos pie sevis un Es apliecinu Tevi — atklāj apstākļus, kas ietekmēja mana rakstura veidošanos un gara interešu ievirzi. Tā ir meklēšanās pēc sava es un savas dzīves attaisnojuma. Manu jauno dienu dziļajos pārdzīvojumos aizmetās iedīgļi manam darba mūžam, kura pirmais posms — Latvijā — atklājas šai trešajā grāmatā, savās konsekvencēs dažkārt pārsniegdams šo laika robežu.

Ja atklātības spriedums ir varējis piešķirt manam darbam personīgu izcilību, tad manuprāt tikai tādēļ, ka tas ir nešķirami saaudies ar manu dzīvi, organiski izaugdams no tās. Savās domās es dodu šai grāmatai nosaukumu — Es dzīvoju —, tādā nozīmē, kā tautas dziesma darīšanu identificē ar dzīvošanu: „Paldies saku Dieviņam, tas darbiņš nodzīvots."

Gadu gaitā atklātība manu vārdu ir tik cieši saistījusi ar teātri vien, ka tās spriedumā esmu kļuvusi it kā par teātra abstrakciju. Manas grāmatas rāda, ka esmu dzīvs cilvēks, kam dzīve neko nav aiztaupījusi. Ka dziļi skārēji pārdzīvojumi un daudzpusīgs — ne teātra pasaulē vien norobežots — darbs ir bijusi mana daļa. Lai „atgriešanās pie sevis" sasniegtu šodienu, būtu vajadzīgas vēl divas grāmatas.

Būtu...

PASKAIDROJUMI

1) Nikolaja iela — Latvijas valstī Valdemāra iela.

2) Pilsētas krievu teātris — Latvijas valstī Latvijas Nacionālais teātris.

3) Sk.: Dace Akmentiņa. Monogrāfija 1929. Izdevis A. Gulbis, Rīgā. Grāmata atrodas Ņujorkas pilsētas bibliotēkā.

4) Buļļi — Latvijas valstī Lielupe.

5) Tas lasāms nodaļā par Annu Brigaderi.

6) Sk.: Cilvēks domā — Dievs dara, Astra, 1963., 57.—58. lapp. Grāmata atrodas Ņujorkas pilsētas bibliotēkā un Kongresa bibliotēkā Vašingtonā.

7) Jāņa Poruka fantazija Pērļu zvejnieks. Krājumā Atziņu ceļi, 1936. Grāmatu apgādniecība A. Gulbis, Rīgā. 129.—158. lapp. Atrodas Ņujorkas pilsētas bibliotēkā.

8) Turpat, 159.—167. lapp.

9) Turpat, abi raksti, 297.—310. lapp.

10) Autore nav pilnīgi droša, vai brāļu Birznieku kristāmie vārdi ir pareizi saglabājušies tās atmiņā.

11) Krājumā Atziņu ceļi, 227.—265. lapp.

12) Krājumā Atziņu ceļi, 168.—207. lapp.

13) J. A. Duburs. Turpat, 48.—59. lapp.

14) Sk. grāmatu Es apliecinu Tevi, Grāmatu Draugs, 1968., 136.—137. lapp.

15) Ludmila Špīlberga, grāmatā Siluetes, Rīgā, 1938. Valtera un Rapas a./s. apgāds. 80.—89. lapp.

16) Sk. grāmatu Es atgriežos pie sevis, 1966., Grāmatu Draugs, 166. lapp.

17) Lilija Štengele, grāmatā Siluetes, 75.—79. lapp.

[18]) Sk. Es apliecinu Tevi, 86. lapp.

[19]) Sk. Dailes teātra aktieŗu audze, krājumā Atziņu ceļi, 99.—118. lapp. Pirmiespiedums almanachā Dailes teātŗa 10 gadi, 1930.

[20]) Sk. Es apliecinu Tevi, 38.—39. lapp., 41.—43. lapp.

[21]) Biruta Skujeniece. Atziņu ceļi 82.—87. lapp.

[22]) Eduards Smiļģis. Siluetes, 100.—107. lapp.

[23]) Berta Rūmniece. Atziņu ceļi, 26.—34. lapp.

[24]) Brigaderu Maija, turpat. 35.—43. lapp. Pirmiespiedums Izglītības Ministrijas Mēnešrakstā, 1933. g. 2. nummurā.

[25]) Jānis Brigaders, turpat, 44.—47. lapp.

[26]) Grāmatā Atziņu ceļi, 88.—98. lapp.

[27]) Visi šie raksti grāmatā Atziņu ceļi.

[28]) Skat. Es apliecinu Tevi, 18.—20. lapp.

[29]) Sākot ar „pati brīvprātīgi" līdz „un klusēja" ņemts no grāmatas Cilvēks domā — Dievs dara, 63.—64. lapp. Arī nobeigumā daži teikumi no 75. lapp.